숨마쿰라우데
[반복 수학 문제집]

2-상

반복 학습이 진정한 실력을 키운다!

수학을 어떻게 하면 잘 할 수 있을까요?

『반복 학습이 기적을 만든다』라는 책의 저자는

“공부를 잘하는 학생은 '반복'에 강한 학생이다.

그들은 자기가 얼마만큼 '반복'하면

그 지식을 자기 것으로 만들 수 있는지 잘 알고 있다.”

고 말하면서 반복하는 습관을 가지는 것이

실력을 높이는 방법이라고 설명하였습니다.

숨마쿰라우데 스타트업은 반복 학습의 중요성을 담아

한 개념 한 개념 체계적으로 구성한 교재입니다.

한 개념 한 개념 매일매일 꾸준히 공부하고

부족한 개념은 반복하여 풀어 봄으로써

진정한 실력을 쌓을 수 있기를 바랍니다.

집필진과 검토진 쌤들의 추천 코멘트!!

반복 수학교재 스타트업 이래서 추천합니다

김승훈쌤(세종과학고)

기초를 다지는 것은 실력 향상을 위해서 중요합니다. 단계형 교육과정인 수학에서는 더욱 그렇습니다. 스타트업은 기초문제를 유형별로 나누고 문제를 해결하기 위한 방법과 노하우를 풍부하게 제공하여 혼자서도 충분히 학습할 수 있는 책입니다. 여러분의 수학실력 향상을 위한 첫 계단이 될 수 있는 책입니다.

김광용쌤(용산고)

수학은 복잡하고 어렵다는 편견은 잠시 내려놓고 천천히 할 수 있는 것부터 해볼까요? 꾸준히 운동하면 근육이 생기는 것처럼 수학에서도 반복적인 문제풀이는 수학적 능력을 기르는 좋은 방법이 될 수 있습니다. 스타트업이 여러분에게 수학하는 즐거움을 알게 해주는 그 시작이 되었으면 합니다.

김용환쌤(세종과학고)

아무리 개념을 잘 알아도 반복적으로 익혀놓지 않으면 실제 시험에서 당황하기 쉽습니다. 수학을 잘 한다는 것은 내용을 잘 알고 있는 것인데 그 내용을 잘 알기까지 많은 반복 연습이 따르는 것입니다. 자기 것으로 만드는 반복 연습에 스타트업이 많은 도움을 줄 것입니다.

이서진쌤(메가스터디 강사)

유형별로 반복적인 문제풀이를 해나감으로써 개념을 익히기 안성맞춤입니다. 특히 개념을 익히기에 쉬운 문제들로 구성되어 있어 수학을 시작하는 학생들에게 부담감이 없을 것 같습니다. 또한 유형을 공부하고 난 다음 리뷰테스트로 한 번 더 복습할 수 있게 되어 있어 좋습니다. 고등 수학! 스타트업으로 시작해 보세요!

왕성욱쌤(중계동)

시험에 자주 출제되는 유형별로 개념 설명이 잘 되어 있고 같은 페이지에 바로 적용해서 풀 수 있는 확인문제들이 있어서 개념을 확실하게 다지기에 좋은 교재입니다. 수학을 두려워하는 학생들도 차근차근 풀어나가다 보면 자신감을 갖고 기본기를 잘 쌓을 수 있는 교재입니다.

주예지쌤(메가스터디 강사)

스타트업은 반복학습하여 익힐 수 있도록 문제들이 잘 구성되어 있습니다. 꼭 알아야 하는 기본 개념과 개념을 이해하고 문제에 적용하는 팁이 알차게 들어 있는 교재입니다. 쉬운 문제로 구성되어 있어 매일매일 부담없이 공부할 수 있는 교재입니다.

정연화쌤(중계동)

문제만 많이 구성되어 있는 느낌의 교재들은 책을 펼치기도 전에 빡빡한 디자인에 지치기 쉬운데요. 스타트업은 한 페이지에 한 개념씩 구성되어 있어 가볍게 시작할 수 있습니다. 개념이해를 돕는 유형별 기초문제! 풍부한 문제해결의 노하우와 팁! 알기 쉽고 자세한 풀이! 최근 수학의 기조인 개념이해와 기초실력 향상을 반영한 책입니다.

김미경쌤(인천)

집에서 혼자 공부할 수 있는 교재이고 학원 수업용, 숙제용으로 안성맞춤인 교재입니다. 쉬운 문제들이지만 학교 시험에 꼭 나오는 문제들로 구성되어 있어 좋습니다. 특히 단순 계산만 하는 것이 아니라 학교시험맛보기 코너를 통해 시험 문제 유형을 확인할 수 있어 좋았습니다. 주위 학생들에게 꼭 추천하고 싶은 교재입니다.

1 숨마쿰라우데 **스타트업**의 **개념 설명**은?

❶ 소단원별로 중요 개념을 한 눈에 볼 수 있게 구성했습니다.

❷ 한 개념 한 개념씩 다시 풀어 설명해 놓았습니다.

❸ 개념마다 선생님의 팁을 통해 꼭 기억할 부분을 확인할 수 있습니다.

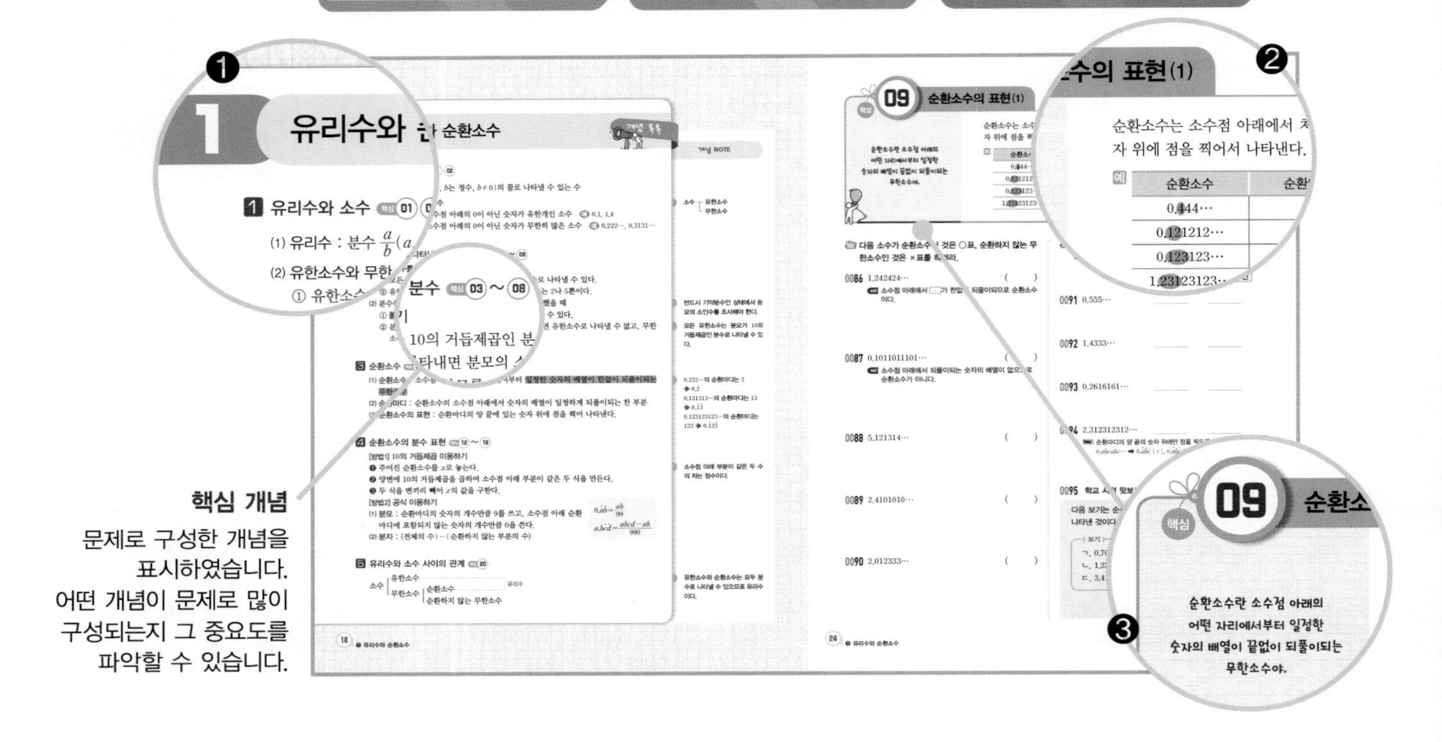

핵심 개념

문제로 구성한 개념을 표시하였습니다. 어떤 개념이 문제로 많이 구성되는지 그 중요도를 파악할 수 있습니다.

소단원별 학습 플래너를 이용하여 스스로 공부 계획을 세워 봅시다~

YOU CAN DO IT!
스타트업으로 공부하면

1. 계산력이 향상된다.
2. 수학에 자신감이 생긴다.
3. 스스로 공부하는 습관이 생긴다.

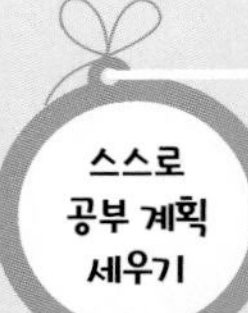

학습 내용	공부한 날짜	반복하기
01. 다항식의 덧셈	월 일	□□
02. 다항식의 뺄셈	월 일	□□
03. 여러 가지 괄호가 있는 다항식의 덧셈과 뺄셈	월 일	□□
04. 계수가 분수인 다항식의 덧셈과 뺄셈	월 일	□□
05. 이차식	월 일	□□
06. 이차식의 덧셈과 뺄셈	월 일	□□
07. 복잡한 이차식의 덧셈과 뺄셈	월 일	□□
08. □ 안에 알맞은 식 구하기	월 일	□□
Mini Review Test (01~08)	월 일	□□
09. (단항식)×(다항식) (1)	월 일	□□
10. (단항식)×(다항식) (2)	월 일	□□
11. (다항식)÷(단항식) (1)	월 일	□□
12. (다항식)÷(단항식) (2)	월 일	□□
13. 사칙연산의 혼합 계산 (1)	월 일	□□
14. 사칙연산의 혼합 계산 (2)	월 일	□□
Mini Review Test (09~14)	월 일	□□

2 숨마쿰라우데 **스타트업**의 **문제 구성**은?

❶ 각 개념을 확실히 잡을 수 있도록 쉬운 문제로 구성했습니다.

❷ 학교 시험 맛보기로 실전 연습을 할 수 있습니다.

❸ Mini Review Test를 통해 실력을 확인할 수 있습니다.

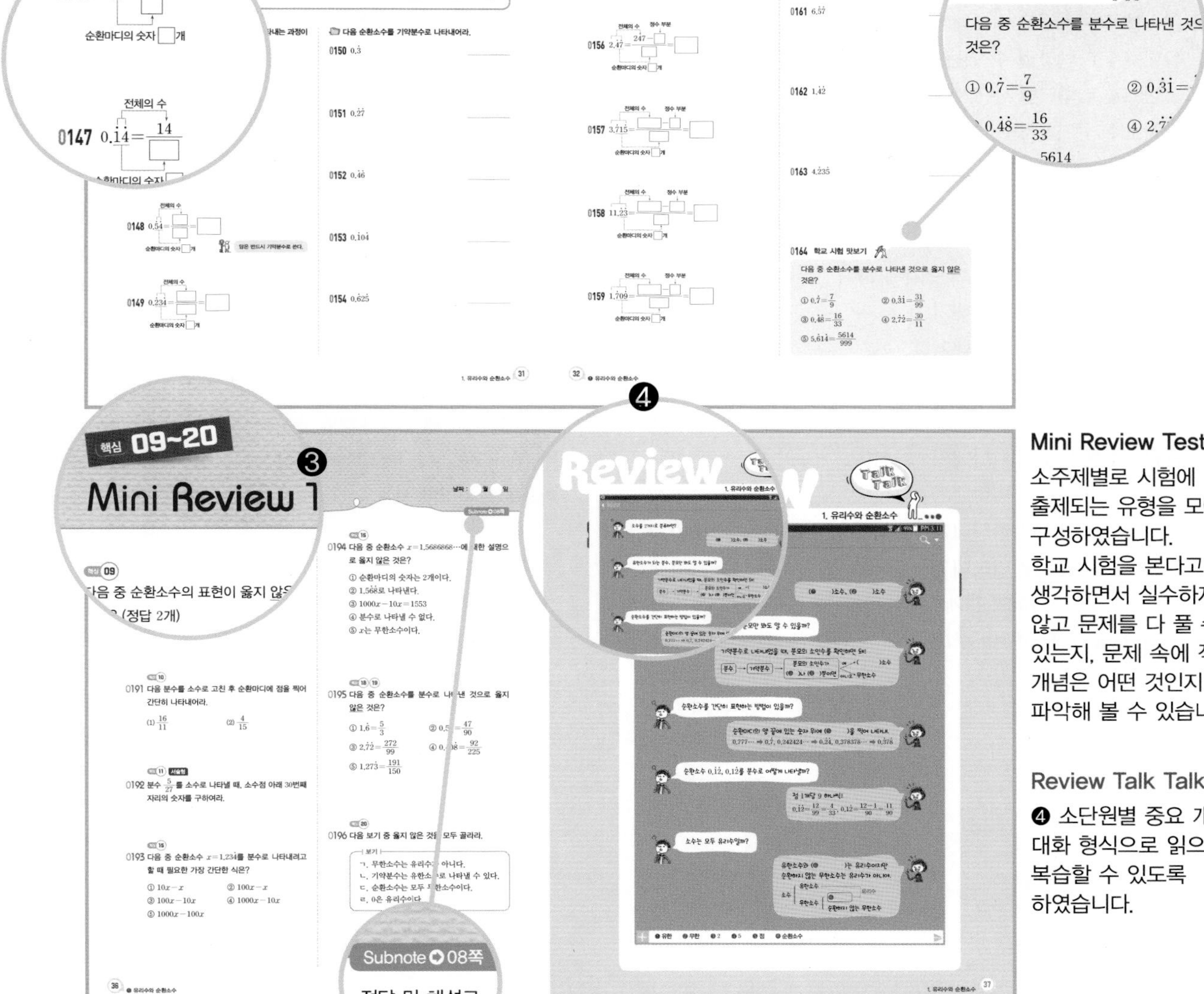

Mini Review Test

소주제별로 시험에 출제되는 유형을 모아 구성하였습니다. 학교 시험을 본다고 생각하면서 실수하지 않고 문제를 다 풀 수 있는지, 문제 속에 적용된 개념은 어떤 것인지 파악해 볼 수 있습니다.

Review Talk Talk

❹ 소단원별 중요 개념을 대화 형식으로 읽으면서 복습할 수 있도록 하였습니다.

1 유리수와 순환소수

01 유리수와 순환소수

2 식의 계산

02 단항식의 계산

CONTENTS

차례

4 연립방정식

06 연립방정식의 풀이

07 연립방정식의 활용

5 일차함수와 그 그래프

08 일차함수와 그 그래프

CONTENTS

숨마쿰라우데 STARTUP 중학수학 2-상

50일 완성 학습 PROJECT

● 핵심개념 137개를 하루에 30분씩 50일 동안 내 것으로 만들어 보자!

START UP 플래너

대단원	중단원	핵심	차시	학습 날짜	이해도
1 유리수와 순환소수	1. 유리수와 순환소수	01~03	01 일차	월 일	☺ 😐 ☹
		04~06	02 일차	월 일	☺ 😐 ☹
		07~08 | Review test	03 일차	월 일	☺ 😐 ☹
		09~11	04 일차	월 일	☺ 😐 ☹
		12~15	05 일차	월 일	☺ 😐 ☹
		16~18	06 일차	월 일	☺ 😐 ☹
		19~20 | Review test	07 일차	월 일	☺ 😐 ☹
2 식의 계산	2. 단항식의 계산	01~04	08 일차	월 일	☺ 😐 ☹
		05~08	09 일차	월 일	☺ 😐 ☹
		Review test | 09~10	10 일차	월 일	☺ 😐 ☹
		11~13	11 일차	월 일	☺ 😐 ☹
		14~15 | Review test	12 일차	월 일	☺ 😐 ☹
	3. 다항식의 계산	01~03	13 일차	월 일	☺ 😐 ☹
		04~06	14 일차	월 일	☺ 😐 ☹
		07~08 | Review test	15 일차	월 일	☺ 😐 ☹
		09~12	16 일차	월 일	☺ 😐 ☹
		13~14 | Review test	17 일차	월 일	☺ 😐 ☹
3 일차부등식	4. 일차부등식의 풀이	01~02	18 일차	월 일	☺ 😐 ☹
		03~04 | Review test	19 일차	월 일	☺ 😐 ☹
		05~07	20 일차	월 일	☺ 😐 ☹
		08~10	21 일차	월 일	☺ 😐 ☹
		11~12 | Review test	22 일차	월 일	☺ 😐 ☹
	5. 일차부등식의 활용	01~03	23 일차	월 일	☺ 😐 ☹
		04~06	24 일차	월 일	☺ 😐 ☹
		07 | Review test	25 일차	월 일	☺ 😐 ☹

공부는 이렇게~

01	계획 세우기	작심 3일이 되지 않도록 자신에게 맞는 계획표를 세워 보자!
02	개념 익히기	매쪽 문제 풀이를 하기 전 개념과 원리를 확실하게 이해하자!
03	문제 풀기	개념을 다양한 문제로 익혀 보자!
04	오답노트 만들기	문제 풀이 후 틀린 문제는 오답노트에 정리하자! [key] 또는 [말풍선]에서 참고해야 할 사항도 오답노트에 정리하자!
05	오답노트 복습	다음날 공부하기 전에 오답노트를 꼭 점검하고 진도를 나가자!

단원	소단원	핵심	차시	학습 날짜	이해도
4 연립방정식	6. 연립방정식의 풀이	01~04	26일차	월 일	☺ 😐 ☹
		05~06 | Review test	27일차	월 일	☺ 😐 ☹
		07~10	28일차	월 일	☺ 😐 ☹
		11~12 | Review test	29일차	월 일	☺ 😐 ☹
		13~15	30일차	월 일	☺ 😐 ☹
		16~18	31일차	월 일	☺ 😐 ☹
		19 | Review test	32일차	월 일	☺ 😐 ☹
	7. 연립방정식의 활용	01~03	33일차	월 일	☺ 😐 ☹
		04~05	34일차	월 일	☺ 😐 ☹
		06~07 | Review test	35일차	월 일	☺ 😐 ☹
5 일차함수와 그 그래프	8. 일차함수와 그 그래프	01~03	36일차	월 일	☺ 😐 ☹
		04~05 | Review test	37일차	월 일	☺ 😐 ☹
		06~08	38일차	월 일	☺ 😐 ☹
		09~10 | Review test	39일차	월 일	☺ 😐 ☹
		11~14	40일차	월 일	☺ 😐 ☹
		15~18	41일차	월 일	☺ 😐 ☹
		19~20 | Review test	42일차	월 일	☺ 😐 ☹
	9. 일차함수의 그래프의 성질과 식	01~03	43일차	월 일	☺ 😐 ☹
		04~05 | Review test	44일차	월 일	☺ 😐 ☹
		06~09	45일차	월 일	☺ 😐 ☹
		10~12	46일차	월 일	☺ 😐 ☹
		13~14 | Review test	47일차	월 일	☺ 😐 ☹
6 일차함수와 일차방정식의 관계	10. 일차함수와 일차방정식의 관계	01~03	48일차	월 일	☺ 😐 ☹
		04~07	49일차	월 일	☺ 😐 ☹
		08~09 | Review test	50일차	월 일	☺ 😐 ☹

1 유리수와 순환소수

이미 배운 내용

[중학교 1학년]
- 소인수분해
- 정수와 유리수

이번에 배울 내용

1. 유리수와 순환소수
- 유한소수, 순환소수
- 순환소수의 분수 표현

1 유리수와 순환소수

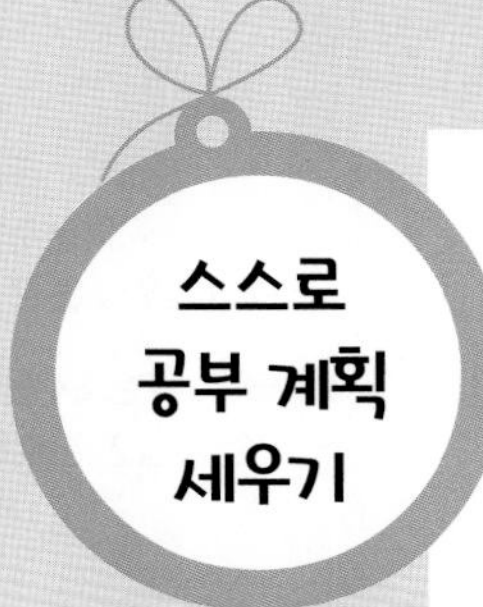

	학습 내용	공부한 날짜	반복하기
1. 유리수와 순환소수	01. 유리수	월 일	□□
	02. 유한소수와 무한소수	월 일	□□
	03. 유한소수를 기약분수로 나타내기	월 일	□□
	04. 분수를 유한소수로 나타내기(1)	월 일	□□
	05. 분수를 유한소수로 나타내기(2)	월 일	□□
	06. 유한소수로 나타낼 수 있는 분수 판별하기(1)	월 일	□□
	07. 유한소수로 나타낼 수 있는 분수 판별하기(2)	월 일	□□
	08. 유한소수가 되게 하는 자연수 구하기	월 일	□□
	Mini Review Test(01~08)	월 일	□□
	09. 순환소수의 표현(1)	월 일	□□
	10. 순환소수의 표현(2)	월 일	□□
	11. 소수점 아래 n번째 자리의 숫자 구하기	월 일	□□
	12. 순환소수를 분수로 나타내기(1)	월 일	□□
	13. 순환소수를 분수로 나타내기(2)	월 일	□□
	14. 순환소수를 분수로 나타내기(3)	월 일	□□
	15. 순환소수를 분수로 나타내기(4)	월 일	□□
	16. 순환소수를 분수로 나타내기－공식(1)	월 일	□□
	17. 순환소수를 분수로 나타내기－공식(2)	월 일	□□
	18. 순환소수를 분수로 나타내기－공식(3)	월 일	□□
	19. 순환소수를 분수로 나타내기－공식(4)	월 일	□□
	20. 유리수와 소수 사이의 관계	월 일	□□
	Mini Review Test(09~20)	월 일	□□

1 유리수와 순환소수

개념 NOTE

1 유리수와 소수 핵심 01 02

(1) **유리수** : 분수 $\frac{a}{b}$(a, b는 정수, $b\neq0$)의 꼴로 나타낼 수 있는 수

(2) **유한소수와 무한소수**

① 유한소수 : 소수점 아래의 0이 아닌 숫자가 유한개인 소수 예 0.1, 1.4

② 무한소수 : 소수점 아래의 0이 아닌 숫자가 무한히 많은 소수 예 0.222…, 0.3131…

소수 ┬ 유한소수
　　 └ 무한소수

2 유한소수로 나타낼 수 있는 분수 핵심 03 ~ 08

(1) **유한소수를 분수로 나타내기**

① 모든 유한소수는 분모가 10의 거듭제곱인 분수로 나타낼 수 있다.

② 유한소수를 기약분수로 나타내면 분모의 소인수는 2나 5뿐이다.

(2) 분수를 기약분수로 나타낸 후 그 분모를 소인수분해했을 때

① 분모의 소인수가 2나 5뿐이면 유한소수로 나타낼 수 있다.

② 분모의 소인수 중에 2나 5 이외의 소인수가 있으면 유한소수로 나타낼 수 없고, 무한소수로 나타내어진다.

반드시 기약분수인 상태에서 분모의 소인수를 조사해야 한다.

모든 유한소수는 분모가 10의 거듭제곱인 분수로 나타낼 수 있다.

3 순환소수 핵심 09 ~ 11

(1) **순환소수** : 소수점 아래의 어떤 자리에서부터 일정한 숫자의 배열이 한없이 되풀이되는 무한소수

(2) **순환마디** : 순환소수의 소수점 아래에서 숫자의 배열이 일정하게 되풀이되는 한 부분

(3) **순환소수의 표현** : 순환마디의 양 끝에 있는 숫자 위에 점을 찍어 나타낸다.

0.222…의 순환마디는 2
➔ $0.\dot{2}$
0.131313…의 순환마디는 13
➔ $0.\dot{1}\dot{3}$
0.123123123…의 순환마디는 123 ➔ $0.\dot{1}2\dot{3}$

4 순환소수의 분수 표현 핵심 12 ~ 19

[방법1] 10의 거듭제곱 이용하기

❶ 주어진 순환소수를 x로 놓는다.

❷ 양변에 10의 거듭제곱을 곱하여 소수점 아래 부분이 같은 두 식을 만든다.

❸ 두 식을 변끼리 빼어 x의 값을 구한다.

[방법2] 공식 이용하기

(1) **분모** : 순환마디의 숫자의 개수만큼 9를 쓰고, 소수점 아래 순환마디에 포함되지 않는 숫자의 개수만큼 0을 쓴다.

(2) **분자** : (전체의 수)−(순환하지 않는 부분의 수)

$0.\dot{a}\dot{b}=\frac{ab}{99}$

$a.b\dot{c}\dot{d}=\frac{abcd-ab}{990}$

소수점 아래 부분이 같은 두 수의 차는 정수이다.

5 유리수와 소수 사이의 관계 핵심 20

소수 { 유한소수 ┄┄ 유리수
　　　 무한소수 { 순환소수 ┄┄ 유리수
　　　　　　　　 순환하지 않는 무한소수

유한소수와 순환소수는 모두 분수로 나타낼 수 있으므로 유리수이다.

핵심 01 유리수

날짜 : 월 일

Subnote ➔ 02쪽

중 1 에서 배운 유리수를 복습해 보자!

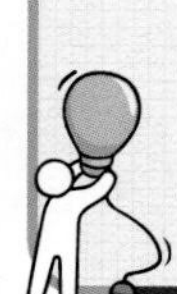

(1) 유리수 : 분수 $\frac{a}{b}$(a, b는 정수, $b\neq0$)의 꼴로 나타낼 수 있는 수

(2) 유리수의 분류

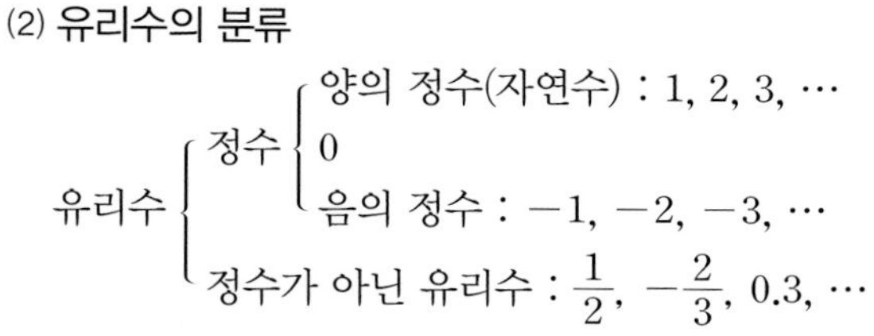

다음에 해당하는 수를 보기에서 모두 찾아라.

보기

$-2,\ 0,\ -\frac{15}{3},\ \frac{14}{4},\ \frac{8}{2},\ 5,\ 0.2444,\ -\frac{1}{6}$

0001 자연수 __________

0002 음의 정수 __________

0003 정수 __________

0004 유리수 __________

0005 정수가 아닌 유리수 __________

다음 중 옳은 것은 ○표, 옳지 않은 것은 ×표를 하여라.

0006 모든 자연수는 유리수이다. (　　)

0007 정수는 양의 정수, 음의 정수로 이루어져 있다. (　　)

0008 정수는 유리수이다. (　　)

0009 유리수는 $\frac{a}{b}$(a, b는 정수, $b\neq0$)의 꼴로 나타낼 수 있다. (　　)

0010 유리수는 자연수와 정수로 이루어져 있다. (　　)

날짜 :  월  일

핵심 02 유한소수와 무한소수

Subnote ➡ 02쪽

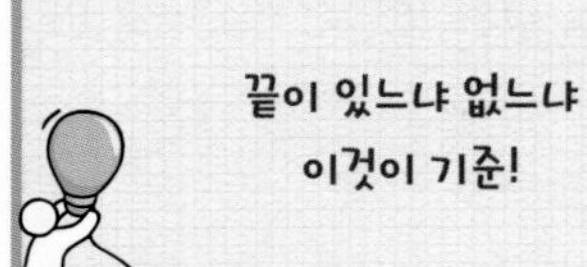

(1) **유한소수** : 소수점 아래의 0이 아닌 숫자가 유한개인 소수

(2) **무한소수** : 소수점 아래의 0이 아닌 숫자가 무한히 많은 소수

예 $\frac{1}{2}=1\div2=0.5$ ➡ 유한소수, $\frac{1}{3}=1\div3=0.333\cdots$ ➡ 무한소수

다음 소수가 유한소수이면 '유', 무한소수이면 '무'를 써넣어라.

0011 0.24 (　　)

key 소수점 아래에 0이 아닌 숫자가 유한개이다.

0012 $0.010101\cdots$ (　　)

key 소수점 아래에 0이 아닌 숫자가 무한히 많다.

0013 0.616161 (　　)

0014 $1.2333\cdots$ (　　)

0015 $-3.252525\cdots$ (　　)

다음 분수를 소수로 나타내고 유한소수이면 '유', 무한소수이면 '무'를 써넣어라.

0016 $\frac{2}{5}$ ➡ ________ ➡ (　　)

분수를 소수로 나타내려면 (분자)÷(분모)의 계산을 해!

0017 $-\frac{7}{4}$ ➡ ________ ➡ (　　)

0018 $\frac{5}{12}$ ➡ ________ ➡ (　　)

0019 $-\frac{7}{10}$ ➡ ________ ➡ (　　)

0020 $\frac{5}{9}$ ➡ ________ ➡ (　　)

03 유한소수를 기약분수로 나타내기

날짜 :  월  일

Subnote ○ 02쪽

핵심

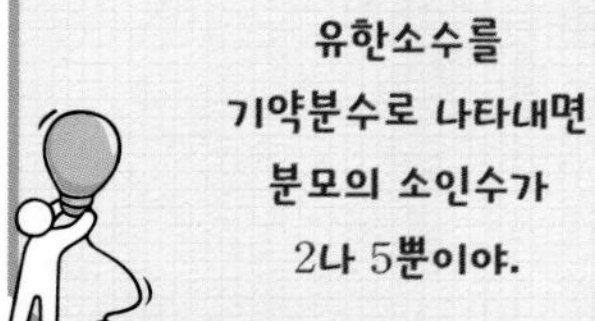

(1) 모든 유한소수는 분모가 10의 거듭제곱인 분수로 나타낼 수 있다.

예 $0.2=\frac{2}{10}$, $0.73=\frac{73}{100}$

(2) 유한소수를 기약분수로 나타내면 분모의 소인수는 2나 5뿐이다.

다음 소수를 기약분수로 나타내고, 분모를 소인수분해하여 분모의 소인수를 구하여라.

		기약분수	분모의 소인수
0021	0.3	______	______
0022	0.8	______	______
0023	0.05	______	______
0024	0.09	______	______
0025	0.16	______	______
0026	0.21	______	______
0027	0.75	______	______
0028	0.45	______	______
0029	0.84	______	______
0030	1.2	______	______

04 분수를 유한소수로 나타내기 (1)

날짜 : 월 일 

Subnote 02쪽

핵심

분수를 직접 나누지 않고도 유한소수로 나타낼 수 있어!

분수를 기약분수로 나타내었을 때, **분모의 소인수가 2나 5뿐**이면 그 분수는 10의 거듭제곱을 이용하여 유한소수로 나타낼 수 있다.

예 $\frac{1}{50}=\frac{1}{2\times5^2}=\frac{1\times2}{2\times5^2\times2}=\frac{2}{2^2\times5^2}=\frac{2}{100}=0.02$

다음은 10의 거듭제곱을 이용하여 분수를 유한소수로 나타내는 과정이다. □ 안에 알맞은 수를 써넣어라.

0031 $\frac{3}{5}$

sol 분자, 분모에 □를 곱하여 분모가 □인 분수로 만들어 소수로 나타내면

➡ $\frac{3}{5}=\frac{3\times\square}{5\times\square}=\frac{\square}{10}=\square$

0032 $\frac{1}{4}$

먼저 분모를 소인수분해하자.

sol ❶ 분모를 소인수분해하면 ➡ $4=2^2$

❷ 분자, 분모에 □을 곱하여 분모가 $10^{\square}$인 분수로 만들어 소수로 나타내면

➡ $\frac{1}{4}=\frac{1}{2^2}=\frac{1\times\square}{2^2\times\square}=\frac{\square}{\square}=\square$

0033 $\frac{3}{20}$

sol ❶ 분모를 소인수분해하면 ➡ $20=2^2\times\square$

❷ 분자, 분모에 □를 곱하여 분모가 $10^{\square}$인 분수로 만들어 소수로 나타내면

➡ $\frac{3}{20}=\frac{3}{2^2\times5}=\frac{3\times\square}{2^2\times5\times\square}=\frac{\square}{2^2\times\square}$

$=\frac{\square}{\square}=\square$

0034 $\frac{2}{25}=\frac{2}{5^2}=\frac{2\times\square}{5^2\times\square}=\frac{\square}{100}=\square$

key 분모가 10의 거듭제곱이 되도록 분모, 분자에 적당한 수를 곱한다.

0035 $\frac{1}{8}=\frac{1}{2^3}=\frac{1\times\square}{2^3\times\square}=\frac{\square}{1000}=\square$

0036 $\frac{9}{40}=\frac{9}{2^3\times5}=\frac{9\times\square}{2^3\times5\times\square}=\frac{\square}{1000}=\square$

0037 $\frac{21}{60}=\frac{7}{20}=\frac{7\times\square}{2^2\times5\times\square}=\frac{\square}{100}=\square$

먼저 기약분수로 나타내어야 해.

0038 $\frac{9}{150}=\frac{3}{\square}=\frac{3\times\square}{2\times5^2\times\square}=\frac{\square}{100}=\square$

05 분수를 유한소수로 나타내기 (2)

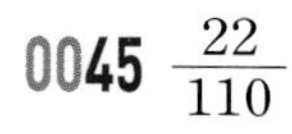

날짜 : 월 일

Subnote 03쪽

다음 분수를 10의 거듭제곱을 이용하여 유한소수로 나타내어라.

0039 $\frac{8}{25}$

0040 $\frac{7}{50}$

0041 $\frac{11}{20}$

0042 $\frac{9}{75}$

0043 $\frac{7}{28}$

0044 $\frac{14}{35}$

0045 $\frac{22}{110}$

0046 $\frac{6}{16}$

0047 $\frac{30}{125}$

0048 $\frac{63}{150}$

0049 $\frac{9}{200}$

0050 학교 시험 맛보기

다음은 분수 $\frac{6}{75}$을 유한소수로 나타내는 과정이다. 이때 a, b, c, d의 값을 구하여라.

$$\frac{6}{75}=\frac{2}{a}=\frac{2\times b}{5^2\times b}=\frac{c}{100}=d$$

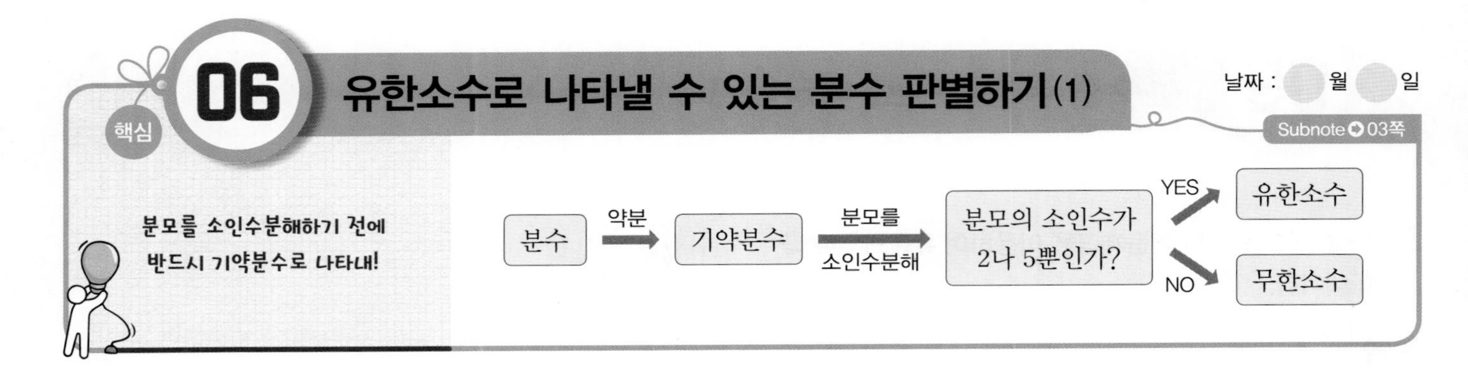

다음 □ 안에 알맞은 수를 써넣고, 옳은 것에 ○표를 하여라.

0051 $\frac{1}{20} \xrightarrow{\text{분모를 소인수분해}} \frac{1}{2^2\times5}$

➡ 분모의 소인수가 □나 □뿐이다.

➡ (유한소수 , 무한소수)로 나타낼 수 있다.

분모의 소인수 중 2나 5 이외의 소인수가 있는지 살펴봐!

0052 $\frac{7}{12} \xrightarrow{\text{분모를 소인수분해}} \frac{7}{2^2\times3}$

➡ 분모에 2나 5 이외의 소인수 □이 있다.

➡ (유한소수 , 무한소수)로 나타낼 수 있다.

0053 $\frac{3}{75} \xrightarrow{\text{약분}} \frac{1}{25} \xrightarrow{\text{분모를 소인수분해}} \frac{1}{5^2}$

➡ 분모의 소인수가 □뿐이다.

➡ (유한소수 , 무한소수)로 나타낼 수 있다.

0054 $\frac{28}{168} \xrightarrow{\text{약분}} \frac{1}{6} \xrightarrow{\text{분모를 소인수분해}} \frac{1}{2\times3}$

➡ 분모에 2나 5 이외의 소인수 □이 있다.

➡ (유한소수 , 무한소수)로 나타낼 수 있다.

다음 □ 안에 알맞은 수를 써넣고, 옳은 것에 ○표를 하여라.

0055 $\frac{3}{60} \xrightarrow{\text{약분}}$ □ $\xrightarrow{\text{분모를 소인수분해}}$ □

➡ (유한소수 , 무한소수)

0056 $\frac{12}{75} \xrightarrow{\text{약분}}$ □ $\xrightarrow{\text{분모를 소인수분해}}$ □

➡ (유한소수 , 무한소수)

0057 $\frac{28}{105} \xrightarrow{\text{약분}}$ □ $\xrightarrow{\text{분모를 소인수분해}}$ □

➡ (유한소수 , 무한소수)

0058 $\frac{16}{144} \xrightarrow{\text{약분}}$ □ $\xrightarrow{\text{분모를 소인수분해}}$ □

➡ (유한소수 , 무한소수)

0059 $\frac{21}{150} \xrightarrow{\text{약분}}$ □ $\xrightarrow{\text{분모를 소인수분해}}$ □

➡ (유한소수 , 무한소수)

07 유한소수로 나타낼 수 있는 분수 판별하기(2)

Subnote ➔ 03쪽

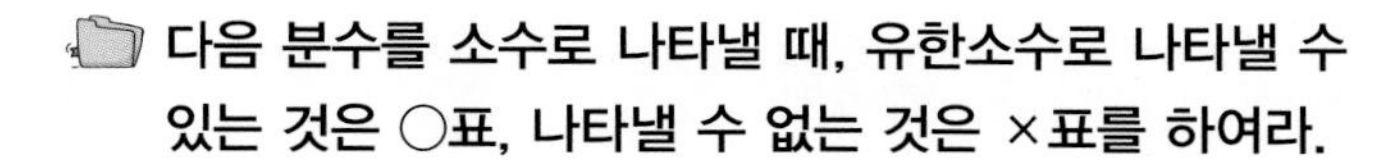

다음 분수를 소수로 나타낼 때, 유한소수로 나타낼 수 있는 것은 ○표, 나타낼 수 없는 것은 ×표를 하여라.

0060 $\frac{3}{2\times5}$ (　　)

0061 $\frac{4}{3\times5^2}$ (　　)

0062 $\frac{3}{2\times3\times5}$ (　　)

먼저 기약분수인지 확인해 봐!

0063 $\frac{30}{2\times3^2\times5^2}$ (　　)

0064 $\frac{15}{3\times5^2\times7}$ (　　)

0065 $\frac{14}{60}$ (　　)

0066 $\frac{13}{65}$ (　　)

0067 $\frac{42}{72}$ (　　)

0068 $\frac{21}{280}$ (　　)

0069 학교 시험 맛보기

다음 보기의 분수 중 유한소수로 나타낼 수 있는 것을 모두 골라라.

보기

ㄱ. $\frac{11}{24}$　　ㄴ. $\frac{12}{75}$

ㄷ. $\frac{4}{56}$　　ㄹ. $\frac{27}{240}$

유한소수가 되게 하는 자연수 구하기

날짜 :  월  일

Subnote ➔ 03쪽

유리수가 유한소수가 되려면
분모에
2나 5 이외의 소인수가
없어야 해!

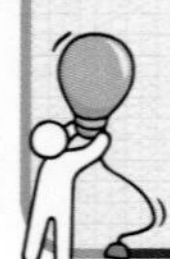

(기약분수)$\times a$가 유한소수가 되려면 분모의 소인수 중 2나 5 이외의 수가 약분되도록 a의 값을 정한다.

예 $\frac{a}{6}$가 유한소수로 나타내어질 때, a의 값을 구해 보자.

❶ 분모를 소인수분해하기 ➡ $\frac{a}{6}=\frac{a}{2\times 3}$

❷ 유한소수가 되려면 분모의 소인수가 2나 5뿐이어야 하므로 분모의 3이 약분되어야 한다. 따라서 a는 3의 배수이다.

❸ a의 값이 될 수 있는 수는 3, 6, 9, 12, ⋯

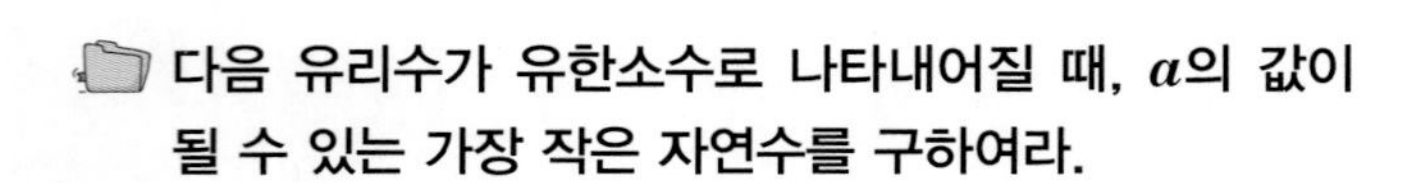

다음 유리수가 유한소수로 나타내어질 때, a의 값이 될 수 있는 가장 작은 자연수를 구하여라.

0070 $\frac{a}{2\times 3\times 5}$

sol 유한소수는 분모의 소인수가 2나 5뿐이어야 하므로 a는 □의 배수이어야 한다.
따라서 a의 값이 될 수 있는 가장 작은 자연수는 □이다.

0071 $\frac{a}{2^2\times 7}$ ________

0072 $\frac{a}{3^2\times 5}$ ________

0073 $\frac{a}{3\times 5\times 7}$ ________

0074 $\frac{3\times a}{2^2\times 3^2\times 5}$ ________

key 먼저 기약분수인지 확인해야 한다.

0075 $\frac{4}{15}\times a$ ________

key 분모를 소인수분해해야 한다.

0076 $\frac{5}{28}\times a$ ________

0077 $\frac{13}{66}\times a$ ________

0078 $\frac{21}{330}\times a$ ________

0079 학교 시험 맛보기

$\frac{7}{36}\times a$를 소수로 나타내면 유한소수가 될 때, a의 값이 될 수 있는 가장 작은 두 자리의 자연수를 구하여라.

____

Mini Review Test

날짜 : 월 일

Subnote ➲ 04쪽

핵심 01

0080 다음 중 정수가 아닌 유리수를 모두 골라라.

$-\frac{10}{2}$, 2.5, $\frac{18}{3}$, $-\frac{8}{7}$, 0

핵심 01

0081 다음 설명 중 옳은 것은?

① 양수와 음수를 통틀어 유리수라고 한다.
② 분수로 나타낼 수 없는 유리수도 있다.
③ 양의 정수가 아닌 정수는 음의 정수이다.
④ 정수가 아닌 유리수도 있다.
⑤ 0은 유리수가 아니다.

핵심 02

0082 다음 중 유한소수를 모두 고르면? (정답 2개)

① 0.2111⋯ ② 0.321321⋯
③ 3.14 ④ 2.4545⋯
⑤ −7.654321

핵심 04 05

0083 다음은 분수 $\frac{11}{50}$을 10의 거듭제곱을 이용하여 유한소수로 나타내는 과정이다. 이때 A, B, C, D의 값을 각각 구하여라.

$$\frac{11}{50}=\frac{11}{2\times5^A}=\frac{11\times B}{2\times5^A\times B}=\frac{C}{100}=D$$

핵심 06 07

0084 다음 분수 중 유한소수로 나타낼 수 있는 것은?

① $\frac{3}{15}$ ② $\frac{6}{21}$ ③ $\frac{7}{24}$
④ $\frac{14}{42}$ ⑤ $\frac{4}{60}$

핵심 08 서술형

0085 $\frac{8}{165}\times a$가 유한소수로 나타내어질 때, a의 값이 될 수 있는 가장 작은 자연수를 구하여라.

핵심 09 순환소수의 표현 (1)

날짜 :  월  일

Subnote ➡ 04쪽

순환소수란 소수점 아래의 어떤 자리에서부터 일정한 숫자의 배열이 끝없이 되풀이되는 무한소수야.

순환소수는 소수점 아래에서 처음으로 반복되는 순환마디를 찾아 양 끝의 숫자 위에 점을 찍어서 나타낸다.

예 (순환마디: 순환소수에서 되풀이되는 부분)

순환소수	순환마디	바른 표현	잘못된 표현
$0.444\cdots$	4	$0.\dot{4}$	$0.\dot{4}\dot{4}$
$0.121212\cdots$	12	$0.\dot{1}\dot{2}$	$0.\dot{1}2\dot{1}$
$0.123123\cdots$	123	$0.\dot{1}2\dot{3}$	$0.\dot{1}\dot{2}\dot{3}$
$1.23123123\cdots$	231	$1.\dot{2}3\dot{1}$	$\dot{1}.2\dot{3}$

다음 소수가 순환소수인 것은 ○표, 순환하지 않는 무한소수인 것은 ×표를 하여라.

0086 $1.242424\cdots$ ( )

sol 소수점 아래에서 ☐가 한없이 되풀이되므로 순환소수이다.

0087 $0.1011011101\cdots$ ( )

sol 소수점 아래에서 되풀이되는 숫자의 배열이 없으므로 순환소수가 아니다.

0088 $5.121314\cdots$ ( )

0089 $2.4101010\cdots$ ( )

0090 $2.012333\cdots$ ( )

다음 순환소수의 순환마디를 쓰고, 순환마디에 점을 찍어 간단히 나타내어라.

	순환마디	순환소수의 표현
0091 $0.555\cdots$	______	______
0092 $1.4333\cdots$	______	______
0093 $0.2616161\cdots$	______	______
0094 $2.312312312\cdots$	______	______

key 순환마디의 양 끝의 숫자 위에만 점을 찍도록 주의한다.
$0.abcabc\cdots$ ➡ $0.\dot{a}\dot{b}\dot{c}$ (×), $0.\dot{a}b\dot{c}$ (○)

0095 학교 시험 맛보기

다음 보기는 순환소수를 순환마디를 이용하여 간단히 나타낸 것이다. 옳은 것을 모두 골라라.

보기

ㄱ. $0.707070\cdots=0.\dot{7}\dot{0}$
ㄴ. $1.23123123\cdots=\dot{1}.2\dot{3}$
ㄷ. $3.412341234123\cdots=3.\dot{4}\dot{1}\dot{2}\dot{3}$

______

순환소수의 표현 (2)

날짜 : 월 일

Subnote ➔ 04쪽

다음 분수를 소수로 고치고, 순환마디를 찾은 후 순환소수를 순환마디에 점을 찍어 간단히 나타내어라.

0096 $\frac{5}{6}$

(1) 소수 : ______

(2) 순환마디 : ______

(3) 순환소수의 표현 : ______

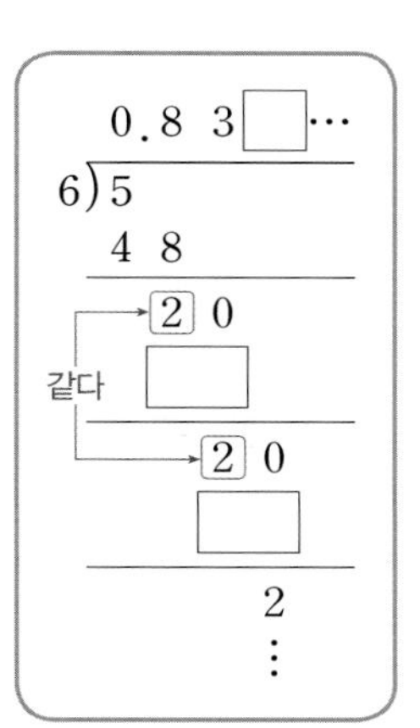

0097 $\frac{8}{11}$

(1) 소수 : ______

(2) 순환마디 : ______

(3) 순환소수의 표현 : ______

0098 $\frac{25}{9}$

(1) 소수 : ______

(2) 순환마디 : ______

(3) 순환소수의 표현 : ______

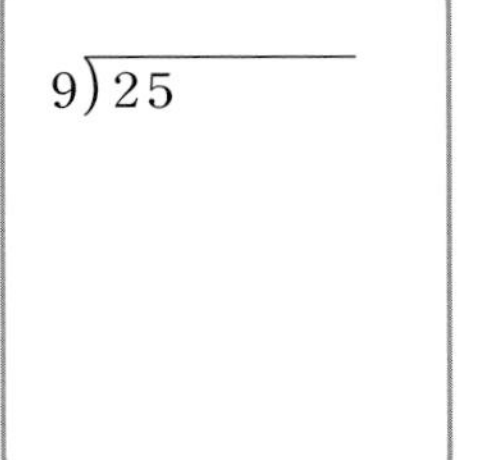

0099 $\frac{11}{30}$

(1) 소수 : ______

(2) 순환마디 : ______

(3) 순환소수의 표현 : ______

30)11

다음 분수를 소수로 고친 후, 순환마디에 점을 찍어 간단히 나타내어라.

0100 $\frac{7}{9}$ ______

0101 $\frac{1}{6}$ ______

0102 $\frac{29}{11}$ ______

0103 $\frac{2}{15}$ ______

0104 $\frac{5}{12}$ ______

0105 학교 시험 맛보기

$\frac{8}{27}$을 소수로 나타낼 때, 다음 물음에 답하여라.

(1) 순환마디를 구하여라. ______

(2) 순환마디를 이용하여 간단히 나타내어라. ______

11 소수점 아래 n번째 자리의 숫자 구하기

핵심

날짜 :  월  일

Subnote ➜ 05쪽

순환마디가 일정하게 반복되는 규칙을 이용하면 쉽게 구할 수 있어!

순환소수의 소수점 아래 n번째 자리의 숫자는 순환마디의 숫자의 개수를 이용하여 구한다.

예 $0.\dot{2}6\dot{3}$의 소수점 아래 20번째 자리의 숫자 구하기

❶ 순환마디의 숫자는 2, 6, 3의 3개

❷ $20=3\times6+2$

❸ 20번째 자리의 숫자는 순환마디의 2번째 숫자인 6이다.

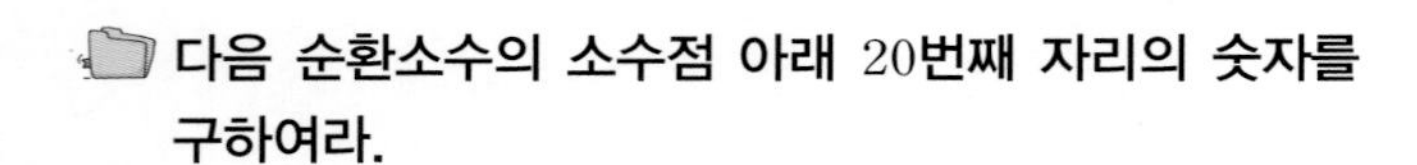

다음 순환소수의 소수점 아래 20번째 자리의 숫자를 구하여라.

0106 $1.\dot{2}7\dot{6}$

sol 순환마디의 숫자는 2, □, □의 □개이므로
$20=3\times6+\square$
즉, 소수점 아래 20번째 자리의 숫자는 순환마디의 □번째 자리의 숫자와 같은 □이다.

0107 $0.2\dot{3}\dot{6}$

sol 소수점 아래에서 순환하지 않는 숫자는 1개이고, 순환마디의 숫자는 2개이므로
$20-1=2\times9+\square$
└→ 소수점 아래에서 순환하지 않는 숫자의 개수
즉, 소수점 아래 20번째 자리의 숫자는 순환마디의 □번째 자리의 숫자와 같은 □이다.

0108 $0.24\dot{1}\dot{3}$

sol 소수점 아래에서 순환하지 않는 숫자는 2개이고, 순환마디의 숫자는 2개이므로
$20-\square=2\times9$
즉, 소수점 아래 20번째 자리의 숫자는 순환마디의 □번째 자리의 숫자와 같은 □이다.

분수 $\frac{4}{7}$를 소수로 나타낼 때, 소수점 아래 30번째 자리의 숫자를 다음 순서에 따라 구하여라.

0109 $\frac{4}{7}$를 순환소수로 나타내어라. ______

0110 순환마디의 숫자의 개수를 구하여라. ______

0111 소수점 아래 30번째 자리의 숫자를 구하여라. ______

0112 학교 시험 맛보기 

분수 $\frac{12}{13}$를 소수로 나타낼 때, 다음 물음에 답하여라.

(1) $\frac{12}{13}$를 순환소수로 나타내어라. ______

(2) 소수점 아래 50번째 자리의 숫자를 구하여라. ______

핵심 **12**

순환소수를 분수로 나타내기 (1)

Subnote 05쪽

소수점 아래 첫째 자리부터 순환마디가 시작되는 순환소수를 분수로 나타내는 방법은 다음과 같다.

예

순환소수 $0.\dot{6}$을 분수로 나타내기	
❶ 순환소수를 x로 놓는다.	$x=0.666\cdots$
❷ ❶의 양변에 순환마디의 숫자의 개수만큼 10의 거듭제곱을 곱한다.	$10x=6.666\cdots$ ← 순환마디의 숫자가 1개이므로 10을 곱한다.
❸ ❶, ❷의 두 식을 변끼리 빼어 x의 값을 구한다.	$10x=6.666\cdots$ $-)\ \ x=0.666\cdots$ ← 소수점 아래 부분이 같다. $9x=6$ $\therefore x=\frac{6}{9}=\frac{2}{3}$ ← 기약분수로 나타낸다.

두 식 모두 소수점 아래 첫째 자리에서 순환마디가 시작되도록 만들어!

다음은 순환소수를 기약분수로 나타내는 과정이다. □ 안에 알맞은 수를 써넣어라.

0113 $0.\dot{2}$

$x=0.\dot{2}=0.222\cdots$로 놓으면

$\square x=2.222\cdots$

$-)\ \ x=0.222\cdots$

$\square x=2$

$\therefore x=\square$

소수 부분이 같은 두 수의 차는 정수가 되는 것을 이용해!

0114 $0.\dot{4}\dot{3}$

$x=0.\dot{4}\dot{3}=0.434343\cdots$으로 놓으면

$\square x=43.434343\cdots$

$-)\ \ x=\ 0.434343\cdots$

$\square x=\square$

$\therefore x=\square$

0115 $1.\dot{7}\dot{5}$

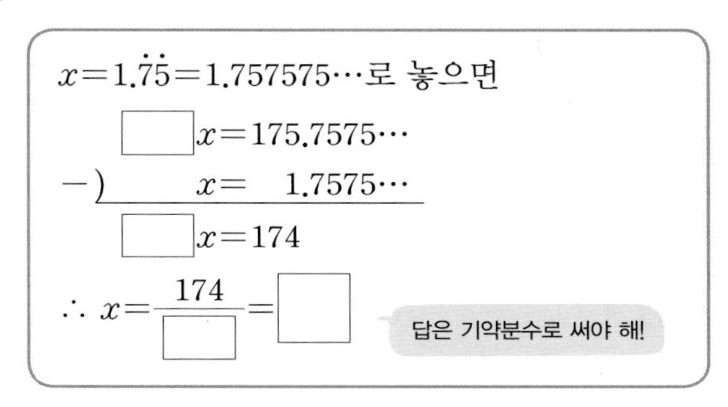

$x=1.\dot{7}\dot{5}=1.757575\cdots$로 놓으면

$\square x=175.7575\cdots$

$-)\ \ x=\ \ 1.7575\cdots$

$\square x=174$

$\therefore x=\frac{174}{\square}=\square$

답은 기약분수로 써야 해!

0116 $1.\dot{2}4\dot{3}$

$x=1.\dot{2}4\dot{3}=1.243243243\cdots$으로 놓으면

$\square x=1243.243243\cdots$

$-)\ \ x=\ \ 1.243243\cdots$

$\square x=1242$

$\therefore x=\frac{1242}{\square}=\square$

순환소수를 분수로 나타내기 (2)

날짜 :  월 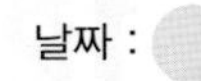 일

Subnote ➡ 05쪽

다음 순환소수를 x로 놓고 분수로 나타낼 때 필요한 가장 간단한 식을 보기에서 찾아 그 기호를 써라.

보기	
ㄱ. $10x-x$	ㄴ. $100x-x$
ㄷ. $1000x-x$	ㄹ. $10000x-x$

0117 $1.\dot{5}$ ________

0118 $0.\dot{2}\dot{4}$ ________

0119 $1.\dot{2}\dot{0}$ ________

0120 $2.\dot{3}2\dot{4}$ ________

0121 $1.\dot{5}1\dot{6}$ ________

0122 $3.\dot{1}23\dot{4}$ ________

다음 순환소수를 기약분수로 나타내어라.

0123 $2.\dot{3}$ ________

0124 $0.\dot{1}2\dot{3}$ ________

0125 $1.\dot{0}\dot{4}$ ________

0126 $0.\dot{0}9\dot{4}$ ________

0127 $0.\dot{4}\dot{5}$ ________

0128 $3.\dot{2}7\dot{1}$ ________

핵심

14 순환소수를 분수로 나타내기 (3)

날짜 : 월 일

Subnote ➔ 06쪽

순환소수의 소수 부분이 같아지도록 소수점을 순환마디의 앞, 뒤로 옮겨 봐!

소수점 아래 둘째 자리부터 순환마디가 시작되는 순환소수를 분수로 나타내는 방법은 다음과 같다.

예

순환소수 $0.2\dot{4}$를 분수로 나타내기	
❶ 순환소수를 x로 놓는다.	$x=0.2444\cdots$
❷ 순환마디의 앞, 뒤에 소수점이 오도록 ❶의 양변에 10의 거듭제곱을 각각 곱한다.	$10x=2.444\cdots$ ← 순환마디 앞에 소수점이 오도록 $100x=24.444\cdots$ ← 순환마디 뒤에 소수점이 오도록
❸ ❷의 두 식을 변끼리 빼어 x의 값을 구한다.	$100x=24.444\cdots$ $-)\ 10x=2.444\cdots$ (소수점 아래 부분이 같다.) $90x=22$ $\therefore x=\frac{22}{90}=\frac{11}{45}$ ← 기약분수로 나타낸다.

다음은 순환소수를 기약분수로 나타내는 과정이다. □ 안에 알맞은 수를 써넣어라.

0129 $0.1\dot{5}$

$x=0.1\dot{5}=0.1555\cdots$로 놓으면

$\square x=15.555\cdots$

$-)\ \square x=1.555\cdots$

$\square x=14$

$\therefore x=\frac{14}{\square}=\square$

0130 $1.2\dot{3}\dot{6}$

$x=1.2\dot{3}\dot{6}=1.2363636\cdots$으로 놓으면

$\square x=1236.363636\cdots$

$-)\ \square x=12.363636\cdots$

$\square x=1224$

$\therefore x=\frac{1224}{\square}=\square$

0131 $1.08\dot{4}$

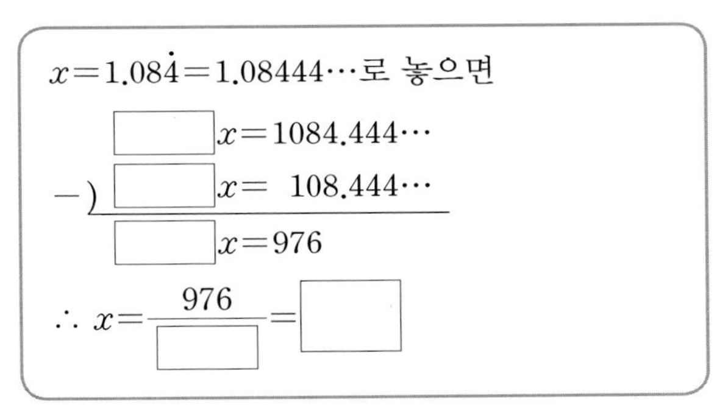

$x=1.08\dot{4}=1.08444\cdots$로 놓으면

$\square x=1084.444\cdots$

$-)\ \square x=108.444\cdots$

$\square x=976$

$\therefore x=\frac{976}{\square}=\square$

0132 $0.1\dot{2}\dot{3}$

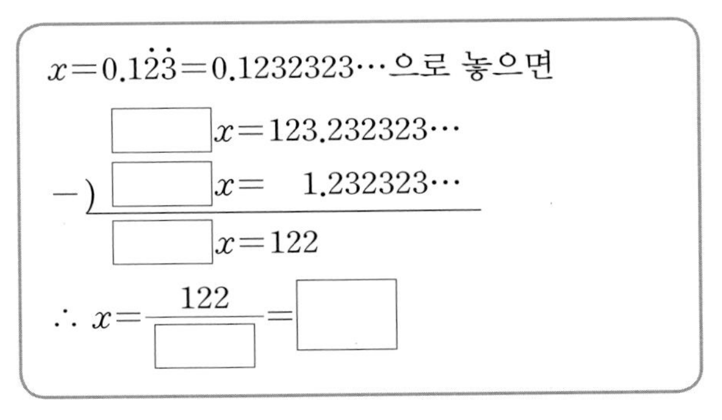

$x=0.1\dot{2}\dot{3}=0.1232323\cdots$으로 놓으면

$\square x=123.232323\cdots$

$-)\ \square x=1.232323\cdots$

$\square x=122$

$\therefore x=\frac{122}{\square}=\square$

15 순환소수를 분수로 나타내기(4)

날짜 : 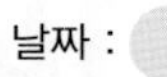 월  일 

Subnote ➡ 06쪽

다음 순환소수를 x로 놓고 분수로 나타낼 때 필요한 가장 간단한 식을 보기에서 찾아 그 기호를 써라.

보기

ㄱ. $100x-10x$　　ㄴ. $1000x-10x$

ㄷ. $1000x-100x$　　ㄹ. $10000x-10x$

ㅁ. $10000x-100x$

0133 $0.4\dot{2}$ ________

0134 $1.20\dot{7}$ ________

0135 $2.02\dot{8}$ ________

0136 $1.2\dot{4}\dot{5}$ ________

0137 $0.4\dot{6}1\dot{6}$ ________

0138 $0.12\dot{3}\dot{4}$ ________

다음 순환소수를 기약분수로 나타내어라.

0139 $0.3\dot{7}$ ________

0140 $0.0\dot{8}$ ________

0141 $0.2\dot{7}\dot{9}$ ________

0142 $0.47\dot{3}$ ________

0143 $1.7\dot{4}\dot{1}$ ________

0144 $1.05\dot{4}$ ________

0145 $2.0\dot{5}$ ________

핵심 **16**

순환소수를 분수로 나타내기 – 공식(1)

날짜 : 월 일

Subnote 07쪽

원리를 정확히 이해하고 이 공식을 이용하자!

공식을 이용하여 소수점 아래 첫째 자리부터 순환마디가 시작되는 순환소수를 다음과 같이 분수로 나타낼 수 있다.

(1) **분모** : 순환마디의 숫자의 개수만큼 9를 쓴다.

(2) **분자** : (전체의 수)−(정수 부분)

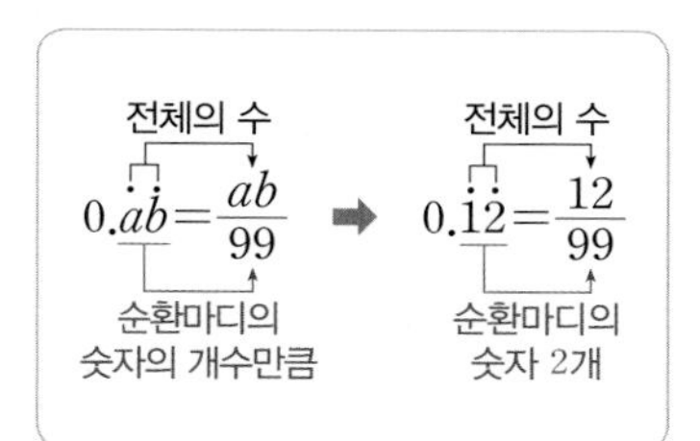

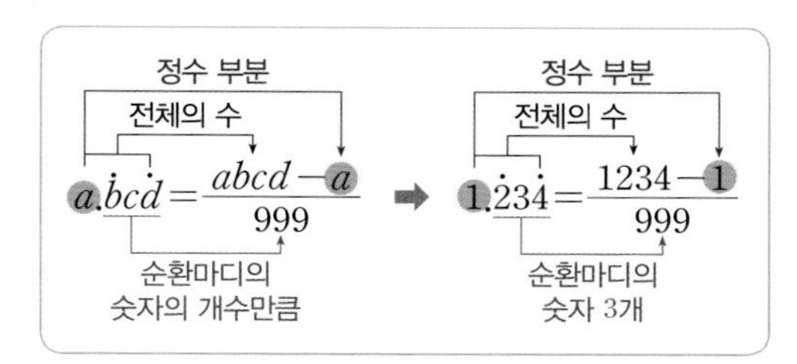

다음은 주어진 순환소수를 기약분수로 나타내는 과정이다. □ 안에 알맞은 수를 써넣어라.

0146

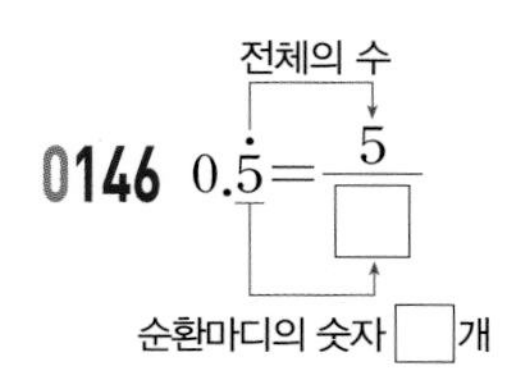

0147

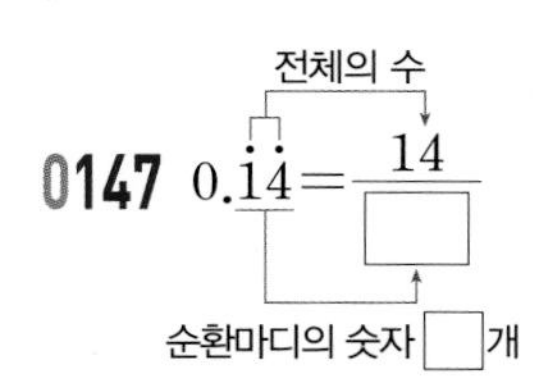

0148

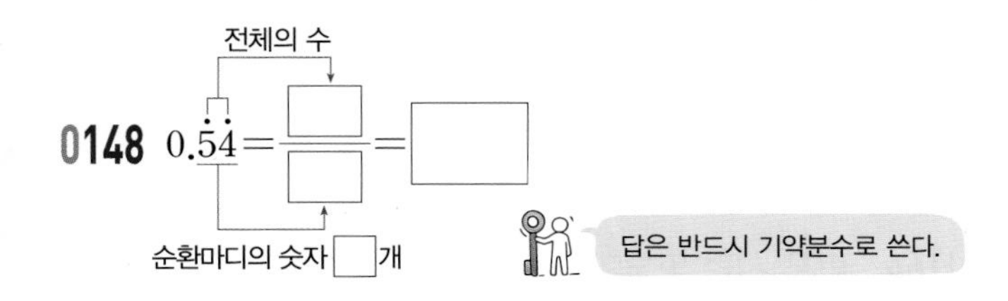

0149

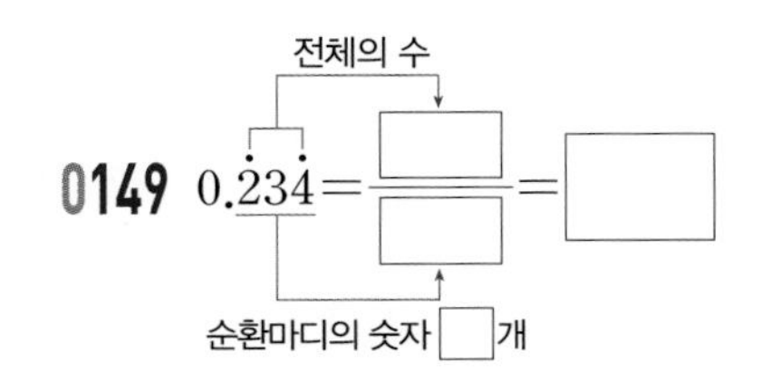

다음 순환소수를 기약분수로 나타내어라.

0150 $0.\dot{3}$ ________

0151 $0.\dot{2}\dot{7}$ ________

0152 $0.\dot{4}\dot{6}$ ________

0153 $0.\dot{1}0\dot{4}$ ________

0154 $0.\dot{6}2\dot{5}$ ________

순환소수를 분수로 나타내기 – 공식(2)

날짜 : 월 일

Subnote ➡ 07쪽

다음은 주어진 순환소수를 기약분수로 나타내는 과정이다. □ 안에 알맞은 수를 써넣어라.

0155 $3.\dot{4}=\dfrac{34-\square}{\square}=\square$

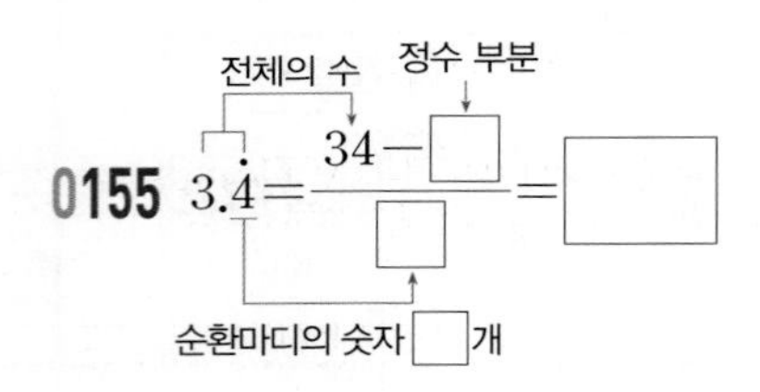

0156 $2.\dot{4}\dot{7}=\dfrac{247-\square}{\square}=\square$

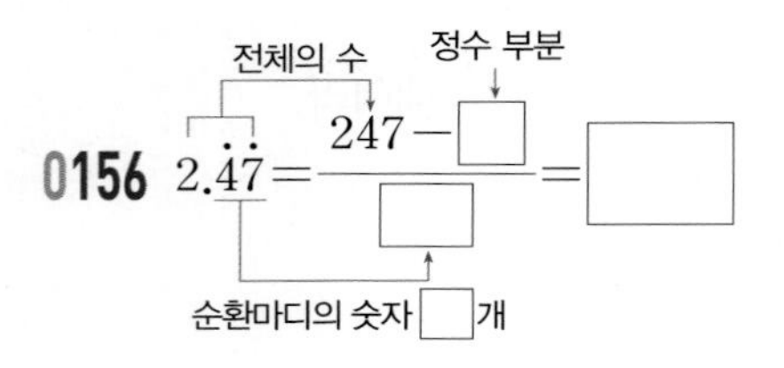

0157 $3.\dot{7}1\dot{5}=\dfrac{\square-\square}{\square}=\square$

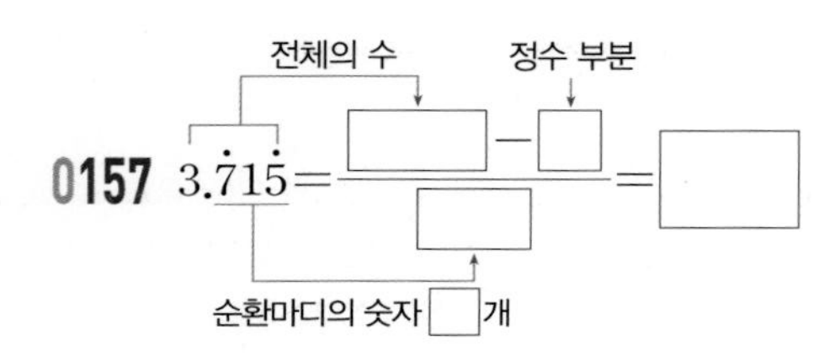

0158 $11.\dot{2}\dot{3}=\dfrac{\square-\square}{\square}=\square$

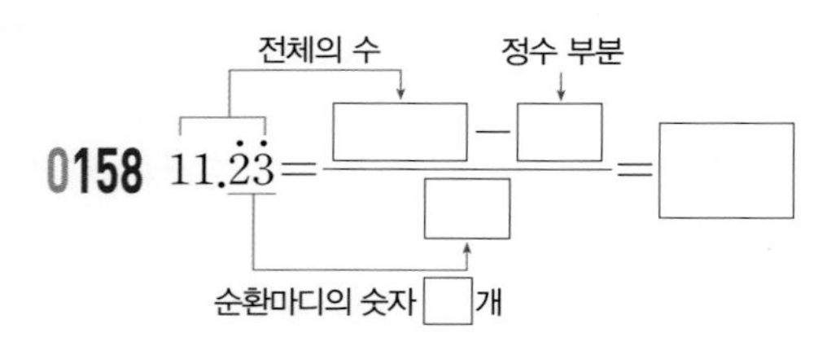

0159 $1.\dot{7}0\dot{9}=\dfrac{\square-\square}{\square}=\square$

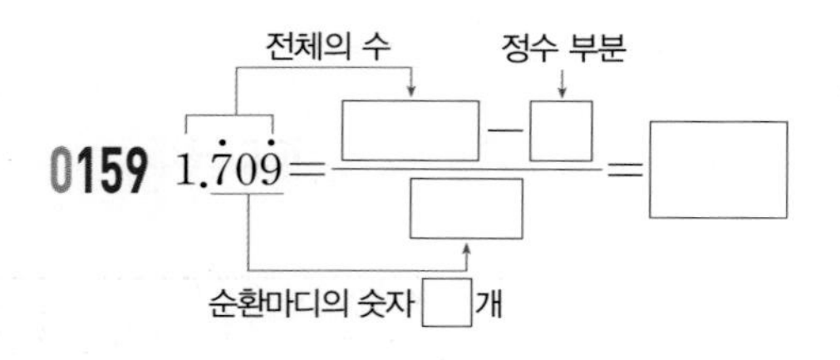

다음 순환소수를 기약분수로 나타내어라.

0160 $1.\dot{3}$ ________

0161 $6.\dot{5}\dot{7}$ ________

0162 $1.\dot{4}\dot{2}$ ________

0163 $4.\dot{2}3\dot{5}$ ________

0164 학교 시험 맛보기 

다음 중 순환소수를 분수로 나타낸 것으로 옳지 않은 것은?

① $0.\dot{7}=\dfrac{7}{9}$ ② $0.\dot{3}\dot{1}=\dfrac{31}{99}$

③ $0.\dot{4}\dot{8}=\dfrac{16}{33}$ ④ $2.\dot{7}\dot{2}=\dfrac{30}{11}$

⑤ $5.\dot{6}1\dot{4}=\dfrac{5614}{999}$

핵심

18 순환소수를 분수로 나타내기 – 공식(3)

날짜 : 월 일

Subnote ➔ 07쪽

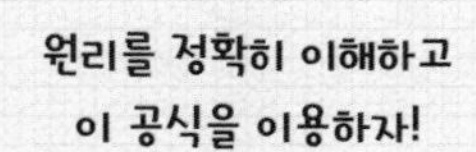

소수점 아래 첫째 자리부터 순환마디가 시작되지 않는 순환소수는 다음과 같이 분수로 나타낼 수 있다.

(1) **분모** : 순환마디의 숫자의 개수만큼 9를 쓰고, 그 뒤에 소수점 아래에서 순환하지 않는 숫자의 개수만큼 0을 쓴다.

(2) **분자** : (전체의 수) − (순환하지 않는 부분의 수)

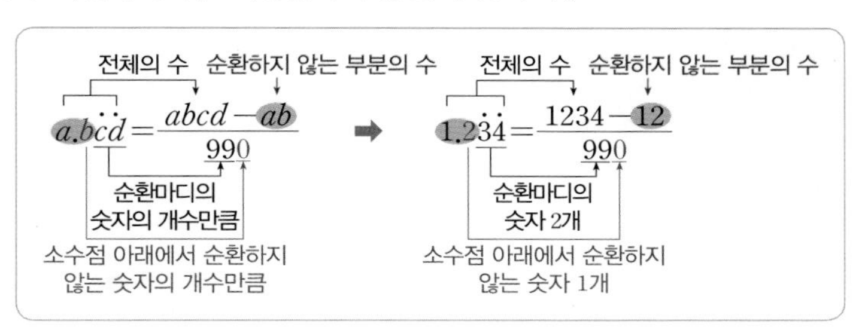

다음은 주어진 순환소수를 기약분수로 나타내는 과정이다. □ 안에 알맞은 수를 써넣어라.

0165 $0.4\dot{1}=\frac{41-\square}{\square}=\square$

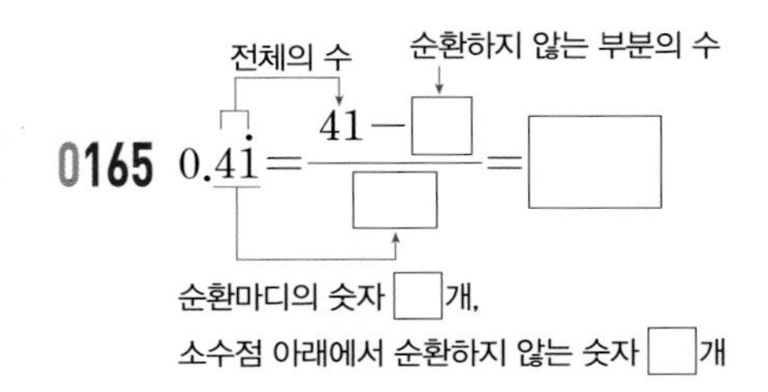

0166 $0.0\dot{7}=\frac{7-\square}{\square}=\square$

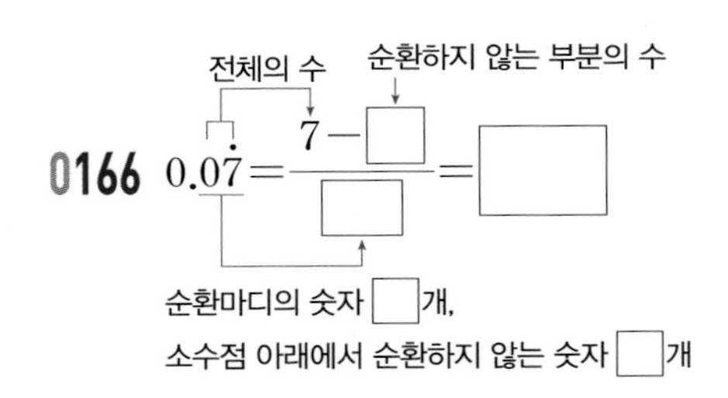

0167 $0.42\dot{5}=\frac{\square-\square}{\square}=\square$

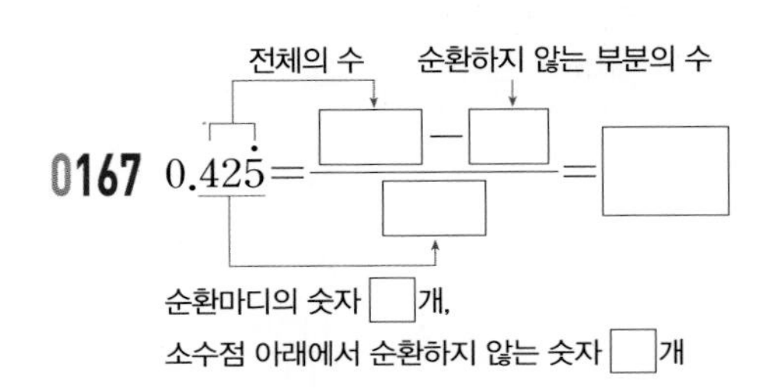

다음 순환소수를 기약분수로 나타내어라.

0168 $0.6\dot{5}$ ________

0169 $0.3\dot{6}$ ________

0170 $0.7\dot{6}\dot{2}$ ________

0171 $0.01\dot{8}$ ________

0172 $0.3\dot{1}\dot{4}$ ________

1 유리수와 순환소수

순환소수를 분수로 나타내기 – 공식(4)

날짜 : 월 일

Subnote ➜ 08쪽

다음은 주어진 순환소수를 기약분수로 나타내는 과정이다. □ 안에 알맞은 수를 써넣어라.

0173

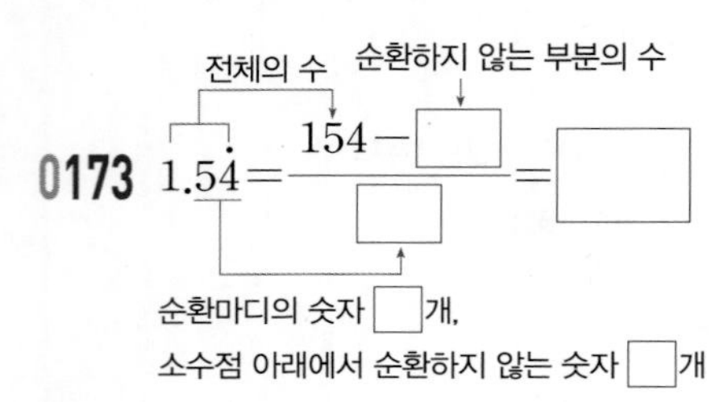

0174

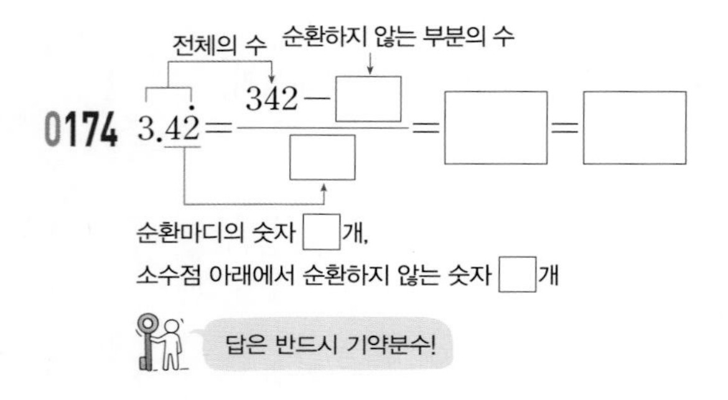

0175

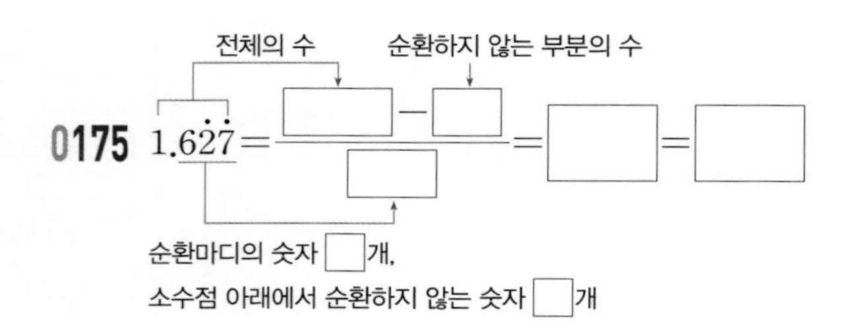

0176

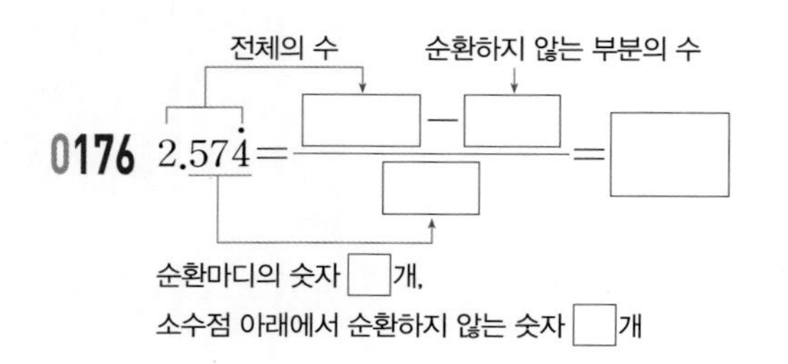

다음 순환소수를 기약분수로 나타내어라.

0177 $4.2\dot{5}$ ________

0178 $3.8\dot{3}$ ________

0179 $0.01\dot{3}$ ________

0180 $0.1\dot{2}\dot{8}$ ________

0181 학교 시험 맛보기

다음 중 순환소수를 분수로 나타낸 것으로 옳지 <u>않은</u> 것은?

① $0.1\dot{4}=\dfrac{13}{90}$　② $1.3\dot{8}=\dfrac{25}{18}$

③ $0.4\dot{3}\dot{2}=\dfrac{214}{495}$　④ $2.\dot{3}7\dot{8}=\dfrac{1189}{495}$

⑤ $1.34\dot{2}=\dfrac{302}{225}$

핵심

20 유리수와 소수 사이의 관계

날짜 : 월 일

Subnote ➡ 08쪽

유리수는 분수 $\frac{a}{b}$(a, b는 정수, $b \neq 0$) 꼴로 나타낼 수 있는 수야!

(1) 정수가 아닌 유리수는 유한소수 또는 순환소수로 나타낼 수 있다.
(2) 유한소수와 순환소수는 분수로 나타낼 수 있으므로 유리수이다.
(3) 유리수와 소수 사이의 관계

소수
- 유한소수 : $0.7=\frac{7}{10}$ ─ 유리수
- 무한소수
  - 순환소수 : $0.\dot{7}=\frac{7}{9}$ ─ 유리수
  - 순환하지 않는 무한소수 : π ─ 유리수가 아니다.

0182 다음 보기 중 유리수를 모두 골라라.

보기	
ㄱ. $0.\dot{5}$	ㄴ. π
ㄷ. $0.343434\cdots$	ㄹ. 0.3
ㅁ. $0.1121231234\cdots$	ㅂ. $-\frac{2}{15}$

key 유한소수와 순환소수는 모두 분수로 나타낼 수 있다.

0183 다음 보기 중 유리수가 아닌 것을 모두 골라라.

보기	
ㄱ. -0.2	ㄴ. $0.\dot{4}\dot{2}$
ㄷ. $0.1010010001\cdots$	ㄹ. $0.010120123\cdots$
ㅁ. $\frac{5}{7}$	ㅂ. -3π

다음 설명 중 옳은 것은 ○표, 옳지 않은 것은 ×표를 하여라.

0184 유리수는 모두 유한소수로 나타낼 수 있다. ( )

0185 모든 무한소수는 순환소수이다. ( )

0186 모든 소수는 유리수이다. ( )

0187 기약분수의 분모의 소인수가 2나 5뿐이면 유한소수로 나타낼 수 있다. ( )

0188 유한소수는 유리수이다. ( )

0189 모든 순환소수는 분수로 나타낼 수 있다. ( )

핵심 09~20

Mini Review Test

날짜 : 월 일

Subnote ➡ 08쪽

핵심 09

0190 다음 중 순환소수의 표현이 옳지 않은 것을 모두 고르면? (정답 2개)

① $0.6222\cdots=0.6\dot{2}$

② $1.2505050\cdots=1.25\dot{0}\dot{5}$

③ $4.321432143214\cdots=\dot{4}.32\dot{1}$

④ $5.161616\cdots=5.\dot{1}\dot{6}$

⑤ $3.721721721\cdots=3.\dot{7}2\dot{1}$

핵심 10

0191 다음 분수를 소수로 고친 후 순환마디에 점을 찍어 간단히 나타내어라.

(1) $\frac{16}{11}$　　(2) $\frac{4}{15}$

핵심 11 서술형

0192 분수 $\frac{5}{27}$를 소수로 나타낼 때, 소수점 아래 30번째 자리의 숫자를 구하여라.

핵심 15

0193 다음 중 순환소수 $x=1.23\dot{4}$를 분수로 나타내려고 할 때 필요한 가장 간단한 식은?

① $10x-x$　　② $100x-x$

③ $100x-10x$　　④ $1000x-10x$

⑤ $1000x-100x$

핵심 15

0194 다음 중 순환소수 $x=1.5686868\cdots$에 대한 설명으로 옳지 않은 것은?

① 순환마디의 숫자는 2개이다.

② $1.5\dot{6}\dot{8}$로 나타낸다.

③ $1000x-10x=1553$

④ 분수로 나타낼 수 없다.

⑤ x는 무한소수이다.

핵심 18 19

0195 다음 중 순환소수를 분수로 나타낸 것으로 옳지 않은 것은?

① $1.\dot{6}=\frac{5}{3}$　　② $0.5\dot{2}=\frac{47}{90}$

③ $2.\dot{7}\dot{2}=\frac{272}{99}$　　④ $0.40\dot{8}=\frac{92}{225}$

⑤ $1.27\dot{3}=\frac{191}{150}$

핵심 20

0196 다음 보기 중 옳지 않은 것을 모두 골라라.

보기

ㄱ. 무한소수는 유리수가 아니다.
ㄴ. 기약분수는 유한소수로 나타낼 수 있다.
ㄷ. 순환소수는 모두 무한소수이다.
ㄹ. 0은 유리수이다.

Review

1. 유리수와 순환소수

2 식의 계산

이미 배운 내용

[중학교 1학년]
- 문자의 사용과 식의 계산

이번에 배울 내용

2. 단항식의 계산
- 지수법칙
- 단항식의 곱셈과 나눗셈

3. 다항식의 계산
- 다항식의 덧셈과 뺄셈
- 단항식과 다항식의 곱셈과 나눗셈

2 단항식의 계산

스스로 공부 계획 세우기

	학습 내용	공부한 날짜	반복하기
2. 단항식의 계산	01. 지수법칙 – 거듭제곱의 곱셈(1)	월 일	□□
	02. 지수법칙 – 거듭제곱의 곱셈(2)	월 일	□□
	03. 지수법칙 – 거듭제곱의 거듭제곱(1)	월 일	□□
	04. 지수법칙 – 거듭제곱의 거듭제곱(2)	월 일	□□
	05. 지수법칙 – 거듭제곱의 나눗셈(1)	월 일	□□
	06. 지수법칙 – 거듭제곱의 나눗셈(2)	월 일	□□
	07. 지수법칙 – 전체의 거듭제곱(1)	월 일	□□
	08. 지수법칙 – 전체의 거듭제곱(2)	월 일	□□
	Mini Review Test(01~08)	월 일	□□
	09. 단항식의 곱셈(1)	월 일	□□
	10. 단항식의 곱셈(2)	월 일	□□
	11. 단항식의 나눗셈(1)	월 일	□□
	12. 단항식의 나눗셈(2)	월 일	□□
	13. 단항식의 곱셈과 나눗셈의 혼합 계산(1)	월 일	□□
	14. 단항식의 곱셈과 나눗셈의 혼합 계산(2)	월 일	□□
	15. 단항식의 계산–□ 안에 알맞은 식 구하기	월 일	□□
	Mini Review Test(09~15)	월 일	□□

2 단항식의 계산

개념 NOTE

1 지수법칙 핵심 01 ~ 08

m, n이 자연수일 때

지수의 합

(1) $a^m \times a^n = a^{m+n}$

지수의 곱

(2) $(a^m)^n = a^{mn}$

지수의 차

(3) $m > n$이면 $a^m \div a^n = a^{m-n}$

$m = n$이면 $a^m \div a^n = 1$

$m < n$이면 $a^m \div a^n = \dfrac{1}{a^{n-m}}$ $(a \neq 0)$

지수의 분배

(4) $(ab)^m = a^m b^m$, $\left(\dfrac{b}{a}\right)^m = \dfrac{b^m}{a^m}$ $(a \neq 0)$

> $a = a^1$으로 지수 1이 생략된 것이다. 지수를 0으로 생각하지 않도록 주의한다.

> $a^m \div a^n$을 계산할 때는 먼저 m, n의 대소를 비교한다.

2 단항식의 곱셈과 나눗셈 핵심 09 ~ 12

(1) 단항식의 곱셈

① 계수는 계수끼리, 문자는 문자끼리 곱한다.

② 같은 문자끼리의 곱셈은 지수법칙을 이용하여 간단히 한다.

예 $3x^2y^3 \times 2x^4y^2 = (3 \times 2) \times (x^2 \times x^4) \times (y^3 \times y^2) = 6x^6y^5$

(2) 단항식의 나눗셈

[방법 1] 나눗셈을 분수 꼴로 바꾸어 계산하기 ➡ $A \div B = \dfrac{A}{B}$

예 $12x^2y \div 4xy = \dfrac{12x^2y}{4xy} = 3x$

[방법 2] 나눗셈을 역수의 곱셈으로 바꾸어 계산하기 ➡ $A \div B = A \times \dfrac{1}{B}$

예 $12x^2y \div 4xy = 12x^2y \times \dfrac{1}{4xy} = 3x$

> 나누는 식이 분수 꼴인 경우에는 [방법 2]를 이용하는 것이 편리하다.

3 단항식의 곱셈과 나눗셈의 혼합 계산 핵심 13 ~ 15

단항식의 곱셈과 나눗셈의 혼합 계산은 다음과 같은 순서로 계산한다.

❶ 괄호가 있는 거듭제곱은 지수법칙을 이용하여 푼다.

❷ 나눗셈은 나누는 식의 역수의 곱셈으로 바꾼다.

❸ 계수는 계수끼리, 문자는 문자끼리 계산한다.

> 곱셈과 나눗셈이 혼합된 식은 앞에서부터 순서대로 계산한다.

핵심 01 지수법칙 – 거듭제곱의 곱셈 (1)

날짜 : 월 일

Subnote ➲ 09쪽

밑이 같을 때,
거듭제곱으로 나타낸 수의 곱은
지수끼리 더해!

m, n이 자연수일 때,

지수의 합

$a^m \times a^n = a^{m+n}$

예 $a^3 \times a^2 = \underbrace{(a \times a \times a)}_{3\text{개}} \times \underbrace{(a \times a)}_{2\text{개}}$
$= a^{3+2} = a^5$

다음 식을 간단히 하여라.

0197 $a^2 \times a^6 = a^{2+\square} = a^{\square}$

0198 $5^2 \times 5^4$ ________

0199 $b \times b^3$ ________

key $b = b^1$

0200 $x^3 \times x \times x^2 = x^{3+\square+\square} = x^{\square}$

0201 $3^3 \times 3^4 \times 3^5$ ________

0202 $x^3 \times x^2 \times x^7 \times x$ ________

다음 식을 간단히 하여라.

0203 $a^4 \times b^2 \times a^3 = a^4 \times a^3 \times b^2$
$= a^{4+\square} \times b^2 = a^{\square} b^{\square}$

key 지수법칙은 밑이 같은 경우에만 성립한다.

0204 $x^3 \times y^7 \times x^2$ ________

0205 $a^2 \times b^3 \times a \times b = a^{2+\square} b^{3+\square} = a^{\square} b^{\square}$

0206 $x^2 \times y^4 \times x^4 \times y$ ________

0207 $x^3 \times y \times x \times y^2$ ________

0208 $a^2 \times b^2 \times b^4 \times a^3$ ________

날짜 : 월 일

Subnote 09쪽

다음 □ 안에 알맞은 수를 써넣어라.

0209 $a^{\square} \times a^4 = a^7$

key 지수끼리 비교한다.

0210 $x^5 \times x^{\square} = x^{11}$

0211 $2^2 \times 2^{\square} = 2^7$

0212 $3^2 \times 3^3 \times 3^{\square} = 3^{15}$

0213 $x^2 \times x^{\square} \times x = x^9$

$x = x^1$

0214 $4^{\square} \times 4^5 \times 4^5 \times 4^5 = 4^{20}$

다음 식을 만족시키는 자연수 m, n의 값을 각각 구하여라.

0215 $a^5 \times b^m \times b^7 \times a^n = a^{16}b^{13}$

$m =$ ________, $n =$ ________

key 밑이 같은 것끼리 지수를 비교한다.

0216 $x^m \times y^n \times x^3 \times y^4 = x^9y^6$

$m =$ ________, $n =$ ________

0217 $3 \times 5^3 \times 5^2 \times 3^m \times 5^n = 3^5 \times 5^7$

$m =$ ________, $n =$ ________

0218 학교 시험 맛보기

다음 식이 옳으면 ○표, 옳지 않으면 ×표를 하여라.

(1) $3^4 + 3^4 = 3^8$ ( )

(2) $a \times a^2 \times a^5 = a^8$ ( )

(3) $5^2 \times 5^2 \times 5^2 = 5^8$ ( )

핵심

03 지수법칙 – 거듭제곱의 거듭제곱 (1)

날짜 : 월 일

Subnote ➲ 09쪽

거듭제곱의 거듭제곱은 지수끼리 곱해!

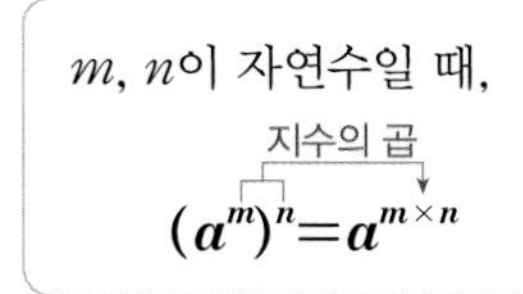

예 $(a^3)^2=a^3\times a^3=a^{3+3}$
$=a^{3\times 2}=a^6$

다음 식을 간단히 하여라.

0219 $(a^5)^2=a^{5\times\square}=a^{\square}$

0220 $(x^2)^4$ ________

0221 $(y^4)^3$ ________

0222 $(3^3)^2$ ________

0223 $(a^3)^3$ ________

0224 $(2^4)^8$ ________

다음 식을 간단히 하여라.

0225 $(x^3)^4\times x^2=x^{3\times\square}\times x^2=x^{\square}\times x^2=x^{\square}$

key $(a^m)^n=a^{mn}$을 먼저 계산한다.

0226 $a^{12}\times(a^4)^3$ ________

0227 $(b^3)^2\times(b^5)^2$ ________

0228 $(y^2)^2\times(y^4)^2$ ________

0229 $x^2\times(x^2)^3\times(x^3)^4$ ________

0230 $(a^2)^4\times(a^4)^4\times(a^6)^3$ ________

지수법칙 – 거듭제곱의 거듭제곱 (2)

날짜 : 월 일

Subnote 10쪽

다음 식을 간단히 하여라.

0231 $x\times(y^3)^2\times(x^3)^3=x\times y^{\square}\times x^{\square}=x^{\square}y^{\square}$

key 거듭제곱의 거듭제곱은 지수끼리 곱하여 계산하고, 밑이 같은 거듭제곱끼리의 곱은 지수끼리 더하여 계산한다.

0232 $(x^2)^3\times(y^4)^3\times x^3$

0233 $(a^4)^2\times(b^3)^2\times(a^7)^3$

0234 $(a^3)^2\times(b^4)^2\times(a^3)^5$

0235 $(a^3)^4\times b^2\times(a^2)^3\times b$

0236 $(x^5)^2\times(y^2)^4\times(y^2)^2\times(x^6)^2$

다음 □ 안에 알맞은 수를 써넣어라.

0237 $(x^4)^{\square}=x^{16}$ ➡ $x^{4\times\square}=x^{16}$

0238 $(x^{\square})^3=x^{15}$

0239 $(x^3)^{\square}\times x^2=x^{14}$

0240 $(a^4)^2\times(a^{\square})^2=a^{20}$

0241 학교 시험 맛보기 

다음 보기의 식을 간단히 하였을 때, 그 결과가 다른 하나를 골라라.

보기

ㄱ. $(a^2)^5$ ㄴ. $a^4\times a\times a^2$

ㄷ. $(a^3)^3\times a$ ㄹ. $(a^3)^2\times(a^2)^2$

핵심

05 지수법칙 – 거듭제곱의 나눗셈 (1)

날짜 : 월 일

Subnote ⊙ 10쪽

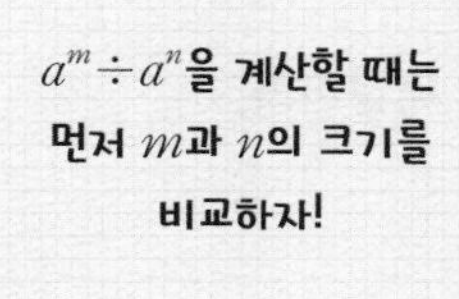

$a^m \div a^n$을 계산할 때는 먼저 m과 n의 크기를 비교하자!

m, n이 자연수일 때,

$$a^m \div a^n = \begin{cases} a^{m-n} & (m>n) \\ 1 & (m=n) \\ \dfrac{1}{a^{n-m}} & (m<n) \end{cases}$$

예 (1) $a^4 \div a^2 = \dfrac{a^4}{a^2} = \dfrac{a \times a \times a \times a}{a \times a} = a^2$

(2) $a^2 \div a^2 = \dfrac{a^2}{a^2} = \dfrac{a \times a}{a \times a} = 1$

(3) $a^2 \div a^4 = \dfrac{a^2}{a^4} = \dfrac{a \times a}{a \times a \times a \times a} = \dfrac{1}{a^2}$

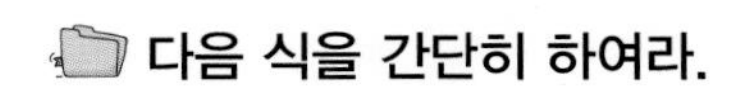

다음 식을 간단히 하여라.

0242 $a^6 \div a^2 = a^{\square - \square} = a^{\square}$

key $a^m \div a^n = a^{m-n}$ (단, $m>n$)

0243 $y^8 \div y^4$ ________

0244 $3^7 \div 3^5$ ________

0245 $2^{12} \div 2^4$ ________

0246 $x^9 \div x^9$ ________

지수가 같아!

0247 $a^3 \div a^4 = \dfrac{1}{a^{\square - \square}} = \dfrac{1}{a}$

3<4

0248 $x^3 \div x^6$ ________

0249 $y^5 \div y^6$ ________

0250 $3^7 \div 3^{15}$ ________

0251 $5 \div 5^{10}$ ________

2 단항식의 계산

지수법칙 – 거듭제곱의 나눗셈 (2)

날짜 : 월 일

다음 식을 간단히 하여라.

0252 $(a^5)^6 \div a^9 = a^{\square} \div a^9 = a^{\square - 9} = a^{\square}$

key 지수의 곱을 먼저 계산하고 지수의 차를 계산한다.

0253 $(x^7)^3 \div (x^5)^4$ ________

0254 $x^8 \div x^2 \div x^3 = x^{8-\square} \div x^3 = x^{\square} \div x^3 = x^{\square}$

key 거듭제곱의 나눗셈은 교환법칙이 성립하지 않으므로 앞에서부터 순서대로 계산한다.

0255 $y^5 \div y^3 \div y^4$ ________

0256 $(x^3)^2 \div x^3 \div x^5$ ________

0257 $(2^8)^2 \div 2^2 \div (2^2)^{10}$ ________

다음 □ 안에 알맞은 수를 써넣어라.

0258 $x^{10} \div x^{\square} = x^2$

0259 $a^{\square} \div a^4 = 1$

0260 $a \div a^{\square} = \frac{1}{a^4}$

0261 $(a^{\square})^4 \div a^6 = a^2$

0262 학교 시험 맛보기

다음 식이 옳으면 ○표, 옳지 않으면 ×표를 하여라.

(1) $(x^5)^2 \div (x^2)^5 = 1$ (　　)

(2) $x \div x^8 = \frac{1}{x^8}$ (　　)

(3) $y^8 \div y^5 \div y^3 = y$ (　　)

핵심 # 07 지수법칙 – 전체의 거듭제곱 (1)

날짜 : 월 일

Subnote ➲ 11쪽

괄호 안의 각 문자와 숫자에 빠짐없이 지수를 분배해야 돼!

n이 자연수일 때,

지수의 분배

$$(ab)^n = a^n b^n$$

예 $(ab)^2 = ab \times ab$
$= (a \times a) \times (b \times b)$
$= a^2b^2$

다음 식을 간단히 하여라.

0263 $(ab)^3 = a^{1\times\square}b^{1\times\square} = a^{\square}b^{\square}$

$ab = a^1b^1$

0264 $(x^2y)^5$ ________

0265 $(a^2b^4)^3$ ________

0266 $(a^3b^5)^2$ ________

0267 $(x^3y)^3$ ________

0268 $(3ab^3)^3$ ________

key 수의 거듭제곱도 빠뜨리지 않도록 주의한다.

0269 $(-x^2)^2$ ________

key 음수의 거듭제곱 { 지수가 짝수 ➡ 부호는 $+$ / 지수가 홀수 ➡ 부호는 $-$ }

0270 $(-x^2y^4)^3$ ________

0271 $(-2a^3b)^4$ ________

0272 학교 시험 맛보기

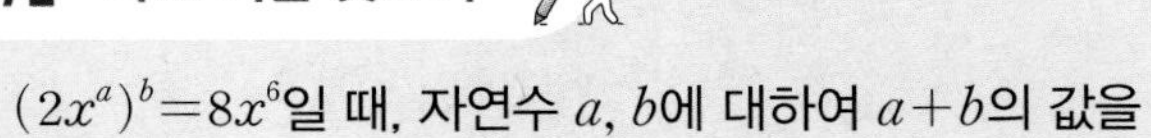

$(2x^a)^b = 8x^6$일 때, 자연수 a, b에 대하여 $a+b$의 값을 구하여라.

____

08 지수법칙 – 전체의 거듭제곱 (2)

날짜 : 월 일

Subnote ➡ 11쪽

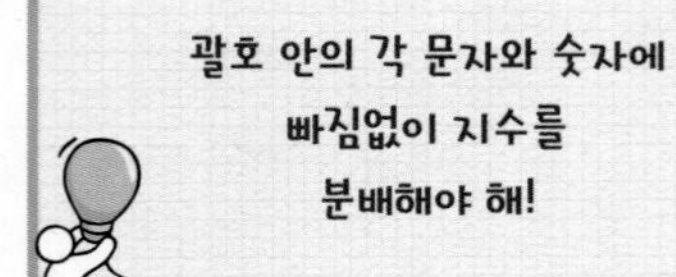

n이 자연수일 때,

$$\left(\frac{a}{b}\right)^n=\frac{a^n}{b^n}\ (\text{단, } b\neq0)$$

예 $\left(\frac{a}{b}\right)^3=\frac{a}{b}\times\frac{a}{b}\times\frac{a}{b}$
$=\frac{a\times a\times a}{b\times b\times b}=\frac{a^3}{b^3}$

다음 식을 간단히 하여라.

0273 $\left(\frac{y}{x}\right)^2=\frac{y^{\square}}{x^{\square}}$

0274 $\left(\frac{x}{y^3}\right)^5$ ______

0275 $\left(\frac{a^2}{b^4}\right)^4$ ______

0276 $\left(\frac{b^3}{2a^2}\right)^3$ ______

0277 $\left(\frac{3b^2}{a}\right)^4$ ______

0278 $\left(-\frac{y}{x^2}\right)^4$ ______

0279 $\left(-\frac{4b^4}{a^7}\right)^3$ ______

0280 $\left(-\frac{3b^3}{4a^2}\right)^2$ ______

0281 학교 시험 맛보기

다음 보기 중 옳은 것을 모두 골라라.

보기

ㄱ. $(x^4y^2)^2=x^8y^4$

ㄴ. $(-3b^5)^2=9b^{10}$

ㄷ. $\left(-\frac{2y}{x^2}\right)^3=-\frac{2y^3}{x^6}$

______

핵심 01~08

Mini Review Test

Subnote ➡ 11쪽

핵심 01 05

0282 다음에서 규칙을 찾아 빈 곳에 알맞은 식을 써넣어라.

(1) $a^2 \xrightarrow{a^3} a^5 \xrightarrow{a^2} a^7 \xrightarrow{a^4} \bigcirc \xrightarrow{a^5} \bigcirc$

(2) $x^{18} \xrightarrow{x^2} x^{16} \xrightarrow{x^4} x^{12} \xrightarrow{x^8} \bigcirc \xrightarrow{x} \bigcirc$

핵심 03 04 서술형

0283 다음 식을 만족시키는 자연수 A, B, C의 값을 각각 구하여라.

(가) $(x^2)^3 \times (x^4)^3 = x^A$
(나) $(a^5)^3 \times (b^3)^B = a^C b^{12}$

핵심 05 06

0284 다음 식을 간단히 하여라.

(1) $a^5 \div a^4$

(2) $2^{14} \div 2^6 \div 2^2$

(3) $y^4 \div y^3 \div y$

핵심 02 06 07

0285 다음 □ 안에 알맞은 수를 써넣어라.

(1) $2^{\square} \times 2^3 = 16$

(2) $3^{\square} \div 3^3 = 81$

(3) $8^{\square} \div 8^7 = \frac{1}{64}$

(4) $(x^{\square}y)^4 = x^{12}y^4$

핵심 06

0286 $(a^x)^4 \div a^6 = a^2$일 때, 자연수 x의 값을 구하여라.

핵심 07 08

0287 다음 보기 중 옳은 것을 모두 골라라.

보기

ㄱ. $(2a^4)^3 = 2a^{12}$
ㄴ. $(-3a^2b^{11})^2 = 9a^4b^{22}$
ㄷ. $\left(\frac{a^4}{4b^3}\right)^3 = \frac{a^{12}}{64b^9}$

단항식의 곱셈 (1)

날짜 :  월  일

Subnote 12쪽

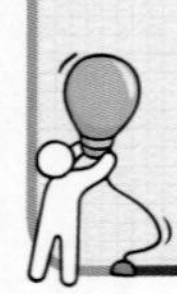

단항식의 곱셈은
계수는 계수끼리,
문자는 문자끼리 곱해!

(단항식) × (단항식)은 다음과 같이 계산한다.

(1) 계수는 계수끼리, 문자는 문자끼리 곱한다.

(2) 같은 문자끼리의 곱셈은 지수법칙을 이용하여 간단히 한다.

예 $(-3x^2y)\times 4xy=(-3)\times x^2\times y\times 4\times x\times y$

$=(-3)\times 4\times x^2\times x\times y\times y$ ← 교환법칙

$=\underbrace{(-3)\times 4}_{\text{계수는 계수끼리}}\times\underbrace{(x^2\times x)\times(y\times y)}_{\text{문자는 문자끼리}}$ ← 결합법칙

$=-12x^3y^2$ ← 지수법칙

다음 식을 간단히 하여라.

0288 $2x\times 3y=2\times\square\times x\times\square=\square$

(계수는 계수끼리, 문자는 문자끼리)

0289 $4a\times 7b$

0290 $(-3p)\times 6q$

key 계수끼리의 곱에서 전체 부호를 결정할 때는
① $(-)$가 홀수 개이면 $(-)$
② $(-)$가 짝수 개이면 $(+)$

0291 $5a\times(-2b)$

key 계수에 음수가 있는 식의 계산은 전체의 부호를 먼저 결정한 다음 곱셈을 하면 편리하다.

0292 $(-2x)\times(-8y)$

전체 부호를 먼저 결정해.

다음 식을 간단히 하여라.

0293 $5x^3\times 6x^4$

key 문자끼리의 곱셈은 지수법칙을 이용한다.

0294 $2y\times(-3y^2)$

0295 $(-4ab)\times 5a^3$

0296 $(-2x^2y)\times(-7y^2)$

0297 $(-a^2b^4)\times 2ab^2$

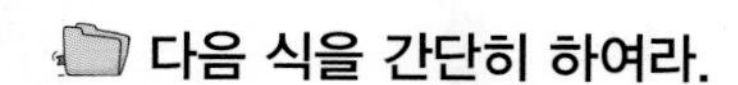

핵심 10

단항식의 곱셈 (2)

날짜 : 월 일

Subnote 12쪽

다음 식을 간단히 하여라.

0298 $(3x)^2\times4x=3^2\times\square\times4\times x$
$=\square\times4\times\square\times x=\square$
계수는 계수끼리 문자는 문자끼리

0299 $5y^2\times(-2xy^2)^3$

0300 $\frac{1}{3}a^7b\times(6a^2b^4)^2$

0301 $(-2a^3b^2)^3\times\frac{1}{4}a^3b$

0302 $(-3a^2b^3)^2\times(-a^2b)^3$

다음 식을 간단히 하여라.

0303 $(2ab^2)^2\times4a^3b\times(3ab)^2$

key 복잡한 단항식의 곱셈 순서
(거듭제곱) → (부호 결정) → (계수, 문자끼리의 곱)

0304 $(2x^2y)^2\times(-xy)^3\times2xy^2$

0305 $\frac{1}{2}x^2\times\frac{2}{3}y^3\times(3x^3y)^2$

0306 $\frac{2}{9}x^6\times(3xy^2)^2\times(-x^2y)^4$

0307 $(-x^2y)\times3xy^3\times(-4x^2y)^2$

단항식의 나눗셈 (1)

날짜 : 월 일

Subnote ➊ 12쪽

나누는 식이 분수 꼴이면 [방법 2]를 이용하는 것이 편리해!

(단항식)÷(단항식)은 다음과 같이 계산한다.

[방법 1] 나눗셈을 분수 꼴로 바꾸어 계산한다.

예 $8a^4 \div 4a^2 = \dfrac{8a^4}{4a^2} = 2a^2$

$$A \div B = \frac{A}{B}$$

[방법 2] 나눗셈을 역수의 곱셈으로 바꾸어 계산한다.

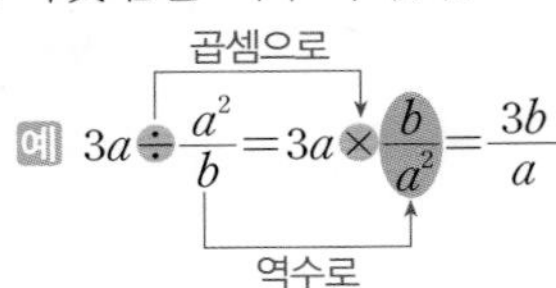

예 $3a \div \dfrac{a^2}{b} = 3a \times \dfrac{b}{a^2} = \dfrac{3b}{a}$

$$A \div B = A \times \frac{1}{B} = \frac{A}{B}$$

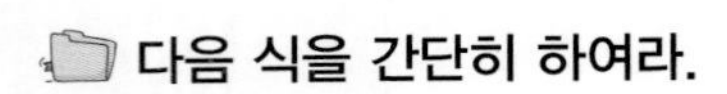

다음 식을 간단히 하여라.

0308 $4x \div 2x = \dfrac{4x}{\square} = \square$

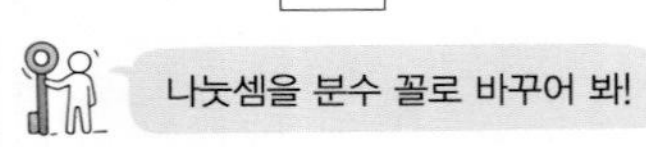

0309 $15a^2b \div 5a$ ________

0310 $12xy^5 \div 24x^2y^3$ ________

0311 $8xy^3 \div (-2x^3y^2)$ ________

0312 $9m^2n \div (-3mn^4)$ ________

다음 식을 간단히 하여라.

0313 $8x^2y \div \dfrac{x}{2} = 8x^2y \times \dfrac{2}{\square}$

$= 8 \times \square \times x^2y \times \dfrac{1}{\square} = \square$

(계수는 계수끼리, 문자는 문자끼리)

key 나누는 식이 분수 꼴일 때는 나눗셈을 역수의 곱셈으로 바꾸어 계산하는 것이 편리하다.

0314 $\dfrac{1}{4}xy \div \left(-\dfrac{7}{6}x\right)$ ________

0315 $\dfrac{2}{3}x^2y \div \dfrac{1}{6}xy^2$ ________

0316 $\dfrac{3}{4}a^3b^4 \div \left(-\dfrac{3}{8}ab^3\right)$ ________

핵심 **12** 단항식의 나눗셈 (2)

날짜 : 월 일

Subnote ➡ 13쪽

다음 식을 간단히 하여라.

0317 $(-4x^2)^2 \div 2x^4$ ________

key 거듭제곱을 먼저 계산한다.

0318 $(-x^2y)^3 \div (-3xy)^2$ ________

0319 $(-3ab^3)^3 \div (-3a^4b^2)^2$ ________

0320 $\left(-\frac{1}{2}x\right)^3 \div \frac{1}{8}x^2$ ________

0321 $(2xy)^2 \div \left(\frac{1}{2}xy^3\right)^2$ ________

0322 $\left(-\frac{3}{2}a^2b\right)^2 \div \frac{3}{4}a^3b^4$ ________

다음 식을 간단히 하여라.

0323 $(-2a)^4 \div (-2a) \div 5a$

$=\square \times \left(-\frac{1}{2a}\right) \times \frac{1}{\square}$

$=\square$

key 나눗셈은 결합법칙이 성립하지 않으므로 괄호가 있으면 괄호를 먼저 풀고, 앞에서부터 순서대로 계산한다.
즉, $a \div b \div c = a \times \frac{1}{b} \times \frac{1}{c}$

0324 $(-3ab)^2 \div \left(\frac{b^4}{a}\right)^3 \div \frac{a^2}{2b^3}$ ________

0325 $(9a^4b^3)^2 \div (-2ab^2)^2 \div \left(\frac{3}{2}a^2b\right)^3$ ________

0326 학교 시험 맛보기

다음 식이 옳으면 ○표, 옳지 않으면 ×표를 하여라.

(1) $3a^2b \div (-9a^4b) = -\frac{1}{3a^2}$ ( )

(2) $(-24xy^3) \div (-2x^2y) = 12xy^2$ ( )

(3) $(-3xy) \div \frac{xy^3}{6} = -\frac{18}{y^2}$ ( )

2 단항식의 계산

13 단항식의 곱셈과 나눗셈의 혼합 계산 (1)

날짜 :  월  일

Subnote 13쪽

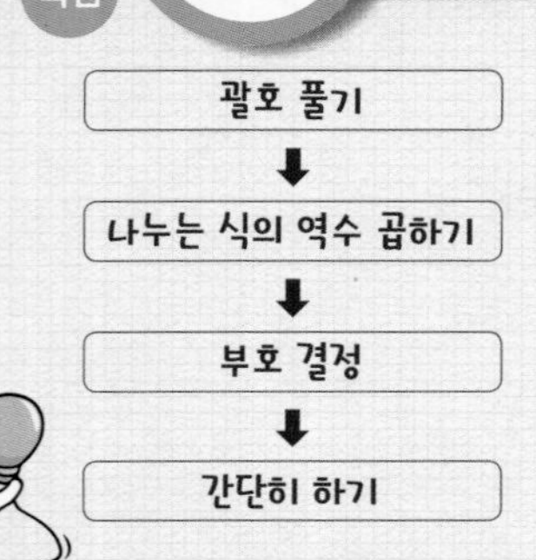

단항식의 곱셈과 나눗셈의 혼합 계산은 다음과 같이 계산한다.

예 $-3a^3\times(-2a)^2\div 6a^3$

$=-3a^3\times 4a^2\div 6a^3$ ← ❶ 괄호가 있는 거듭제곱은 지수법칙을 이용하여 괄호를 푼다.

$=-3a^3\times 4a^2\times\frac{1}{6a^3}$ ← ❷ 나눗셈을 역수의 곱셈으로 바꾼다.

$=-\left(3\times 4\times\frac{1}{6}\right)\times a^3\times a^2\times\frac{1}{a^3}$ ← ❸ 부호를 결정한다.

$=-2a^2$ ← ❹ 계수는 계수끼리, 문자는 문자끼리 계산한다.

다음 식을 간단히 하여라.

0327 $4a^3\times 3a^2\div 2a=4a^3\times 3a^2\times\frac{1}{\square}$

$=\left(4\times 3\times\frac{1}{\square}\right)\times\left(a^3\times a^2\times\frac{1}{\square}\right)$

$=\square$

key 나눗셈을 역수의 곱셈으로 바꾼다.
➡ $A\times B\div C=A\times B\times\frac{1}{C}$

0328 $9b^6\div(-6b^2)\times 4b$ ________

key ×, ÷가 혼합된 계산은 반드시 앞에서부터 차례로 계산한다.

0329 $(-4x)\div\frac{8x^3}{5}\times 2x^3$ ________

0330 $\frac{9}{4}x^2\times(-3x^2)\div 6x^3$ ________

0331 $(-2x^4)\times(3x)^2\div\frac{9}{x^3}$ ________

0332 $36x^3\times 2x^2\div(-3x)^3$ ________

0333 $(4x^3)^2\times 3x^4\div(-2x)^6$ ________

0334 $8x^5\div(-2x)^3\times(-3x^2)$ ________

0335 $(-4a)^2\div 8a^5\times(-2a^2)$ ________

단항식의 곱셈과 나눗셈의 혼합 계산 (2)

날짜 : 월 일

Subnote 13쪽

다음 식을 간단히 하여라.

0336 $15x^6y^2 \div 5x^4y \times 4x^2y^2$

$= 15x^6y^2 \times \dfrac{1}{\square} \times 4x^2y^2$

$= 15 \times \dfrac{1}{5} \times 4 \times x^6y^2 \times \dfrac{1}{\square} \times x^2y^2$

$= \square$

key 앞에서부터 차례대로 계산한다.

0337 $4x^2y^2 \div 6x^5y^2 \times 3x^4y$ ______

0338 $8x^3y^5 \times (-5xy^2) \div (-2x^2y)$ ______

0339 $27x^8y^4 \times xy^3 \div (-3x^2y)^3$ ______

key 괄호가 있으면 먼저 지수법칙을 이용하여 괄호를 푼다.

0340 $(-12x^5y^2) \div 2x^4y \times (-3y^2)^2$ ______

0341 $(-27x^2y) \times y^2 \div \left(-\dfrac{3y}{x^2}\right)$ ______

0342 $(-2x^2y)^3 \times (-xy^2)^4 \div \dfrac{4}{3}x^5y^7$ ______

0343 $(6x^3y)^2 \times \dfrac{1}{3x^2y} \div \dfrac{2}{9xy^4}$ ______

0344 $18xy^5 \div (-3xy^3)^2 \times \left(-\dfrac{1}{2}x^2y\right)$ ______

0345 학교 시험 맛보기

$x^2y \div \dfrac{1}{3}xy^5 \times (xy^4)^2 = Ax^By^C$을 만족시키는 자연수 A, B, C의 값을 각각 구하여라.

$A=$______, $B=$______, $C=$______

15 단항식의 계산 – □ 안에 알맞은 식 구하기

날짜 :  월  일

Subnote ➜ 14쪽

좌변에 □만 남도록
주어진 식을 변형해봐!

$A\div\square=B$	$A\div\square=B$	$A\times\square\div B=C$
➡ $A\times\dfrac{1}{\square}=B$	➡ $A\times\dfrac{1}{\square}=B$	➡ $A\times\square\times\dfrac{1}{B}=C$
➡ $\dfrac{1}{\square}=\dfrac{B}{A}$	➡ $A=B\times\square$	➡ $\square\times\dfrac{A}{B}=C$
➡ $\square=\dfrac{A}{B}$	➡ $\square=\dfrac{A}{B}$	➡ $\square\times C=\dfrac{B}{A}$

다음 □ 안에 알맞은 식을 구하여라.

0346 $xy^3\times\square=5x^2y^4$

sol $\square=\dfrac{5x^2y^4}{xy^3}=$ □

0347 $\square\times(-6x^2y)=24x^4y^2$ ______

0348 $\square\div(-2xy)^2=12x^7y^7$ ______

0349 $(-4x^2y)\div\square=-\dfrac{2x}{y}$ ______

□ 앞의 기호가 ×인지 ÷인지 주의해서 풀어!

0350 $(-4x^2)\div 2xy\times\square=-2x^2y^2$

sol $\dfrac{-4x^2}{2xy}\times\square=-2x^2y^2$

➡ $\square=(-2x^2y^2)\times\dfrac{2xy}{-4x^2}=$ □

0351 $\left(-\dfrac{3}{2}x^2y\right)^2\times\square\div 3x^2y=3y$ ______

0352 $\left(\dfrac{1}{x^3y}\right)^2\times(4x^2y^4)^2\div\square=\dfrac{4x^6}{y}$ ______

key $A\times B\div\square=C$ ➡ $\square=A\times B\times\dfrac{1}{C}$

0353 $(-18a^4b^3)\div\square\times\left(\dfrac{1}{3}ab\right)^2=-a^4b^3$ ______

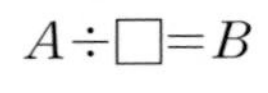

핵심 09~15

Mini Review Test

Subnote ➔ 14쪽

핵심 09 10

0354 다음을 계산하여라.

(1) $(2a^3)^3 \times (-4a^2)$

(2) $(-3x^2y)^3 \times 2xy^2$

핵심 11

0355 $12x^4y^5 \div \frac{3}{2}xy^3 = Ax^By^C$일 때, 자연수 A, B, C에 대하여 $A+B+C$의 값을 구하여라.

핵심 09~11

0356 다음 중 옳지 않은 것은?

① $(-3xy^2) \times 2xy = -6x^2y^3$

② $9x^2y \div \frac{1}{3}xy = 3x$

③ $(-a^2b)^4 \times 2a^3b = 2a^{11}b^5$

④ $3ab^2 \div 2ab^2 = \frac{3}{2}$

⑤ $(-2x^2y)^2 \times x^2y = 4x^6y^3$

핵심 11 12

0357 다음을 계산하여라.

(1) $(4a^3b)^2 \div \left(-\frac{2a^3}{b}\right)^3 \div \left(-\frac{b}{a^4}\right)^2$

(2) $(-3ab)^2 \div \left(\frac{b^4}{a}\right)^3 \div \frac{a^2}{2b^3}$

핵심 13 14

0358 $(-2a^2b^3)^2 \div \left(\frac{3}{2}ab^2\right)^2 \times \left(-\frac{3}{a^3b}\right)^2$을 간단히 하여라.

핵심 12~14 서술형

0359 $A = (-2a^2b)^3 \times \left(\frac{a}{b^3}\right)^3 \div a^3b$,

$B = (3ab^2)^2 \div (-2ab^3)^2$일 때, 다음을 구하여라.

(1) 단항식 A를 구하여라.

(2) 단항식 B를 구하여라.

(3) AB를 구하여라.

핵심 15

0360 $24x^2y^3 \div (-2x^3y)^2 \times \square = -12x^4y^2$일 때, $\square$ 안에 알맞은 식을 구하여라.

Review

2. 단항식의 계산

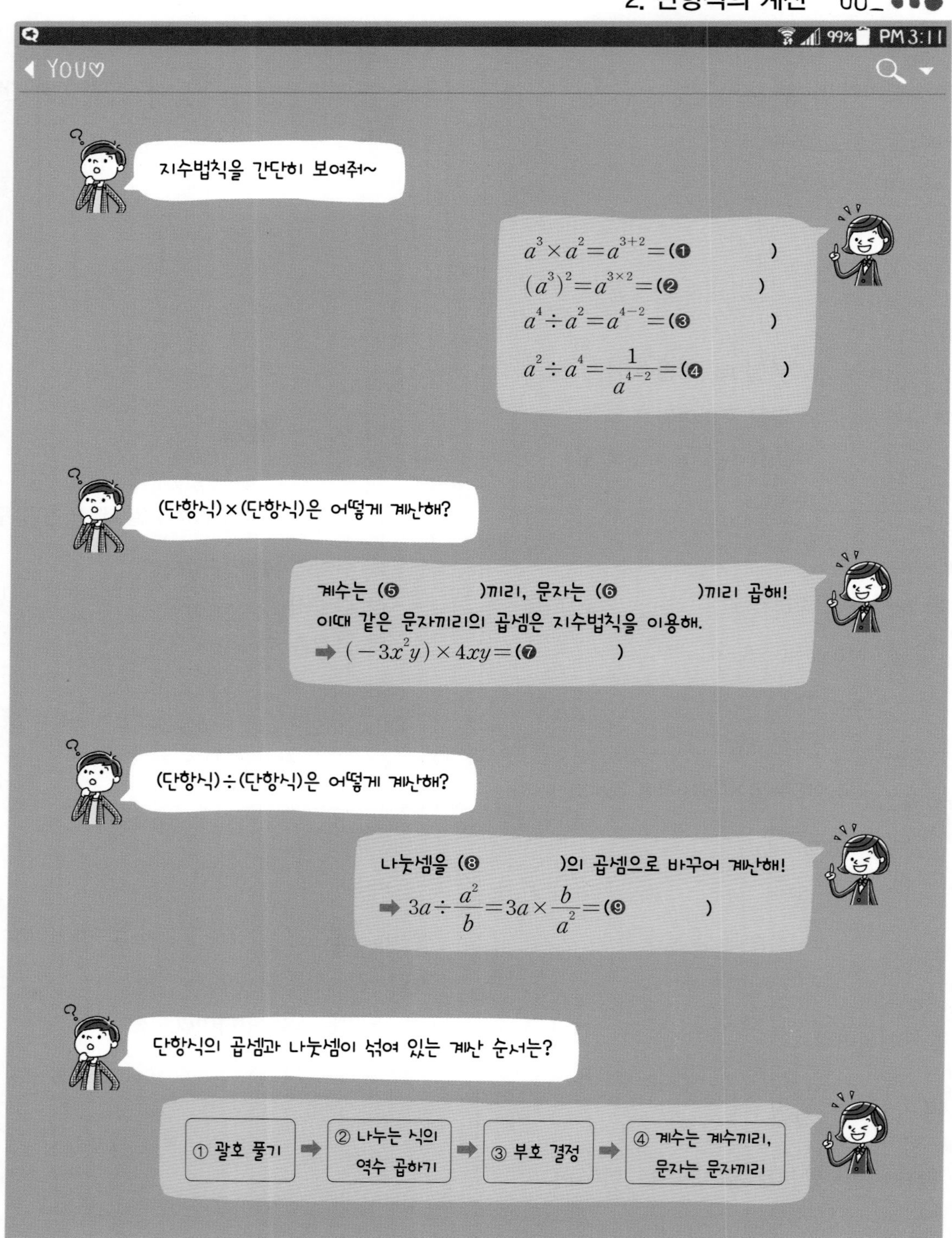

❶ a^5 ❷ a^6 ❸ a^2 ❹ $\frac{1}{a^2}$ ❺ 계수 ❻ 문자 ❼ $-12x^3y^2$ ❽ 역수 ❾ $\frac{3b}{a}$

3 다항식의 계산

스스로 공부 계획 세우기

	학습 내용	공부한 날짜	반복하기
3. 다항식의 계산	**01.** 다항식의 덧셈	월 일	□□
	02. 다항식의 뺄셈	월 일	□□
	03. 여러 가지 괄호가 있는 다항식의 덧셈과 뺄셈	월 일	□□
	04. 계수가 분수인 다항식의 덧셈과 뺄셈	월 일	□□
	05. 이차식	월 일	□□
	06. 이차식의 덧셈과 뺄셈	월 일	□□
	07. 복잡한 이차식의 덧셈과 뺄셈	월 일	□□
	08. □ 안에 알맞은 식 구하기	월 일	□□
	Mini **Review** Test(**01**~**08**)	월 일	□□
	09. (단항식)×(다항식)(1)	월 일	□□
	10. (단항식)×(다항식)(2)	월 일	□□
	11. (다항식)÷(단항식)(1)	월 일	□□
	12. (다항식)÷(단항식)(2)	월 일	□□
	13. 사칙연산의 혼합 계산(1)	월 일	□□
	14. 사칙연산의 혼합 계산(2)	월 일	□□
	Mini **Review** Test(**09**~**14**)	월 일	□□

3 다항식의 계산

1 다항식의 덧셈과 뺄셈 핵심 01 ~ 04

(1) **다항식의 덧셈** : 분배법칙을 이용하여 괄호를 풀고 동류항끼리 모아 간단히 정리한다.

(2) **다항식의 뺄셈** : 빼는 식의 각 항의 부호를 바꾸어 더한다.

예 $(2x+5y+9)-(x-y+4)=2x+5y+9-x+y-4$
$=2x-x+5y+y+9-4$
$=x+6y+5$

2 이차식의 덧셈과 뺄셈 핵심 05 ~ 08

(1) **이차식** : 다항식의 각 항의 차수 중 가장 높은 차수가 2인 다항식

(2) **이차식의 덧셈** : 먼저 괄호를 풀고 동류항끼리 모아서 간단히 정리한다.

(3) **이차식의 뺄셈** : 빼는 식의 각 항의 부호를 바꾸어 더한다.

예 $(3x^2-2x+1)-(x^2+3x)=3x^2-2x+1-x^2-3x=2x^2-5x+1$

3 단항식과 다항식의 곱셈 핵심 09 10 13 14

(1) **(단항식)×(다항식)** : 분배법칙을 이용하여 단항식을 다항식의 각 항에 곱한다.

(2) **전개와 전개식**

① 전개 : 분배법칙을 이용하여 단항식과 다항식의 곱을 하나의 다항식으로 나타내는 것

② 전개식 : 전개하여 얻은 다항식

예 $\underbrace{2x}_{\text{단항식}}\underbrace{(x+y-3)}_{\text{다항식}} \xrightarrow{\text{전개}} \underbrace{2x^2+2xy-6x}_{\text{전개식}}$

4 단항식과 다항식의 나눗셈 핵심 11 ~ 14

(단항식)÷(단항식)은 다음과 같은 방법으로 계산한다.

[방법 1] 나눗셈을 분수 꼴로 바꾸어 계산하기

➡ $(A+B)\div C=\dfrac{A+B}{C}$

예 $(8x^2+6xy)\div 2x=\dfrac{8x^2+6xy}{2x}=4x+3y$

[방법 2] 나눗셈을 역수의 곱셈으로 바꾸어 계산하기

➡ $(A+B)\div C=(A+B)\times\dfrac{1}{C}$

예 $(8x^2+6xy)\div\dfrac{x}{2}=(8x^2+6xy)\times\dfrac{2}{x}=16x+12y$

개념 NOTE

- 여러 가지 괄호가 섞여 있는 다항식의 덧셈과 뺄셈은 (소괄호) → {중괄호} → [대괄호]의 순서로 풀어 계산한다.
- 다항식을 이루는 각 항의 차수 중에서 가장 큰 값을 그 다항식의 차수라고 한다.
- 이차항은 이차항끼리, 일차항은 일차항끼리, 상수항은 상수항끼리 계산한다.
- 다항식과 단항식의 나눗셈을 할 때, 계수가 분수인 항이 있는 경우에는 [방법 2]를 이용하면 편리하다.
- 사칙연산의 혼합 계산은 거듭제곱 → 괄호 풀기 → ×, ÷ → +, − 의 순서로 계산한다.

핵심 **01**

다항식의 덧셈

날짜 : 월 일

Subnote 15쪽

1학년 때 배운 일차식의 덧셈과 뺄셈을 기억해 봐!

다항식의 덧셈은 분배법칙을 이용하여 괄호를 풀고, 동류항끼리 모아서 간단히 한다.

예 $(a+2b)+(3a-4b)$
$=a+2b+3a-4b$
$=a+3a+2b-4b$
$=4a-2b$

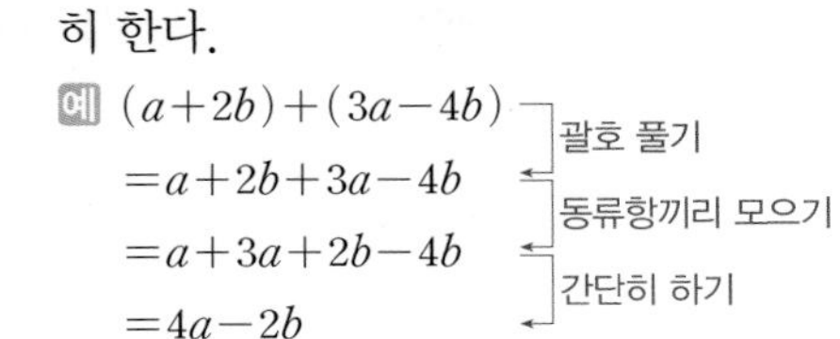

다음 식을 간단히 하여라.

0361 $(2x-3y)+(3x-2y)$
$=2x-3y+3x-2y$
$=2x+\square-3y-2y$
$=\square x-\square y$

0362 $(3x+2y)+(5x-7y)$ ________

0363 $(a-2b)+(-3a+b)$ ________

0364 $(6a-2b)+(a+3b)$ ________

0365 $(-4a-5b)+(2a+6b)$ ________

0366 $(4a+3b)+2(a-2b)$ ________

상수가 곱해져 있을 때는 분배법칙을 이용해서 괄호를 풀어!

0367 $3(2x-y)+(x+5y)$ ________

0368 $(7x-6y)+4(x+2y)$ ________

0369 $(4a+5b-1)+(a+3b+4)$ ________

0370 $(2a+3b+4)+(a-5b-1)$ ________

02 다항식의 뺄셈

날짜 : 월 일 

Subnote 15쪽

핵심

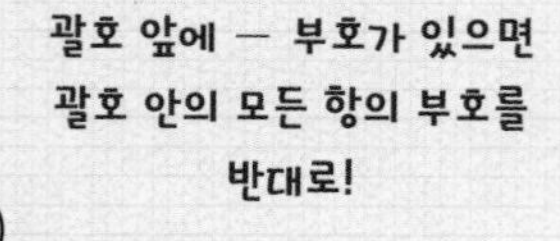

괄호 앞에 − 부호가 있으면 괄호 안의 모든 항의 부호를 반대로!

다항식의 뺄셈은 분배법칙을 이용하여 괄호를 풀고, 동류항끼리 모아서 간단히 한다. 이때 빼는 식의 각 항의 부호를 바꾸어 더한다.

예 $(3a+2b)-(5a-4b)$

$=3a+2b-5a+4b$ ← 괄호 풀기

$=3a-5a+2b+4b$ ← 동류항끼리 모으기

$=-2a+6b$ ← 간단히 하기

다음 식을 간단히 하여라.

0371 $(3x-2y)-(4x+3y)$

$=3x-2y-4x-\square$

$=3x-\square-2y-\square$ ← 동류항끼리 모으기

$=\square$

key 괄호 앞에 −가 있으면 괄호 안의 모든 항의 부호를 바꾼다.
➡ $-(a+b)=-a-b$, $-(a-b)=-a+b$

0372 $(2x-5y)-(3x-2y)$ ________

0373 $(-4a+5b)-(a-2b)$ ________

0374 $(6a+5b)-(2a-3b)$ ________

0375 $(2a+b)-(-5a-6b)$ ________

0376 $4(3x+y)-(2x+3y)$ ________

0377 $(5a-2b)-2(a-5b)$ ________

0378 $(2x+6y)-3(-x-4y)$ ________

0379 $(4a+7b-2)-(3a+2b+3)$ ________

0380 $2(3x+y-1)-(2x-4y-5)$ ________

핵심

03 여러 가지 괄호가 있는 다항식의 덧셈과 뺄셈

Subnote 16쪽

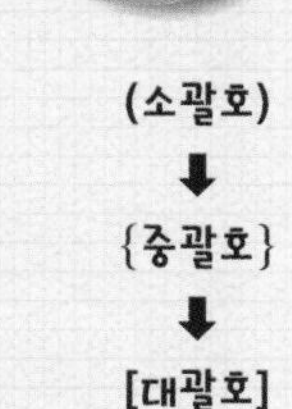

(소괄호)
⬇
{중괄호}
⬇
[대괄호]

여러 가지 괄호가 있는 다항식의 덧셈과 뺄셈은 (소괄호), {중괄호}, [대괄호]의 순서로 괄호를 푼 후 동류항끼리 모아서 간단히 한다.

예 $4a-\{3b-(2a-5b)\}=4a-(3b-2a+5b)$
$=4a-(-2a+8b)$
$=4a+2a-8b$
$=6a-8b$

다음 식을 간단히 하여라.

0381 $2x+3y-\{7x-(3x-2y)\}$
$=2x+3y-(7x-3x+2y)$
$=2x+3y-(\square x+\square y)$
$=2x+3y-\square x-\square y$
$=\square$

key 괄호를 풀 때, 괄호 앞의 부호에 주의한다.

0382 $2x-\{3x-y-(x-2y)\}$ ________

0383 $6x+5y-\{4x-y-(3x+y-1)\}$ ________

0384 $-x+3y+5-\{1-x+(x-3y)\}$ ________

0385 $3a-[4a+\{-2b-(3b+4a)\}]$ ________

0386 $8y-[2x-\{-3x+(2y+5x)\}]$ ________

0387 $x-[3x+\{6y-(-x+7y)\}]$ ________

0388 $2-[6x-\{4y+1-(3y-5x)\}]$ ________

0389 학교 시험 맛보기 

$5x-[3y-\{6x-(2x-7y)+y-3x\}]=ax+by$일 때, 상수 a, b에 대하여 $a+b$의 값을 구하여라.

____

3 다항식의 계산

핵심 04 계수가 분수인 다항식의 덧셈과 뺄셈

날짜 : 월 일

Subnote  16쪽

계수가 분수인 다항식은 먼저 분모의 최소공배수로 통분한다.

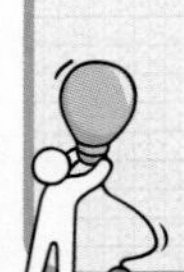

계수가 분수인 다항식의 덧셈과 뺄셈은 분모의 최소공배수로 통분한 후 동류항끼리 모아서 간단히 한다.

예 (분모 3과 2의 최소공배수 6으로 통분)

$$\frac{x+2y}{3}+\frac{3x-y}{2}=\frac{2(x+2y)+3(3x-y)}{6}$$

분자의 괄호 풀기

$$=\frac{2x+4y+9x-3y}{6}$$

동류항끼리 간단히 하기

$$=\frac{11x+y}{6}=\frac{11}{6}x+\frac{1}{6}y$$

다음 식을 간단히 하여라.

0390 $\frac{a+b}{2}+\frac{2a-4b}{3}=\frac{\square(a+b)+\square(2a-4b)}{6}$

$=\frac{\square+3b+4a-\square}{6}$

$=\frac{\square a-\square b}{6}$

$=\square a-\square b$

key 계수가 분수일 때는 분모의 최소공배수로 통분한다.

0391 $\frac{x-2y}{6}-\frac{3x-5y}{4}$ ________

0392 $\frac{x+y}{2}-\frac{3x-y}{4}$ ________

0393 $\frac{-a+2b}{4}+\frac{2a-5b}{3}$ ________

0394 $\frac{a+b}{2}+\frac{2a-4b}{3}$ ________

0395 $\frac{4x-21y}{28}-\left(\frac{3}{14}x-\frac{5}{8}y\right)$ ________

0396 학교 시험 맛보기 

다음 식을 간단히 하여라.

$$\frac{9x-y}{3}-\left(\frac{5}{4}x-\frac{1}{7}y\right)$$

____

핵심 05 이차식

날짜 : 월 일

Subnote 17쪽

각 항의 차수를 구해 봐. 가장 높은 차수가 2이면 이차식이야.

다항식의 각 항의 차수 중 가장 높은 차수가 2인 다항식을 **이차식**이라고 한다.

x^2+3x+2 (이차항 x^2, 일차항 $3x$, 상수항 2)　　$-2x^2+5x-3$ (이차항 $-2x^2$, 일차항 $5x$, 상수항 -3)

가장 높은 항의 차수가 2

0397 다항식 $4x^2-2x+5$에 대하여 다음 표를 완성하여라.

x^2의 계수	
x의 계수	
상수항	
차수	
다항식의 이름	

다음 다항식이 이차식인 것은 ○표, 이차식이 아닌 것은 ×표를 하여라.

0398 $3x-5y+2$ (　　)

key 다항식에서 가장 높은 항의 차수가 2인 다항식을 찾는다.

0399 $4+6x+x^2$ (　　)

0400 $-x^3+x^2$ (　　)

0401 $\frac{1}{x^2}+1$ (　　)

0402 $-a^3+a^2+3$ (　　)

0403 $\frac{x^2+x-5}{3}$ (　　)

0404 $x^3+x^2-(x^3-1)$ (　　)

key 식을 정리한 후 이차식인지 판별한다.

0405 $\frac{1}{3}x^2-2\left(x+\frac{1}{6}x^2\right)$ (　　)

0406 학교 시험 맛보기

다음 보기 중 x에 대한 이차식인 것을 모두 골라라.

보기

ㄱ. $4x+y-1$　　ㄴ. $2x+\frac{1}{x^2}$

ㄷ. $2-x-5x^2$　　ㄹ. $2-(3x)^2$

이차식의 덧셈과 뺄셈

날짜 :  월  일

핵심

Subnote ➔ 17쪽

한 문자에 대하여
이차항은 이차항끼리,
일차항은 일차항끼리,
상수항은 상수항끼리
동류항이야!

(1) 이차식의 덧셈 : 괄호를 풀고, 동류항끼리 모아서 간단히 정리한다.
(2) 이차식의 뺄셈 : 빼는 식의 각 항의 부호를 바꾸어 더한다.

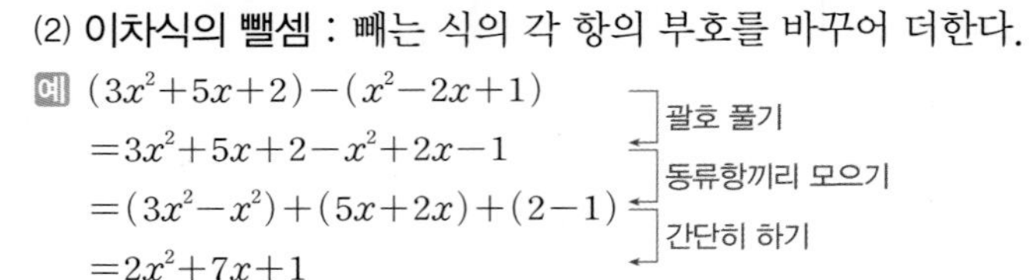

예 $(3x^2+5x+2)-(x^2-2x+1)$

$=3x^2+5x+2-x^2+2x-1$ ← 괄호 풀기

$=(3x^2-x^2)+(5x+2x)+(2-1)$ ← 동류항끼리 모으기

$=2x^2+7x+1$ ← 간단히 하기

차수가 높은 항부터 낮은 항의 순서로 정리

다음 식을 간단히 하여라.

0407 $(3x^2+x)+(-6x^2+5x)$

$=3x^2+x-6x^2+5x$

$=3x^2-6x^2+x+5x$

$=\square x^2+\square x$

0408 $(-6x^2-2x)+(x^2-3x)$ ________

0409 $(3x^2-4x)+(-x^2+3x+1)$ ________

0410 $(4x^2-5x+1)+(2x^2-x-1)$ ________

0411 $(x^2+x-3)+(-x^2+x-1)$ ________

다음 식을 간단히 하여라.

0412 $(-6x^2-2x)-(x^2-3x)$

$=-6x^2-2x-x^2+\square$

$=-6x^2-\square-2x+\square$

$=\square$

0413 $(4x^2-5x+1)-(2x^2-x-1)$ ________

0414 $(x^2+3x-2)-(2x^2-x)$ ________

0415 $(3x^2-2x-5)-(-2x^2+x-7)$ ________

0416 $(4x^2-2x+7)-(11x^2-4x-3)$ ________

07 복잡한 이차식의 덧셈과 뺄셈

핵심

날짜 : 월 일

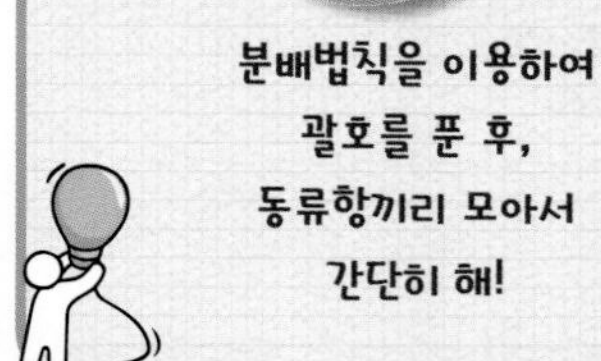

(1) 계수가 분수인 이차식의 덧셈과 뺄셈은 분모의 최소공배수로 통분한 후 동류항끼리 모아서 간단히 한다.

(2) 여러 가지 괄호가 있는 이차식의 덧셈과 뺄셈은 (소괄호), {중괄호}, [대괄호]의 순서로 괄호를 푼 후 동류항끼리 모아서 간단히 한다.

다음 식을 간단히 하여라.

0417 $\frac{x^2-2x+3}{3}+\frac{x^2+5x-1}{4}$

0418 $\frac{6x^2-3x+2}{2}-\frac{5x^2-3x+2}{6}$

0419 $\frac{2x^2-x+5}{3}+\frac{x^2+3x+1}{5}$

0420 $\frac{3x^2+x-2}{4}-\frac{x^2+3x-4}{5}$

다음 식을 간단히 하여라.

0421 $x^2-\{2x-(x+1)\}$

0422 $5x^2-\{2x^2-(4x+1)-x\}$

0423 $2x^2+3-\{4x-(x^2-x+3)\}$

0424 $3x^2+x+2-\{2x^2-3x-(3x^2-1)\}$

0425 $x^2+5-\{2x-(3x+x^2)+1\}$

3 다항식의 계산

□ 안에 알맞은 식 구하기

날짜 :  월  일

Subnote ➲ 18쪽

부호에 주의하지 않으면 계산을 틀리기 쉬워.

주어진 식을 정리하여 □에 대한 식으로 나타낸 후 간단히 한다.

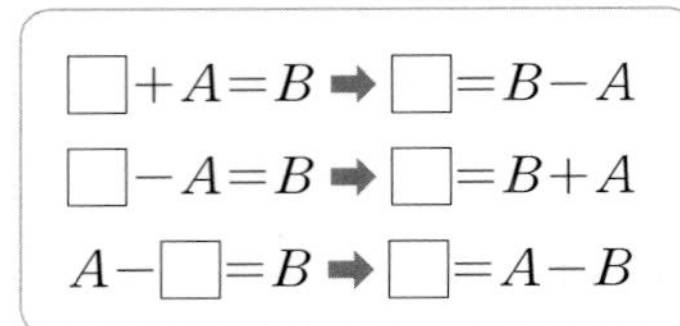

$\square + A = B \Rightarrow \square = B - A$

$\square - A = B \Rightarrow \square = B + A$

$A - \square = B \Rightarrow \square = A - B$

다음 □ 안에 알맞은 식을 구하여라.

0426 $5x+2y-3+(\square)=2x+4y$

sol $(\square)=2x+4y-(5x+2y-3)$
$=2x+4y-5x-2y+3$
$=2x-5x+4y-2y+3$
$=\square x+\square y+3$

0427 $(\square)-(6x+5y+7)=x+y-5$

0428 $(\square)+(-2x+3y+4)=3x-y-2$

0429 $2x-y+3-(\square)=4x-3y-2$

0430 $(\square)-(-2x^2+4x-1)=x^2-2x+3$

0431 $3x^2+5x-1+(\square)=6x^2+4x-2$

0432 $4x^2-3x+1-(\square)=5x^2-x$

0433 학교 시험 맛보기 

어떤 식에 $-3x^2+2x+4$를 더했더니 $-x^2+3x+2$가 되었다. 이때 어떤 식을 구하여라.

핵심 01~08

Mini Review Test

날짜 : 월 일

Subnote 19쪽

핵심 01 02

0434 다음 식을 간단히 하여라.

(1) $(5x+2y-1)+(-4x-y+5)$

(2) $(6x+y-4)-(-x+6y+5)$

핵심 02

0435 $(3x+2y-1)-(5x-y+7)$을 간단히 했을 때, x의 계수를 a, y의 계수를 b, 상수항을 c라고 하자. 이때 $a+b+c$의 값을 구하여라.

핵심 03

0436 다음 식을 간단히 하여라.

$$3x-[7y+2x-\{5x+(3x-y)\}]$$

핵심 04

0437 다음 식을 간단히 하여라.

(1) $\dfrac{3x-5y}{2}-\dfrac{4x-3y}{3}$

(2) $\left(\dfrac{3}{4}x-\dfrac{5}{14}y\right)-\left(\dfrac{5}{8}x-\dfrac{6}{7}y\right)$

핵심 05

0438 다음 중 x에 대한 이차식인 것은?

① x^2+2x-x^2+4

② $-(x^2-3x+1)$

③ $2x^2-1-(2x^2+x)$

④ $4x-2y+4$

⑤ $4x^3+x$

핵심 06 07

0439 다음 식을 간단히 하여라.

(1) $(-7x^2+3x)-(-3x^2+2x-4)$

(2) $\dfrac{x^2-2x+1}{4}-\dfrac{4x^2-2x+1}{6}$

핵심 08 서술형

0440 어떤 식에서 $2x^2+3x+4$를 뺐더니 $-3x^2+4x-7$이 되었다. 이때 어떤 식을 구하여라.

09 (단항식)×(다항식) (1)

핵심

날짜 : 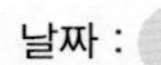 월  일 

Subnote ➲ 20쪽

분배법칙을 이용하여 괄호를 풀어.

$a(b+c)=ab+ac$

$(a+b)c=ac+bc$

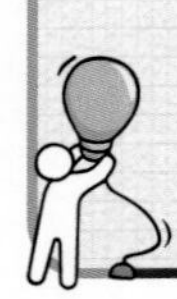

(1) (단항식)×(다항식) : 분배법칙을 이용하여 단항식을 다항식의 각 항에 곱한다.

(2) 전개와 전개식

① 전개 : 분배법칙을 이용하여 단항식과 다항식의 곱을 하나의 다항식으로 나타내는 것

② 전개식 : 전개하여 얻은 다항식

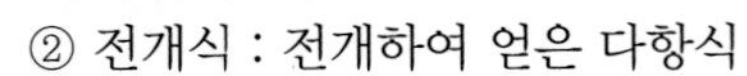

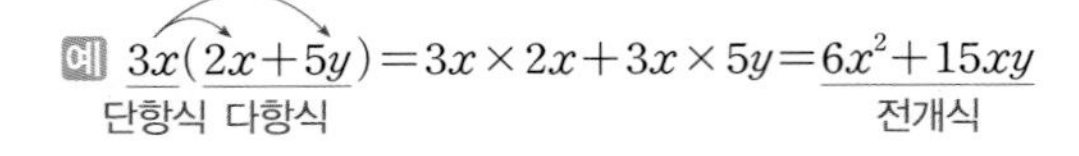

예 $3x(2x+5y)=3x\times2x+3x\times5y=6x^2+15xy$
(단항식: $3x$, 다항식: $(2x+5y)$, 전개식: $6x^2+15xy$)

다음 식을 전개하여라.

0441 $a(3b-2a)=a\times\square+a\times(\square)$
$=\square-\square$

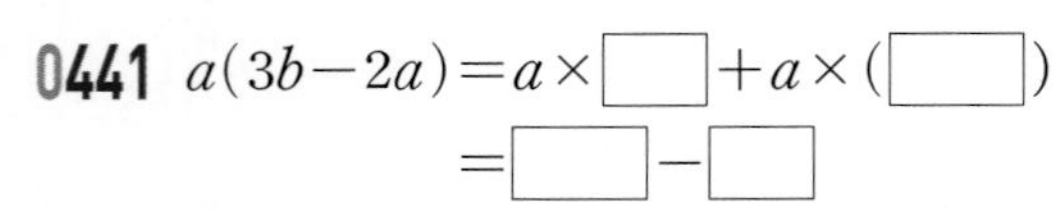

key $a(3b-2a)=a\times(3b-2a)$로 곱셈 기호가 생략된 것이다.

0442 $3a(2a-5b)$ ______

0443 $x(2x-1)$ ______

0444 $\frac{5}{4}a(8a-16b)$ ______

0445 $-\frac{3}{2}y(4x+12y)$ ______

다음 식을 전개하여라.

0446 $(3a+5)\times3a=3a\times\square+5\times\square$
$=\square+\square$

0447 $(7x-y)\times(-x)$ ______

0448 $(x-6y)\times(-2y)$ ______

0449 $(20x+5y)\times\frac{3}{5}x$ ______

0450 $(30a-18b)\times\left(-\frac{5}{6}a\right)$ ______

(단항식)×(다항식) (2)

날짜 : 월 일

Subnote ➲ 20쪽

다음 식을 전개하여라.

0451 $-4a(a-3b+1)$
$=(-4a)\times a+(-4a)\times(\square)+(\square)\times 1$
$=\square$

key − 부호를 포함한 단항식과 다항식의 곱셈에서는 − 부호까지 포함하여 계산한다.

0452 $-3x(2x+y-3)$ ______

0453 $-2a(3a-2b+1)$ ______

0454 $(-3a+5b+1)\times 2a$ ______

0455 $(5x-2y+7)\times(-3y)$ ______

0456 $(x+y+3)\times 2x$ ______

다음 식을 간단히 하여라.

0457 $2x(3x+4)+4x(5-2x)$
$=2x\times 3x+2x\times 4+\square\times 5+4x\times(\square)$
$=6x^2+8x+\square x-\square x^2$
$=\square$

0458 $-5x(3x+1)-x(x-3)$ ______

0459 $-a(2a+3b)-6b(a-b)$ ______

0460 $(2x+y)\times 3x-2x(y-5x)$ ______

0461 학교 시험 맛보기 

$3x(x+2y)-\frac{1}{2}x(12x+4y)$를 간단히 했을 때, x^2의 계수를 a, xy의 계수를 b라고 하자. 이때 $a+b$의 값을 구하여라.

______

11 (다항식)÷(단항식) (1)

핵심

날짜 : 월 일

Subnote ➜ 20쪽

분자의 각 항을 분모로 나눌 때 분자의 어느 항만 나누지 않도록 주의해!

(다항식)÷(단항식)에서 모든 항의 계수가 정수일 때, 나누는 식을 분수의 꼴로 바꾸어 계산하면 편리하다.

예 $(8xy+12x)\div 4x$

$=\dfrac{8xy+12x}{4x}$ ← 분수 꼴로 바꾸기

$=\dfrac{8xy}{4x}+\dfrac{12x}{4x}$

$=2y+3$ ← 간단히 하기

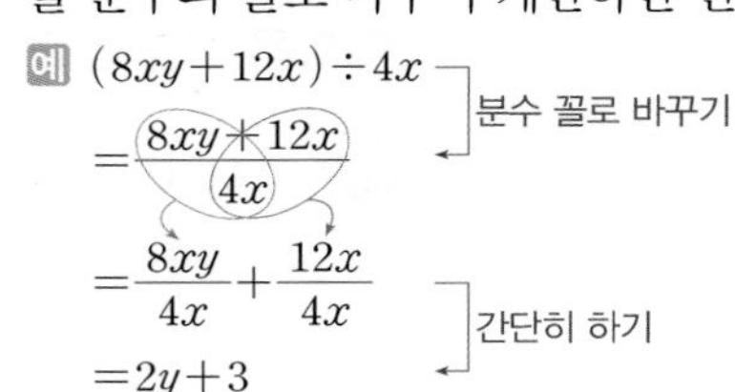

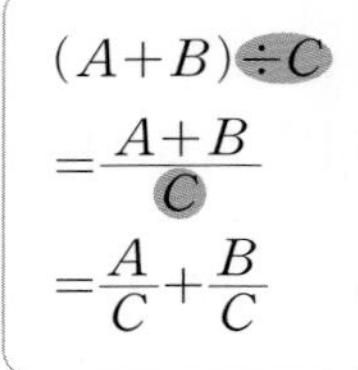

$(A+B)\div C$

$=\dfrac{A+B}{C}$

$=\dfrac{A}{C}+\dfrac{B}{C}$

다음 식을 간단히 하여라.

0462 $(15a^2-20a)\div 5a=\dfrac{15a^2-20a}{\square}$

$=\dfrac{15a^2}{\square}-\dfrac{20a}{\square}$

$=\square$

0463 $(12x-8x^2)\div(-4x)$ ________

key $(A-B)\div(-C)=\dfrac{A-B}{-C}=-\dfrac{A}{C}+\dfrac{B}{C}$에서 부호에 주의하여 계산한다.

0464 $(10a^2b-8ab^2)\div(-2ab)$ ________

0465 $(9x^2y-12xy^2+3x^2y^3)\div 3xy$ ________

0466 $(24xy^3-18x^2y+6x^2y^3)\div(-6xy)$ ________

다음 식을 간단히 하여라.

0467 $(2x^2-8xy)\div 2x+(9xy+6y^2)\div(-3y)$

$=\dfrac{2x^2-8xy}{\square}+\dfrac{9xy+6y^2}{\square}$

$=\dfrac{2x^2}{2x}+\dfrac{-8xy}{\square}+\dfrac{9xy}{\square}+\dfrac{6y^2}{-3y}$

$=x-\square-3x-2y$

$=\square$

0468 $(9x^2-3xy)\div 3x+(12xy+4y^2)\div(-4y)$ ________

0469 $(12a^2-4a)\div 2a+(9a^2-15a)\div 3a$ ________

0470 $(15x^2-21x)\div 3x-(20x-8x^2)\div 4x$ ________

핵심 **12**

(다항식)÷(단항식) (2)

날짜 : 월 일

Subnote ➲ 21쪽

나누는 항의 계수가 분수라면 역수의 곱셈으로 바꾸어 계산해.

(다항식)÷(단항식)에서 나누는 항의 계수가 분수일 때, 다항식에 단항식의 역수를 곱하여 계산한다.

예 $(8xy+12x)\div\frac{x}{4}$
$=(8xy+12x)\times\frac{4}{x}$ ← 역수의 곱셈으로 바꾸기
$=8xy\times\frac{4}{x}+12x\times\frac{4}{x}$ ← 분배법칙을 이용하여 괄호 풀기
$=32y+48$ ← 간단히 하기

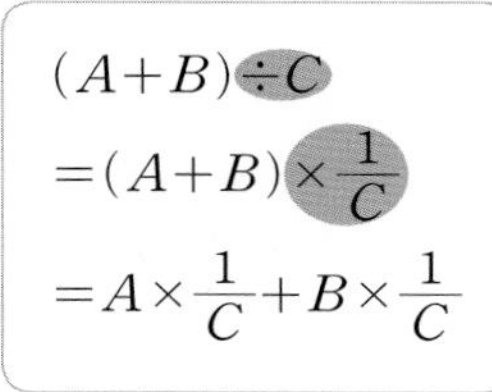

$(A+B)\div C$
$=(A+B)\times\frac{1}{C}$
$=A\times\frac{1}{C}+B\times\frac{1}{C}$

다음 식을 간단히 하여라.

0471 $(-21x^3+14x^2)\div\frac{7}{2}x$
$=(-21x^3+14x^2)\times\square$
$=-21x^3\times\square+14x^2\times\square$
$=\square$

0472 $(8xy^2-6x^3y)\div\left(-\frac{2}{3}xy\right)$ ______

0473 $(15xy^2-6x^3y)\div\frac{3}{5}xy$ ______

0474 $(12x^3-15x^2+6x)\div\left(-\frac{3}{2}x\right)$ ______

0475 $(4x^2y+8xy^2-6xy)\div\left(-\frac{2}{9}xy\right)$ ______

다음 식을 간단히 하여라.

0476 $(10x^2-5x)\div\frac{5}{2}x-(4x-10x^2)\div\frac{1}{2}x$
$=(10x^2-5x)\times\square-(4x-10x^2)\times\square$
$=4x-\square-8+\square$
$=\square$

0477 $(6b^2-4ab)\div\frac{2}{3}b-(12ab-9a^2)\div\frac{3}{4}a$ ______

0478 $(4xy+12x)\div\frac{4}{7}x+(9xy-15y)\div\left(-\frac{3}{8}y\right)$ ______

0479 학교 시험 맛보기

다음 식을 간단히 하여라.

$(15a^2b-10ab)\div(-5b)+(a^2b-ab)\div\frac{1}{4}b$

______

핵심 13 사칙연산의 혼합 계산 (1)

날짜 : 월 일

Subnote ➔ 21쪽

거듭제곱을 계산하고 괄호 안쪽부터 ×, ÷를 먼저 계산해.

사칙연산이 혼합된 식은 다음과 같은 순서로 푼다.

거듭제곱 ➡ 괄호 풀기 ➡ ×, ÷ ➡ +, −

예 $(4x^3-12x^2)\div(2x)^2-3x$

$=(4x^3-12x^2)\div 4x^2-3x$ ← ❶ 거듭제곱 계산하기

$=\dfrac{4x^3-12x^2}{4x^2}-3x$ ← ❷ 분배법칙을 이용하여 나눗셈하기

$=x-3-3x$

$=-2x-3$ ← ❸ 동류항끼리 간단히 하기

다음 식을 간단히 하여라.

0480 $4a(2ab-2)-(15a^2b^2+10ab)\div 5b$

$=4a(2ab-2)-\dfrac{15a^2b^2+10ab}{\square}$

$=\square-8a-\dfrac{15a^2b^2}{\square}-\dfrac{10ab}{\square}$

$=\square-8a-3a^2b-\square$

$=\square$

0481 $(x^2-7xy)\div x+5(x+y)$ ________

0482 $-2x(x-y)-(12x^2y-6xy)\div(-3x)$ ________

0483 $-5a(a-2b)-(15a^2b-9ab)\div(-3a)$ ________

0484 $\dfrac{3}{4}x(8x-12y)-\left(\dfrac{2}{3}x^2y-\dfrac{4}{3}xy\right)\div\dfrac{2}{3}x$

$=\dfrac{3}{4}x(8x-12y)-\left(\dfrac{2}{3}x^2y-\dfrac{4}{3}xy\right)\times\square$

$=6x^2-\square-xy+2y$

$=\square$

0485 $(-x^2y+xy^2)\div\left(-\dfrac{1}{2}x\right)-x(2x-3y)$ ________

0486 $(-x)\times(2x-y)+(2x-x^2y)\div\dfrac{x}{4}$ ________

0487 $3xy(2x+3y)-(16x^2y^2-4xy^3)\div\dfrac{4}{3}y$ ________

날짜 : 월 일

Subnote ➔ 22쪽

다음 식을 간단히 하여라.

0488 $(6x^2-9xy)\div 3x\times(-2x)^2$

$=\dfrac{6x^2-9xy}{\square}\times\square$

$=(2x-\square)\times\square$

$=\square$

key 거듭제곱이 있으면 지수법칙을 이용하여 거듭제곱을 먼저 계산한다.

0489 $3xy(7x+2)-(12x^2y^2-4x^3y)\div(2x)^2$

key 곱셈과 나눗셈을 덧셈과 뺄셈보다 먼저 계산한다.

0490 $(72x^5-24x^3)\div(2x)^3+(2x-5)\times(3x)^2$

0491 $(27xy^3-18xy^2)\div\left(-\dfrac{3}{2}y\right)^2-5x(y-4)$

0492 $(9x^3+45x^3y)\div(3x)^2-(4x-8)\times\left(-\dfrac{x}{2}\right)$

다음 식을 간단히 하여라.

0493 $\{x(x+3y)-(y-5x)\times(-2x)\}\div\dfrac{x}{2}$

$=(x^2+\square+2xy-\square)\div\dfrac{x}{2}$

$=(\square x^2+\square xy)\times\square$

$=\square$

key 괄호가 있으면 (소괄호), {중괄호}, [대괄호]의 순서로 푼다.

0494 $\{(28x^2y^3-16x^2y^3)\div(2y)^2+3x^2y\}\div x^2$

0495 $-2\left\{(x^3y^2+x^2y^2)\times\dfrac{2}{(xy)^2}+x^2\right\}+(6x)^2$

0496 $4x(5x-6)-[4x-\{(3x)^2-2x(x+3)\}]$

핵심 09~14

Mini Review Test

날짜 :  월 일

Subnote ➔ 22쪽

핵심 09

0497 다음 식을 간단히 하여라.

(1) $(-x^2+2xy)\times\left(-\frac{1}{2}x\right)$

(2) $(4x^2+8xy-12y^2)\times\left(-\frac{xy}{2}\right)$

핵심 10 서술형

0498 $4(2x^2-5x+1)-2x(x-3)$을 간단히 했을 때, x^2의 계수를 a, x의 계수를 b, 상수항을 c라고 할 때, $a+b+c$의 값을 구하여라.

핵심 11

0499 어떤 식에 $2xy$를 곱했더니 $-12x^2y+4xy^3$이 되었을 때, 어떤 식을 구하여라.

핵심 11 12

0500 다음 보기 중 간단히 한 결과가 $3x-2$가 되는 것을 모두 골라라.

보기

ㄱ. $(9ab-6ab^2)\div 3a$

ㄴ. $(6x^3+4x^2)\div\left(-\frac{1}{2}x\right)$

ㄷ. $\left(\frac{1}{4}x^3-\frac{1}{6}x^2\right)\div\frac{1}{12}x^2$

핵심 09 ~ 12

0501 다음 중 옳은 것을 모두 고르면? (정답 2개)

① $2x(x+y+3)=6x^2y$

② $-\frac{1}{2}(2a-4b)=-a+2b$

③ $(x-1)x=x^2-1$

④ $(a^3+3a^2-a)\div(-a)=-a^2+3a+1$

⑤ $(4x^2y-10xy^2+2xy)\div\frac{2y}{x}=2x^3-5x^2y+x^2$

핵심 13 14

0502 $-2x(y-3)+(6x^2-12xy^2+18x)\div\left(-\frac{3x}{2}\right)$를 계산한 결과에 대한 설명 중 옳은 것을 보기에서 모두 골라라.

보기

ㄱ. x의 계수는 10이다.

ㄴ. xy의 계수는 -2이다.

ㄷ. y^2의 계수는 4이다.

ㄹ. 상수항은 -12이다.

핵심 13 14

0503 다음 식을 간단히 하여라.

$$(-xy^2+xy^3)\div\left(-\frac{1}{2}y\right)^2-x(x-4y)$$

Review

◀ YOU♡

이차식의 덧셈과 뺄셈은 어떻게 계산해?

(❶)끼리 모아서 간단히 해!

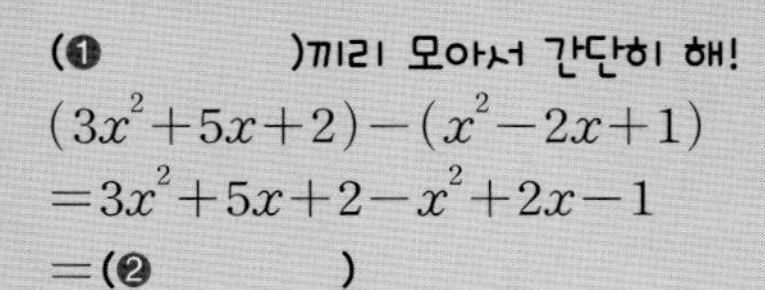

$(3x^2+5x+2)-(x^2-2x+1)$

$=3x^2+5x+2-x^2+2x-1$

$=($❷ $)$

(단항식)×(다항식)은 어떻게 계산해?

(❸)을 이용하여 전개해~

$3x(2x+5y)=3x\times 2x+3x\times 5y$

$=($❹ $)$

(다항식)÷(단항식)은 어떻게 계산해?

(❺)를 이용하여 나눗셈을 곱셈으로 바꿔서 계산해~

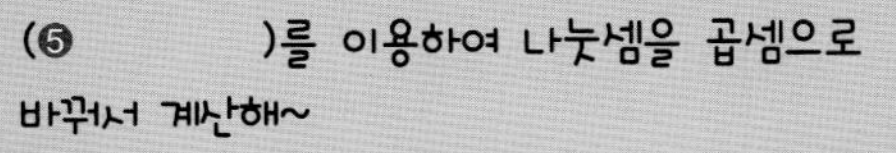

$(8xy+12x)\div 2x=(8xy+12x)\times\frac{1}{2x}$

$=($❻ $)$

다항식의 사칙연산이 혼합된 식은 어떻게 계산해?

(❼) ➡ 괄호 풀기 ➡ 곱셈과 나눗셈 ➡ 덧셈과 뺄셈

❶ 동류항 ❷ $2x^2+7x+1$ ❸ 분배법칙 ❹ $6x^2+15xy$ ❺ 역수 ❻ $4y+6$ ❼ 거듭제곱

3 일차부등식

이미 배운 내용

[중학교 1학년]
- 정수와 유리수
- 문자의 사용과 식의 계산
- 일차방정식

이번에 배울 내용

4. 일차부등식의 풀이
   - 부등식의 해와 그 성질
   - 일차부등식의 풀이
5. 일차부등식의 활용

4 일차부등식의 풀이

스스로 공부 계획 세우기

	학습 내용	공부한 날짜		반복하기
4. 일차부등식의 풀이	**01.** 부등식	월	일	□□
	02. 부등식과 그 해	월	일	□□
	03. 부등식의 성질(1)	월	일	□□
	04. 부등식의 성질(2)	월	일	□□
	Mini **Review** Test(**01**~**04**)	월	일	□□
	05. 부등식의 해와 수직선	월	일	□□
	06. 일차부등식	월	일	□□
	07. 일차부등식의 풀이	월	일	□□
	08. 괄호가 있는 일차부등식의 풀이	월	일	□□
	09. 복잡한 일차부등식의 풀이	월	일	□□
	10. x의 계수가 미지수인 일차부등식의 풀이	월	일	□□
	11. 일차부등식 해가 주어질 때 미지수 구하기(1)	월	일	□□
	12. 일차부등식 해가 주어질 때 미지수 구하기(2)	월	일	□□
	Mini **Review** Test(**05**~**12**)	월	일	□□

4 부등식

개념 NOTE

1 부등식과 그 해 핵심 01 02

(1) **부등식** : 부등호 >, <, ≥, ≤를 사용하여 수 또는 식 사이의 대소 관계를 나타낸 식

(2) **부등식의 표현**

$a>b$	$a<b$	$a\geq b$	$a\leq b$
a는 b보다 크다. a는 b 초과이다.	a는 b보다 작다. a는 b 미만이다.	a는 b보다 크거나 같다. a는 b보다 작지 않다. a는 b 이상이다.	a는 b보다 작거나 같다. a는 b보다 크지 않다. a는 b 미만이다.

(3) **부등식의 해** : 미지수가 x인 부등식을 참이 되게 하는 x의 값

(4) **부등식을 푼다.** : 부등식의 해를 구하는 것

예 부등식 $2x-1<3$의 x에 1을 대입하면 $1<3$이므로 참이고, 2를 대입하면 $3<3$이므로 거짓이다.
따라서 $x=1$은 부등식의 해이고, $x=2$는 부등식의 해가 아니다.

부등식에서 부등호의 왼쪽 부분을 좌변, 부등호의 오른쪽 부분을 우변, 좌변과 우변을 통틀어 양변이라 한다.

$2x-1<3$
좌변 우변
└양변┘

2 부등식의 성질 핵심 03 04

(1) 부등식의 양변에 같은 수를 더하거나 빼어도 부등호의 방향은 바뀌지 않는다.

예 $a>b$이면 $a+3>b+3$, $a-3>b-3$

(2) 부등식의 양변에 같은 양수를 곱하거나 나누어도 부등호의 방향은 바뀌지 않는다.

예 $a>b$이면 $3a>3b$, $\frac{a}{3}>\frac{b}{3}$

(3) 부등식의 양변에 같은 음수를 곱하거나 나누면 부등호의 방향이 바뀐다.

예 $a>b$이면 $-3a<-3b$, $-\frac{a}{3}<-\frac{b}{3}$

참고 부등식의 성질은 부등호가 <, ≥, ≤일 때도 모두 성립한다.

$a<b$일 때
(1) $a+c<b+c$, $a-c<b-c$
(2) $c>0$이면 $ac<bc$, $\frac{a}{c}<\frac{b}{c}$
(3) $c<0$이면 $ac>bc$, $\frac{a}{c}>\frac{b}{c}$

3 부등식의 해와 수직선 핵심 05

(1) **부등식의 해 구하기** : 부등식의 성질을 이용하여 주어진 부등식을

$$x>(수),\ x<(수),\ x\geq(수),\ x\leq(수)$$

중 어느 하나의 꼴로 변형하여 부등식의 해를 구한다.

(2) **부등식의 해를 수직선 위에 나타내기**

$x<a$	$x>a$	$x\leq a$	$x\geq a$
a	a	a	a

수직선에서 ○는 $x=k$인 점을 포함하지 않고, ●는 $x=k$인 점을 포함한다.

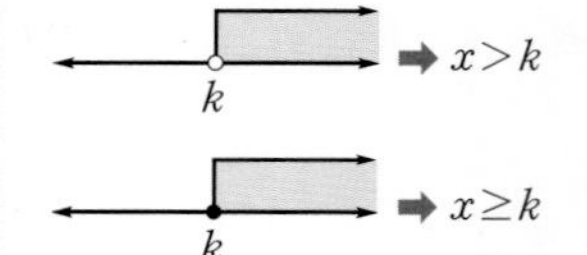

4 일차부등식 핵심 06 07

(1) **일차부등식** : 부등식의 모든 항을 좌변으로 이항하여 정리하였을 때,

(일차식)>0, (일차식)<0, (일차식)≥ 0, (일차식)≤ 0

중 어느 하나의 꼴로 나타나는 부등식

예 $3x>0$, $4x-2\leq 0$ ➡ 일차부등식이다.

$x^2-1\geq 0$, $-2<0$ ➡ 일차부등식이 아니다.

(2) **일차부등식의 풀이 순서**

❶ 미지수 x를 포함한 항은 좌변으로, 상수항은 우변으로 이항한다.

❷ 부등식의 양변을 정리하여 $ax>b$, $ax<b$, $ax\geq b$, $ax\leq b$ $(a\neq 0)$의 꼴로 변형한다.

❸ 양변을 x의 계수 a로 나누어 $x>$(수), $x<$(수), $x\geq$(수), $x\leq$(수) 중 하나의 꼴로 나타낸다.

이때 a가 음수이면 부등호의 방향이 바뀐다.

예 $x-2>2x+3$
$x-2x>3+2$
$-x>5$
$\therefore x<-5$

❶ 좌변의 -2를 우변으로, 우변의 $2x$를 좌변으로 이항한다.
❷ 양변을 정리한다.
❸ 양변을 -1로 나눈다.

개념 NOTE

이항 : 등식 또는 부등식에서 어느 한 변에 있는 항을 부호만 바꾸어 다른 변으로 옮기는 것

일차부등식은 부등식의 성질과 이항을 이용하여 푼다.

5 복잡한 일차부등식의 풀이 핵심 08 09

(1) **괄호가 있는 일차부등식**

분배법칙을 이용하여 먼저 괄호를 풀고 식을 간단히 하여 일차부등식을 푼다.

예 $3(x-1)>6 \xrightarrow{\text{분배법칙}} 3x-3>6,\ 3x>6+3,\ 3x>9 \quad \therefore x>3$

(2) **계수가 분수인 일차부등식**

양변에 분모의 최소공배수를 곱하여 계수를 정수로 바꿔서 푼다.

예 $\frac{1}{2}x-1<\frac{1}{3} \xrightarrow{(\text{양변})\times 6} 3x-6<2,\ 3x<2+6,\ 3x<8 \quad \therefore x<\frac{8}{3}$

(3) **계수가 소수인 일차부등식**

양변에 10의 거듭제곱을 곱하여 계수를 정수로 바꿔서 푼다.

예 $0.3x+1\geq 0.4x \xrightarrow{(\text{양변})\times 10} 3x+10\geq 4x,\ 3x-4x\geq -10,\ -x\geq -10 \quad \therefore x\leq 10$

참고 계수에 분수와 소수가 함께 있는 일차부등식을 풀 때에는 소수를 분수로 바꾼 후, 양변에 분모의 최소공배수를 곱하여 계수를 정수로 고쳐서 푼다.

주의 부등식의 양변에 수를 곱할 때에는 모든 항에 똑같이 곱해야 한다.

분배법칙
$a(b+c)=ab+ac$
$a(b-c)=ab-ac$

핵심

01 부등식

Subnote ➔ 23쪽

등호 =를 사용하여 나타낸 식은 등식이라고 배웠지? 부등호 >, <, ≥, ≤를 사용하여 나타낸 식을 부등식이라고 불러.

(1) 부등식 : 부등호 >, <, ≥, ≤를 사용하여 수 또는 식 사이의 대소 관계를 나타낸 식

$2x+4 > 5$ (좌변: $2x+4$, 우변: 5, 양변)

(2) 부등식의 표현

$a>b$	$a<b$	$a\ge b$	$a\le b$
a는 b보다 크다. a는 b 초과이다.	a는 b보다 작다. a는 b 미만이다.	a는 b보다 크거나 같다. a는 b보다 작지 않다. a는 b 이상이다.	a는 b보다 작거나 같다. a는 b보다 크지 않다. a는 b 이하이다.

다음 중 부등식인 것은 ○표, 부등식이 아닌 것은 ×표를 하여라.

0504 $2x+4$ (　　)

0505 $6\times3>0$ (　　)

0506 $9-x=7$ (　　)

0507 $3x=2x-2$ (　　)

0508 $2a\le6a-1$ (　　)

부등호를 사용하여 나타낸 식을 고르면 돼.

다음 문장을 부등식으로 나타내어라.

0509 a는 -3보다 크지 않다.

➡ ______________

0510 x의 9배에서 4를 빼면 36 이상이다.

➡ ______________

0511 x는 3보다 크고 12보다 작거나 같다.

➡ ______________

0512 무게가 0.6 kg인 상자 한 개에 0.3 kg인 감자 x개를 담으면 전체 무게가 4.5 kg 초과이다.

➡ ______________

0513 길이가 x m인 끈에서 2 m 만큼을 잘라내면 남은 길이는 4 m보다 짧다.

➡ ______________

핵심 02 부등식과 그 해

날짜 : 월 일

Subnote ➲ 23쪽

부등식에서 x에 어떤 값을 대입했을 때, 좌변과 우변의 값의 대소 관계가
① 부등호의 방향과 일치하면 ➡ 참인 부등식
② 부등호의 방향과 일치하지 않으면 ➡ 거짓인 부등식

(1) **부등식의 해** : 미지수가 x인 부등식을 참이 되게 하는 x의 값
(2) **부등식을 푼다.** : 부등식의 해를 모두 구하는 것

예 x가 자연수일 때, 부등식 $x+5<8$에 대하여
$x=1$일 때, $1+5<8$ ➡ 참 ➡ $x=1$은 부등식의 해이다.
$x=2$일 때, $2+5<8$ ➡ 참 ➡ $x=2$는 부등식의 해이다.
$x=3$일 때, $3+5<8$ ➡ 거짓 ➡ $x=3$은 부등식의 해가 아니다.
따라서 주어진 부등식의 해는 1, 2이다.

다음 부등식 중 $x=-2$일 때, 참인 것은 ○표, 거짓인 것은 ×표를 하여라.

0514 $x+7>2$ ( ) 

주어진 부등식에 $x=-2$를 대입해서 부등식이 성립하는지 확인해.

0515 $-x+11<12$ ( )

0516 $4x+5>13$ ( )

0517 $x+2\geq 0$ ( )

0518 $6x\leq 5-x$ ( )

다음 중 [ ] 안의 수가 주어진 부등식의 해인 것은 ○표, 해가 아닌 것은 ×표를 하여라.

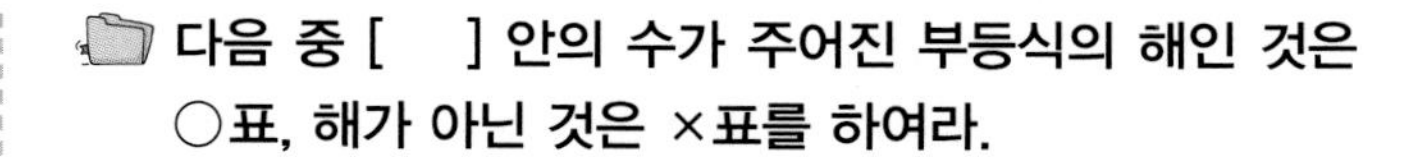

0519 $25\geq 6x+3$ [3] ( ) 

0520 $-2x<3x$ [-2] ( ) 

0521 $9-x<1+x$ [1] ( ) 

0522 $2(x-4)+1\leq -6$ [-1] ( )

0523 학교 시험 맛보기 

x의 값이 -2, -1, 0일 때, 부등식 $1-3x\leq 4$의 해를 모두 구하여라.

핵심 03 부등식의 성질 (1)

날짜 :  월  일

Subnote ➲ 23쪽

부등식의 양변에 같은 음수를 곱하거나 나누면 부등호의 방향이 바뀐다는 것을 꼭 기억해야 해!

(1) 부등식의 양변에 같은 수를 더하거나 빼어도 부등호의 방향은 바뀌지 않는다.

예 $a>b$이면 $a+3>b+3$, $a-3>b-3$

(2) 부등식의 양변에 같은 양수를 곱하거나 나누어도 부등호의 방향은 바뀌지 않는다.

예 $a>b$이면 $3a>3b$, $\frac{a}{3}>\frac{b}{3}$

(3) 부등식의 양변에 같은 음수를 곱하거나 나누면 부등호의 방향이 바뀐다.

예 $a>b$이면 $-3a<-3b$, $-\frac{a}{3}<-\frac{b}{3}$

참고 부등식의 성질은 부등호가 $<$, $\geq$, $\leq$일 때도 모두 성립한다.

$a>b$일 때, 다음 ○ 안에 알맞은 부등호를 써넣어라.

0524 $a+5$ ○ $b+5$

0525 $a-2$ ○ $b-2$

0526 $3a$ ○ $3b$

0527 $-a$ ○ $-b$

부등식의 양변에 같은 음수를 곱하거나 나누면 부등호의 방향이 바뀐다는 것을 기억해.

0528 $\frac{a}{8}$ ○ $\frac{b}{8}$

0529 $-\frac{a}{4}$ ○ $-\frac{b}{4}$

0530 $6a-1$ ○ $6b-1$

sol
$a>b$
$6a$ ○ $6b$ ← 양변에 6을 곱한다.
$6a-1$ ○ $6b-1$ ← 양변에서 1을 뺀다

0531 $-5a+2$ ○ $-5b+2$

0532 $10-a$ ○ $10-b$

0533 $\frac{a}{2}+\frac{1}{3}$ ○ $\frac{b}{2}+\frac{1}{3}$

핵심 04 부등식의 성질 (2)

날짜 : 월 일

Subnote ➔ 24쪽

📁 다음 ○ 안에 알맞은 부등호를 써넣어라.

0534 $2a-3>2b-3$ ➡ a ◯ b

0535 $9-2a<9-2b$ ➡ a ◯ b

0536 $1-\frac{a}{7}\le 1-\frac{b}{7}$ ➡ a ◯ b

0537 $\frac{a}{7}-4>\frac{b}{7}-4$ ➡ a ◯ b

0538 $5a-\frac{1}{3}>5b-\frac{1}{3}$ ➡ a ◯ b

0539 $\frac{a+4}{2}\ge\frac{b+4}{2}$ ➡ a ◯ b

📁 다음과 같이 x의 값의 범위가 주어졌을 때, 식의 값의 범위를 구하여라.

0540 $x<1$일 때, $2x-3$의 값의 범위

sol
$x<1$
$2x<2$ ← 양변에 2를 곱한다.
$2x-3<$ □ ← 양변에서 3을 뺀다

0541 $x\ge-3$일 때, $-x+7$의 값의 범위

______

0542 $-1<x\le3$일 때, $2x-3$의 값의 범위

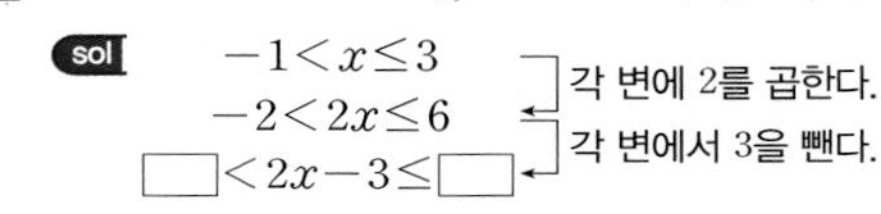

0543 $-10<x<5$일 때, $-\frac{x}{5}$의 값의 범위

______

0544 $-2\le x<4$일 때, $-3x+1$의 값의 범위

______

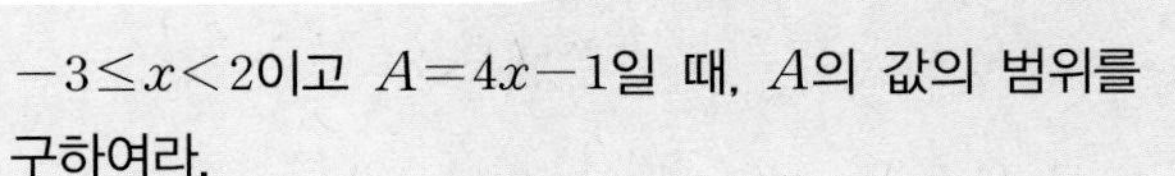

0545 학교 시험 맛보기

$-3\le x<2$이고 $A=4x-1$일 때, A의 값의 범위를 구하여라.

______

4 일차부등식의 풀이

핵심 01~04

Mini Review Test

날짜 : 월 일

Subnote ➔ 24쪽

핵심 01

0546 다음 보기 중 부등식을 모두 골라라.

보기

ㄱ. $2x+10<6$	ㄴ. $-5>-8$
ㄷ. $7+x$	ㄹ. $8a-7\le 0$
ㅁ. $3b+2\ge 5b$	ㅂ. $-4=4x$

핵심 01

0547 다음 문장을 부등식으로 나타낸 것으로 옳지 않은 것은?

① x는 45보다 작다. ➡ $x<45$

② x의 2배에서 1을 뺀 수는 x의 10배보다 크지 않다. ➡ $2x-1\le 10x$

③ 가로의 길이가 a, 세로의 길이가 8인 직사각형의 넓이는 40 미만이다. ➡ $8a\le 40$

④ 한 개에 600원 하는 지우개 x개의 가격은 5000원 이상이다. ➡ $600x\ge 5000$

⑤ 시속 x km의 속력으로 달려서 3시간 동안 간 거리는 160 km 이상이다. ➡ $3x\ge 160$

핵심 02

0548 다음 중 [ ] 안의 수가 주어진 부등식의 해가 아닌 것은?

① $x+4<11$ [-3]

② $2\le 9+6x$ [2]

③ $10-2x>1$ [4]

④ $x-1>-2x$ [0]

⑤ $2x+3\ge -x$ [-1]

핵심 02

0549 x의 값이 -1, 0, 1, 2일 때 $3x+7\ge 11-x$의 해의 개수를 구하여라.

핵심 03

0550 $a<b$일 때, 다음 중 옳지 않은 것은?

① $a+4<b+4$

② $-6a<-6b$

③ $\frac{a}{12}<\frac{b}{12}$

④ $a-9<b-9$

⑤ $-\frac{a}{8}>-\frac{b}{8}$

핵심 04

0551 다음 중 옳은 것은?

① $a-3<b-3$이면 $a>b$이다.

② $2-5a>2-5b$이면 $a>b$이다.

③ $-a-6>-b-6$이면 $a>b$이다.

④ $-\frac{3}{2}a<-\frac{3}{2}b$이면 $a>b$이다.

⑤ $\frac{a-1}{6}<\frac{b-1}{6}$이면 $a>b$이다.

핵심 04

0552 $-1\le x\le \frac{1}{5}$일 때, $A=-5x+2$의 값의 범위를 구하여라.

핵심 05 부등식의 해와 수직선

날짜 : 월 일

Subnote ➡ 25쪽

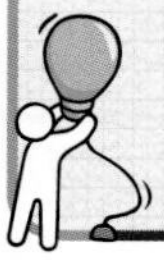

수직선 위에 나타낼 때 부등호가 $\geq$, $\leq$이면 ●를, 부등호가 $>$, $<$이면 ○를 사용해.

(1) 부등식의 해 구하기 : 부등식의 성질을 이용하여 주어진 부등식을 $x>$(수), $x<$(수), $x\geq$(수), $x\leq$(수) 중 어느 하나의 꼴로 변형하여 부등식의 해를 구한다.

(2) 부등식의 해를 수직선 위에 나타내기

$x<a$	$x>a$	$x\leq a$	$x\geq a$

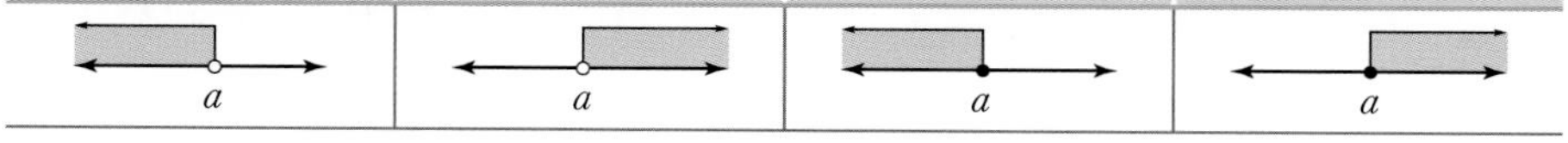

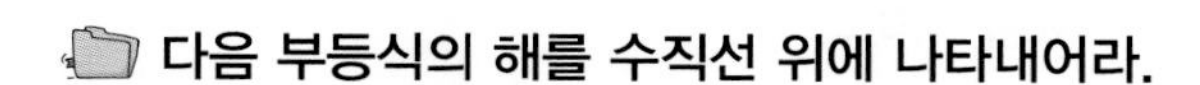

다음 부등식의 해를 수직선 위에 나타내어라.

0553 $x<-2$ ➡

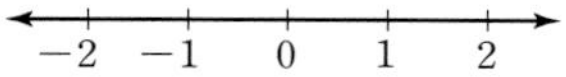

0554 $x\leq 1$ ➡

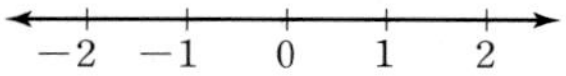

0555 $x>-1$ ➡

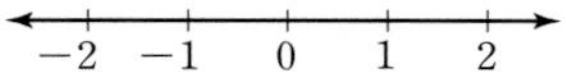

0556 $x\geq 2$ ➡

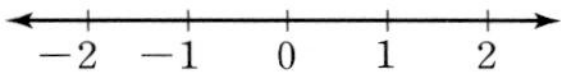

0557 $x\leq 0$ ➡

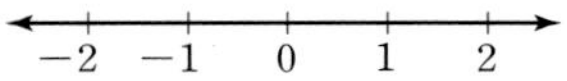

부등식의 성질을 이용하여 다음 부등식의 해를 구하고, 그 해를 수직선 위에 나타내어라.

0558 $x-3<1$

sol $x-3+3<1+3$

$\therefore x<\square$

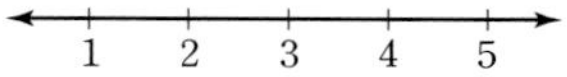

0559 $-2x\leq 4$

해 : ________ ➡

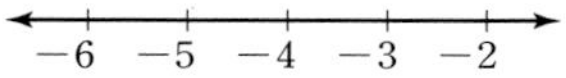

0560 $\frac{1}{3}x+1>0$

해 : ________ ➡

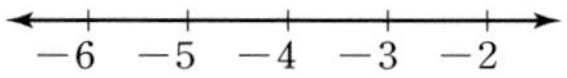

0561 $-\frac{1}{2}x-1\geq 2$

해 : ________ ➡

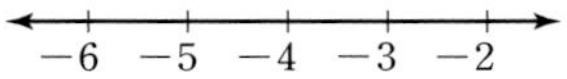

날짜 : 월 일

Subnote ➡ 25쪽

부등식의 한 변에 있는 항을 부호를 바꾸어서 다른 변으로 옮기는 것이 이항이야.

일차부등식 : 부등식의 우변에 있는 모든 항을 좌변으로 이항하여 정리하였을 때,

(일차식) >0, (일차식) <0,

(일차식) ≥ 0, (일차식) ≤ 0

중 어느 하나의 꼴로 나타나는 부등식

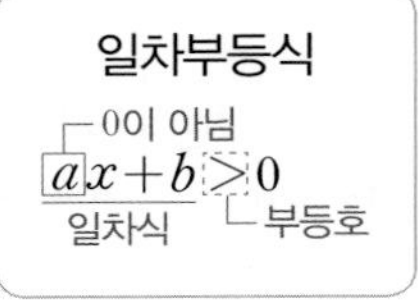

📁 다음 □ 안에 알맞은 것을 써넣고, 일차부등식인지, 일차부등식이 아닌지 알맞은 것에 ◯표를 하여라.

0562 $x-5>2$ ➡ $\square>0$

일차부등식(이다, 이 아니다).

우변에 있는 모든 항을 좌변으로 이항하여 정리해 봐.

0563 $2x+1\leq 4$ ➡ $\square\leq 0$

일차부등식(이다, 이 아니다).

0564 $4x<4x+3$ ➡ $\square<0$

일차부등식(이다, 이 아니다).

0565 $1+x^2\geq -3x+x^2$ ➡ $\square\geq 0$

일차부등식(이다, 이 아니다).

0566 $x(1-x)>x^2+x$ ➡ $\square>0$

일차부등식(이다, 이 아니다).

📁 다음 중 일차부등식인 것은 ◯표, 일차부등식이 아닌 것은 ×표를 하여라.

0567 $-3+x>5$ (　　)

0568 $6x+2<3-x$ (　　)

0569 $7-2x\leq -2(x+1)$ (　　)

괄호를 먼저 풀어서 식을 정리해 봐.

0570 $x(x-3)>3x$ (　　)

0571 $-x^2+4\geq 9+x-x^2$ (　　)

핵심

07 일차부등식의 풀이

날짜 : 월 일

Subnote ➊ 25쪽

x를 포함한 항은 좌변!
상수항은 우변!

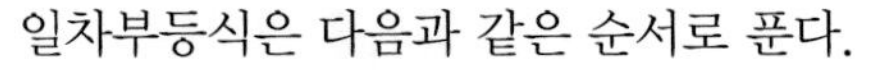

일차부등식은 다음과 같은 순서로 푼다.

❶ 미지수 x를 포함한 항은 좌변으로, 상수항은 우변으로 이항한다.

❷ 양변을 정리하여 $ax>b$, $ax<b$, $ax\geq b$, $ax\leq b$ $(a\neq 0)$의 꼴로 변형한다.

❸ 양변을 x의 계수 a로 나누어 $x>$(수), $x<$(수), $x\geq$(수), $x\leq$(수) 중 하나의 꼴로 나타낸다.
이때 a가 음수이면 부등호의 방향이 바뀐다.

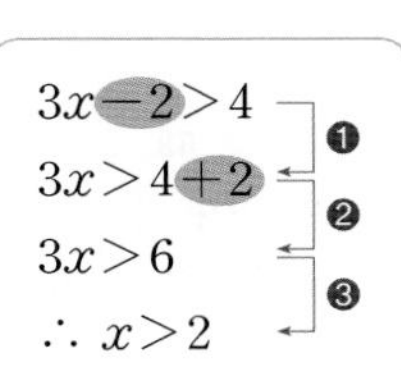

다음 일차부등식을 풀고, 그 해를 수직선 위에 나타내어라.

0572 $x-3<-6$

➡ ________

➡ -4 -3 -2 -1 0

0573 $-6x\leq 30$

➡ ________

➡ -7 -6 -5 -4 -3

0574 $9x+12>3$

➡ ________

➡ -4 -3 -2 -1 0

0575 $2x\geq 3x-7$

➡ ________

다음 일차부등식을 풀어라.

0576 $4x+8<x+5$ ________

0577 $2x-5<5x+7$ ________

0578 $6x-9\leq 8x+1$ ________

0579 학교 시험 맛보기 

다음 보기에서 해가 $x<2$인 일차부등식을 골라라.

| 보기 |
ㄱ. $6<4x-2$
ㄴ. $13-x<x-3$
ㄷ. $14-9x>x-6$

____

4 일차부등식의 풀이

괄호가 있는 일차부등식의 풀이

날짜 :  월  일

Subnote ➡ 26쪽

괄호를 풀 때, 괄호 앞에 음수가 있으면 각 항의 부호가 바뀌는 것, 잊지마!

괄호가 있는 일차부등식은 먼저 분배법칙을 이용하여 괄호를 풀고 식을 간단히 하여 푼다.

참고 분배법칙

① $a(b+c)=ab+ac$

② $(a+b)c=ac+bc$

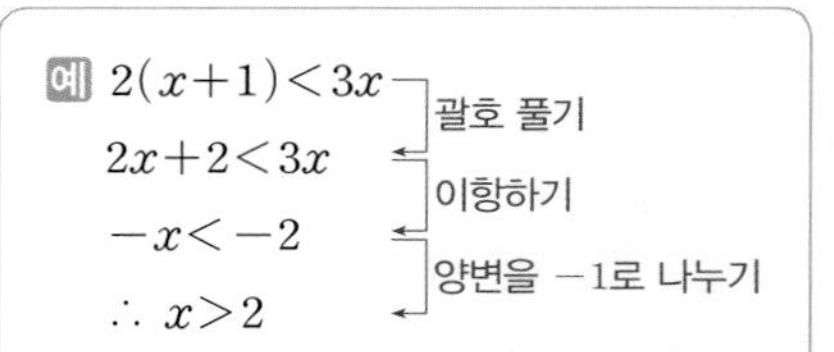

다음 일차부등식을 풀어라.

0580 $3(x-2)>x$

sol 좌변의 괄호를 풀면 $3x-6>x$

$2x>\square$ $\quad\therefore x>\square$

0581 $6<2(x+2)$ ________

0582 $-x\leq 4(x+5)$ ________

0583 $-(x+1)+5>7$ ________

0584 $12-3(x+5)\geq -2x$ ________

0585 $3(x+7)>2(x+11)$ ________

0586 $-(5-x)<2(x-1)$ ________

0587 $6(x+5)+4\geq -2(x-1)$ ________

0588 $2-(x+3)\leq -3(x+4)+7$ ________

0589 학교 시험 맛보기 

부등식 $7(x-3)\leq 3(-x-1)+2$를 만족시키는 자연수 x의 개수를 구하여라.

____

핵심 09 복잡한 일차부등식의 풀이

날짜 :  월 일

Subnote ➔ 26쪽

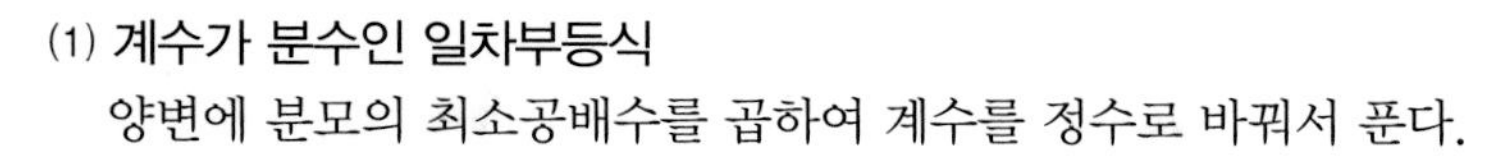

(1) 계수가 분수인 일차부등식
양변에 분모의 최소공배수를 곱하여 계수를 정수로 바꿔서 푼다.

(2) 계수가 소수인 일차부등식
양변에 10의 거듭제곱을 곱하여 계수를 정수로 바꿔서 푼다.

주의 양변에 분모의 최소공배수나 10의 거듭제곱을 곱할 때는 계수가 정수인 항에도 반드시 곱해야 한다.

다음 일차부등식을 풀어라.

0590 $\frac{x+5}{3}<-\frac{1}{2}x$

sol 양변에 분모 2, 3의 최소공배수 6을 곱하면
$2(x+5)<-3x$, $2x+10<-3x$
$\square<-10$ $\therefore x<\square$

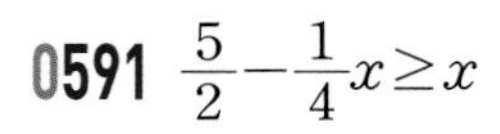

0591 $\frac{5}{2}-\frac{1}{4}x\geq x$ ________

0592 $\frac{x-2}{4}\leq\frac{2x+1}{3}$ ________

0593 $7-\frac{2}{3}x>\frac{1}{2}x$ ________

0594 $\frac{x-2}{3}+\frac{4x-3}{5}>1$ ________

다음 일차부등식을 풀어라.

0595 $0.2x+0.5>-0.7x-0.4$

sol 양변에 10을 곱하면 $2x+5>-7x-4$
$9x>\square$ $\therefore x>\square$

0596 $0.3x+0.5\leq 2-0.2x$ ________

양변에 10을 곱할 때 정수인 2에도 곱하는 것, 잊지마!

0597 $0.5x-1.1<0.1x+0.5$ ________

0598 $\frac{1}{5}x-0.8>-0.1(x+2)$ ________

0599 $0.42x+0.2\geq 0.14x+0.06$ ________

10 x의 계수가 미지수인 일차부등식의 풀이

날짜 :  월  일

Subnote 27쪽

x의 계수 a가 미지수일 때, a가 양수인지 음수인지를 반드시 확인해야 해.

x의 계수가 미지수인 일차부등식은 다음과 같이 푼다.

❶ 주어진 부등식을 $ax>b$ 꼴로 정리한다.

❷ $\begin{cases} a>0\text{이면 } x>\dfrac{b}{a} \\ a<0\text{이면 } x<\dfrac{b}{a} \end{cases}$

a가 음수이면 부등호의 방향이 바뀐다.

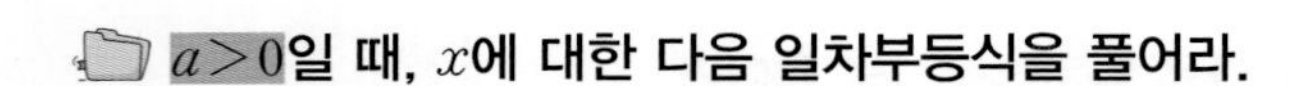

$a>0$일 때, x에 대한 다음 일차부등식을 풀어라.

0600 $ax>6$

sol $a>0$이므로 양변을 a로 나누면 부등호의 방향이 바뀌지 않는다.

➡ x ○ $\dfrac{6}{a}$

0601 $ax\le -2$ ______

0602 $ax+2>7$ ______

0603 $-1+ax\le 10$ ______

0604 $2ax<16$ ______

key x의 계수가 $2a$므로 양변을 $2a$로 나누어야 한다.

$a<0$일 때, x에 대한 다음 일차부등식을 풀어라.

0605 $ax>1$

sol $a<0$이므로 양변을 a로 나누면 부등호의 방향이 바뀐다.

➡ x ○ $\dfrac{1}{a}$

0606 $ax<8$ ______

0607 $ax+9\ge 0$ ______

0608 $-5+ax\le -3$ ______

0609 $-ax<2$ ______

a가 음수니까 $-a$는 양수라는 것에 주의해!

11 일차부등식의 해가 주어질 때 미지수 구하기(1)

핵심

날짜 :  월  일

Subnote ➜ 27쪽

해가 주어진 일차부등식에서 미지수 a의 값을 찾아보는 거야.

(1) 일차부등식의 해가 주어진 경우
❶ 미지수 a가 있는 부등식의 해를 구한다.
❷ 주어진 부등식의 해와 비교하여 미지수 a를 구한다.

(2) 두 일차부등식의 해가 서로 같은 경우
❶ 미지수 a가 없는 부등식의 해를 먼저 구한다.
❷ 나머지 부등식을 풀어 ❶에서 구한 해와 같음을 이용하여 미지수 a의 값을 구한다.

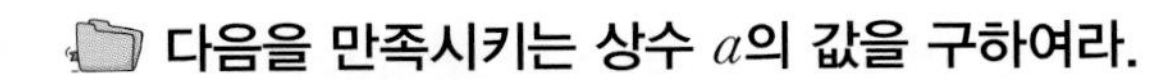

다음을 만족시키는 상수 a의 값을 구하여라.

0610 일차부등식 $2x+a>4$의 해가 $x>-1$이다.

sol $2x+a>4$에서 $2x>4-a$ $\quad\therefore x>\dfrac{4-a}{2}$

이 해가 $x>-1$이므로 $\dfrac{4-a}{2}=-1$

$4-a=-2$ $\quad\therefore a=\square$

0611 일차부등식 $2x+1\le -a$의 해가 $x\le 3$이다.

______

0612 일차부등식 $2-3x<-x+2a$의 해가 $x>5$이다.

______

0613 일차부등식 $\dfrac{x+5}{3}\ge 2a$의 해가 $x\ge -1$이다.

______

다음 두 일차부등식의 해가 같을 때, 상수 a의 값을 구하여라.

0614 $3x<2x-a$, $x+1<-x-1$

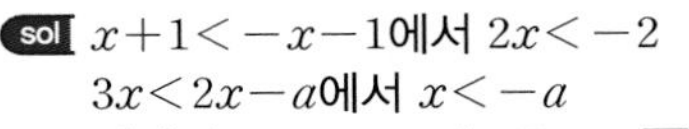

sol $x+1<-x-1$에서 $2x<-2$ $\quad\therefore x<\square$

$3x<2x-a$에서 $x<-a$

따라서 $-a=-1$이므로 $a=\square$

0615 $4-5x\le a-2x$, $6x+7\ge 3x-2$

______

0616 $2-x>15$, $-(x+2a)>9$

______

0617 학교 시험 맛보기 

x에 대한 일차부등식 $-4x\le a-13$의 해를 수직선 위에 나타내면 오른쪽 그림과 같을 때, 상수 a의 값을 구하여라.

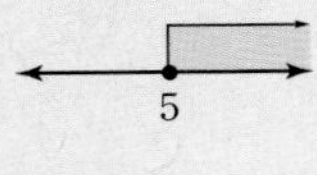

______

일차부등식의 해가 주어질 때 미지수 구하기 (2)

날짜 :  월  일

Subnote ➲ 27쪽

부등식의 해 중 가장 큰 수가 a이면 부등식의 해가 $x \le a$라는 뜻이지!

(1) 부등식의 해 중 가장 큰 수 또는 가장 작은 수가 주어진 경우
① 부등식의 해가 $x \le a$이면 a는 부등식의 해 중 가장 큰 수
② 부등식의 해가 $x \ge a$이면 a는 부등식의 해 중 가장 작은 수

(2) 계수가 미지수인 부등식의 해가 주어진 경우
① 부등식 $ax > b$의 해가 $x > k$이면 ➡ $a > 0$이고, $\frac{b}{a} = k$
② 부등식 $ax > b$의 해가 $x < k$이면 ➡ $a < 0$이고, $\frac{b}{a} = k$

다음을 만족시키는 상수 a의 값을 구하여라.

0618 일차부등식 $2x-7 \ge a$의 해 중 가장 작은 수가 3이다.

sol $2x-7 \ge a$에서 $2x \ge a+7$ $\quad \therefore x \bigcirc \frac{a+7}{2}$
이때 주어진 부등식의 해 중 가장 작은 수가 3이므로
$\frac{a+7}{2}=3$, $a+7=6$ $\quad \therefore a=$☐

0619 일차부등식 $-x+2a \le 0$의 해 중 가장 작은 수가 8이다. ________

0620 일차부등식 $6-3x \ge 2a$의 해 중 가장 큰 수가 -4이다. ________

0621 일차부등식 $5x \le 2(x-3a)+1$의 해 중 가장 큰 수가 $\frac{1}{3}$이다. ________

다음을 만족시키는 상수 a의 값을 구하여라.

0622 일차부등식 $ax \le -10$의 해가 $x \le -2$이다.

sol $ax \le -10$의 해가 $x \le -2$이므로 $a \bigcirc 0$
따라서 $ax \le -10$에서 $x \le -\frac{10}{a}$이므로
$-\frac{10}{a}=-2$, $-10=-2a$ $\quad \therefore a=$☐

0623 일차부등식 $ax+7 > -5$의 해가 $x < 4$이다. ________

0624 일차부등식 $3-ax < 2$의 해가 $x > \frac{1}{4}$이다. ________

0625 학교 시험 맛보기

x에 대한 일차부등식 $ax-2 > 4x-7$의 해가 $x > -1$일 때, 상수 a의 값을 구하여라. ________

핵심 05~12

Mini Review Test

날짜 : 월 일

Subnote ➡ 28쪽

0626 다음 중 일차부등식이 아닌 것을 모두 고르면? (정답 2개)

① $-3+x>9$
② $x>3x+2$
③ $10+x>x$
④ $2x+9<2(x-1)+3$
⑤ $x^2+1\le x(x+1)$

0627 다음 일차부등식 중 그 해를 수직선 위에 나타내었을 때, 오른쪽 그림과 같은 것은?

-4

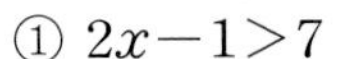

① $2x-1>7$　② $3x<-12$
③ $x+3\le 2x+7$　④ $x-4\ge -2x$
⑤ $6x+3<4x-5$

0628 다음 중 부등식 $-3(x-5)<x-1$의 해를 수직선 위에 바르게 나타낸 것은?

① 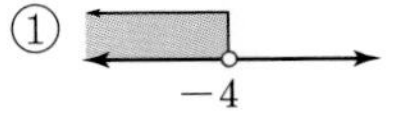
② 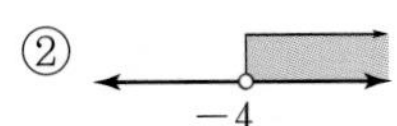
③ 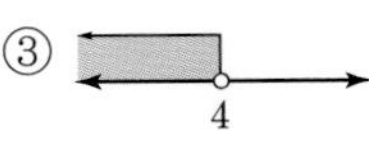
④ 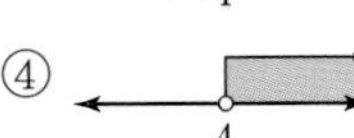
⑤ 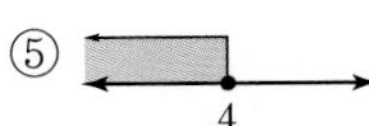

0629 일차부등식 $\frac{x+1}{5}\le -1.5+0.3x$를 만족시키는 가장 작은 정수 x를 구하여라.

핵심 10

0630 $a<0$일 때, $ax-2a>a$의 해를 구하여라. (단, a는 상수)

핵심 11

0631 일차부등식 $3x-a<x+1$의 해가 $x<5$일 때, 상수 a의 값을 구하여라.

핵심 12 서술형

0632 일차부등식 $ax-1\ge 3x-5$의 해가 $x\le 2$일 때, 상수 a의 값을 구하여라.

Review

4. 일차부등식의 풀이

YOU♡

부등식은 어떤 성질을 가지고 있을까?

$$a>b\text{이면}\begin{cases} a+c>b+c,\ a-c>b-c \\ c>0\text{이면 } ac>bc,\ \dfrac{a}{c}>\dfrac{b}{c} \\ c<0\text{이면 } ac<bc,\ \dfrac{a}{c}<\dfrac{b}{c} \end{cases}$$

일차부등식이 뭐야?

(일차식)>0, (일차식)<0, (일차식)≥ 0, (일차식)≤ 0
꼴로 나타내어지는 부등식~

일차부등식을 푸는 방법은?

$-3x-2>4$
$-3x>4+2$
$-3x>6$
$\therefore x<-2$

① x를 포함한 항은 좌변으로,
상수항은 (❶)으로 이항해!
② 양변을 x의 계수로 나누어줘.
이때 계수가 (❷)이면
부등호 방향이 바뀌어!

계수가 분수나 소수인 일차부등식은
어떻게 풀까?

양변에 적당한 수를 곱해서 계수를 모두
(❸)로 고친 후 풀어!

❶ 우변 ❷ 음수 ❸ 정수

5 일차부등식의 활용

스스로 공부 계획 세우기

	학습 내용	공부한 날짜	반복하기
5. 일차부등식의 활용	01. 일차부등식의 활용(1) – 수	월 일	□□
	02. 일차부등식의 활용(2) – 개수, 평균	월 일	□□
	03. 일차부등식의 활용(3) – 예금액, 추가 요금	월 일	□□
	04. 일차부등식의 활용(4) – 유리한 방법, 정가	월 일	□□
	05. 일차부등식의 활용(5) – 거리, 속력, 시간	월 일	□□
	06. 일차부등식의 활용(6) – 거리, 속력, 시간	월 일	□□
	07. 일차부등식의 활용(7) – 농도	월 일	□□
	Mini Review Test(01~07)	월 일	□□

5 일차부등식의 활용

개념 NOTE

1 일차부등식의 활용 문제를 푸는 순서

일차부등식의 활용 문제는 다음과 같은 순서로 푼다.

❶ **미지수 정하기** ➡ 문제의 뜻을 파악하고, 구하는 것을 미지수 x로 놓는다.

❷ **부등식 세우기** ➡ x를 사용하여 문제의 뜻에 맞는 일차부등식을 세운다.

❸ **부등식 풀기** ➡ 일차부등식을 풀어 해를 구한다.

❹ **확인하기** ➡ 문제의 뜻에 맞는 답을 구한다.

이상, 이하, 초과, 미만 또는 이에 해당하는 표현을 찾아 부등호를 결정한다.

2 수, 가격, 원가 등에 대한 문제 핵심 01 ~ 04

(1) **연속하는 수에 대한 문제**

① 연속하는 두 정수 : $x-1$, x 또는 x, $x+1$로 놓는다.

② 연속하는 세 정수 : $x-1$, x, $x+1$로 놓는다.

③ 연속하는 세 짝수 또는 세 홀수 : $x-2$, x, $x+2$로 놓는다.

(2) **가격, 개수에 대한 문제**

① 한 개에 a원인 물건 x개를 b원짜리 상자에 포장하여 살 때,
➡ 총 금액은 $(ax+b)$원

② 가격이 다른 두 물건 A, B를 합하여 a개를 살 때,
➡ 물건 A를 x개 산다고 하면 물건 B는 $(a-x)$개를 산 것이다.

③ 현재 예금액이 a원이고 매월 b원씩 x개월 동안 예금할 때,
➡ x개월 후의 예금액은 $(a+bx)$원

④ 기본 요금이 a원이고 추가되는 1개당 가격이 b원일 때,
➡ x개의 가격은 $(a+bx)$원

(3) **유리한 방법을 선택하는 문제**

① 두 가지 방법에 대하여 각각의 요금을 계산한다.

② 문제의 뜻에 맞는 부등식을 세워서 푼다.

(4) **정가, 원가에 대한 문제**

① 원가가 x원인 물건에 $a\%$의 이익을 붙인 정가는 $x\left(1+\frac{a}{100}\right)$원

② 정가가 x원인 물건을 $b\%$ 할인한 가격은 $x\left(1-\frac{b}{100}\right)$원

사람 수, 물건의 개수, 횟수 등을 x로 놓았을 때에는 구한 해 중에서 자연수만을 답으로 택한다. 또 넓이, 거리 등을 x로 놓았을 때에는 구한 해 중에서 양수만을 답으로 택한다.

3 거리, 속력, 시간에 대한 문제 핵심 05 06

(1) $(\text{거리})=(\text{시간})\times(\text{속력})$ (2) $(\text{속력})=\frac{(\text{거리})}{(\text{시간})}$ (3) $(\text{시간})=\frac{(\text{거리})}{(\text{속력})}$

거리, 속력, 시간에 대한 문제에서는 단위를 통일해야 한다.

4 농도에 대한 문제 핵심 07 08

(1) $(\text{소금물의 농도})=\frac{(\text{소금의 양})}{(\text{소금물의 양})}\times100(\%)$

(2) $(\text{소금의 양})=\frac{(\text{소금물의 농도})}{100}\times(\text{소금물의 양})$

소금물에 물을 더 넣거나 물을 증발시켜도 소금의 양은 변하지 않음을 이용하여 부등식을 세운다.

01 일차부등식의 활용 (1) – 수

핵심

날짜 :  월  일

Subnote ➲ 28쪽

이상, 이하, 초과, 미만 등과 같은 두 수량 사이의 대소 관계를 비교하는 표현에 맞게 부등호를 결정해.

(1) 어떤 수에 대한 문제 : 어떤 수를 x로 놓고 부등식을 세운다.
(2) 연속하는 정수에 대한 문제 : 다음과 같이 미지수를 정한다.
① 연속하는 두 정수 : $x-1$, x 또는 x, $x+1$로 놓는다.
② 연속하는 세 정수 : $x-1$, x, $x+1$로 놓는다.
③ 연속하는 세 짝수 또는 세 홀수 : $x-2$, x, $x+2$로 놓는다.

0633 어떤 정수의 6배에서 2를 뺀 것은 그 정수에 7을 더한 것보다 작다고 한다. 어떤 정수 중 가장 큰 수를 구하여라.

(1) 어떤 정수를 x라고 할 때, 다음을 x를 사용한 식으로 나타내어라.
① 어떤 정수의 6배에서 2를 뺀 수 :
② 어떤 정수에 7을 더한 수 :

(2) 일차부등식을 세워라.

key (어떤 정수의 6배에서 2를 뺀 수)<(어떤 정수에 7을 더한 수)

(3) 일차부등식을 풀어라.

(4) 문제의 뜻에 맞는 답을 구하여라.

0634 어떤 정수의 3배에 5를 더한 수는 80보다 크다고 한다. 어떤 정수 중 가장 작은 수를 구하여라.

0635 주사위를 던져 나온 눈의 수를 2배하면 그 눈의 수에서 1을 뺀 것의 3배보다 작다고 한다. 이를 만족시키는 주사위의 눈의 수를 모두 구하여라.

주사위의 눈의 수는 1, 2, 3, 4, 5, 6의 6가지 뿐이야.

0636 연속하는 세 자연수의 합이 90보다 작을 때, 이와 같은 자연수 중에서 가장 큰 세 자연수를 구하여라.

key 가운데 수를 x라고 하면 연속하는 세 자연수는 $x-1$, x, $x+1$ 이다.

일차부등식의 활용 (2) – 개수, 평균

날짜 :  월  일

Subnote ➲ 29쪽

(1) 가격, 개수에 대한 문제

① 한 개에 a원인 물건 x개를 b원짜리 상자에 포장하여 살 때,
➡ 총 금액은 $(ax+b)$원

② 두 물건 A, B를 합하여 a개 살 때, 물건 A의 개수를 x라고 하면
➡ 물건 B의 개수는 $a-x$

(2) 평균에 대한 문제

① 두 수 a, b의 평균 ➡ $\frac{a+b}{2}$

② 세 수 a, b, c의 평균 ➡ $\frac{a+b+c}{3}$

0637 한 자루에 1500원인 색연필과 한 자루에 900원인 연필을 합하여 12자루를 사고 2500원짜리 상자에 넣어 모두 18000원 이하가 되도록 하려면 색연필은 최대 몇 자루까지 살 수 있는지 구하여라.

(1) 색연필을 x자루 산다고 할 때, 다음 표를 완성하여라.

	색연필	연필
수(자루)	x	
총 가격(원)	$1500x$	

(2) 일차부등식을 세워라.

key (색연필의 총 가격)+(연필의 총 가격)+(상자의 가격)$\le$18000

(3) 일차부등식을 풀어라.

(4) 문제의 뜻에 맞는 답을 구하여라.

0638 한 조각에 3000원 하는 조각 케이크를 여러 개 사서 2000원짜리 상자에 포장하려고 한다. 총 금액이 20000원 이하가 되게 하려면 조각 케이크를 최대 몇 조각까지 살 수 있는지 구하여라.

0639 지현이는 두 번의 수학 시험에서 93점, 85점을 받았다. 세 번째 수학 시험에서 몇 점 이상을 받아야 세 번에 걸친 수학 시험의 평균이 90점 이상이 되는지 구하여라.

0640 지금까지 치른 세 번의 영어 시험에서 98점, 95점, 92점을 받았다. 네 번째 영어 시험에서 몇 점 이상을 받아야 평균이 93점 이상이 되는지 구하여라.

03 일차부등식의 활용 (3) – 예금액, 추가 요금

날짜 :  월  일

Subnote ➡ 29쪽

기본 요금에 추가되는 요금을 더하면 전체 가격이야!

(1) 현재 예금액이 a원이고 매월 b원씩 x개월 동안 예금할 때,
➡ x개월 후의 예금액은 $(a+bx)$원

(2) 기본 요금이 a원이고 추가되는 1개당 가격이 b원일 때,
➡ x개의 가격은 $(a+bx)$원

0641 현재 형의 통장에는 20000원, 동생의 통장에는 30000원이 예금되어 있다. 다음 달부터 매월 형은 3000원씩, 동생은 2000원씩 예금한다면 현재부터 몇 개월 후에 형의 예금액이 동생의 예금액보다 많아지는지 구하여라.

(1) x개월 후의 형과 동생의 예금액을 구하여 다음 표를 완성하여라.

	형	동생
현재 예금액(원)	20000	30000
x개월 후 예금액(원)		

key (x개월 후의 예금액)=(현재 예금액)+(매월 예금액)×x

(2) 일차부등식을 세워라.

key (x개월 후의 형의 예금액)>(x개월 후의 동생의 예금액)

(3) 일차부등식을 풀어라.

(4) 문제의 뜻에 맞는 답을 구하여라.

0642 현재 주원이와 수지의 저금통에 있는 금액은 각각 9000원, 6000원이다. 내일부터 매일 주원이는 500원씩, 수지는 200원씩 저금통에 돈을 넣는다고 할 때, 주원이의 돈이 수지의 돈보다 2배 많아지는 것은 며칠 후부터인지 구하여라.

0643 사진을 인화하는데 10장까지는 기본요금 5000원을 내야 하고, 10장을 초과하면 1장에 300원씩 추가된다고 한다. 인화하는 데 드는 비용이 8000원 이하가 되게 하려면 사진을 최대 몇 장까지 인화할 수 있는지 구하여라.

(1) 인화하는 사진의 수를 x장이라고 할 때 다음을 x를 사용한 식으로 나타내어라.
① 추가 요금이 붙는 사진 수 : ________
② 사진 x장을 인화하는 데 드는 비용 :

(2) 일차부등식을 세워라.

(3) 일차부등식을 풀어라.

(4) 문제의 뜻에 맞는 답을 구하여라.

0644 어느 주차장의 주차 요금은 처음 30분까지는 1500원이고 30분이 지나면 10분마다 100원씩 요금이 추가된다고 한다. 주차 요금이 4000원 이하가 되게 하려면 최대 몇 분 동안 주차할 수 있는지 구하여라.
(단, 주차 요금은 1분 단위로 정산한다.)

key 추가 요금이 10분마다 100원이므로 1분에 10원이다.

일차부등식의 활용 (4) – 유리한 방법, 정가

날짜 : 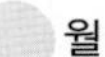 월  일

Subnote ➔ 29쪽

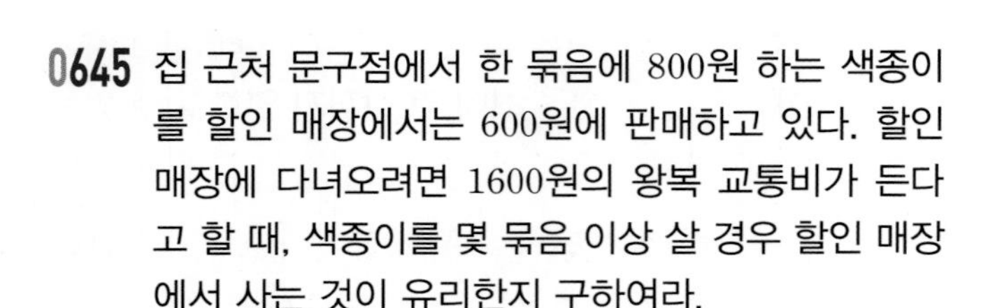

(1) 유리한 방법을 선택하는 문제 : 두 가지 방법에 대하여 각각의 요금을 계산하여, 문제의 뜻에 맞는 부등식을 세워서 푼다.

(2) 정가, 원가에 대한 문제

① 원가가 x원인 물건에 a %의 이익을 붙인 정가는 $x\left(1+\frac{a}{100}\right)$원

② 정가가 x원인 물건을 b % 할인한 가격은 $x\left(1-\frac{b}{100}\right)$원

0645 집 근처 문구점에서 한 묶음에 800원 하는 색종이를 할인 매장에서는 600원에 판매하고 있다. 할인 매장에 다녀오려면 1600원의 왕복 교통비가 든다고 할 때, 색종이를 몇 묶음 이상 살 경우 할인 매장에서 사는 것이 유리한지 구하여라.

(1) 색종이를 x묶음 산다고 할 때, 다음 표를 완성하여라.

	문구점	할인 매장
색종이 값(원)	$800x$	
교통비(원)	0	

(2) 일차부등식을 세워라.

key (문구점에서 사는 가격)
>(할인 매장에서 사는 가격)+(왕복 교통비)

(3) 일차부등식을 풀어라.

(4) 문제의 뜻에 맞는 답을 구하여라.

0646 집 앞 슈퍼마켓에서 한 봉지에 2000원인 빵을 대형마트에서는 20 % 할인하여 판매한다고 한다. 대형마트에 가려면 왕복 교통비가 1500원이 든다고 할 때, 이 빵을 몇 개 이상 사는 경우에 대형마트에서 사는 것이 유리한지 구하여라.

0647 원가가 20000원인 가방을 정가의 20 % 할인하여 팔아서 원가의 25 % 이상의 이익을 얻으려고 한다. 정가를 얼마 이상으로 정해야 하는지 구하여라.

(1) 정가를 x원이라고 할 때, 정가의 20 % 할인한 가격을 x를 사용하여 간단히 나타내어라.

(2) 일차부등식을 세워라.

(3) 일차부등식을 풀어라.

(4) 문제의 뜻에 맞는 답을 구하여라.

0648 어느 물건의 원가에 16 %의 이익을 붙여서 정가를 정하면 정가에서 400원을 할인하여 팔아도 8 % 이상의 이익을 얻는다고 한다. 이 물건의 원가는 얼마 이상인지 구하여라.

05 일차부등식의 활용 (5) – 거리, 속력, 시간

날짜 :  월  일

Subnote ➲ 30쪽

거리, 속력, 시간에 대한 문제에서는 먼저 단위를 통일해!

(1) (거리)=(속력)×(시간)

(2) (속력)=$\frac{(\text{거리})}{(\text{시간})}$

(3) (시간)=$\frac{(\text{거리})}{(\text{속력})}$

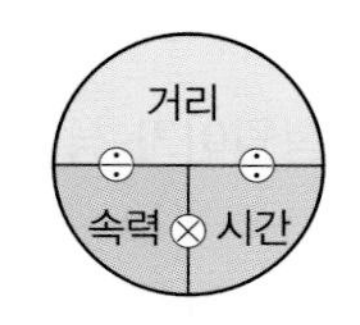

0649 A지점에서 10 km 떨어진 B지점까지 가는데 처음에는 시속 5 km로 달리다가 도중에 시속 3 km로 걸어서 3시간 이내에 B지점에 도착하였다. 이때 시속 5 km로 달린 거리는 몇 km 이상인지 구하여라.

(1) 시속 5 km로 달린 거리를 x km라고 할 때, 다음 표를 완성하여라.

	달릴 때	걸을 때
거리	x km	
속력	시속 5 km	시속 3 km
시간	$\frac{x}{5}$시간	

(2) 일차부등식을 세워라.

key (시속 5 km로 달린 시간)+(시속 3 km로 걸은 시간)≤3

(3) 일차부등식을 풀어라.

(4) 문제의 뜻에 맞는 답을 구하여라.

0650 규헌이가 집에서 20 km 떨어진 서점에 가는데 처음에는 버스를 타고 시속 60 km로 가다가 중간에 내려서 시속 4 km로 걸어가려고 한다. 서점까지 가는데 1시간 30분 이하로 걸렸다면 버스를 타고 간 거리는 최소 몇 km인지 구하여라.

0651 등산을 하는데 올라갈 때는 시속 2 km로 걷고, 내려올 때는 올라갈 때보다 2 km 더 먼 길을 시속 3 km로 걸어서 내려오려고 한다. 4시간 이내로 등산을 마치려면 최대 몇 km까지 올라갔다 올 수 있는지 구하여라.

(1) 올라갈 때의 거리를 x km라고 할 때, 다음 표를 완성하여라.

	올라갈 때	내려올 때
거리	x km	
속력	시속 2 km	시속 3 km
시간	$\frac{x}{2}$시간	

(2) 일차부등식을 세워라.

key (올라갈 때 걸린 시간)+(내려올 때 걸린 시간)≤4

(3) 일차부등식을 풀어라.

(4) 문제의 뜻에 맞는 답을 구하여라.

0652 집에서 출발하여 걸어서 산책을 하려고 한다. 갈 때는 시속 4 km로, 올 때는 같은 길을 시속 2 km로 걸어서 1시간 30분 이내에 돌아오려면 집에서 최대 몇 km 떨어진 곳까지 갔다 올 수 있는지 구하여라.

5 일차부등식의 활용

06 일차부등식의 활용 (6) - 거리, 속력, 시간

Subnote ➲ 30쪽

0653 정원이가 상점에 물건을 사러 갔다 오는데 갈 때는 시속 4 km로 걷고, 올 때는 시속 3 km로 걸어서 총 2시간 이내로 다녀오려고 한다. 물건을 사는 데 15분이 걸린다면 집에서 최대 몇 km 떨어져 있는 상점까지 갔다 올 수 있는지 구하여라.

(1) 상점까지의 거리를 x km라고 할 때, 다음 표를 완성하여라.

	갈 때	물건 살 때	올 때
거리	x km		
속력	시속 4 km		
시간	$\frac{x}{4}$시간	$\frac{1}{4}$시간	

(2) 일차부등식을 세워라.

key (갈 때 걸린 시간)+(물건 살 때 걸린 시간)+(올 때 걸린 시간)≤(전체 걸린 시간)

(3) 일차부등식을 풀어라.

(4) 문제의 뜻에 맞는 답을 구하여라.

0654 등산을 하는데 올라갈 때는 시속 4 km로 걷고 30분을 쉬다가 내려올 때는 같은 길을 시속 5 km로 걸어서 전체 걸리는 시간을 5시간 이내로 하려고 한다. 이때 최대 몇 km까지 올라갔다 내려올 수 있는지 구하여라.

0655 같은 지점에서 서로 반대 방향으로 동시에 출발하여 A는 매분 200 m의 속력으로, B는 매분 150 m의 속력으로 걷고 있다. A, B 두 사람의 거리가 1050 m 이상 떨어지려면 최소한 몇 분이 지나야 하는지 구하여라.

(1) x분 동안 걷는다고 할 때, 다음 표를 완성하여라.

	A	B
속력	분속 200 m	분속 150 m
시간	x분	x분
거리		

(2) 일차부등식을 세워라.

key (A가 이동한 거리)+(B가 이동한 거리)≥(주어진 거리)

(3) 일차부등식을 풀어라.

(4) 문제의 뜻에 맞는 답을 구하여라.

0656 같은 지점에서 동시에 자전거를 타고 출발하여 기준이는 동쪽으로 시속 16 km로 달리고, 은정이는 서쪽으로 시속 14 km로 달리고 있다. 두 사람의 거리가 50 km 이상 떨어지려면 최소한 몇 분이 지나야 하는지 구하여라.

key 1시간=60분

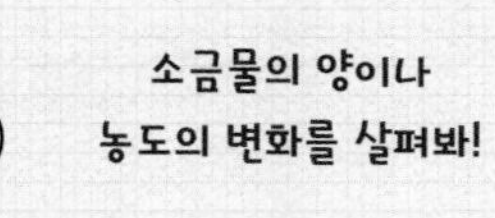

07 일차부등식의 활용 (7) – 농도

날짜 : 월 일

Subnote 31쪽

소금물의 양이나 농도의 변화를 살펴봐!

(1) (소금물의 농도)$=\dfrac{(\text{소금의 양})}{(\text{소금물의 양})}\times 100(\%)$

(2) (소금의 양)$=\dfrac{(\text{소금물의 농도})}{100}\times$(소금물의 양)

0657 10 %의 소금물 300 g이 있다. 여기에 물을 더 넣어 6 % 이하의 소금물을 만들려면 몇 g 이상의 물을 더 넣어야 하는지 구하여라.

(1) 더 넣는 물의 양을 x g이라고 할 때, 다음 표를 완성하여라.

	처음 소금물	나중 소금물
농도	10 %	6 % 이하
소금물의 양(g)	300	
소금의 양(g)	$\frac{10}{100}\times 300$	

(2) 일차부등식을 세워라.

(3) 일차부등식을 풀어라.

(4) 문제의 뜻에 맞는 답을 구하여라.

0658 8 %의 소금물 500 g에서 물을 증발시켜 10 % 이상의 소금물을 만들려고 한다. 몇 g 이상의 물을 증발시켜야 하는지 구하여라.

0659 7 %의 소금물 600 g과 12 %의 소금물을 섞어서 9 % 이상의 소금물을 만들려고 한다. 12 %의 소금물을 몇 g 이상 섞어야 하는지 구하여라.

(1) 12 %의 소금물을 x g 섞는다고 할 때, 다음 표를 완성하여라.

	섞기 전		섞은 후
농도	7 %	12 %	9 % 이상
소금물의 양(g)	600	x	
소금의 양(g)			

(2) 일차부등식을 세워라.

(3) 일차부등식을 풀어라.

(4) 문제의 뜻에 맞는 답을 구하여라.

0660 5 %의 소금물과 10 %의 소금물을 섞어서 8 % 이하의 소금물 450 g을 만들려고 한다. 5 %의 소금물을 몇 g 이상 섞어야 하는지 구하여라.

핵심 01~07

Mini Review Test

날짜 : 월 일

Subnote 31쪽

핵심 01

0661 차가 5인 두 자연수의 합이 32보다 작을 때, 이와 같은 수 중에서 가장 큰 두 자연수를 구하여라.

핵심 02

0662 아무 것도 싣지 않을 때의 무게가 1톤인 화물차에 한 개의 무게가 60 kg인 상자를 실어 화물차를 포함한 무게가 2톤을 넘지 않도록 하려고 한다. 상자를 최대 몇 개까지 실을 수 있는지 구하여라.

핵심 02

0663 어느 놀이 공원의 입장료는 12000원이고 A 놀이기구의 1회 이용료는 3000원이라고 한다. 40000원으로 이 놀이 공원에 입장하여 A 놀이기구를 최대 몇 회까지 이용할 수 있는지 구하여라.

핵심 04 서술형

0664 1인당 입장료가 2000원인 어느 전시회에서 25명 이상의 단체는 입장료에서 20 %를 할인해 준다고 한다. 최소 몇 명 이상이면 25명의 단체 입장권을 사는 것이 유리한지 구하여라.

핵심 05

0665 가영이가 산책을 하는데 갈 때는 시속 2 km로 걷고, 올 때는 갈 때보다 1 km 더 먼 길을 시속 3 km로 걸었다. 산책하는 데 걸린 시간이 2시간 이내일 때, 가영이가 갈 때 걸은 거리는 최대 몇 km인지 구하여라.

핵심 06

0666 민섭이는 기차역에서 기차가 출발하기 전까지 1시간 30분의 여유가 있어서 이 시간을 이용하여 상점에서 물건을 사오려고 한다. 물건을 사는 데 12분이 걸리고, 시속 4 km로 걷는다면 역에서 최대 몇 km 이내의 상점을 이용할 수 있는가?

① 2 km ② 2.2 km ③ 2.4 km
④ 2.6 km ⑤ 2.8 km

핵심 07

0667 8 %의 소금물 400 g에 소금을 더 넣어 농도가 20 % 이하가 되게 하려고 한다. 소금은 최대 몇 g까지 넣을 수 있는지 구하여라.

Review

5. 일차부등식의 활용

4 연립방정식

이미 배운 내용

[중학교 1학년]
- 문자의 사용과 식의 계산
- 일차방정식

이번에 배울 내용

6 연립방정식의 풀이

스스로 공부 계획 세우기

	학습 내용	공부한 날짜		반복하기
6. 연립방정식의 풀이	01. 미지수가 2개인 일차방정식	월	일	□□
	02. 미지수가 2개인 일차방정식의 해 (1)	월	일	□□
	03. 미지수가 2개인 일차방정식의 해 (2)	월	일	□□
	04. 미지수가 2개인 일차방정식의 해 (3)	월	일	□□
	05. 미지수가 2개인 연립일차방정식의 해 (1)	월	일	□□
	06. 미지수가 2개인 연립일차방정식의 해 (2)	월	일	□□
	Mini Review Test(01~06)	월	일	□□
	07. 식의 대입	월	일	□□
	08. 등식의 변형	월	일	□□
	09. 대입법을 이용한 연립방정식의 풀이 (1)	월	일	□□
	10. 대입법을 이용한 연립방정식의 풀이 (2)	월	일	□□
	11. 가감법을 이용한 연립방정식의 풀이 (1)	월	일	□□
	12. 가감법을 이용한 연립방정식의 풀이 (2)	월	일	□□
	Mini Review Test(07~12)	월	일	□□
	13. 괄호가 있는 연립방정식의 풀이	월	일	□□
	14. 계수가 분수인 연립방정식의 풀이	월	일	□□
	15. 계수가 소수인 연립방정식의 풀이	월	일	□□
	16. 비례식을 포함한 연립방정식의 풀이	월	일	□□
	17. $A=B=C$ 꼴의 연립방정식의 풀이	월	일	□□
	18. 해가 특수한 연립방정식의 풀이	월	일	□□
	19. 해가 특수한 연립방정식에서 미지수 구하기	월	일	□□
	Mini Review Test(13~19)	월	일	□□

6 연립방정식의 풀이

개념 NOTE

1 미지수가 2개인 일차방정식과 그 해 핵심 01 ~ 04

(1) **미지수가 2개인 일차방정식** : 미지수가 2개이고 그 차수가 모두 1인 방정식

(2) 미지수가 x, y 2개인 일차방정식은 다음과 같이 나타낼 수 있다.

$ax+by+c=0$ (단, a, b, c는 상수, $a\neq0$, $b\neq0$)

예 $x-3y+2=0$, $3x+y-7=0$ ➡ 미지수가 2개인 일차방정식이다.

$4x+7=0$, $2x^2-3y=2$, $xy+5=0$, $\frac{1}{x}+y+2=0$ ➡ 미지수가 2개인 일차방정식이 아니다.

(3) **미지수가 2개인 일차방정식의 해** : 미지수가 2개인 일차방정식을 만족시키는 x, y의 값 또는 그 순서쌍 (x, y)

(4) **방정식을 푼다.** : 방정식의 해를 모두 구하는 것

미지수가 2개인 일차방정식 찾기
① 등식인지 확인
② 미지수가 2개인지 확인
③ 미지수의 차수가 모두 1인지 확인

2 미지수가 2개인 연립일차방정식과 그 해 핵심 05 06

(1) **미지수가 2개인 연립일차방정식** : 미지수가 2개인 일차방정식 2개를 한 쌍으로 묶어 놓은 것

(2) **연립방정식의 해** : 두 일차방정식을 동시에 만족하는 x, y의 값 또는 순서쌍 (x, y)

(3) **연립방정식을 푼다.** : 연립방정식의 해를 구하는 것

예 x, y가 자연수일 때, 연립방정식 $\begin{cases} x+y=4 \\ 2x-y=2 \end{cases}$의 해를 구해 보자.

$x+y=4$의 해 ➡ $(1, 3)$, $(2, 2)$, $(3, 1)$, $\cdots$

$2x-y=2$의 해 ➡ $(1, 0)$, $(2, 2)$, $(3, 4)$, $\cdots$

└동시에 만족

따라서 연립방정식의 해는 $(2, 2)$이다.

연립일차방정식을 간단히 연립방정식이라고 한다.

3 연립방정식의 풀이 (1) – 대입법 핵심 07 ~ 10

(1) **식의 대입** : 주어진 식의 문자에 그 문자를 나타내는 다른 식을 대입하여 주어진 식을 다른 문자에 대한 식으로 나타내는 것

예 $y=x+1$일 때, $x-2y$를 x에 대한 식으로 나타내면

$x-2y=x-2(x+1)=x-2x-2=-x-2$

(2) **소거** : 미지수가 2개인 연립방정식에서 한 미지수를 없애는 것

(3) **대입법** : 미지수가 2개인 연립방정식에서 한 일차방정식을 한 미지수에 대하여 푼 후, 그 식을 다른 일차방정식에 대입하여 연립방정식의 해를 구하는 방법

예 연립방정식 $\begin{cases} x=y+3 & \cdots\cdots ㉠ \\ -2x+3y=-2 & \cdots\cdots ㉡ \end{cases}$를 대입법을 이용하여 풀어 보자.

➡ ㉠을 ㉡에 대입하면 $-2(y+3)+3y=-2$ $\quad\therefore y=4$

$y=4$를 ㉠에 대입하면 $x=4+3=7$ $\quad\therefore x=7$, $y=4$

대입하는 식이 다항식이면 반드시 괄호로 묶어서 대입한다.

보통 연립방정식의 두 일차방정식 중 어느 하나가 $x=(y$에 대한 식$)$ 또는 $y=(x$에 대한 식$)$의 꼴이면 대입법을 이용한다.

4 연립방정식의 풀이 (2) – 가감법 핵심 11 12

(1) **가감법** : 미지수가 2개인 연립방정식에서 두 일차방정식을 변끼리 더하거나 빼어서 한 미지수를 소거하여 연립방정식의 해를 구하는 방법

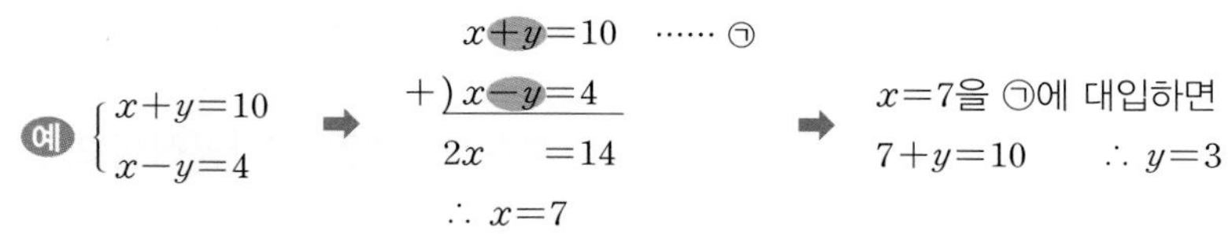

5 복잡한 연립방정식의 풀이 핵심 13 ~ 17

(1) **괄호가 있는 연립방정식**
분배법칙을 이용하여 괄호를 풀고, 동류항끼리 모아서 간단히 정리한 후 푼다.

(2) **계수가 분수인 연립방정식**
양변에 분모의 최소공배수를 곱하여 계수를 정수로 고친 후 푼다.

(3) **계수가 소수인 연립방정식**
양변에 10의 거듭제곱을 곱하여 계수를 정수로 고친 후 푼다.

(4) **비례식을 포함한 연립방정식**
비례식의 성질을 이용하여 일차방정식으로 고친 후 푼다.
➡ $a:b=c:d$이면 $ad=bc$

(5) **$A=B=C$ 꼴의 연립방정식**
다음 세 연립방정식 중 계산이 가장 간단한 것을 선택하여 푼다.

$$\begin{cases} A=B \\ A=C \end{cases}, \begin{cases} A=B \\ B=C \end{cases}, \begin{cases} A=C \\ B=C \end{cases}$$

6 특수한 해를 가지는 연립방정식 핵심 18 19

(1) **해가 무수히 많은 연립방정식** : 연립방정식에서 어느 하나의 방정식을 변형했을 때, x, y의 계수와 상수항이 각각 같으면 해가 무수히 많다.

(2) **해가 없는 연립방정식** : 연립방정식에서 어느 하나의 방정식을 변형했을 때, x, y의 계수는 각각 같고 상수항이 다르면 해가 없다.

참고 연립방정식 $\begin{cases} ax+by=c \\ a'x+b'y=c' \end{cases}$에서

① 해가 무수히 많을 조건 : $\frac{a}{a'}=\frac{b}{b'}=\frac{c}{c'}$

② 해가 없을 조건 : $\frac{a}{a'}=\frac{b}{b'}\neq\frac{c}{c'}$

개념 NOTE

가감법에서 미지수의 소거 방법
소거하려는 미지수의 계수의 절댓값을 같게 한 후
① 부호가 같으면
➡ 두 방정식을 변끼리 뺀다.
② 부호가 다르면
➡ 두 방정식을 변끼리 더한다.

$A=B=C$ 꼴의 방정식에서 C가 상수인 경우에는
$\begin{cases} A=C \\ B=C \end{cases}$로 풀면 가장 간단하다.

① 해가 무수히 많은 연립방정식
➡ 가감법을 이용하여 한 미지수를 소거하면
$0\cdot x=0$ 또는 $0\cdot y=0$
꼴이 된다.
② 해가 없는 연립방정식
➡ 가감법을 이용하여 한 미지수를 소거하면
$0\cdot x=k$ 또는 $0\cdot y=k$
꼴이 된다. (단, $k\neq0$인 상수)

핵심

01 미지수가 2개인 일차방정식

날짜 :  월 일

Subnote ➔ 32쪽

미지수가 2개인 일차방정식은
① 등식인지
② 미지수가 2개인지
③ 미지수의 차수가 모두 1차인지
살펴본다.

(1) **미지수가 2개인 일차방정식** : 미지수가 2개이고 그 차수가 모두 1인 방정식

(2) 미지수가 x, y 2개인 일차방정식은 다음과 같이 나타낼 수 있다.

$ax+by+c=0$ (단, a, b, c는 상수, $a\neq0$, $b\neq0$)

참고 미지수가 2개인 일차방정식인지 확인할 때는 모든 항을 좌변으로 이항하여 $ax+by+c=0$ ($a\neq0$, $b\neq0$)의 꼴인지 알아본다.

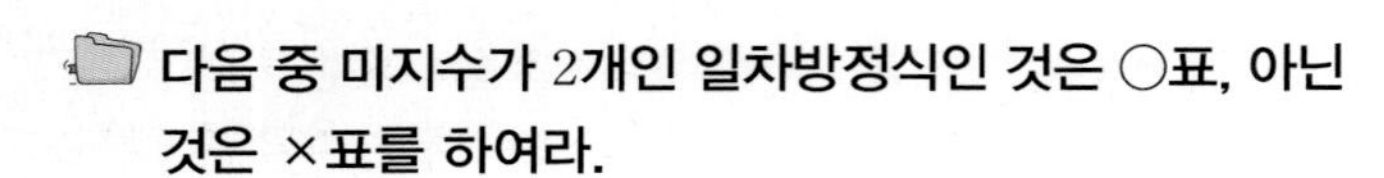

다음 중 미지수가 2개인 일차방정식인 것은 ○표, 아닌 것은 ×표를 하여라.

0668 $5x+y-4=0$ (　　)

0669 $x+6y-5$ (　　)

0670 $x-2y^2+12=0$ (　　)

key 미지수와 차수의 조건을 모두 확인한다.

0671 $2x+4y=2x+1$ (　　)

key 미지수가 2개인 일차방정식은 모든 항을 좌변으로 이항하여 정리했을 때, $ax+by+c=0$(a, b, c는 상수, $a\neq0$, $b\neq0$)꼴이어야 한다.

0672 $3x+x^2=2y+x^2$ (　　)

0673 $xy+x=4+x$ (　　)

다음 문장을 미지수가 2개인 일차방정식으로 나타내어라.

0674 한 개에 x원인 지우개 3개와 한 자루에 y원인 연필 8자루를 샀더니 가격이 3900원이었다.

sol (지우개의 가격의 합)+(연필의 가격의 합)=(산 가격)
➡ $3x+\square=3900$

0675 오리 x마리와 강아지 y마리의 다리 수는 모두 32개이다. ________

0676 가로의 길이가 x이고 세로의 길이가 7인 직사각형의 넓이는 y이다. ________

0677 학교 시험 맛보기 

다음 보기에서 미지수가 2개인 일차방정식을 모두 골라라.

보기

ㄱ. $2x-3y=0$　　ㄴ. $3x+2y$

ㄷ. $x^2+2y=0$　　ㄹ. $\frac{x}{3}-\frac{y}{2}=1$

____

핵심 02 미지수가 2개인 일차방정식의 해 (1)

날짜 : 월 일

Subnote ➔ 32쪽

주어진 순서쌍을 일차방정식에 대입하여 등식이 참이 되면 그 순서쌍은 일차방정식의 해야!

(1) **미지수가 2개인 일차방정식의 해** : 미지수가 2개인 일차방정식을 만족시키는 x, y의 값 또는 그 순서쌍 (x, y)

예 $2x-y=3$에

① $x=2$, $y=1$을 대입하면 $2\times2-1=3$ (참) ➡ $(2, 1)$은 해이다.

② $x=1$, $y=2$를 대입하면 $2\times1-2\neq3$ (거짓) ➡ $(1, 2)$는 해가 아니다.

(2) **방정식을 푼다.** : 방정식의 해를 모두 구하는 것

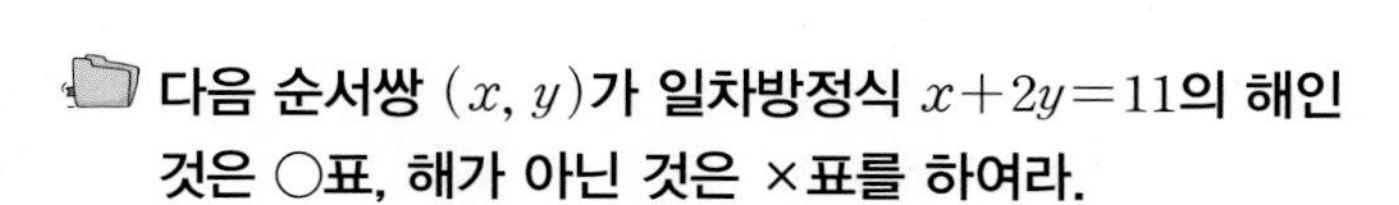

다음 순서쌍 (x, y)가 일차방정식 $x+2y=11$의 해인 것은 ○표, 해가 아닌 것은 ×표를 하여라.

0678 $(3, 4)$

sol $x=\square$, $y=\square$를 $x+2y=11$에 대입하면
$3+2\times4\ (=, \neq)\ 11$
➡ $(3, 4)$는 일차방정식 $x+2y=11$의 (해이다, 해가 아니다).

key 주어진 순서쌍을 방정식에 대입하여 참이 되는지 확인해 본다.

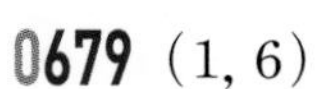

0679 $(1, 6)$ ( )

0680 $(5, 4)$ ( )

0681 $(7, 2)$ ( )

0682 $(9, 1)$ ( )

다음 일차방정식 중 순서쌍 $(-2, 3)$을 해로 갖는 것은 ○표, 해로 갖지 않는 것은 ×표를 하여라.

0683 $-x+2y=4$

sol $x=\square$, $y=\square$을 $-x+2y=4$에 대입하면
$-(-2)+2\times3\ (=, \neq)\ 4$
➡ 일차방정식 $-x+2y=4$는 $(-2, 3)$을 해로 (갖는다, 갖지 않는다).

0684 $x-y-1=0$ ( )

0685 $\frac{x}{2}+\frac{y}{3}=0$ ( )

0686 $2x+3y-5=0$ ( )

0687 학교 시험 맛보기

다음 보기 중 일차방정식 $2x-3y-5=0$의 해를 모두 골라라.

보기

ㄱ. $(0, -1)$ ㄴ. $(1, -1)$
ㄷ. $(4, 1)$ ㄹ. $(-2, 3)$

____

6 연립방정식의 풀이

미지수가 2개인 일차방정식의 해 (2)

날짜 : 월 일

Subnote ◯ 32쪽

다음 일차방정식에 대하여 표를 완성하고, x, y가 자연수인 해를 구하여라.

0688 $5x+y=19$

x	1	2	3	4
y	14			

➡ x, y가 자연수인 해는
(1, □), (2, □), (3, □)이다.

0689 $2x+y=6$

x	1	2	3	4
y				

____

0690 $y=5-x$

x	1	2	3	4	5
y					

____

0691 $y=-4x+15$

x	1	2	3	4
y				

____

x, y가 자연수일 때, 다음 일차방정식의 해를 구하여라.

0692 $2x+y-7=0$ ______________

0693 $x+4y=12$ ______________

0694 $\frac{1}{2}x+y=3$ ______________

0695 $3x+2y=17$ ______________

0696 학교 시험 맛보기 

x, y가 자연수일 때, 일차방정식 $x+3y=15$의 해의 개수를 구하여라.

____

미지수가 2개인 일차방정식의 해 (3)

날짜 : 월 일

Subnote ➲ 33쪽

일차방정식과 그 한 해가 다음과 같을 때, 상수 a의 값을 구하여라.

0697 $-2x+ay=1$, $(1,\ 3)$

sol $-2x+ay=1$에 $x=1$, $y=3$을 대입하면
$-2\times1+a\times3=1$
➡ $a=\square$

key 해가 $(m,\ n)$이다.
➡ 일차방정식에 $x=m$, $y=n$을 대입하면 등식이 성립한다.

0698 $x-y=a$, $(1,\ -3)$ ________

0699 $ax+2y=10$, $(2,\ -1)$ ________

0700 $2x+ay=6$, $(-2,\ 1)$ ________

0701 $ax-2y=11$, $(-3,\ 2)$ ________

일차방정식과 그 한 해가 다음과 같을 때, a의 값을 구하여라.

0702 $2x-y=5$, $(2,\ a)$ ________

0703 $x+4y=17$, $(a,\ 3)$ ________

0704 $2x-3y=13$, $(a,\ -3)$ ________

0705 $4x+9y-11=0$, $\left(\frac{1}{2},\ a\right)$ ________

0706 $x-6y=8$, $\left(6,\ -\frac{1}{3}a\right)$ ________

0707 학교 시험 맛보기 

일차방정식 $2x+y-8=0$의 한 해가 $(a+1,\ a)$일 때, a의 값을 구하여라.

____

05 미지수가 2개인 연립일차방정식의 해 (1)

날짜 : 월 일

Subnote ➲ 33쪽

연립방정식의 해는 두 일차방정식을 동시에 만족시켜야 해!

(1) 미지수가 2개인 연립일차방정식
미지수가 2개인 일차방정식 2개를 한 쌍으로 묶어 놓은 것

(2) 연립방정식의 해
두 일차방정식을 동시에 만족시키는 x, y의 값 또는 순서쌍 (x, y)

(3) 연립방정식을 푼다. : 연립방정식의 해를 구하는 것

예 x, y가 자연수일 때, 연립방정식 $\begin{cases} x+y=4 \\ 2x-y=2 \end{cases}$의 해를 구해 보자.

$x+y=4$의 해 ➡ $(1, 3)$, $(2, 2)$, $(3, 1)$, ⋯
$2x-y=2$의 해 ➡ $(1, 0)$, $(2, 2)$, $(3, 4)$, ⋯
└ 연립방정식의 해

x, y가 자연수일 때, 다음 연립방정식에 대하여 표를 완성하고, 해를 구하여라.

0708 $\begin{cases} 2x+y=9 \\ x+y=7 \end{cases}$

sol $2x+y=9$의 해는

x	1	2	3	4
y	7	5	3	1

$x+y=7$의 해는

x	1	2	3	4	5	6
y	6	5	4	3	2	1

➡ 연립방정식의 해는 (□, □)

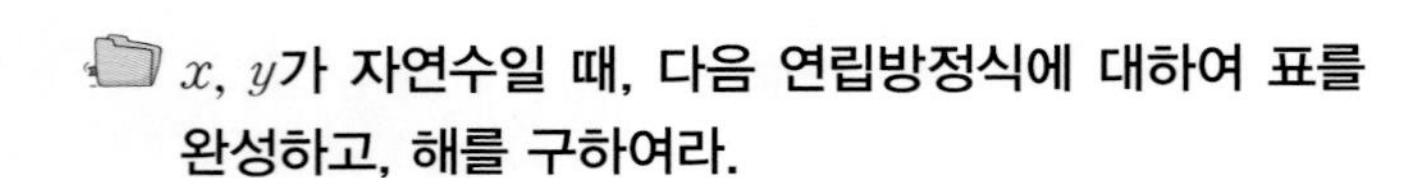

key 두 일차방정식을 동시에 만족시키는 x, y의 값 또는 그 순서쌍 (x, y)가 해이다.

0709 $\begin{cases} 4x+y=14 \\ x+2y=7 \end{cases}$

sol $4x+y=14$의 해는

x	1	2	3
y			

$x+2y=7$의 해는

x	1	3	5
y			

➡ 연립방정식의 해는 (□, □)

x, y가 자연수일 때, 다음 연립방정식을 풀어라.

0710 $\begin{cases} x+y=5 \\ 3x+y=11 \end{cases}$

① 두 방정식의 자연수인 해를 각각 구한다.
② 공통인 해를 찾는다.

0711 $\begin{cases} 3x+y=13 \\ x+y=7 \end{cases}$

0712 학교 시험 맛보기

x, y가 자연수일 때, 연립방정식 $\begin{cases} 2x+3y=15 \\ x+2y=8 \end{cases}$의 해가 $x=a$, $y=b$이다. 이때 ab의 값을 구하여라.

미지수가 2개인 연립일차방정식의 해 (2)

날짜 : 월 일

Subnote ➡ 33쪽

다음 연립방정식 중 순서쌍 $(2, 1)$을 해로 갖는 것은 ○표, 해로 갖지 않는 것은 ×표를 하여라.

0713 $\begin{cases} x+y=3 \\ -2x+3y=1 \end{cases}$ ( )

sol $x=2$, $y=1$을 $x+y=3$에 대입하면
$2+1(=, \neq)3$
$x=2$, $y=1$을 $-2x+3y=1$에 대입하면
$-2\times\square+3\times1(=, \neq)1$
➡ $(2, 1)$은 연립방정식의 (해이다, 해가 아니다).

0714 $\begin{cases} 2x+y=5 \\ x-y=1 \end{cases}$ ( )

key $x=2$, $y=1$을 연립방정식의 두 일차방정식에 각각 대입한다.

0715 $\begin{cases} -3x+2y=4 \\ 5x-y=9 \end{cases}$ ( )

0716 $\begin{cases} 3x+4y=10 \\ 2x+3y=7 \end{cases}$ ( )

연립방정식과 그 해가 다음과 같을 때, 상수 a, b의 값을 각각 구하여라.

0717 $\begin{cases} ax-y=3 \\ x+by=9 \end{cases}$, $(1, 4)$

sol $x=1$, $y=4$를 $ax-y=3$에 대입하면
$a\times1-4=3$ $\therefore a=\square$
$x=1$, $y=4$를 $x+by=9$에 대입하면
$1+4\times b=9$ $\therefore b=\square$

0718 $\begin{cases} 3x-2y=a \\ x+by=3 \end{cases}$, $(1, 2)$

key 해를 연립방정식에 대입하여 미지수 a, b의 값을 구한다.

0719 $\begin{cases} x+y=8 \\ bx+y=11 \end{cases}$, $(a, 5)$

key a의 값을 먼저 구한다.

0720 학교 시험 맛보기 

연립방정식 $\begin{cases} 2x-y=-1 \\ x+2y=b \end{cases}$ 의 해가 $x=1$, $y=a$일 때, 상수 a, b의 값을 각각 구하여라.

Mini Review Test

날짜 : 월 일

Subnote ➡ 34쪽

핵심 01

0721 다음 보기에서 미지수가 2개인 일차방정식을 모두 골라라.

보기	
ㄱ. $x-2y+7=0$	ㄴ. $xy+1=0$
ㄷ. $x^2+y=3$	ㄹ. $x+3y=x-1$
ㅁ. $x=y+4$	ㅂ. $3x-y=y-1$

핵심 02

0722 다음 보기에서 $(2,\ 3)$을 해로 갖는 일차방정식을 모두 골라라.

보기	
ㄱ. $3x+y=9$	ㄴ. $3x+2y=4$
ㄷ. $2x-3y=7$	ㄹ. $2x+5y=19$

핵심 04

0723 일차방정식 $2x-ay=4$의 해가 $(1,\ -2)$일 때, 상수 a의 값은?

① -2 ② -1 ③ 1
④ 2 ⑤ 3

핵심 05

0724 x, y가 자연수일 때, 다음 연립방정식을 풀어라.

(1) $\begin{cases} x+2y=4 \\ 4x+y=9 \end{cases}$

(2) $\begin{cases} x+2y=7 \\ 3x+2y=13 \end{cases}$

핵심 06

0725 다음 연립방정식 중 $(2,\ -3)$을 해로 갖는 것을 모두 고르면? (정답 2개)

① $\begin{cases} x+1=y \\ 4x-3y=17 \end{cases}$ ② $\begin{cases} x+y=-1 \\ -x+y=-5 \end{cases}$

③ $\begin{cases} 3x-y=9 \\ 3x+2y=3 \end{cases}$ ④ $\begin{cases} 3x-3=2y \\ 3x-2y=-12 \end{cases}$

⑤ $\begin{cases} 2x+3y=-5 \\ x+2y=-4 \end{cases}$

핵심 06 서술형

0726 연립방정식 $\begin{cases} ax+3y=7 \\ 5x-by=-4 \end{cases}$의 해가 $(-2,\ 1)$일 때, 상수 a, b에 대하여 $a-b$의 값을 구하여라.

핵심 **07**

식의 대입

날짜 : 월 일

Subnote ➡ 34쪽

식을 대입하기 전에는 항상 주어진 식을 간단히 하고, 괄호로 묶어서 대입해.

주어진 식의 문자에 그 문자를 나타내는 다른 식을 대입하는 것을 **식의 대입**이라고 한다.

예 $y=x+1$일 때, $x+2y+3$을 x에 대한 식으로 나타내기
(문자에 x만 들어 있는 식)

➡ $x+2y+3=x+2(x+1)+3$ ← ❶ y 대신 $x+1$을 대입하기
$=x+2x+2+3$ ← ❷ 분배법칙을 이용하여 괄호 풀기
$=3x+5$ ← ❸ 동류항끼리 모아서 간단히 하기

$y=2x+3$일 때, 다음 식을 x에 대한 식으로 나타내어라.

0727 $3x+2y=3x+2(\square)$
$=3x+\square x+\square$
$=\square$

key 식을 대입한 후 동류항이 있으면 간단히 한다.

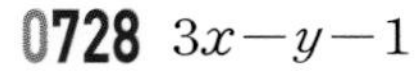

0728 $3x-y-1$ ________

key 대입하는 식이 다항식일 때는 괄호로 묶어서 대입한다.

0729 $-x+2xy-3$ ________

0730 $3(x-y)+2x$ ________

key 문자에 식을 대입하기 전에 먼저 주어진 식을 간단히 한다.

0731 $2x(2y+1)-4x$ ________

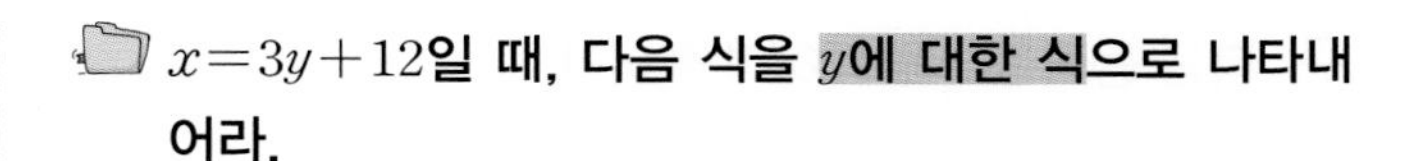

$x=3y+12$일 때, 다음 식을 y에 대한 식으로 나타내어라.

0732 $\frac{1}{3}x-2y$ ________

0733 $-xy+5$ ________

0734 $3x-2y-7$ ________

0735 $x+2y-3(y-x)$ ________

0736 $6(y-2x)+4(x+y)$ ________

날짜 :  월  일

y에 대하여 푼다는 것은 y가 있는 항은 좌변으로, 나머지 항은 모두 우변으로 이항하는 거야.

(1) x에 대하여 푼다. : x를 다른 문자에 대한 식으로 나타낸다.

예 $3x+6y=12$ → (x만 남기고 모두 우변으로 이항) $3x=12-6y$ → (x의 계수를 1로 만들기) $x=4-2y$

$x=$(다른 문자에 대한 식)

(2) y에 대하여 푼다. : y를 다른 문자에 대한 식으로 나타낸다.

예 $3x+6y=12$ → (y만 남기고 모두 우변으로 이항) $6y=12-3x$ → (y의 계수를 1로 만들기) $y=2-\frac{1}{2}x$

$y=$(다른 문자에 대한 식)

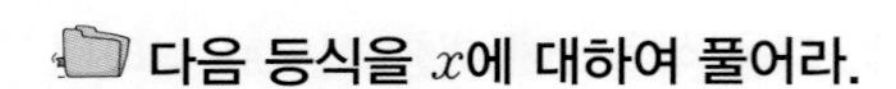

0737 $2x+6y+12=0$

sol 좌변에 x항만 있도록 이항하면
$2x=\square y-\square$
양변을 x의 계수 2로 나누면
$x=\square y-\square$

$x=$(다른 문자에 대한 식)으로!

0738 $-4x-8y=20$ ________

0739 $5x-3y=2x+9y$ ________

0740 $y=-2x+10$ ________

0741 $2y-8=6x+4$ ________

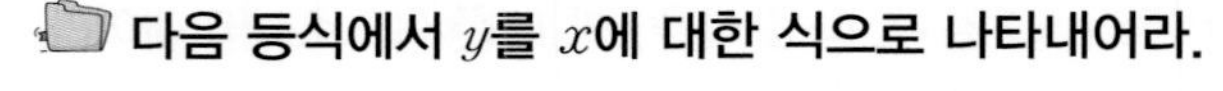

0742 $4x-2y+6=0$

sol 좌변에 y항만 있도록 이항하면
$-2y=\square x-\square$
양변을 y의 계수 -2로 나누면
$y=\square x+\square$

$y=$(다른 문자에 대한 식)으로!

0743 $3x-y-9=0$ ________

0744 $x=y+4$ ________

0745 $4x+3y=5x-9$ ________

0746 $2x+y=-5y+3$ ________

핵심 **09** 대입법을 이용한 연립방정식의 풀이 (1)

날짜 :  월  일

Subnote 35쪽

$x=\sim$ 또는 $y=\sim$ 꼴의 식을 다른 식에 대입하여 미지수가 1개인 방정식을 만들어!

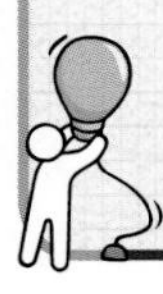

(1) 미지수가 2개인 연립방정식의 두 일차방정식에서 한 미지수를 없애는 것을 **소거**라고 한다.

(2) 연립방정식 중 한 방정식을 소거할 미지수에 대하여 풀고, 그 식을 다른 일차방정식에 대입하여 연립방정식의 해를 구하는 방법을 **대입법**이라고 한다.

예 연립방정식 $\begin{cases} x=y+3 & \cdots\cdots ㉠ \\ -2x+3y=-2 & \cdots\cdots ㉡ \end{cases}$를 대입법을 이용하여 풀어 보자.

➡ ㉠을 ㉡에 대입하면 $-2(y+3)+3y=-2$ $\quad\therefore y=4$

$y=4$를 ㉠에 대입하면 $x=4+3=7$ $\quad\therefore x=7,\ y=4$

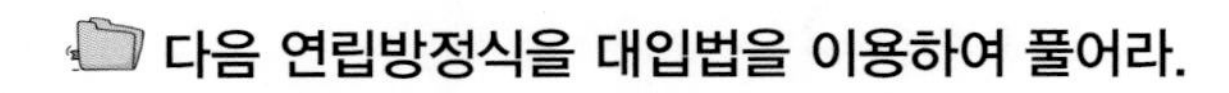

다음 연립방정식을 대입법을 이용하여 풀어라.

0747 $\begin{cases} y=3x-4 & \cdots\cdots ㉠ \\ 2x-y=5 & \cdots\cdots ㉡ \end{cases}$

sol ㉠을 ㉡에 대입하면

$2x-(3x-4)=5$ $\quad\therefore x=\square$

$x=\square$을 ㉠에 대입하면 $y=\square$

한 방정식의 x 또는 y의 계수가 1일 때는 대입법을 이용하는 것이 편리해.

0748 $\begin{cases} 3x-2y=11 \\ y=-2x+5 \end{cases}$ ________

key 문자에 식을 대입할 때는 괄호를 사용하여 대입하도록 한다.

0749 $\begin{cases} y=x+1 \\ x+2y=5 \end{cases}$ ________

0750 $\begin{cases} y=4x-5 \\ 2x-y=9 \end{cases}$ ________

0751 $\begin{cases} x=2y-1 \\ 2x+y=8 \end{cases}$ ________

0752 $\begin{cases} y=-2x+7 \\ y=3x-8 \end{cases}$ ________

0753 $\begin{cases} x=3-\dfrac{y}{2} \\ y=2x+10 \end{cases}$ ________

0754 $\begin{cases} x=5-2y \\ 3x-2y=-1 \end{cases}$ ________

0755 $\begin{cases} y=2x-1 \\ 3x=4-y \end{cases}$ ________

대입법을 이용한 연립방정식의 풀이 (2)

날짜 : 월 일

Subnote ➡ 36쪽

다음 연립방정식을 대입법으로 풀어라.

0756 $\begin{cases} 2x-3y=5 & \cdots\cdots ㉠ \\ x-2y=1 & \cdots\cdots ㉡ \end{cases}$

sol ㉡을 x에 대하여 풀면 $x=2y+1$ ⋯⋯ ㉢
㉢을 ㉠에 대입하면 $2(2y+1)-3y=5$ $\therefore y=\square$
$y=\square$을 ㉢에 대입하면 $x=\square$

key 한 방정식을 $x=$(y에 대한 식) 또는 $y=$(x에 대한 식)으로 고쳐서 다른 방정식에 대입한다.

0757 $\begin{cases} 6x+5y=2 \\ 3x+y=4 \end{cases}$ ________

0758 $\begin{cases} x-2y=-3 \\ 5x+4y=-8 \end{cases}$ ________

0759 $\begin{cases} x+2y=-10 \\ 3x+y=5 \end{cases}$ ________

0760 $\begin{cases} x+y=9 \\ x+2y=13 \end{cases}$ ________

0761 $\begin{cases} -3x+2y=12 \\ 5x-y=1 \end{cases}$ ________

0762 $\begin{cases} 3x-11y=16 \\ x-4y=6 \end{cases}$ ________

0763 $\begin{cases} x-3y=-2 \\ 4x-5y=6 \end{cases}$ ________

0764 학교 시험 맛보기 

연립방정식 $\begin{cases} x-y=8 \\ x-3y=6 \end{cases}$의 해를 $x=a$, $y=b$라고 할 때, $a+b$의 값을 구하여라.

____

핵심 11 가감법을 이용한 연립방정식의 풀이 (1)

날짜 : 월 일

Subnote ➡ 37쪽

소거하려는 미지수의 계수의 절댓값을 같게 해야 해!

연립방정식의 두 일차방정식을 변끼리 더하거나 빼어서 한 미지수를 소거하여 연립방정식의 해를 구하는 방법을 **가감법**이라고 한다.

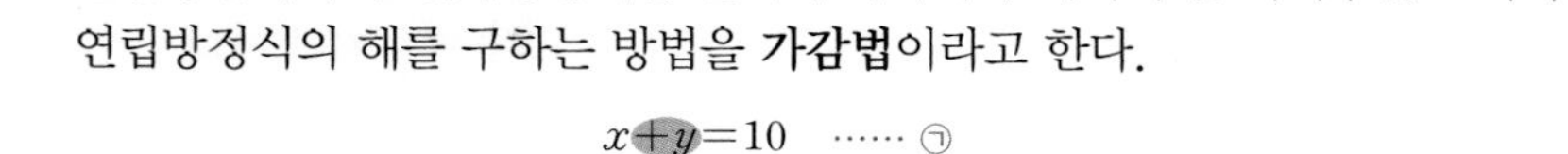

예 $\begin{cases} x+y=10 \\ x-y=4 \end{cases}$ ➡ $\begin{array}{rl} x+y=10 & \cdots\cdots ㉠ \\ +)\ x-y=4 & \cdots\cdots ㉡ \\ \hline 2x \quad =14 & \end{array}$ $\therefore x=7$ ➡ $x=7$을 ㉠에 대입하면 $7+y=10$ $\therefore y=3$

다음 연립방정식에서 [ ] 안의 문자를 소거하려고 할 때, 가장 편리한 식을 구하여라.

0765 $\begin{cases} x+y=-4 & \cdots\cdots ㉠ \\ 2x-y=7 & \cdots\cdots ㉡ \end{cases}$, $[y]$ ________

sol y를 소거하기 위해 ㉠ □ ㉡을 하면 ➡ $\begin{array}{rl} x+y=-4 \\ □)\ 2x-y=7 \\ \hline 3x \quad =3 \end{array}$

0766 $\begin{cases} 2x+y=-4 & \cdots\cdots ㉠ \\ 2x-3y=-18 & \cdots\cdots ㉡ \end{cases}$, $[x]$ ________

key 절댓값이 같고 계수의 부호가 다르면 ➡ 변끼리 더할 것!
절댓값이 같고 계수의 부호가 같으면 ➡ 변끼리 뺄 것!

0767 $\begin{cases} x-y=5 & \cdots\cdots ㉠ \\ -2x-y=2 & \cdots\cdots ㉡ \end{cases}$, $[y]$ ________

0768 $\begin{cases} 4x-3y=-2 & \cdots\cdots ㉠ \\ x+3y=7 & \cdots\cdots ㉡ \end{cases}$, $[y]$ ________

다음 연립방정식을 가감법으로 풀어라.

0769 $\begin{cases} x+y=7 & \cdots\cdots ㉠ \\ 2x-y=2 & \cdots\cdots ㉡ \end{cases}$

sol y를 소거하기 위해 ㉠+㉡을 하면
$3x=9$ $\therefore x=□$
$x=□$을 ㉠에 대입하면
$□+y=7$ $\therefore y=□$

0770 $\begin{cases} x+y=4 \\ x-y=-2 \end{cases}$ ________

0771 $\begin{cases} 4x+y=3 \\ 5x+y=4 \end{cases}$ ________

0772 $\begin{cases} x-3y=1 \\ 2x+3y=-7 \end{cases}$ ________

가감법을 이용한 연립방정식의 풀이 (2)

날짜 : 월 일

Subnote 37쪽

어떤 미지수를 소거하는 것이 편리한지 생각해봐.

가감법을 이용하여 연립방정식을 풀 때, 소거하려는 미지수의 계수의 절댓값을 같게 한 후 두 방정식을 더하거나 뺀다.

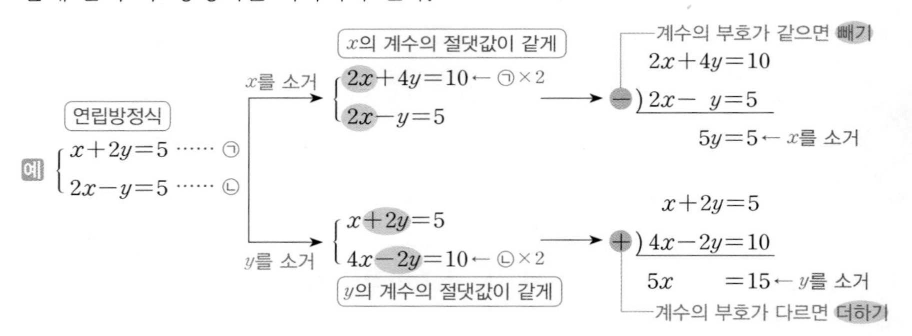

다음 연립방정식에서 [ ] 안의 문자를 소거하려고 할 때, 가장 편리한 식을 구하여라.

0773 $\begin{cases} x-3y=2 & \cdots\cdots ㉠ \\ 2x+y=1 & \cdots\cdots ㉡ \end{cases}$, $[y]$ ______

sol y를 소거하기 위해 ㉠ □ ㉡×3을 하면 ➡
$x-3y=2$
□) $6x+3y=3$
$7x \quad =5$

먼저 소거하려는 미지수의 계수의 절댓값을 같게 해!

0774 $\begin{cases} x+y=-4 & \cdots\cdots ㉠ \\ -2x+2y=13 & \cdots\cdots ㉡ \end{cases}$, $[x]$ ______

0775 $\begin{cases} 4x+5y=-3 & \cdots\cdots ㉠ \\ 3x+4y=-3 & \cdots\cdots ㉡ \end{cases}$, $[x]$ ______

0776 $\begin{cases} 4x+3y=-5 & \cdots\cdots ㉠ \\ 6x-2y=3 & \cdots\cdots ㉡ \end{cases}$, $[y]$ ______

다음 연립방정식을 가감법으로 풀어라.

0777 $\begin{cases} 2x-3y=12 & \cdots\cdots ㉠ \\ 3x+2y=5 & \cdots\cdots ㉡ \end{cases}$

sol y를 소거하기 위해 ㉠×2+㉡×3을 하면
$13x=39 \quad \therefore x=$□
$x=$□을 ㉡에 대입하면
$3\times$□$+2y=5 \quad \therefore y=$□

소거하려는 미지수의 계수의 절댓값이 같게 만들어.

0778 $\begin{cases} 5x-2y=-7 \\ -x+y=2 \end{cases}$ ______

0779 $\begin{cases} 3x+2y=11 \\ 5x-y=40 \end{cases}$ ______

0780 $\begin{cases} 7x+3y=4 \\ 4x+5y=-1 \end{cases}$ ______

핵심 07~12

Mini Review Test

날짜 :  월 일

Subnote ➲ 37쪽

핵심 09

0781 연립방정식 $\begin{cases} x=5y+1 & \cdots\cdots ㉠ \\ 4y-x=3 & \cdots\cdots ㉡ \end{cases}$의 풀이 과정 중 옳지 <u>않은</u> 것은?

> x를 소거하기 위하여(①) ㉠을 ㉡에 대입하면(②)
> $y=-4$(③)
> $y=-4$를 ㉠에 대입하면 $x=-19$(④)
> 따라서 해는 $(-4,\ -19)$(⑤)이다.

핵심 10

0782 연립방정식 $\begin{cases} x+2y=9 & \cdots ㉠ \\ 2x-3y=3 & \cdots ㉡ \end{cases}$에서 ㉠을 x에 대하여 풀어 ㉡에 대입하였더니 $-7y=k$가 되었다. 이때 상수 k의 값을 구하여라.

핵심 10

0783 연립방정식 $\begin{cases} 2x-3y=-1 \\ 2x+y=7 \end{cases}$의 해가 $x=a,\ y=b$일 때 ab의 값을 구하여라.

핵심 11

0784 연립방정식 $\begin{cases} x+y=4 & \cdots ㉠ \\ 2x-y=2 & \cdots ㉡ \end{cases}$에서 y를 소거하였더니 $ax=6$이 되었다. 이때 상수 a의 값은?

① -2 ② -1 ③ 1
④ 2 ⑤ 3

핵심 12

0785 연립방정식 $\begin{cases} 2x-3y=-1 & \cdots ㉠ \\ 3x-4y=2 & \cdots ㉡ \end{cases}$에서 x를 소거할 때, 다음 중 필요한 식은?

① ㉠×3+㉡×2 ② ㉠×3−㉡×2
③ ㉠×2−㉡×3 ④ ㉠×4+㉡×3
⑤ ㉠×4−㉡×3

핵심 12

0786 연립방정식 $\begin{cases} 2x+3y=5 \\ x-2y=-1 \end{cases}$의 해는?

① $x=-2,\ y=1$ ② $x=-1,\ y=2$
③ $x=1,\ y=-2$ ④ $x=1,\ y=1$
⑤ $x=2,\ y=1$

괄호가 있는 연립방정식의 풀이

날짜 : 월 일

Subnote 38쪽

괄호를 풀 때는 분배법칙을 이용해!

$a(b+c)=ab+ac$

괄호가 있는 연립방정식은 분배법칙을 이용하여 괄호를 풀고 동류항끼리 간단히 정리한 후 푼다.

예 $\begin{cases} 2(x-y)+3y=1 \\ x+4y=11 \end{cases}$ $\xrightarrow[\text{동류항끼리 정리}]{\text{괄호를 풀고}}$ $\begin{cases} 2x+y=1 & \cdots\cdots ㉠ \\ x+4y=11 & \cdots\cdots ㉡ \end{cases}$

➡ ㉠$-$㉡$\times 2$를 하면 $-7y=-21$ $\quad\therefore y=3$

$y=3$을 ㉡에 대입하면 $x+12=11$ $\quad\therefore x=-1$

다음 연립방정식의 괄호를 풀어 간단히 정리하고, 연립방정식을 풀어라.

0787 $\begin{cases} 2(x+1)-y=4 \\ x-3(y+2)=5 \end{cases}$

sol 괄호를 풀어 동류항끼리 정리하면

$\begin{cases} 2x-y=2 & \cdots\cdots ㉠ \\ x-3y=11 & \cdots\cdots ㉡ \end{cases}$

㉠$-$㉡$\times 2$를 하면 $5y=-20$ $\quad\therefore y=\square$

$y=\square$를 ㉠에 대입하면 $x=\square$

0788 $\begin{cases} 3x-2(y+1)=0 \\ 2x-3y=-7 \end{cases}$ ➡ $\begin{cases} \text{..........} \\ \text{..........} \end{cases}$

______

0789 $\begin{cases} 2(x-y)+5y=2 \\ 3x-(y+2x)=1 \end{cases}$ ➡ $\begin{cases} \text{..........} \\ \text{..........} \end{cases}$

______

0790 $\begin{cases} x+4=3(y-2) \\ 2x-(y-5)=1+x \end{cases}$

➡ $\begin{cases} \text{..........} \\ \text{..........} \end{cases}$

______

key 괄호를 풀 때 부호에 주의한다.

0791 $\begin{cases} 3y-(x+4)=y \\ 2+2(x+2y)=-x \end{cases}$

➡ $\begin{cases} \text{..........} \\ \text{..........} \end{cases}$

______

0792 학교 시험 맛보기

연립방정식 $\begin{cases} 2(x-1)-3y=-1 \\ 3x-2(y+1)=5y+2 \end{cases}$의 해가 $x=a$, $y=b$일 때 $a+b$의 값을 구하여라.

______

핵심 **14**

계수가 분수인 연립방정식의 풀이

날짜 :  월  일

Subnote 38쪽

먼저 모든 계수를 정수로 만들자.

계수가 분수인 연립방정식은 양변에 분모의 최소공배수를 곱하여 계수를 정수로 고쳐서 푼다.

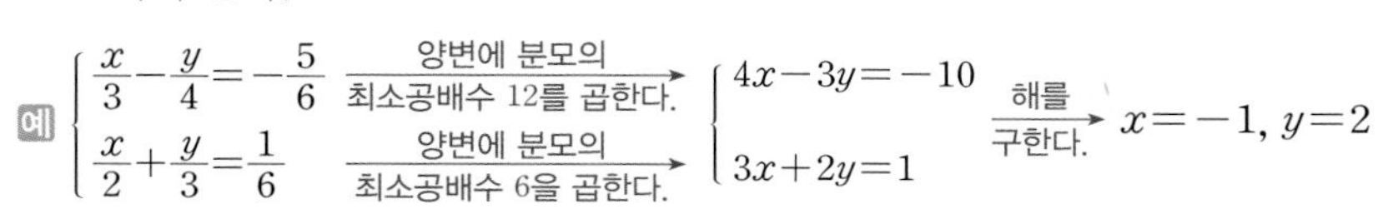

예 $\begin{cases} \frac{x}{3}-\frac{y}{4}=-\frac{5}{6} \\ \frac{x}{2}+\frac{y}{3}=\frac{1}{6} \end{cases}$ 양변에 분모의 최소공배수 12를 곱한다. / 양변에 분모의 최소공배수 6을 곱한다. → $\begin{cases} 4x-3y=-10 \\ 3x+2y=1 \end{cases}$ 해를 구한다. → $x=-1,\ y=2$

다음 연립방정식의 계수를 정수로 고치고, 연립방정식을 풀어라.

0793 $\begin{cases} \frac{x}{2}-\frac{y}{3}=2 & \cdots\cdots ㉠ \\ \frac{x}{6}-\frac{y}{10}=\frac{1}{3} & \cdots\cdots ㉡ \end{cases}$

sol 계수가 정수가 되도록 ㉠×6, ㉡×30을 하면

$\begin{cases} 3x-2y=12 & \cdots\cdots ㉢ \\ 5x-3y=10 & \cdots\cdots ㉣ \end{cases}$

㉢×3−㉣×2를 하면 $x=$ ☐

$x=$ ☐을 ㉢에 대입하면 $y=$ ☐

key 양변에 분모의 최소공배수를 곱할 때 반드시 모든 항에 곱한다.

➡ $\frac{x}{2}-\frac{y}{3}=2$의 양변에 6을 곱하면 $\begin{cases} 3x-2y=2 & (\times) \\ 3x-2y=12 & (\bigcirc) \end{cases}$

0794 $\begin{cases} \frac{3}{2}x+\frac{1}{8}y=-5 \\ \frac{1}{4}x+\frac{1}{6}y=\frac{1}{3} \end{cases}$ ➡ $\begin{cases} \cdots\cdots \\ \cdots\cdots \end{cases}$

______

0795 $\begin{cases} \frac{1}{2}x-\frac{3}{4}y=-\frac{5}{2} \\ \frac{3}{5}x-\frac{1}{10}y=\frac{1}{5} \end{cases}$ ➡ $\begin{cases} \cdots\cdots \\ \cdots\cdots \end{cases}$

______

0796 $\begin{cases} 3x-5y=2 \\ \frac{x}{4}-\frac{y}{3}=\frac{1}{12} \end{cases}$ ➡ $\begin{cases} \cdots\cdots \\ \cdots\cdots \end{cases}$

______

0797 $\begin{cases} x-\frac{y}{2}=-1 \\ \frac{x}{3}-\frac{y}{4}=\frac{1}{6} \end{cases}$ ➡ $\begin{cases} \cdots\cdots \\ \cdots\cdots \end{cases}$

______

0798 $\begin{cases} \frac{3}{10}x+y=-\frac{2}{5} \\ \frac{3}{4}x+\frac{5}{3}y=-\frac{1}{6} \end{cases}$ ➡ $\begin{cases} \cdots\cdots \\ \cdots\cdots \end{cases}$

______

0799 $\begin{cases} \frac{x+1}{2}-y=6 \\ \frac{1}{5}x-\frac{2}{3}y=3 \end{cases}$ ➡ $\begin{cases} \cdots\cdots \\ \cdots\cdots \end{cases}$

______

핵심 15 계수가 소수인 연립방정식의 풀이

날짜 :  월  일

Subnote ➲ 39쪽

계수가 소수인 연립방정식은 양변에 10, 100, 1000, ⋯ 등의 10의 거듭제곱을 곱하여 계수를 정수로 고쳐서 푼다.

예 $\begin{cases} 0.4x-0.5y=-0.7 \\ 0.3x+0.2y=1.2 \end{cases} \xrightarrow[\text{10을 곱한다.}]{\text{양변에}} \begin{cases} 4x-5y=-7 \\ 3x+2y=12 \end{cases} \xrightarrow[\text{구한다.}]{\text{해를}} x=2,\ y=3$

다음 연립방정식의 계수를 정수로 고치고, 연립방정식을 풀어라.

0800 $\begin{cases} 0.2x-0.5y=-0.2 & \cdots\cdots ㉠ \\ 0.05x+0.1y=0.4 & \cdots\cdots ㉡ \end{cases}$

sol 계수가 정수가 되도록 ㉠×10, ㉡×100을 하면

$\begin{cases} 2x-5y=-2 & \cdots\cdots ㉢ \\ 5x+10y=40 & \cdots\cdots ㉣ \end{cases}$

㉢×2+㉣을 하면 $9x=36$ $\quad\therefore x=\square$

$x=\square$를 ㉢에 대입하면 $y=\square$

key 양변에 10의 거듭제곱을 곱할 때는 반드시 모든 항에 곱한다.

➡ $0.5x-0.2y=2$의 양변에 10을 곱하면 $\left[\begin{array}{ll} 5x-2y=2 & (\times) \\ 5x-2y=20 & (\bigcirc) \end{array}\right.$

0801 $\begin{cases} 0.5x-0.2y=2 \\ 0.3x+0.2y=-0.4 \end{cases}$

➡ $\begin{cases} \text{..........} \\ \text{..........} \end{cases}$ ______

0802 $\begin{cases} 0.02x-0.03y=-0.04 \\ 0.04x+0.05y=0.03 \end{cases}$

➡ $\begin{cases} \text{..........} \\ \text{..........} \end{cases}$ ______

0803 $\begin{cases} 0.03x+0.02y=-0.09 \\ 0.1x-0.2y=0.5 \end{cases}$

➡ $\begin{cases} \text{..........} \\ \text{..........} \end{cases}$ ______

0804 $\begin{cases} \frac{2}{5}x-\frac{1}{2}y=-\frac{7}{10} \\ 0.2x-0.1y=0.1 \end{cases}$

➡ $\begin{cases} \text{..........} \\ \text{..........} \end{cases}$ ______

계수가 분수인 방정식 : 양변에 분모의 최소공배수를 곱해!
계수가 소수인 방정식 : 양변에 10의 거듭제곱을 곱해!

0805 $\begin{cases} 0.4x+0.3y=2 \\ \frac{x}{6}+\frac{y}{12}=\frac{2}{3} \end{cases}$

➡ $\begin{cases} \text{..........} \\ \text{..........} \end{cases}$ ______

0806 학교 시험 맛보기

연립방정식 $\begin{cases} 0.7x-0.2y=1.1 \\ \frac{3}{4}x+\frac{y}{3}=\frac{1}{12} \end{cases}$ 의 해가 일차방정식 $x+ay=3$을 만족시킬 때, 상수 a의 값을 구하여라.

______

핵심 16

비례식을 포함한 연립방정식의 풀이

날짜 : 월 일

Subnote ➡ 39쪽

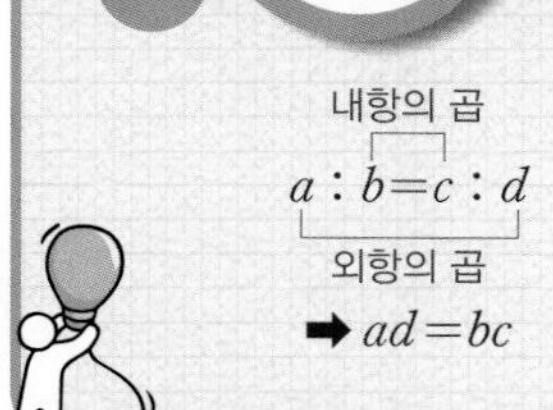

비례식을 포함한 연립방정식은 비례식의 성질을 이용하여 일차방정식으로 고쳐서 푼다.

예 $\begin{cases} x:y=2:1 \\ 3x-2y=8 \end{cases} \longrightarrow \begin{cases} x=2y \\ 3x-2y=8 \end{cases} \longrightarrow x=4,\ y=2$

다음 비례식을 정리하여 일차방정식으로 나타내어라.

0807 $x:y=3:2$

sol (외항의 곱)=(내항의 곱)이므로
$\square x=3y \qquad \therefore \square x-3y=0$

0808 $x:6=y:5$ ________

0809 $(2x-3):2=(y-1):7$ ________

다음 연립방정식을 풀어라.

0810 $\begin{cases} x:y=2:3 & \cdots\cdots ㉠ \\ 2x-3y=-5 & \cdots\cdots ㉡ \end{cases}$

sol ㉠에서 $3x=2y \qquad \therefore 3x-2y=0 \qquad \cdots\cdots ㉢$
㉢$\times 2-$㉡$\times 3$을 하면 $-5y=-15 \qquad \therefore y=\square$
$y=3$을 ㉢에 대입하면 $x=\square$

0811 $\begin{cases} x:(y+1)=2:1 \\ x+3y=7 \end{cases}$ ________

0812 $\begin{cases} (x+2):y=2:1 \\ 3x-y=9 \end{cases}$ ________

0813 $\begin{cases} (x-2):2=(x+2y):1 \\ x-2y=4 \end{cases}$ ________

0814 학교 시험 맛보기 

다음 연립방정식의 해가 $(a,\ b)$일 때, $a-2b$의 값을 각각 구하여라.

$$\begin{cases} (x+1):(x+2y)=2:3 \\ -2x+3y=-4 \end{cases}$$

____

6 연립방정식의 풀이

17 $A=B=C$ 꼴의 연립방정식의 풀이

날짜 : 월 일

Subnote ➡ 40쪽

핵심

두 번 쓰게 될 식을 가장 간단한 식으로 선택하는 게 계산하기 편리해.

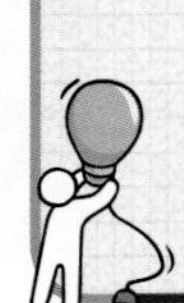

$A=B=C$ 꼴의 방정식은 다음 세 연립방정식 중 계산이 가장 간단한 것을 선택하여 푼다.

$\begin{cases} A=B \\ A=C \end{cases}$ 또는 $\begin{cases} A=B \\ B=C \end{cases}$ 또는 $\begin{cases} A=C \\ B=C \end{cases}$

예 $x+2y=5x+4y=3 \longrightarrow \begin{cases} x+2y=3 \\ 5x+4y=3 \end{cases} \longrightarrow x=-1,\ y=2$

참고 $\begin{cases} x+2y=5x+4y \\ x+2y=3 \end{cases}$ 또는 $\begin{cases} x+2y=5x+4y \\ 5x+4y=3 \end{cases}$으로 풀어도 계산 결과는 같지만 계산이 편리한 식을 선택한다.

다음 $A=B=C$ 꼴의 방정식을 주어진 형태의 연립방정식으로 고치고, 연립방정식을 풀어라.

0815 $2x-3y=x-5y+9=-3$

$\begin{cases} A=C \\ B=C \end{cases} \Rightarrow \begin{cases} \square=-3 \\ \square=-3 \end{cases}$

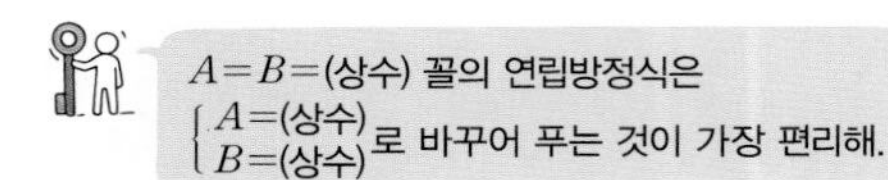

$A=B=$(상수) 꼴의 연립방정식은 $\begin{cases} A=(\text{상수}) \\ B=(\text{상수}) \end{cases}$로 바꾸어 푸는 것이 가장 편리해.

0816 $5x-3y=3x-2y=1$

$\begin{cases} A=C \\ B=C \end{cases} \Rightarrow \begin{cases} \\ \end{cases}$

0817 $2x-4y+2=5x+y=x-4y+6$

$\begin{cases} A=B \\ B=C \end{cases} \Rightarrow \begin{cases} \square=5x+y \\ 5x+y=\square \end{cases}$

0818 $5x-y=2x+4y+1=3x+5y$

$\begin{cases} A=B \\ A=C \end{cases} \Rightarrow \begin{cases} \\ \end{cases}$

0819 $4x-y=2x+2y=3x-2y+5$

$\begin{cases} A=B \\ B=C \end{cases} \Rightarrow \begin{cases} \\ \end{cases}$

0820 학교 시험 맛보기

다음 연립방정식을 풀어라.

$$\frac{x-2y}{3}=\frac{2x-5y}{2}=1$$

핵심 **18**

해가 특수한 연립방정식의 풀이

날짜 : 월 일

Subnote 40쪽

x의 계수, y의 계수, 상수항 중 어느 하나가 같아지도록 변형해 봐.

연립방정식에서 하나의 방정식의 양변에 적당한 수를 곱하였을 때

(1) 다른 방정식과 같아지면 ➡ 연립방정식의 해가 무수히 많다.

예 $\begin{cases} x-2y=3 & \cdots ㉠ \\ 2x-4y=6 \end{cases} \xrightarrow{㉠\times 2} \begin{cases} 2x-4y=6 \\ 2x-4y=6 \end{cases}$ 일치 ➡ 해가 무수히 많다.

(2) 다른 방정식과 x, y의 계수는 각각 같으나 상수항이 다르면 ➡ 연립방정식의 해가 없다.

예 $\begin{cases} x+3y=2 & \cdots ㉠ \\ 2x+6y=5 \end{cases} \xrightarrow{㉠\times 2} \begin{cases} 2x+6y=4 \\ 2x+6y=5 \end{cases}$ 상수항만 다르다. ➡ 해가 없다.

다음 연립방정식의 두 방정식의 x의 계수가 서로 같아지도록 □ 안에 알맞은 것을 써넣고, 그 연립방정식을 풀어라.

0821 $\begin{cases} x+y=1 & \cdots ㉠ \\ 2x+2y=2 \end{cases} \xrightarrow{㉠\times\square} \begin{cases} \square \\ 2x+2y=2 \end{cases}$

key 두 방정식이 같아지면 해가 무수히 많다.

0822 $\begin{cases} 2x-5y=2 & \cdots ㉠ \\ 6x-15y=4 \end{cases} \xrightarrow{㉠\times\square} \begin{cases} \square \\ 6x-15y=4 \end{cases}$

key x, y의 계수는 각각 같고, 상수항만 다르면 해가 없다.

다음 연립방정식을 풀어라.

0823 $\begin{cases} 4x+6y=-4 & \cdots\cdots ㉠ \\ 2x+3y=4 & \cdots\cdots ㉡ \end{cases}$

sol ㉡×2를 하면 $4x+6y=\square$ ······ ㉢
㉠, ㉢에서 x, y의 계수가 각각 같고, □은 다르므로 해가 □.

0824 $\begin{cases} 2x-3y=1 \\ -8x+12y=4 \end{cases}$

0825 $\begin{cases} -3x+3y=6 \\ x-y=-2 \end{cases}$

0826 $\begin{cases} -x+2y=5 \\ 2x-4y=10 \end{cases}$

0827 $\begin{cases} x-y=3 \\ 5x-5y=15 \end{cases}$

0828 $\begin{cases} 6x-4y=7 \\ 3x-2y=4 \end{cases}$

19 해가 특수한 연립방정식에서 미지수 구하기

날짜 :  월  일

Subnote ➲ 41쪽

핵심

한 방정식을 변형했을 때
두 방정식이 일치하면
해가 무수히 많고
두 방정식이 상수항만 다르면
해가 없어!

연립방정식 $\begin{cases} ax+by=c \\ a'x+b'y=c' \end{cases}$ 에서

(1) 해가 무수히 많을 조건 : $\dfrac{a}{a'}=\dfrac{b}{b'}=\dfrac{c}{c'}$

(2) 해가 없을 조건 : $\dfrac{a}{a'}=\dfrac{b}{b'}\neq\dfrac{c}{c'}$

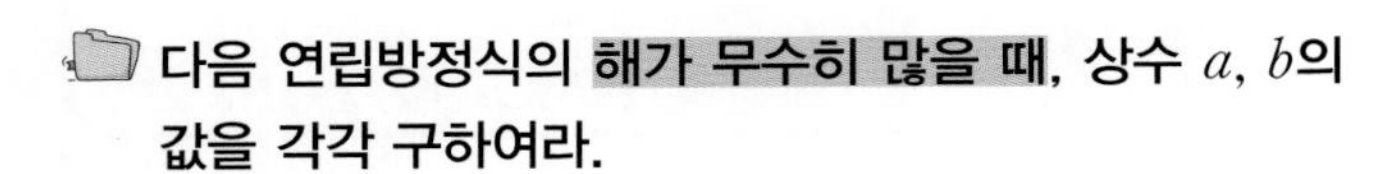

다음 연립방정식의 **해가 무수히 많을 때**, 상수 a, b의 값을 각각 구하여라.

0829 $\begin{cases} 3x-ay=1 & \cdots\cdots ㉠ \\ bx-4y=2 & \cdots\cdots ㉡ \end{cases}$

sol [방법 1] ㉠×2를 하면 $\begin{cases} 6x-2ay=2 \\ bx-4y=2 \end{cases}$

➡ 해가 무수히 많으려면 $6=\square$, $-2a=\square$

$\therefore a=\square$, $b=\square$

[방법 2] $\dfrac{3}{b}=\dfrac{-a}{-4}=\dfrac{1}{2}$이어야 하므로 $a=\square$, $b=\square$

0830 $\begin{cases} x-2y=a \\ 3x+by=9 \end{cases}$ ________

0831 $\begin{cases} ax+by=2 \\ 2x+y=1 \end{cases}$ ________

0832 $\begin{cases} 6x-ay=15 \\ 4x-y=b \end{cases}$ ________

다음 연립방정식의 **해가 없을 때**, 상수 a의 조건을 구하여라.

0833 $\begin{cases} x-y=4 & \cdots\cdots ㉠ \\ 2x-2y=a & \cdots\cdots ㉡ \end{cases}$

x, y의 계수는 같고, 상수항만 달라!

sol [방법 1] ㉠×2를 하면 $\begin{cases} 2x-2y=8 \\ 2x-2y=a \end{cases}$

➡ 해가 없으려면 $a\neq\square$

[방법 2] $\dfrac{1}{2}=\dfrac{-1}{-2}\neq\dfrac{4}{a}$이어야 하므로 $a\neq\square$

0834 $\begin{cases} 2x+y=a \\ 6x+3y=4 \end{cases}$ ________

0835 $\begin{cases} 3x-6y=4 \\ 2x+ay=1 \end{cases}$ ________

0836 학교 시험 맛보기

연립방정식 $\begin{cases} ax-6y=3 \\ 2x-3y=b \end{cases}$의 해가 없을 때, 상수 a, b의 조건을 각각 구하여라.

____

Mini Review Test

날짜 : 월 일

Subnote ◐ 41쪽

0837 다음 연립방정식을 풀어라.

$$\begin{cases} 3x+2(y-2)=5 \\ 2(x+1)-y=1 \end{cases}$$

핵심 14 서술형

0838 연립방정식 $\begin{cases} \frac{1}{2}x+\frac{2}{3}y=6 \\ \frac{3}{4}x-\frac{5}{6}y=-2 \end{cases}$의 해가 (a, b)일 때, $a-b$의 값을 구하여라.

핵심 15

0839 다음 연립방정식을 풀어라.

$$\begin{cases} 0.4x-0.1(2y-1)=\frac{1}{2} \\ 2x=\frac{3-2y}{3}+1 \end{cases}$$

핵심 16

0840 다음 연립방정식을 풀어라.

$$\begin{cases} (x+1):(x+2y)=2:3 \\ -2x+3y=-4 \end{cases}$$

핵심 17

0841 다음 연립방정식의 해가 (a, b)일 때, $a+b$의 값을 구하여라.

$$\frac{x-1}{4}+\frac{y}{3}=x+2+\frac{y-7}{2}=1$$

핵심 18

0842 다음 보기 중 해가 없는 연립방정식을 모두 구하여라.

보기

ㄱ. $\begin{cases} 5x-2y=1 \\ 10x-4y=3 \end{cases}$ ㄴ. $\begin{cases} x+y=1 \\ x-y=1 \end{cases}$

ㄷ. $\begin{cases} 2x+y=-1 \\ 4x+2y=2 \end{cases}$ ㄹ. $\begin{cases} x-y=5 \\ 3x-3y=15 \end{cases}$

핵심 19

0843 연립방정식 $\begin{cases} -3x+ay=1 \\ 9x-15y=b \end{cases}$의 해가 무수히 많을 때, 상수 a, b의 값을 각각 구하여라.

Review

YOU♡

미지수가 2개인 일차방정식은 어떤 꼴이야?

$ax+by+c=0$ $(a\neq0,\ b\neq0)$ 으로 나타내어지는 식

연립방정식 $\begin{cases} x=2y & \cdots ㉠ \\ x+3y=15 & \cdots ㉡ \end{cases}$ 를 대입법과 가감법으로 풀면?

대입법

㉡에 x 대신 (❶)를 대입해.

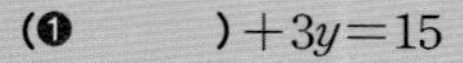

(❶)$+3y=15$

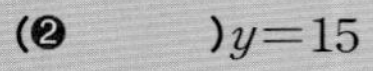

(❷)$y=15$

$\therefore x=6,\ y=3$

가감법

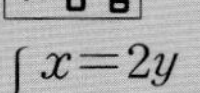

$\begin{cases} x=2y \\ x+3y=15 \end{cases}$ ➡ $\begin{cases} x-2y=0 & \cdots ㉢ \\ x+3y=15 & \cdots ㉣ \end{cases}$

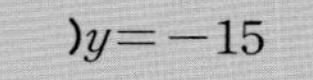

㉢－㉣을 하면 (❸)$y=-15$

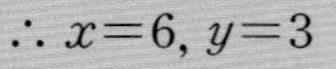

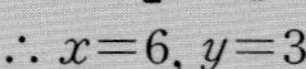

$\therefore x=6,\ y=3$

$A=B=C$ 꼴의 방정식도 연립방정식처럼 풀어?

$\begin{cases} A=B \\ A=C \end{cases}$, $\begin{cases} A=B \\ B=C \end{cases}$, $\begin{cases} A=(❹\quad) \\ B=(❹\quad) \end{cases}$

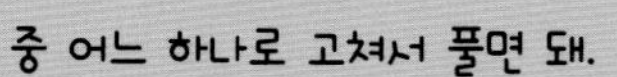

중 어느 하나로 고쳐서 풀면 돼.

연립방정식에서 해가 무수히 많거나 해가 없는 경우도 있어?

① 두 방정식이 똑같으면 해가 무수히 많고

② 두 방정식의 x, y의 (❺)만 같고, 상수항이 다르면 해가 없어.

❶ $2y$ ❷ 5 ❸ -5 ❹ C ❺ 계수

7 연립방정식의 활용

스스로 공부 계획 세우기

	학습 내용	공부한 날짜	반복하기
7. 연립방정식의 활용	**01.** 연립방정식의 활용 (1)－수	월 일	□□
	02. 연립방정식의 활용 (2)－나이, 가격	월 일	□□
	03. 연립방정식의 활용 (3)－개수, 길이	월 일	□□
	04. 연립방정식의 활용 (4)－거리, 속력, 시간	월 일	□□
	05. 연립방정식의 활용 (5)－거리, 속력, 시간	월 일	□□
	06. 연립방정식의 활용 (6)－농도	월 일	□□
	07. 연립방정식의 활용 (7)－농도	월 일	□□
	Mini **Review** Test(**01**～**07**)	월 일	□□

7 연립방정식의 활용

개념 NOTE

1 연립방정식의 활용 문제를 푸는 순서

연립방정식의 활용 문제는 다음과 같은 순서로 푼다.

❶ 미지수 정하기 ➡ 문제의 뜻을 파악하고, 구하려는 것을 미지수 x, y로 놓는다.
❷ 연립방정식 세우기 ➡ x, y를 사용하여 문제의 뜻에 맞는 연립방정식을 세운다.
❸ 연립방정식 풀기 ➡ 연립방정식을 풀어 x, y의 값을 구한다.
❹ 확인하기 ➡ 구한 x, y의 값이 문제의 뜻에 맞는지 확인한다.

연립방정식의 활용 문제에서 구한 값이 문제의 조건에 맞는지 반드시 확인한다.

나이, 개수, 횟수 등은 자연수이고, 길이, 거리 등은 양수이다.

2 가격, 나이, 길이에 대한 문제 핵심 01 ~ 03

(1) 가격에 대한 문제 : A, B의 한 개의 가격을 알 때, 전체 개수와 전체 가격이 주어지면 A, B의 개수를 각각 x, y로 놓고 연립방정식을 세운다.

$\begin{cases} (\text{A의 개수})+(\text{B의 개수})=(\text{전체 개수}) \\ (\text{A의 전체 금액})+(\text{B의 전체 금액})=(\text{전체 금액}) \end{cases}$

(2) 나이에 대한 문제 : 올해 x세인 사람의

① a년 전의 나이 ➡ $(x-a)$세

② b년 후의 나이 ➡ $(x+b)$세

(3) 길이에 대한 무게

① 가로의 길이가 x, 세로의 길이가 y인 직사각형의 둘레의 길이 l은

➡ $l=2x+2y$

② 전체 길이가 l인 끈을 둘로 나눌 때의 그 각각의 길이가 x, y일 때

➡ $y=l-x$

3 거리, 속력, 시간에 대한 문제 핵심 04 05

(1) (거리)$=$(속력)$\times$(시간)

(2) (속력)$=\dfrac{(\text{거리})}{(\text{시간})}$

(3) (시간)$=\dfrac{(\text{거리})}{(\text{속력})}$

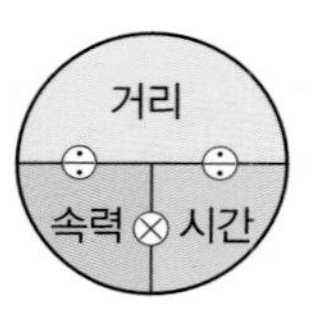

거리, 속력, 시간에 대한 문제를 풀 때, 각각의 단위가 다른 경우에는 방정식을 세우기 전에 단위를 통일해야 한다.
1 km$=$1000 m
1시간$=$60분

4 농도에 대한 문제 핵심 06 07

(1) (소금물의 농도)$=\dfrac{(\text{소금의 양})}{(\text{소금물의 양})}\times 100(\%)$

(2) (소금의 양)$=\dfrac{(\text{소금물의 농도})}{100}\times$(소금물의 양)

참고 농도가 다른 두 소금물을 섞는 문제는 다음을 이용하여 식을 세운다.
① (두 소금물의 양의 합)$=$(섞은 후 두 소금물의 양)
② (두 소금물의 소금의 양의 합)$=$(섞은 후 두 소금물의 소금의 양)

소금물에 물을 더 넣거나 증발시키는 문제는 소금의 양이 변하지 않음을 이용한다.

핵심 01 연립방정식의 활용 (1)－수

날짜 : 월 일

Subnote 42쪽

구하려고 하는 것이 무엇인지 정확히 파악하고 미지수로 놓아야 해.

(1) 서로 다른 두 자연수에 대한 문제
➡ 두 수를 x, y로 놓고, 주어진 조건에 따라 연립방정식을 세운다.
(2) 십의 자리의 숫자가 x, 일의 자리의 숫자가 y인 두 자리의 자연수에 대한 문제
① 처음 수 ➡ $10x+y$
② 십의 자리의 숫자와 일의 자리의 숫자를 바꾼 수 ➡ $10y+x$

0844 두 자리의 자연수가 있다. 각 자리의 숫자의 합이 8이고, 이 수의 십의 자리와 일의 자리의 숫자를 바꾼 수는 처음 수보다 18만큼 클 때, 처음 자연수를 구하여라.

(1) 십의 자리의 숫자를 x, 일의 자리의 숫자를 y로 놓고 다음 빈칸에 알맞은 것을 써넣어라.

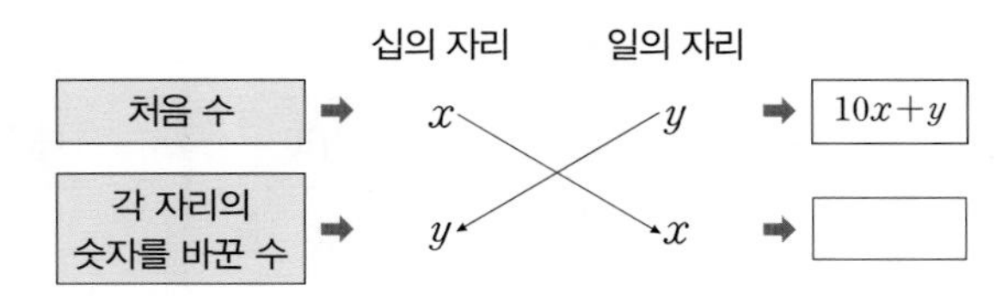

(2) 연립방정식을 세워라.

sol (각 자리의 숫자의 합)=8이므로
$x+y=\square$
(각 자리의 숫자를 바꾼 수)=(처음 수)+18이므로
$\square=10x+y+18$
➡ $\begin{cases} x+y=\square \\ x-y=\square \end{cases}$

(3) 연립방정식을 풀어라.

(4) 문제의 뜻에 맞는 답을 구하여라.

0845 두 수의 합이 50이고, 한 수가 다른 수의 2배보다 8만큼 클 때, 두 수 중 큰 수를 구하여라.

key $\begin{cases} (\text{두 수의 합})=50 \\ (\text{큰 수})=(\text{작은 수})\times 2+8 \end{cases}$

0846 두 자연수의 합은 352이고, 큰 수를 작은 수로 나누면 몫이 10, 나머지는 11이다. 이 두 자연수를 각각 구하여라.

큰 수 : ________, 작은 수 : ________

key a를 b로 나눈 몫이 q이고 나머지가 r이면
➡ $a=bq+r$(단, $0\le r<b$)

0847 세 수 a, 8, b의 평균은 9이고, 네 수 $a+2$, $2b$, 10, $b+1$의 평균은 15일 때, a, b의 값을 각각 구하여라.

key 세 수 a, b, c의 평균 ➡ $\frac{a+b+c}{3}$

02 연립방정식의 활용 (2) – 나이, 가격

날짜 : 월 일

Subnote ➔ 42쪽

나이와 물건의 개수는 모두 자연수라는 것을 기억해!

(1) 나이에 대한 문제 : 현재 x세인 사람의
a년 전의 나이 ➡ $(x-a)$세, b년 후의 나이 ➡ $(x+b)$세

(2) 가격에 대한 문제 : A, B의 한 개의 가격을 알 때, 전체 개수와 전체 가격이 주어지면 A, B의 개수를 각각 x, y로 놓고 연립방정식을 세운다.

$\begin{cases} (\text{A의 개수})+(\text{B의 개수})=(\text{전체 개수}) \\ (\text{A의 전체 금액})+(\text{B의 전체 금액})=(\text{전체 금액}) \end{cases}$

0848 현재 아버지와 아들의 나이의 합은 58세이고, 3년 후에 아버지의 나이는 아들의 나이의 3배가 된다고 할 때, 현재 아버지의 나이와 아들의 나이를 각각 구하여라.

(1) 현재 아버지의 나이를 x세, 아들의 나이를 y세로 놓고, 다음 표를 완성하여라.

	아버지	아들
현재 나이(세)	x	y
3년 후 나이(세)		

(2) 연립방정식을 세워라.

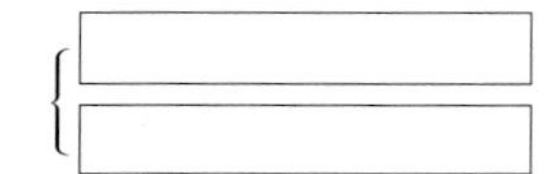

key $\begin{cases} (\text{현재 아버지와 아들의 나이의 합})=58 \\ (\text{3년 후 아버지의 나이})=(\text{3년 후 아들의 나이})\times 3 \end{cases}$

(3) 연립방정식을 풀어라.

____

(4) 문제의 뜻에 맞는 답을 구하여라.

아버지의 나이 : __________

아들의 나이 : __________

0849 현재 어머니와 딸의 나이의 합은 56세이고, 어머니는 딸보다 28세가 더 많다. 현재 어머니의 나이를 구하여라.

____

0850 어떤 자동판매기에서 커피는 한 잔에 300원, 율무차는 한 잔에 200원이다. 매출을 확인해 보니 44잔이 팔렸고, 판매 금액은 11400원이었다. 커피와 율무차는 각각 몇 잔씩 판매되었는지 구하여라.

(1) 커피를 x잔, 율무차를 y잔 판매했다고 할 때, 다음 표를 완성하여라.

	커피	율무차
개수(잔)	x	y
판매 금액(원)		

(2) 연립방정식을 세워라.

key $\begin{cases} (\text{커피의 개수})+(\text{율무차의 개수})=44 \\ (\text{커피의 판매 금액})+(\text{율무차의 판매 금액})=11400 \end{cases}$

(3) 연립방정식을 풀어라.

____

(4) 문제의 뜻에 맞는 답을 구하여라.

커피 : __________, 율무차 : __________

0851 어느 박물관에 어른 3명, 학생 4명은 6000원을 내고 들어갔고, 어른 2명, 학생 5명은 5400원을 내고 들어갔다. 이때 어른의 입장료와 학생의 입장료를 각각 구하여라.

어른의 입장료 : __________

학생의 입장료 : __________

key 어른과 학생의 입장료를 각각 x원, y원으로 놓는다.

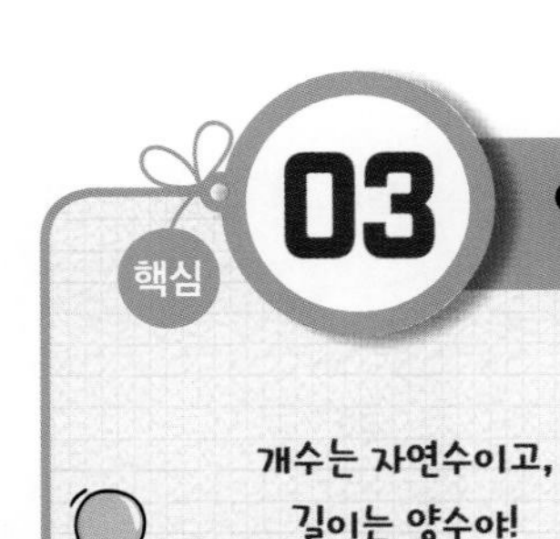

연립방정식의 활용 (3) – 개수, 길이

날짜 : 월 일

Subnote 43쪽

개수는 자연수이고,
길이는 양수야!

(1) 가로의 길이가 x, 세로의 길이가 y인 직사각형의 둘레의 길이 l은
➡ $l=2(x+y)$

(2) 전체 길이가 l인 끈을 둘로 나눌 때의 그 각각의 길이가 x, y일 때
➡ $y=l-x$

0852 어떤 농부가 토끼와 오리를 기르고 있다. 지나가던 사람이 가축을 몇 마리나 기르는지 물었더니 농부는 "내가 기르는 가축 수의 합은 22마리이고, 가축의 다리 수의 합은 68개요."라고 말했다. 토끼와 오리는 각각 몇 마리인지 구하여라.

(1) 토끼의 수를 x마리, 오리의 수를 y마리로 놓고, 다음 표를 완성하여라.

	토끼	오리
수(마리)	x	y
다리 수(개)		

(2) 연립방정식을 세워라.

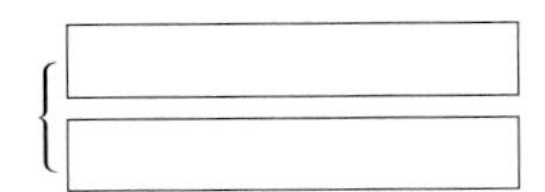

key (토끼의 수)+(오리의 수)=22
(토끼의 다리 수)+(오리의 다리 수)=68

(3) 연립방정식을 풀어라.

(4) 문제의 뜻에 맞는 답을 구하여라.

토끼 : ______, 오리 : ______

0853 어느 농장에서 닭과 돼지를 기르고 있는데, 그 머리의 수의 합은 160개이고, 다리의 수의 합은 500개라고 한다. 이 농장에서 기르는 닭은 몇 마리인지 구하여라.

0854 둘레의 길이가 44 cm이고, 가로의 길이가 세로의 길이보다 4 cm 더 긴 직사각형이 있다. 이 직사각형의 가로의 길이와 세로의 길이를 각각 구하여라.

(1) 가로의 길이를 x cm, 세로의 길이를 y cm로 놓고, 연립방정식을 세워라.

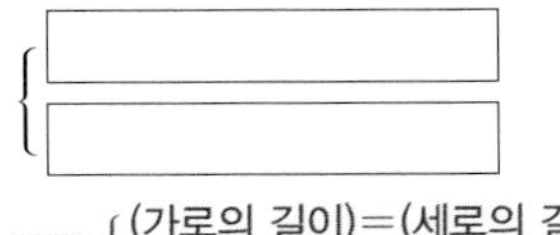

key (가로의 길이)=(세로의 길이)+4
(둘레의 길이)=44

(2) 연립방정식을 풀어라.

(3) 문제의 뜻에 맞는 답을 구하여라.

가로의 길이 : ______
세로의 길이 : ______

0855 길이가 140 m인 끈을 두 개로 나누었다. 짧은 끈의 길이가 긴 끈의 길이보다 50 m만큼 짧을 때, 짧은 끈의 길이와 긴 끈의 길이를 각각 구하여라.

짧은 끈의 길이 : ______
긴 끈의 길이 : ______

연립방정식의 활용 (4) – 거리, 속력, 시간

날짜 : 월 일

Subnote ➲ 43쪽

거리, 속력, 시간에 대한 문제에서는 먼저 단위를 통일해!

(1) (거리)=(속력)×(시간)

(2) $(속력)=\frac{(거리)}{(시간)}$

(3) $(시간)=\frac{(거리)}{(속력)}$

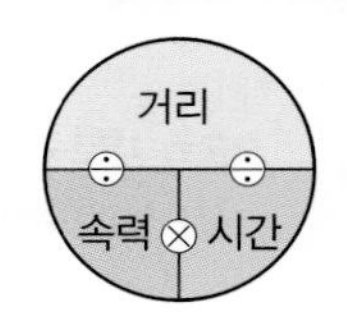

0856 등산을 하는데 올라갈 때에는 시속 3 km, 내려올 때에는 올라갈 때보다 2 km가 더 먼 길을 시속 4 km로 걸었더니 모두 4시간이 걸렸다고 한다. 이때 올라간 거리를 구하여라.

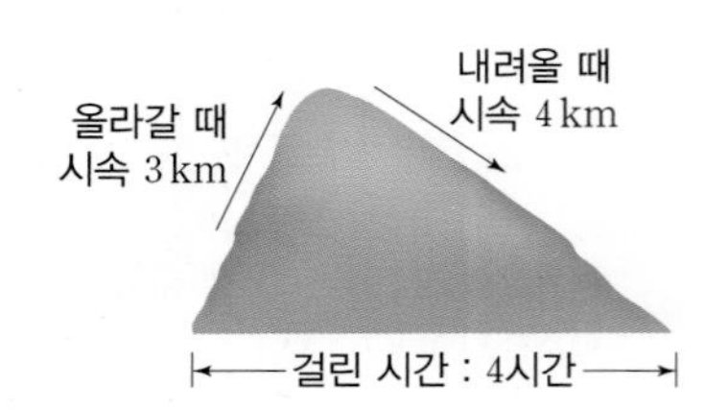

(1) 올라간 거리를 x km, 내려온 거리를 y km로 놓고, 다음 표를 완성하여라.

	올라갈 때	내려올 때
거리	x km	y km
속력	시속 3 km	시속 4 km
시간		

(2) 연립방정식을 세워라.

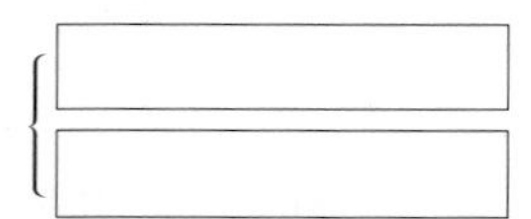

key (내려온 거리)=(올라간 거리)+2
(올라갈 때의 시간)+(내려올 때의 시간)=4

(3) 연립방정식을 풀어라.

(4) 문제의 뜻에 맞는 답을 구하여라.

0857 5 km의 거리를 처음에는 시속 3 km로 걷다가 나중에는 시속 9 km로 뛰어서 모두 1시간이 걸렸다. 뛰어간 거리를 구하여라.

0858 집에서 학교까지의 거리는 1.5 km이다. 어느 날 정윤이가 등교하는데, 매분 50 m의 속력으로 걷다가 늦을 것 같아서 매분 200 m의 속력으로 뛰어갔더니 18분 만에 도착하였다. 뛰어간 거리는 몇 m인지 구하여라.

key 거리, 속력, 시간의 단위를 통일한 후에 방정식을 세운다.
1 km=1000 m

0859 도형이가 집에서 자전거를 타고 시속 20 km로 삼촌댁에 가다가 중간에 자전거가 고장나서 자전거를 끌고 시속 3 km로 걸어갔다. 집에서 삼촌댁까지의 거리는 12 km이고, 걸린 시간은 1시간 10분이었다. 이때 걸어간 거리를 구하여라.

key 시간을 환산할 때 대분수를 이용하면 편리하다.
➡ 1시간 10분$=1\frac{10}{60}$시간$=1\frac{1}{6}$시간$=\frac{7}{6}$시간

연립방정식의 활용 (5) – 거리, 속력, 시간

날짜 : 월 일

Subnote 44쪽

두 사람이 동시에 출발하여 만난다는 것은 두 사람의 이동한 시간이 같다는 것을 의미해.

(1) 트랙에서 A, B 두 사람이 반대 방향으로 돈 경우
➡ (A, B 두 사람이 만날 때까지 이동한 거리의 합)=(트랙의 길이)

(2) 트랙에서 A, B 두 사람이 같은 방향으로 돈 경우
➡ (A, B 두 사람이 만날 때까지 이동한 거리의 차)=(트랙의 길이)

0860 지수는 학교에서 돌아오는 오빠를 마중하러 나갔다. 집을 출발한 지수는 오빠네 학교를 향하여 분속 50 m로 걸어가고, 오빠는 집을 향하여 분속 70 m로 걸어갔다. 집에서 오빠네 학교까지의 거리가 1.5 km일 때, 두 사람이 서로 만날 때까지 걸어간 거리를 각각 구하여라.

(1) 지수와 오빠가 만날 때까지 지수가 걸어간 거리를 x m, 오빠가 걸어간 거리를 y m로 놓고, 다음 표를 완성하여라.

	지수가 걸어갈 때	오빠가 걸어갈 때
거리	x m	y m
속력	분속 50 m	분속 70 m
시간		

(2) 연립방정식을 세워라.

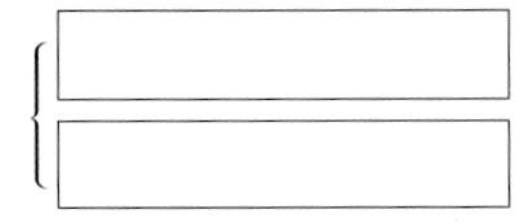

key $\begin{cases} (\text{지수가 이동한 거리})+(\text{오빠가 이동한 거리})=1500 \\ (\text{지수가 이동한 시간})=(\text{오빠가 이동한 시간}) \end{cases}$

(3) 연립방정식을 풀어라.

(4) 문제의 뜻에 맞는 답을 구하여라.

지수가 걸어간 거리 : ______

오빠가 걸어간 거리 : ______

0861 20 km 떨어진 두 지점에서 재석이와 하하가 동시에 마주 보고 출발하여 도중에 만났다. 재석이는 시속 4 km, 하하는 시속 6 km로 걸었다고 할 때, 재석이가 걸은 거리를 구하여라. ______

0862 영민이와 재민이가 둘레의 길이가 1200 m인 트랙을 도는데 같은 지점에서 동시에 출발하여 같은 방향으로 돌면 12분 후에 처음 만나고, 반대 방향으로 돌면 4분 후에 처음 만난다. 재민이가 영민이보다 빠르다고 할 때, 재민이의 속력을 구하여라.

(1) 영민이의 속력을 분속 x m, 재민이의 속력을 분속 y m로 놓고, 연립방정식을 세워라.

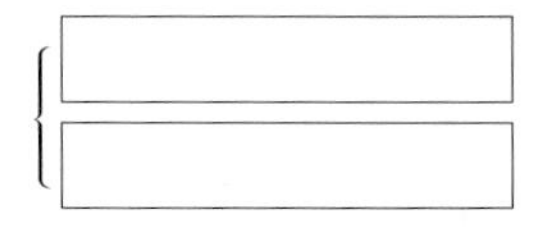

key $\begin{cases} (\text{영민이와 재민이가 이동한 거리의 합})=(\text{트랙의 길이}) \\ (\text{영민이와 재민이가 이동한 거리의 차})=(\text{트랙의 길이}) \end{cases}$

(2) 연립방정식을 풀어라. ______

(3) 문제의 뜻에 맞는 답을 구하여라. ______

0863 둘레의 길이가 1.3 km인 저수지를 언니와 동생이 같은 지점에서 동시에 출발하여 같은 방향으로 돌면 10분 후에 처음 만나고, 반대 방향으로 돌면 5분 후에 처음 만난다. 언니가 동생보다 빠르다고 할 때, 동생의 속력을 구하여라. ______

06 연립방정식의 활용 (6) - 농도

날짜 :  월  일

Subnote 44쪽

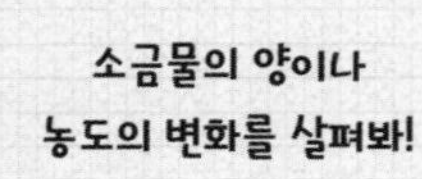

소금물의 양이나 농도의 변화를 살펴봐!

(1) (소금물의 농도)$=\dfrac{(\text{소금의 양})}{(\text{소금물의 양})}\times 100(\%)$

(2) (소금의 양)$=\dfrac{(\text{소금물의 농도})}{100}\times$(소금물의 양)

0864 10 %의 소금물과 20 %의 소금물을 섞어서 15 %의 소금물 1000 g을 만들었다. 10 %의 소금물은 몇 g 섞었는지 구하여라.

(1) 10 %의 소금물을 x g, 20 %의 소금물을 y g 섞는다고 할 때, 다음 표를 완성하여라.

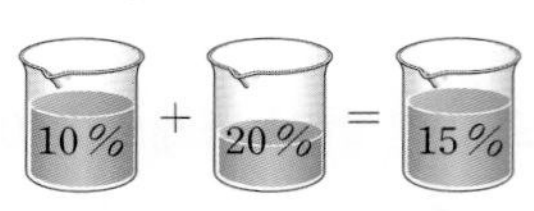

xg + yg = 1000 g

	섞기 전		섞은 후
농도	10 %	20 %	15 %
소금물의 양(g)	x	y	1000
소금의 양(g)			

(2) 연립방정식을 세워라.

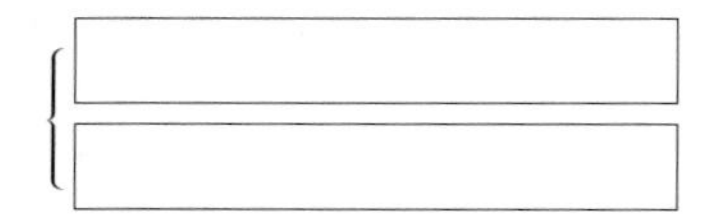

key (두 소금물의 양의 합)=(섞은 후 소금물의 양)
(두 소금물의 소금의 양의 합)=(섞은 후 소금물의 소금의 양)

(3) 연립방정식을 풀어라.

(4) 문제의 뜻에 맞는 답을 구하여라.

0865 9 %의 소금물과 6 %의 소금물을 섞어 7 %의 소금물 150 g을 만들었다. 이때 9 %의 소금물은 몇 g 섞었는지 구하여라.

0866 8 %의 소금물과 13 %의 소금물을 섞어 10 %의 소금물 1000 g을 만들었다. 이때 8 %의 소금물은 몇 g 섞었는지 구하여라.

0867 10 %의 소금물과 6 %의 소금물을 섞어 8 %의 소금물 200 g을 만들었다. 이때 10 %의 소금물은 몇 g 섞었는지 구하여라.

핵심 07

연립방정식의 활용 (7)-농도

날짜 : 월 일

Subnote ➔ 45쪽

0868 농도가 다른 두 소금물 A, B를 각각 120 g, 40 g씩 섞으면 4 %의 소금물이 되고, 40 g, 120 g씩 섞으면 6 %의 소금물이 된다. 두 소금물 A, B의 농도를 각각 구하여라.

key 섞기 전 각 소금물의 소금의 양의 합과 섞은 후 소금물의 소금의 양은 같다.

(1) 소금물 A, B의 농도를 각각 x %, y %로 놓고, 다음 표를 완성하여라.

(가)	A	B	섞은 후
농도	x %	y %	4 %
소금물의 양(g)	120	40	160
소금의 양(g)			

(나)	A	B	섞은 후
농도	x %	y %	6 %
소금물의 양(g)	40	120	160
소금의 양(g)			

(2) 연립방정식을 세워라.

(가) : ______

(나) : ______

(3) 연립방정식을 풀어라.

______

(4) 문제의 뜻에 맞는 답을 구하여라.

소금물 A의 농도 : ______

소금물 B의 농도 : ______

0869 농도가 다른 두 소금물 A, B를 각각 100 g, 200 g씩 섞으면 5 %의 소금물이 되고, 200 g, 100 g씩 섞으면 7 %의 소금물이 된다. 이때 소금물 A의 농도를 구하여라.

______

0870 농도가 다른 두 소금물 A, B를 각각 80 g, 120 g씩 섞으면 8 %의 소금물이 되고, 120 g, 80 g씩 섞으면 6 %의 소금물이 된다. 이때 소금물 B의 농도를 구하여라.

______

0871 농도가 다른 두 설탕물 A, B를 각각 300 g, 200 g씩 섞으면 18 %의 설탕물이 되고, 200 g, 300 g씩 섞으면 17 %의 설탕물이 된다. 이때 설탕물 A의 농도를 구하여라.

______

핵심 01~07

Mini Review Test

날짜 :  월  일

Subnote ➡ 45쪽

핵심 01

0872 다음은 반에서의 민호의 출석번호를 알 수 있는 단서이다. 두 자리 수인 민호의 출석번호를 구하여라.

> (가) 각 자리의 숫자의 합이 12이다.
> (나) 십의 자리의 숫자와 일의 자리의 숫자를 바꾼 수는 처음 수보다 18만큼 작다.

핵심 02

0873 다음 두 사람의 대화를 듣고 현재 주하의 아버지의 나이를 구하여라.

> 주원 : 5년 전 주하의 아버지는 주하의 나이의 6배였어. 그 해에 선생님께서 가족 나이를 조사하는 숙제를 내주셔서 잘 기억하고 있지.
> 영인 : 내가 알기로는 지금 주하의 아버지의 나이는 주하의 나이와 25세 차이가 날 거야.

핵심 02

0874 100원짜리 우표 x장과 170원짜리 우표 y장을 합하여 10장을 사고, 1280원을 지불하였다. 100원짜리 우표는 몇 장 샀는지 구하여라.

핵심 03

0875 어느 주차장에 오토바이와 승용차가 모두 17대가 있다. 이 바퀴 수를 모두 합하면 48개라고 할 때, 승용차는 모두 몇 대 있는지 구하여라.

핵심 03

0876 둘레의 길이가 38 cm인 직사각형에서 가로의 길이는 세로의 길이의 3배보다 1 cm가 짧다고 한다. 이 직사각형의 넓이를 구하여라.

핵심 04 05

0877 미정이가 등산을 하는데 올라갈 때는 시속 2 km의 속력으로 걷고, 내려올 때는 다른 코스로 시속 4 km의 속력으로 걸어서 모두 13 km의 거리를 4시간 30분 동안 걸었다. 내려온 거리를 구하여라.

핵심 06 서술형

0878 3 %의 소금물과 7 %의 소금물을 섞어서 4 %의 소금물 1000 g을 만들었다. 이때 7 %의 소금물의 양을 구하여라.

Review

7. 연립방정식의 활용

99% PM 3:11

YOU♡

연립방정식의 활용 문제를 어떻게 하면 잘 해결할 수 있을까?

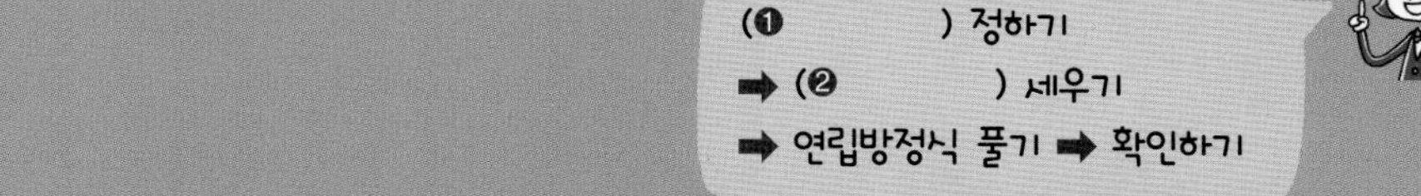

(❶   ) 정하기
➡ (❷   ) 세우기
➡ 연립방정식 풀기 ➡ 확인하기

나이에 대한 문제에서 알아둘 점은?

현재 x세인 사람의
a년 전의 나이는 (❸   )세,
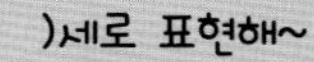
b년 후의 나이는 (❹   )세로 표현해~

직사각형에 대한 문제에서 알아둘 점은?

가로의 길이가 x cm, 세로의 길이가 y cm인 직사각형의 둘레의 길이는 (❺   ) cm로 표현해~

속력과 농도에 대한 문제에서 알아둘 점은?

공식을 일단 기억해두는 것이 필요해.
(거리) = (속력) × (❻   )

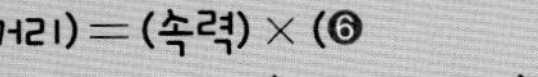

$$(\text{소금의 양}) = \frac{(\quad ❼ \quad)}{100} \times (\text{소금물의 양})$$

❶ 미지수 ❷ 연립방정식 ❸ $x-a$ ❹ $x+b$ ❺ $2(x+y)$ ❻ 시간 ❼ 농도

5 일차함수와 그 그래프

이미 배운 내용

[중학교 1학년]
- 좌표평면과 그래프

이번에 배울 내용

8. 일차함수와 그 그래프
- 함수와 일차함수
- 일차함수의 그래프

9. 일차함수의 그래프의 성질과 식
- 일차함수의 그래프의 성질
- 일차함수의 식

8 일차함수와 그 그래프

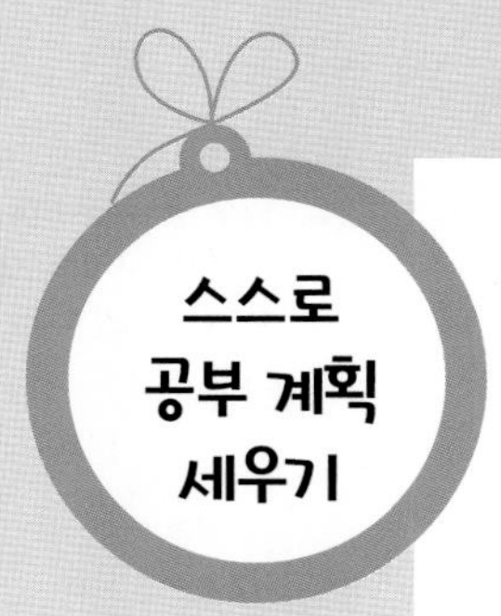

	학습 내용	공부한 날짜	반복하기
8. 일차함수와 그 그래프	01. 함수의 뜻	월 일	□□
	02. 일차함수의 뜻	월 일	□□
	03. 일차함수의 식 – x와 y 사이의 관계식	월 일	□□
	04. 함숫값	월 일	□□
	05. 함숫값을 이용하여 미지수 구하기	월 일	□□
	Mini Review Test(01~05)	월 일	□□
	06. 일차함수 $y=ax+b$의 그래프 (1)	월 일	□□
	07. 일차함수 $y=ax+b$의 그래프 (2)	월 일	□□
	08. 두 점을 이용하여 일차함수의 그래프 그리기	월 일	□□
	09. 일차함수의 그래프 위의 점	월 일	□□
	10. 평행이동한 그래프 위의 점	월 일	□□
	Mini Review Test(06~10)	월 일	□□
	11. 일차함수의 그래프의 x절편과 y절편 (1)	월 일	□□
	12. 일차함수의 그래프의 x절편과 y절편 (2)	월 일	□□
	13. x절편, y절편을 이용하여 일차함수의 그래프 그리기 (1)	월 일	□□
	14. x절편, y절편을 이용하여 일차함수의 그래프 그리기 (2)	월 일	□□
	15. 일차함수의 그래프의 기울기	월 일	□□
	16. 그래프를 보고 기울기 구하기	월 일	□□
	17. 기울기와 증가량	월 일	□□
	18. 두 점을 이용하여 기울기 구하기	월 일	□□
	19. 기울기와 y절편을 이용하여 일차함수의 그래프 그리기 (1)	월 일	□□
	20. 기울기와 y절편을 이용하여 일차함수의 그래프 그리기 (2)	월 일	□□
	Mini Review Test(11~20)	월 일	□□

8 일차함수와 그 그래프

개념 NOTE

1 일차함수의 뜻과 그래프 핵심 01 ~ 05

(1) **함수** : 두 변수 x, y에 대하여 x의 값이 정해짐에 따라 y의 값이 오직 하나씩 정해지는 관계가 있을 때, y를 x의 **함수**라 하고, 기호로 $\boldsymbol{y=f(x)}$와 같이 나타낸다.

참고 정비례 관계 $y=ax(a\neq0)$, 반비례 관계 $y=\frac{a}{x}(a\neq0)$에서 y는 x의 함수이다.

주의 다음과 같은 경우에 y는 x의 함수가 아니다.
① x의 값 하나에 대하여 y의 값이 정해지지 않을 때
② x의 값 하나에 대하여 y의 값이 두 개 이상 정해질 때

(2) **일차함수** : 함수 $y=f(x)$에서 y가 x에 대한 일차식, 즉 $y=ax+b(a,\ b$는 상수, $a\neq0)$ 꼴로 나타내어지는 함수를 x에 대한 **일차함수**라고 한다.

(3) **함숫값** : 함수 $y=f(x)$에서 x의 값에 따라 하나로 정해지는 y의 값

예 함수 $y=f(x)$에서 $x=a$일 때의 함숫값은 $f(a)$이다.

> 함수 $y=ax+b(a\neq0)$에서 x의 값이 구체적으로 주어지지 않으면 x의 값은 수 전체로 생각한다.

2 일차함수 $\boldsymbol{y=ax+b}$의 그래프 핵심 06 ~ 10

(1) **평행이동** : 한 도형을 일정한 방향으로 일정한 거리만큼 이동하는 것을 **평행이동**이라고 한다.

(2) 일차함수 $y=ax+b(a\neq0)$의 그래프는 일차함수 $y=ax$의 그래프를 y축의 방향으로 b만큼 평행이동한 직선이다.

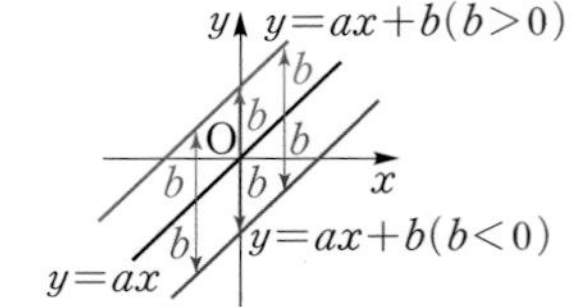

$y=ax$ —(y축의 방향으로 b만큼 평행이동)→ $y=ax+b$

> 평행이동하여도 그래프의 모양은 변하지 않는다.

3 일차함수의 그래프의 절편과 기울기 핵심 11 ~ 20

(1) 일차함수의 그래프의 x절편과 y절편

① x절편 : 그래프가 x축과 만나는 점의 x좌표
즉, $y=0$일 때의 x의 값 ➡ $-\frac{b}{a}$

② y절편 : 그래프가 y축과 만나는 점의 y좌표
즉, $x=0$일 때의 y의 값 ➡ b

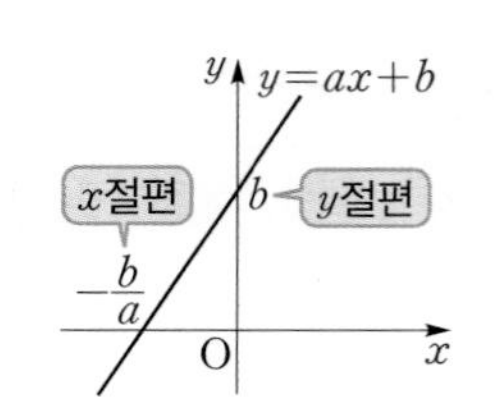

> 그래프가 좌표축과 만나는 점
> ① x절편이 p이면 ➡ 점 $(p,\ 0)$을 지난다.
> ② y절편이 q이면 ➡ 점 $(0,\ q)$를 지난다.

(2) 일차함수의 그래프의 기울기

일차함수 $y=ax+b$에서 x의 값의 증가량에 대한 y의 값의 증가량의 비율은 항상 일정하며, 그 비율은 x의 계수 a와 같다. 이 증가량의 비율 a를 일차함수 $y=ax+b$의 기울기라고 한다.

➡ $(\text{기울기})=\dfrac{(y\text{의 값의 증가량})}{(x\text{의 값의 증가량})}=a$

> 일차함수 $y=ax+b$의 그래프의 기울기는 항상 a로 일정하다.

핵심 01 함수의 뜻

날짜 : 월 일

Subnote 46쪽

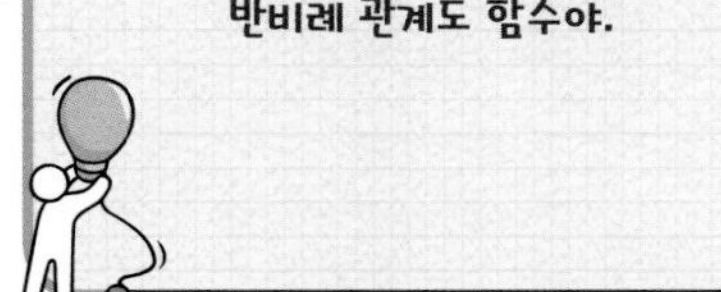

1학년에서 배운 정비례 관계, 반비례 관계도 함수야.

두 변수 x, y에 대하여 x의 값이 정해짐에 따라 y의 값이 오직 하나씩 정해지는 관계가 있을 때, y를 x의 **함수**라 하고, 기호로 $\boldsymbol{y=f(x)}$와 같이 나타낸다.

참고 정비례 관계 $y=ax(a\neq0)$, 반비례 관계 $y=\frac{a}{x}(a\neq0)$에서 y는 x의 함수이다.

주의 다음과 같은 경우에 y는 x의 함수가 아니다.
① x의 값 하나에 대하여 y의 값이 정해지지 않을 때
② x의 값 하나에 대하여 y의 값이 두 개 이상 정해질 때

0879 자연수 x보다 3만큼 큰 수를 y라고 할 때, 다음 물음에 답하여라.

(1) 다음 표를 완성하여라.

x	1	2	3	4	5	$\cdots$
y						

(2) x와 y 사이의 관계를 식으로 나타내어라.

(3) y가 x의 함수인지 아닌지 판단하여라.

key x의 값에 따라 y의 값이 오직 하나로 정해지는지 확인해 본다.

0880 우유 1000 mL를 x명이 똑같이 나누어 마실 때, 한 사람이 마신 우유의 양을 y mL라고 할 때, 다음 물음에 답하여라.

(1) 다음 표를 완성하여라.

x(명)	1	2	3	4	5	$\cdots$
y(mL)						$\cdots$

(2) x와 y 사이의 관계를 식으로 나타내어라.

(3) y가 x의 함수인지 아닌지 판단하여라.

key 반비례 관계 $y=\frac{a}{x}$에서 y는 x의 함수이다.

다음 중 y가 x의 함수인 것은 ○표, 함수가 아닌 것은 ×표를 하여라.

0881 한 개에 900원인 빵 x개의 가격 y원 ( )

key 정비례 관계 $y=ax$에서 y는 x의 함수이다.

0882 키가 x cm인 학생의 몸무게 y kg ( )

0883 자연수 x의 약수 y ( )

0884 학교 시험 맛보기 

다음 보기 중 y가 x의 함수인 것을 모두 골라라.

보기
ㄱ. $y=$(절댓값이 자연수 x인 수)
ㄴ. $y=$(정수 x의 절댓값)
ㄷ. $y=$(자연수 x의 2배인 수)

날짜 :  월  일

Subnote ➔ 47쪽

일차식 기억나지?
x에 대한 다항식 중에서
가장 높은 항의 차수가 1인
다항식이 x에 대한 일차식이야.

함수 $y=f(x)$에서 y가 x에 대한 일차식, 즉 $y=ax+b$(a, b는 상수, $a\neq0$)꼴로 나타내어지는 함수를 x에 대한 **일차함수**라고 한다.

$y=ax+b$ (일차항: ax, 상수항: b)

예 $y=3x$, $y=-2x$, $y=x+4$는 일차함수이다.
$y=1$, $y=\frac{3}{x}$, $y=x^2+1$은 일차함수가 아니다.

다음 중 일차함수인 것은 ○표, 일차함수가 아닌 것은 ×표를 하여라.

0885 $y=x$ (　　)

0886 $y=10x$ (　　)

0887 $y=-10$ (　　)

0888 $y=\frac{5}{x}$ (　　)

key 분모에 x가 있는 식은 x에 대한 일차식이 아니다.

0889 $y=\frac{x}{5}$ (　　)

0890 $y=1-x$ (　　)

0891 $y=\frac{x}{8}-1$ (　　)

0892 $xy=1$ (　　)

key y를 x에 대한 식으로 나타내어 본다.

0893 $y=x(x+3)$ (　　)

먼저 식을 간단히 해 봐.

0894 $y=(x-1)(x+1)-x^2+10x$ (　　)

일차함수의 식 – x와 y 사이의 관계식

날짜 : 월 일

Subnote ◆ 47쪽

두 변수 x, y 사이의 관계를 식으로 나타내는 연습이 필요해.

주어진 문장을 식으로 나타내었을 때 일차함수인지 확인하는 방법은 다음과 같다.

❶ x, y 사이의 관계를 식으로 나타내기
❷ $y=$(x에 대한 식)으로 나타내기
❸ 일차함수인지 확인하기

x와 y 사이의 관계가 다음과 같을 때, y를 x에 대한 식으로 나타내고, y가 x에 대한 일차함수인 것은 ○표, 일차함수가 아닌 것은 ×표를 하여라.

0895 200원짜리 연필 x자루와 500원짜리 색연필 1자루를 샀을 때의 가격 y원

➡ 식 : ______________ ( )

0896 한 변의 길이가 x cm인 정사각형의 넓이 y cm^2

➡ 식 : ______________ ( )

0897 시속 60 km로 x시간 동안 이동한 거리 y km

➡ 식 : ______________ ( )

0898 300 L의 물이 들어 있는 물통에서 1분에 8 L의 물이 흘러나올 때, x분 후의 남은 물의 양 y L

➡ 식 : ______________ ( )

다음 중 y가 x에 대한 일차함수인 것은 ○표, 일차함수가 아닌 것은 ×표를 하여라.

0899 길이가 10 m인 끈에서 x m를 사용하고 남은 끈의 길이 y m ( )

0900 무게가 200 g인 바구니에 한 개의 무게가 80 g인 구슬 x개를 담았을 때, 전체 무게 y g ( )

0901 밑변의 길이가 x cm, 넓이가 16 cm^{2}인 삼각형의 높이 y cm ( )

0902 24 km를 자전거로 시속 x km로 달린 시간 y시간 ( )

날짜 :  월  일

Subnote ➡ 47쪽

함수는 x의 값이 하나로 정해질 때, y의 값이 하나로 정해진다고 했지? 하나로 정해지는 그 y의 값을 바로 함숫값이라고 하는 거야.

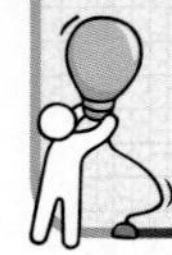

함수 $y=f(x)$에서 x의 값에 따라 하나로 정해지는 y의 값을 **함숫값**이라고 한다.

예 함수 $f(x)=x+1$에 대하여 $x=-5$일 때의 함숫값

➡ $f(-5)=-5+1=-4$

참고 함수 $y=f(x)$에 대하여 $f(a)$는
① $x=a$일 때의 함숫값
② $x=a$일 때 y의 값
③ $f(x)$에 x 대신 a를 대입하여 얻은 식의 값

함수 $f(x)$가 다음과 같을 때, $f(3)$의 값을 구하여라.

0903 $f(x)=6x$

sol $f(x)=6x$에 $x=3$을 대입하면
$f(3)=6\times3=$ ☐

0904 $f(x)=-5x$ ________

0905 $f(x)=\dfrac{6}{x}$ ________

0906 $f(x)=\dfrac{1}{2}x+\dfrac{5}{2}$ ________

0907 $f(x)=-3x-4$ ________

함수 $f(x)=6x-4$에 대하여 다음을 구하여라.

0908 $f(-2)$

sol $f(x)=6x-4$에 $x=-2$를 대입하면
$f(-2)=6\times(-2)-4=$ ☐

0909 $f(0)$ ________

0910 $f\left(\dfrac{1}{2}\right)$ ________

0911 $f(-1)+f(1)$ ________

먼저 $f(-1)$, $f(1)$의 값을 각각 구해 봐.

0912 학교 시험 맛보기

함수 $f(x)=$(자연수 x를 5로 나눈 나머지)에 대하여 다음 함숫값을 구하여라.

(1) $f(7)$ ________

(2) $f(45)$ ________

핵심 05 함숫값을 이용하여 미지수 구하기

날짜 : 월 일

Subnote ➔ 47쪽

$f(a)=7$은 $x=a$일 때 $y=7$이라는 의미야!

예 함수 $f(x)=3x+1$에 대하여 $f(a)=7$일 때, 주어진 함수의 식에 $x=a$를 대입하여 계산한 값이 7임을 이용하여 a의 값을 구한다.
➡ $f(a)=3a+1=7$이므로 $3a=6$에서 $a=2$

다음을 만족시키는 상수 a의 값을 구하여라.

0913 함수 $f(x)=2x$에 대하여 $f(a)=-8$

sol $f(a)=2a=-8$ ∴ $a=$□

0914 함수 $f(x)=-\frac{24}{x}$에 대하여 $f(a)=6$

0915 함수 $f(x)=x+2$에 대하여 $f(a)=0$

0916 함수 $f(x)=-x+5$에 대하여 $f(a)=4$

0917 함수 $f(x)=\frac{2}{3}x+3$에 대하여 $f(a)=1$

다음을 만족시키는 상수 a의 값을 구하여라.

0918 함수 $f(x)=ax$에 대하여 $f(2)=10$

sol $f(2)=2a=10$ ∴ $a=$□

0919 함수 $f(x)=\frac{a}{x}$에 대하여 $f(5)=-7$

0920 함수 $f(x)=ax+3$에 대하여 $f(-1)=5$

0921 함수 $f(x)=\frac{x+1}{a}$에 대하여 $f(2)=\frac{1}{2}$

0922 학교 시험 맛보기

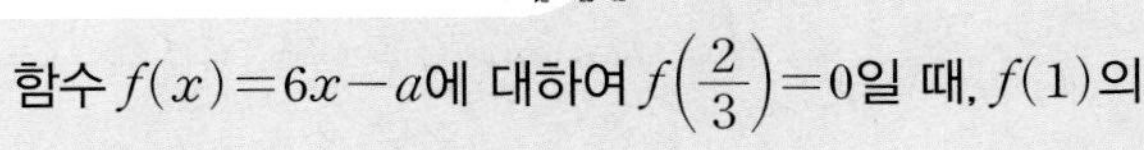

함수 $f(x)=6x-a$에 대하여 $f\left(\frac{2}{3}\right)=0$일 때, $f(1)$의 값을 구하여라. (단, a는 상수)

Mini Review Test

날짜 : 월 일

Subnote 47쪽

핵심 01

0923 다음 중 y가 x의 함수가 아닌 것은?

① 자연수 x의 3배인 수 y
② 자연수 x의 약수의 개수 y
③ 자연수 x보다 1 큰 자연수 y
④ 자연수 x보다 작은 자연수 y
⑤ 길이가 20 cm인 초에 불을 붙여 1분에 길이가 1 cm씩 줄어들 때, x분 후의 초의 길이 y cm

핵심 02

0924 다음 중 y가 x에 대한 일차함수인 것을 모두 고르면? (정답 2개)

① $\frac{x}{2}=\frac{y}{5}$ ② $y=(x-2)x$
③ $xy=6$ ④ $y+x=x-5$
⑤ $y+2x=5$

핵심 03

0925 다음 보기에서 y가 x에 대한 일차함수인 것을 모두 골라라.

보기
ㄱ. 동생의 나이가 x세일 때, 2세 위인 형의 나이는 y세이다.
ㄴ. 시속 x km로 달리는 자동차가 y시간 동안 달린 거리는 100 km이다.
ㄷ. 농도가 x %인 소금물 100 g에 들어 있는 소금의 양은 y g이다.

핵심 04

0926 함수 $f(x)=\frac{30}{x}$에 대하여 다음 중 옳지 않은 것은?

① $f(-9)=-\frac{10}{3}$ ② $f(-6)=-5$
③ $f(-1)=-30$ ④ $f\left(\frac{1}{3}\right)=10$
⑤ $f(15)=2$

핵심 04

0927 두 함수 $f(x)=x-4$, $g(x)=\frac{1}{6}x$에 대하여 $f(7)+g(-12)$의 값을 구하여라.

핵심 05

0928 함수 $f(x)=-2x+1$에 대하여 $f(2)=a$, $f(b)=7$일 때, $a+b$의 값을 구하여라.

핵심 05 서술형

0929 함수 $f(x)=-x+a$에 대하여 $f(-2)=1$일 때, $f(1)$의 값을 구하여라. (단, a는 상수)

핵심 **06**

일차함수 $y=ax+b$의 그래프 (1)

날짜 : 월 일

Subnote ➔ 48쪽

평행이동하여도 그래프의 모양은 변하지 않아.

(1) **평행이동** : 한 도형을 일정한 방향으로 일정한 거리만큼 이동하는 것

(2) 일차함수 $y=ax+b(a\neq0)$의 그래프는 일차함수 $y=ax$의 그래프를 y축의 방향으로 b만큼 평행이동한 직선이다.

$y=ax$ —(y축의 방향으로 b만큼 평행이동)→ $y=ax+b$

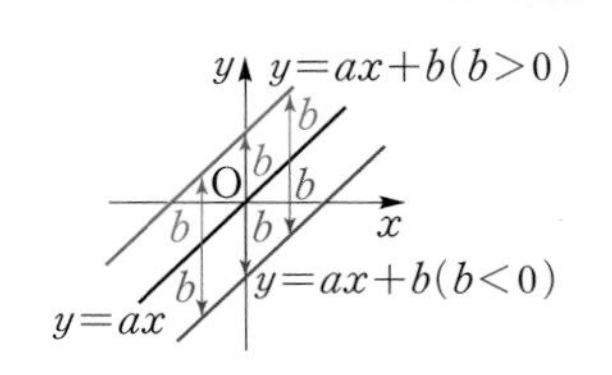

주어진 두 함수의 함숫값을 표로 나타내고, 좌표평면 위에 두 일차함수의 그래프를 그려라.

0930 $y=x$, $y=x+2$

x	…	-2	-1	0	1	2	…
$y=x$	…						…
$y=x+2$	…						…

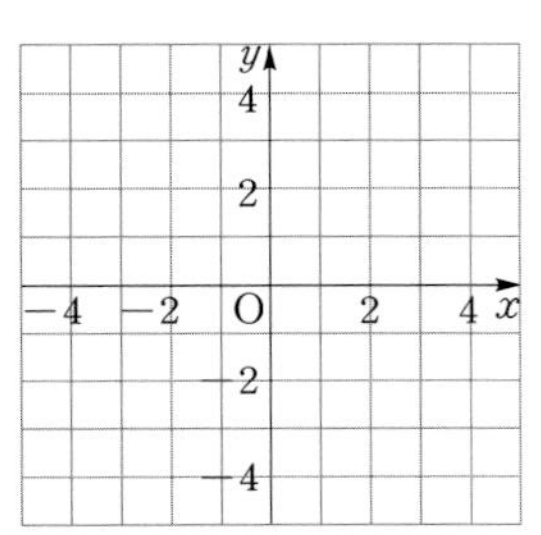

key $y=ax+b$의 그래프는 일차함수 $y=ax$의 그래프를 y축의 방향으로 b만큼 평행이동한 것이다.

0931 $y=2x$, $y=2x-3$

x	…	-2	-1	0	1	2	…
$y=2x$	…						…
$y=2x-3$	…						…

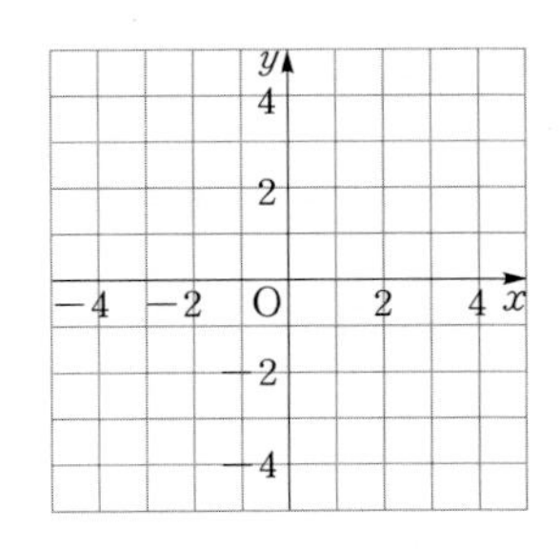

0932 $y=-2x$, $y=-2x+3$

x	…	-2	-1	0	1	2	…
$y=-2x$	…						…
$y=-2x+3$	…						…

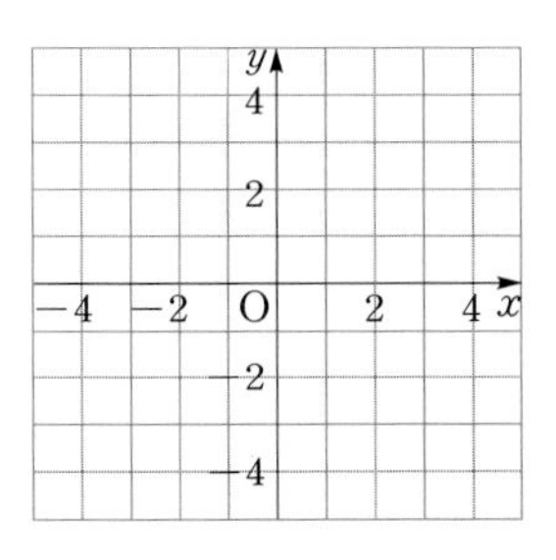

0933 $y=-x$, $y=-x-1$

x	…	-2	-1	0	1	2	…
$y=-x$	…						…
$y=-x-1$	…						…

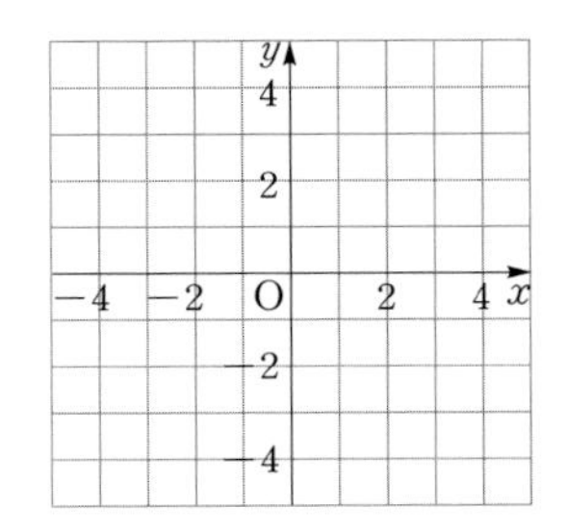

일차함수 $y=ax+b$의 그래프 (2)

날짜 : 월 일

일차함수의 그래프를 보고, □ 안에 알맞은 수를 써넣어라.

0934

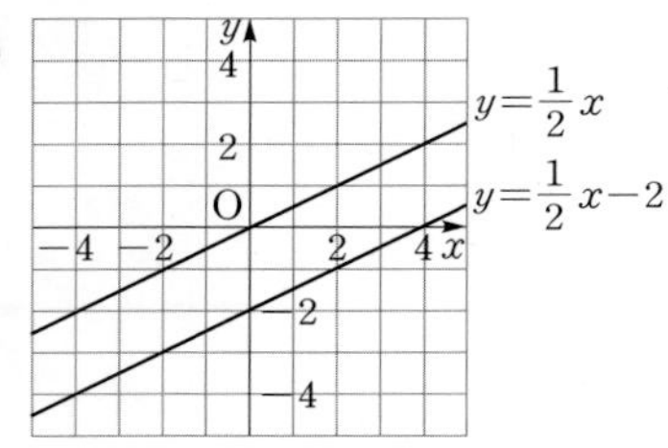

$y=\frac{1}{2}x$ —(y축의 방향으로 □만큼 평행이동)→ $y=\frac{1}{2}x-2$

0935

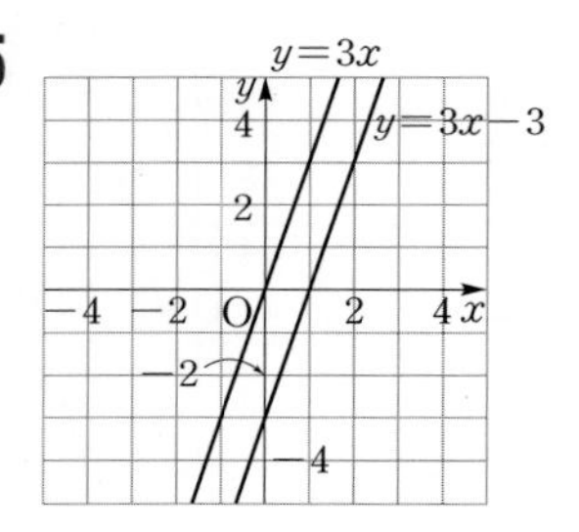

$y=3x$ —(□축의 방향으로 □만큼 평행이동)→ $y=3x-3$

0936

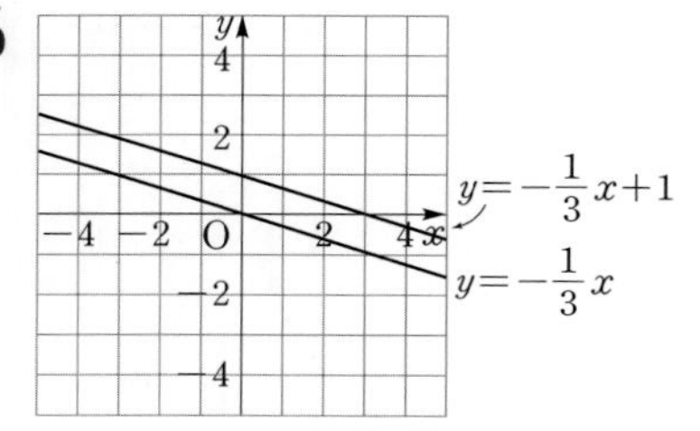

$y=-\frac{1}{3}x$ —(□축의 방향으로 □만큼 평행이동)→ $y=-\frac{1}{3}x+1$

다음 일차함수의 그래프를 y축의 방향으로 [ ] 안의 수만큼 평행이동한 그래프가 나타내는 일차함수의 식을 구하여라.

0937 $y=x$ [3] ________

0938 $y=-\frac{1}{3}x$ [4] ________

0939 $y=3x+1$ [-5] ________

key $y=ax+b$의 그래프를 y축의 방향으로 p만큼 평행이동하면 $y=ax+b+p$이다.

0940 $y=-5x-7$ [-2] ________

0941 학교 시험 맛보기

일차함수 $y=\frac{1}{2}x+\frac{1}{2}$의 그래프를 y축의 방향으로 $\frac{3}{2}$만큼 평행이동한 그래프의 식이 $y=ax+b$일 때, 상수 a, b의 값을 각각 구하여라.

____

핵심 **08**

두 점을 이용하여 일차함수의 그래프 그리기

날짜 : 월 일

Subnote 49쪽

서로 다른 두 점을 지나는 직선은 오직 하나뿐이야.

일차함수의 그래프 위의 두 점을 알면 그래프를 그릴 수 있다.

❶ 일차함수의 그래프가 지나는 두 점을 좌표평면 위에 나타낸다.

❷ 두 점을 직선으로 연결한다.

예 일차함수 $y=x+2$의 그래프 그리기
두 점 $(-3,\ -1)$, $(1,\ 3)$을 지나므로 좌표평면 위에 두 점을 나타낸 후 직선으로 연결하면 그래프는 오른쪽 그림과 같다.

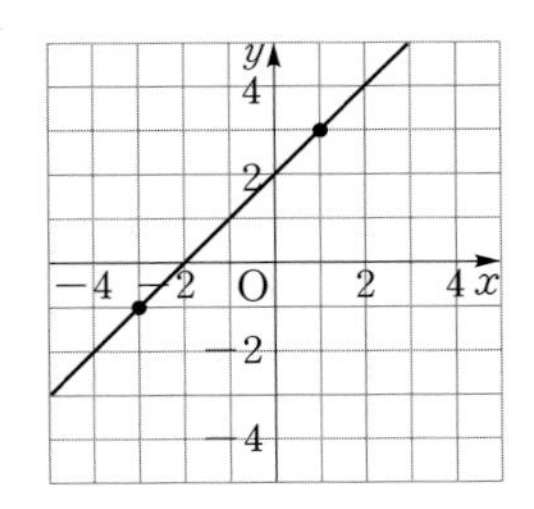

참고 두 점을 찾을 때는 x, y좌표가 정수가 되는 것을 찾는 것이 편리하다.

다음 일차함수의 그래프가 지나는 두 점의 좌표를 구하고, 이를 이용하여 그래프를 그려라.

0942 $y=2x-3$

➡ 그래프는 두 점 $(1,\ \square)$, $(3,\ \square)$을 지난다.

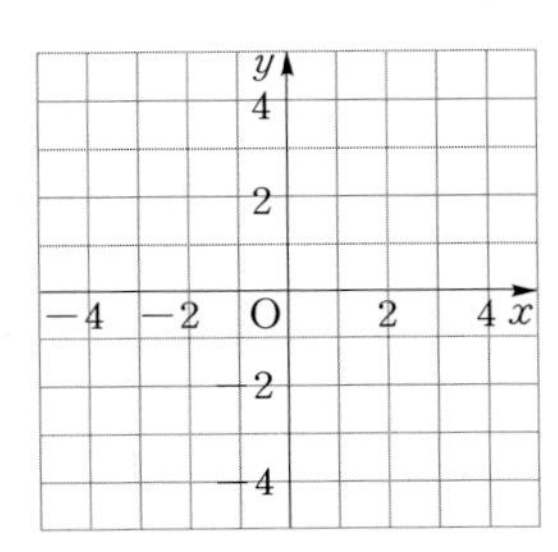

어떤 두 점을 선택해도 그래프는 같게 그려져.

0943 $y=x+3$

➡ 그래프는 두 점 $(-2,\ \square)$, $(1,\ \square)$를 지난다.

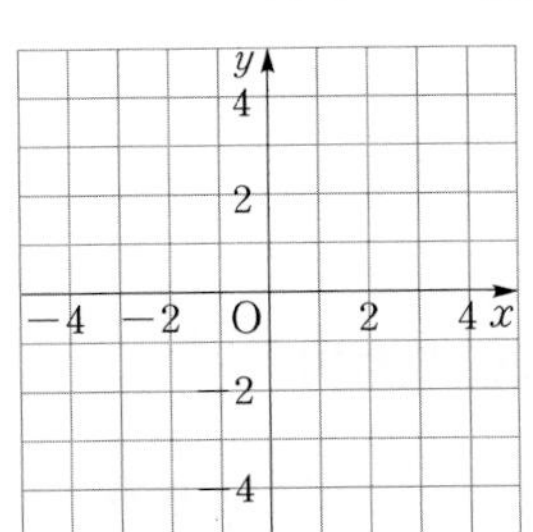

0944 $y=3x-4$

➡ 그래프는 두 점 $(1,\ \square)$, $(2,\ \square)$를 지난다.

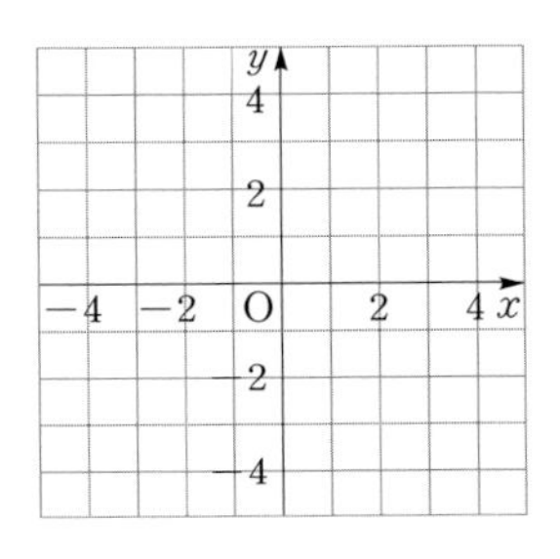

0945 $y=\frac{1}{2}x-3$

➡ 그래프는 두 점 $(0,\ \square)$, $(2,\ \square)$를 지난다.

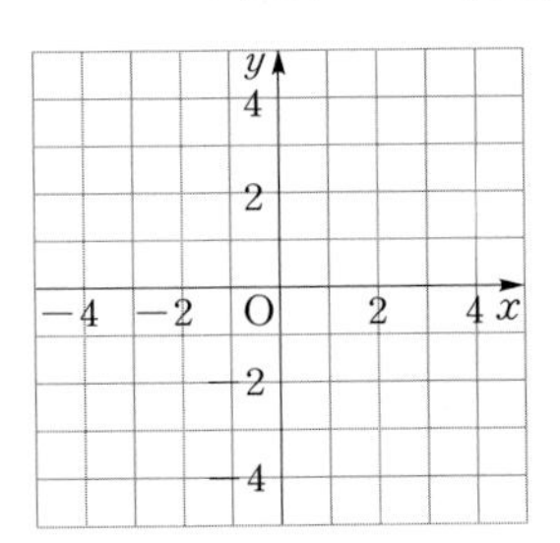

x, y의 값이 정수가 되는 점을 찾는 것이 편리해.

핵심 09 일차함수의 그래프 위의 점

날짜 : 월 일

Subnote ➡ 49쪽

함수의 그래프 위의 점의 좌표를 함수의 식에 대입하면 등식이 성립해.

일차함수 $y=ax+b(a\neq0)$의 그래프가 점 (m, n)을 지날 때,
➡ $y=ax+b$에 $x=m$, $y=n$을 대입하면 등식이 성립한다.

예 일차함수 $y=5x+b$의 그래프가 점 $(-1, -2)$를 지나면
➡ $-2=5\times(-1)+b$, $-2=-5+b$ $\quad\therefore b=3$

다음 중 일차함수 $y=-3x+2$의 그래프 위의 점인 것은 ○표, 아닌 것은 ×표를 하여라.

0946 점 $(0, 0)$ ( )

0947 점 $(-1, 5)$ ( )

0948 점 $(-2, 4)$ ( )

0949 점 $\left(\frac{1}{3}, 1\right)$ ( )

0950 점 $(1, -1)$ ( )

다음을 만족시키는 상수 a의 값을 구하여라.

0951 일차함수 $y=2x+5$의 그래프가 점 $(-1, a)$를 지난다.

sol $y=2x+5$에 $x=-1$, $y=a$를 대입하면
$a=2\times(-1)+5=\square$

0952 일차함수 $y=-x+7$의 그래프가 점 $(a, 3)$을 지난다. ______

0953 일차함수 $y=-4x+a$의 그래프가 점 $(3, -2)$를 지난다. ______

0954 학교 시험 맛보기

일차함수 $y=ax+3$의 그래프가 두 점 $(1, 4)$, $(-2, b)$를 지날 때, $a+b$의 값을 구하여라. (단, a는 상수)

______

평행이동한 그래프 위의 점

날짜 : 월 일

Subnote 49쪽

먼저 평행이동한 그래프가 나타내는 일차함수의 식을 구한 후 지나는 점의 좌표를 식에 대입해 봐.

❶ 일차함수 $y=ax+b(a\neq0)$의 그래프를 y축의 방향으로 p만큼 평행이동한 그래프가 나타내는 일차함수의 식을 구한다.

$$y=ax+b \xrightarrow[p\text{만큼 평행이동}]{y\text{축의 방향으로}} y=ax+b+p$$

❷ 지나는 점의 좌표를 ❶에서 구한 식에 대입한다.

다음을 만족시키는 상수 a의 값을 구하여라.

0955 일차함수 $y=2x$의 그래프를 y축의 방향으로 3만큼 평행이동한 그래프가 점 $(1, a)$를 지난다.

sol $y=2x$의 그래프를 y축의 방향으로 3만큼 평행이동한 그래프의 식은 $y=2x+\square$
이 식에 $x=1$, $y=a$를 대입하면 $a=2\times1+\square=\square$

0956 일차함수 $y=x+4$의 그래프를 y축의 방향으로 -2만큼 평행이동한 그래프가 점 $(-2, a)$를 지난다.

0957 일차함수 $y=-2x-3$의 그래프를 y축의 방향으로 4만큼 평행이동한 그래프가 점 $(a+1, 3)$을 지난다.

0958 일차함수 $y=-4x-5$의 그래프를 y축의 방향으로 -2만큼 평행이동한 그래프가 점 $(a, 3a)$를 지난다.

다음을 만족시키는 상수 a의 값을 구하여라.

0959 일차함수 $y=x+a$의 그래프를 y축의 방향으로 3만큼 평행이동한 그래프가 점 $(2, 1)$을 지난다.

sol $y=x+a$의 그래프를 y축의 방향으로 3만큼 평행이동한 그래프의 식은 $y=x+a+3$
이 식에 $x=2$, $y=1$을 대입하면 $1=2+a+3$
$\therefore a=\square$

0960 일차함수 $y=-6x+a$의 그래프를 y축의 방향으로 -4만큼 평행이동한 그래프가 점 $(-2, 4)$를 지난다.

0961 일차함수 $y=ax-1$의 그래프를 y축의 방향으로 2만큼 평행이동한 그래프가 점 $(-4, 5)$를 지난다.

0962 학교 시험 맛보기

다음 보기 중 일차함수 $y=-\frac{3}{2}x$의 그래프를 y축의 방향으로 2만큼 평행이동한 그래프 위의 점을 모두 골라라.

보기

ㄱ. $(-4, 8)$ ㄴ. $(0, -3)$ ㄷ. $(2, -1)$

8 일차함수와 그 그래프

Mini Review Test

날짜 :  월  일

Subnote ➲ 50쪽

핵심 07

0963 일차함수 $y=-\frac{1}{2}x+4$의 그래프는 $y=ax$의 그래프를 y축의 방향으로 b만큼 평행이동한 것이다. 이때 ab의 값은? (단, a는 상수)

① -2 ② -1 ③ 1
④ 2 ⑤ 4

핵심 07

0964 다음 일차함수의 그래프 중 일차함수 $y=-3x$의 그래프를 평행이동하여 겹쳐질 수 없는 것을 모두 고르면? (정답 2개)

① $y=-3x+1$ ② $y=5-3x$
③ $y=3+3x$ ④ $y=-\frac{1}{3}x+1$
⑤ $y=-3(x-2)$

핵심 07

0965 일차함수 $y=2x-3$의 그래프는 일차함수 $y=2x+2$의 그래프를 y축의 방향으로 얼마만큼 평행이동한 것인지 구하여라.

핵심 07

0966 일차함수 $y=ax+1$의 그래프를 y축의 방향으로 4만큼 평행이동하면 $y=3x+b$의 그래프가 된다고 할 때, 상수 a, b에 대하여 $a+b$의 값을 구하여라.

핵심 09

0967 다음 중 일차함수 $y=\frac{1}{3}x+2$의 그래프 위의 점이 아닌 것은?

① $(-3, 1)$ ② $\left(-2, \frac{4}{3}\right)$ ③ $\left(1, \frac{2}{3}\right)$
④ $(3, 3)$ ⑤ $(6, 4)$

핵심 09

0968 일차함수 $y=\frac{1}{2}x+k$의 그래프가 두 점 $(-2, 3)$, $(a, 6)$을 지날 때, a의 값을 구하여라. (단, k는 상수)

핵심 10

0969 일차함수 $y=-2x+a$의 그래프를 y축의 방향으로 -2만큼 평행이동한 그래프가 점 $(5, -2)$를 지날 때, 상수 a의 값을 구하여라.

핵심 **11**

일차함수의 그래프의 x절편과 y절편(1)

날짜 : 월 일

Subnote ○ 50쪽

그래프가 x축과 만나는 점에서는 x절편을, y축과 만나는 점에서는 y절편을 알 수 있어.

(1) x절편 : 그래프가 x축과 만나는 점의 x좌표
  ➡ $y=0$일 때의 x의 값

(2) y절편 : 그래프가 y축과 만나는 점의 y좌표
  ➡ $x=0$일 때의 y의 값

참고 x절편이 p이다. ➡ 그래프가 점 $(p, 0)$을 지난다.
y절편이 p이다. ➡ 그래프가 점 $(0, p)$를 지난다.

예
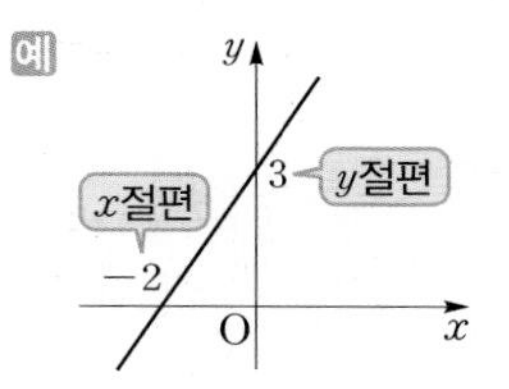

다음 일차함수의 그래프를 보고, x절편과 y절편을 각각 구하여라.

0970

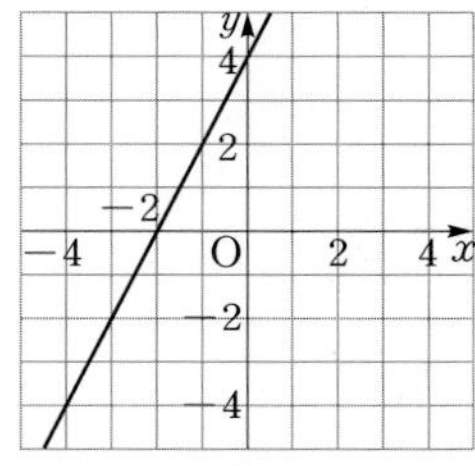

x절편과 y절편은 순서쌍이 아니라 수야!

sol ① x축과의 교점의 좌표가 $(-2, 0)$
  ➡ x절편은 □
② y축과의 교점의 좌표가 $(0, 4)$
  ➡ y절편은 □

0971

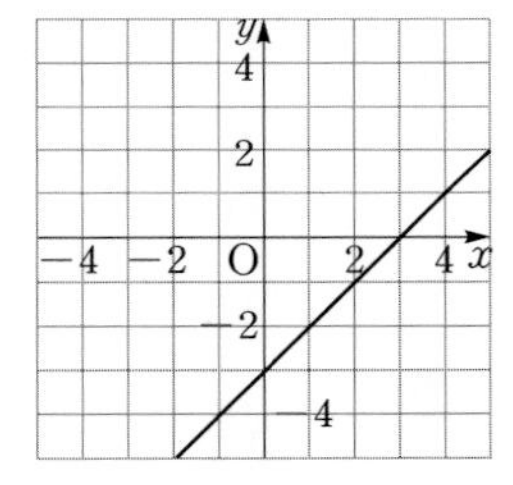

x절편 : ________
y절편 : ________

0972

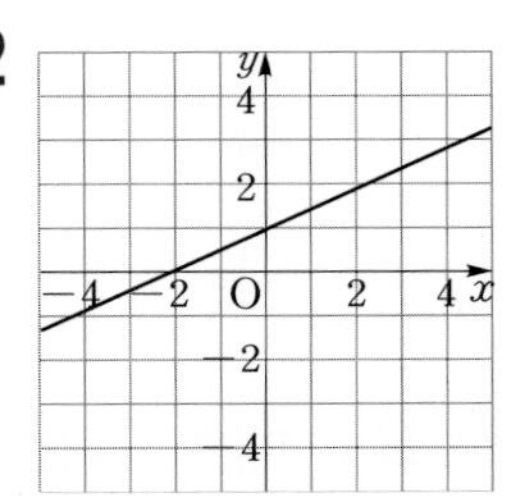

x절편 : ________
y절편 : ________

0973

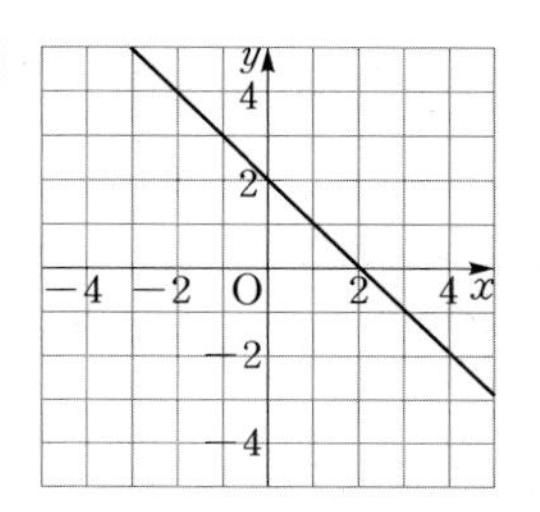

x절편 : ________
y절편 : ________

0974

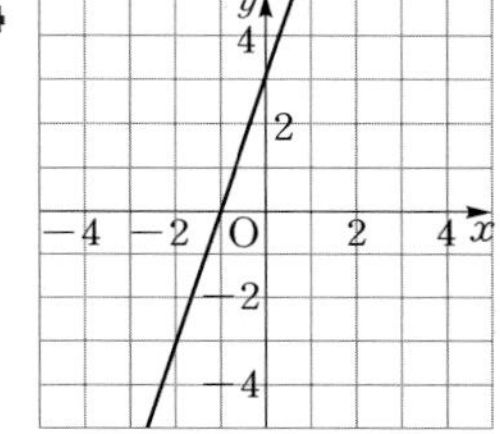

x절편 : ________
y절편 : ________

0975

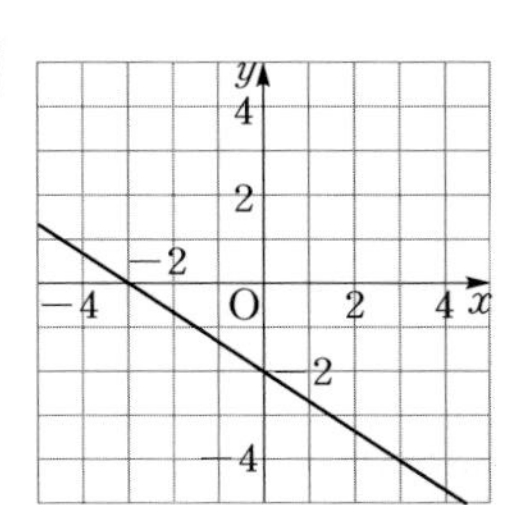

x절편 : ________
y절편 : ________

8 일차함수와 그 그래프

핵심 **12**
일차함수의 그래프의 x절편과 y절편(2)

날짜 :  월  일

Subnote 51쪽

x절편은 $y=0$을 대입!
y절편은 $x=0$을 대입!

일차함수 $y=ax+b(a\neq0)$의 그래프에서

(1) $y=0$을 대입하면 $0=ax+b$ $\quad \therefore x=-\frac{b}{a}$

➡ x절편은 $-\frac{b}{a}$

(2) $x=0$을 대입하면 $y=b$

➡ y절편은 b

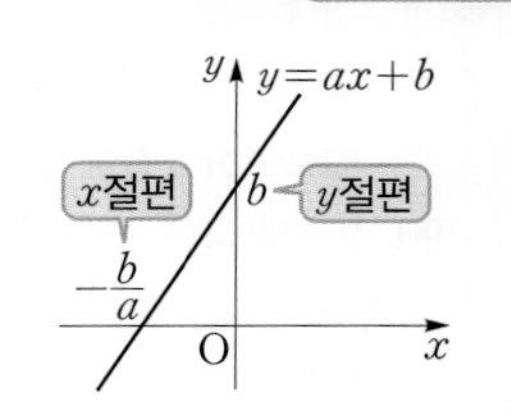

다음 일차함수의 그래프의 x절편과 y절편을 각각 구하여라.

0976 $y=x+2$

➡ x절편 : ________, y절편 : ________

일차함수 $y=ax+b$에서 y절편은 b의 값과 같아!

0977 $y=-x+5$

➡ x절편 : ________, y절편 : ________

0978 $y=2x-8$

➡ x절편 : ________, y절편 : ________

0979 $y=-4x-6$

➡ x절편 : ________, y절편 : ________

0980 $y=-3x+1$

➡ x절편 : ________, y절편 : ________

0981 $y=\frac{3}{4}x-1$

➡ x절편 : ________, y절편 : ________

0982 $y=-\frac{1}{3}x-2$

➡ x절편 : ________, y절편 : ________

0983 학교 시험 맛보기 

일차함수 $y=\frac{5}{3}x+10$의 그래프의 x절편을 a, y절편을 b라고 할 때, a, b의 값을 각각 구하여라.

____

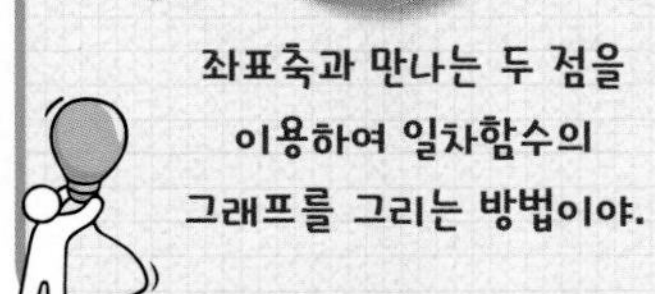

13 x절편, y절편을 이용하여 일차함수의 그래프 그리기 (1)

날짜 : 월 일

Subnote 51쪽

좌표축과 만나는 두 점을 이용하여 일차함수의 그래프를 그리는 방법이야.

x절편이 m, y절편이 n인 일차함수의 그래프를 그리는 방법은 다음과 같다.

❶ 좌표평면 위에 두 점 $(m, 0)$, $(0, n)$을 나타낸다.

❷ 두 점을 직선으로 연결한다.

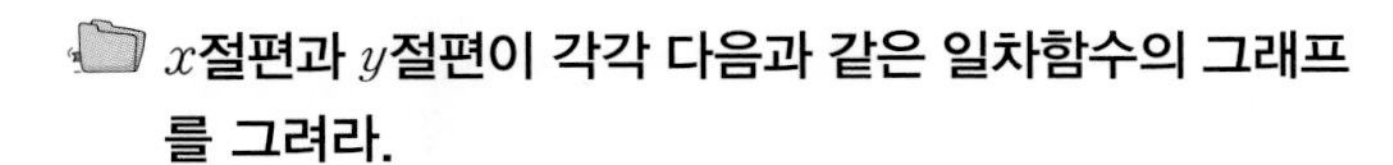

x절편과 y절편이 각각 다음과 같은 일차함수의 그래프를 그려라.

0984 x절편 : 3, y절편 : 1

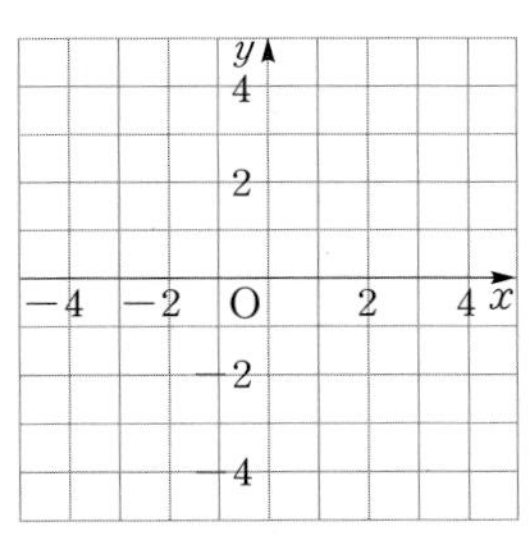

두 점 $(3, 0)$, $(0, 1)$을 지나는 직선을 그리면 돼.

0985 x절편 : -4, y절편 : 4

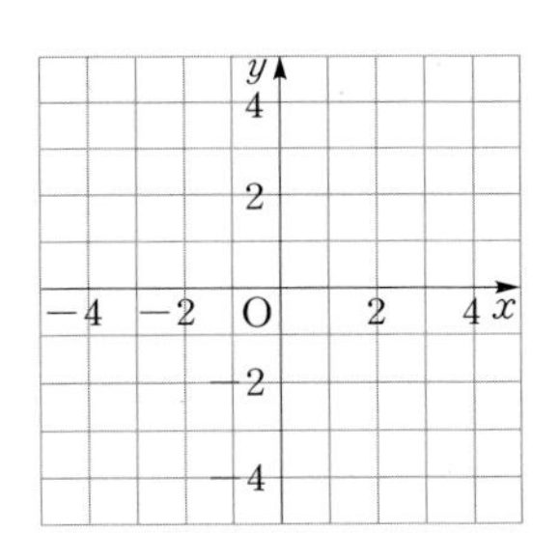

0986 x절편 : 1, y절편 : -4

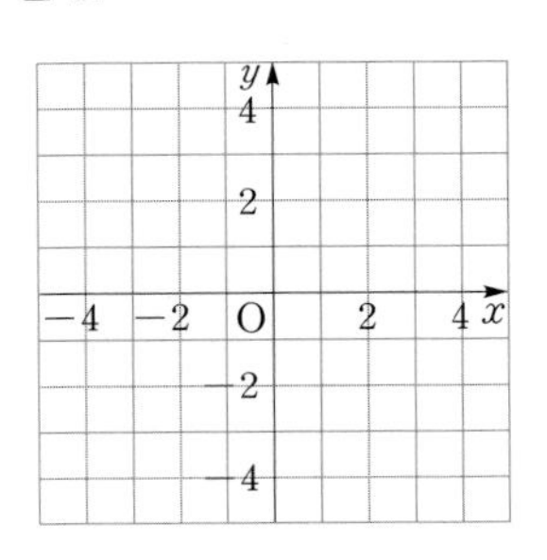

0987 x절편 : 3, y절편 : 3

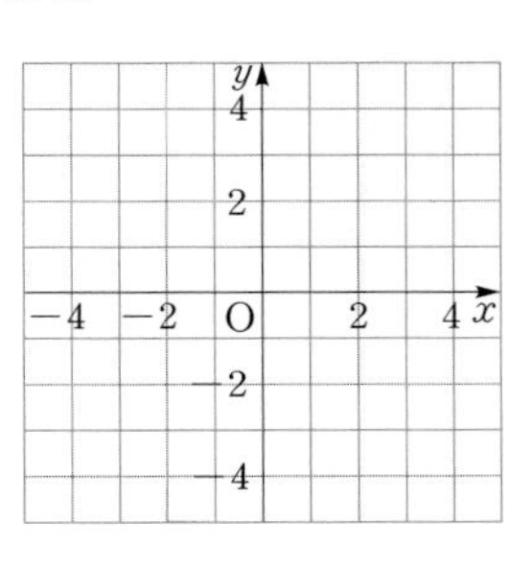

0988 x절편 : -4, y절편 : -2

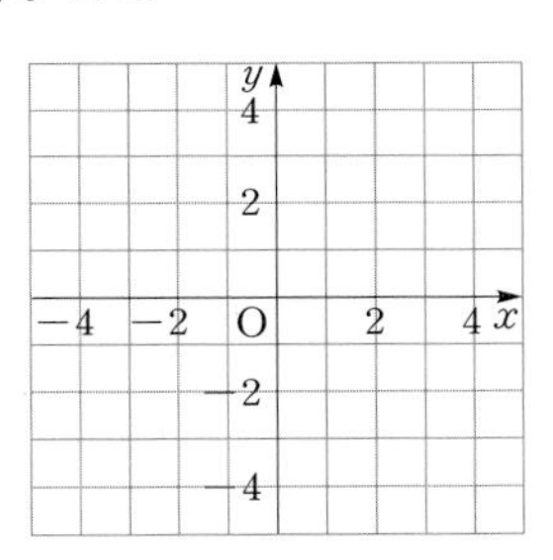

0989 x절편 : -3, y절편 : 2

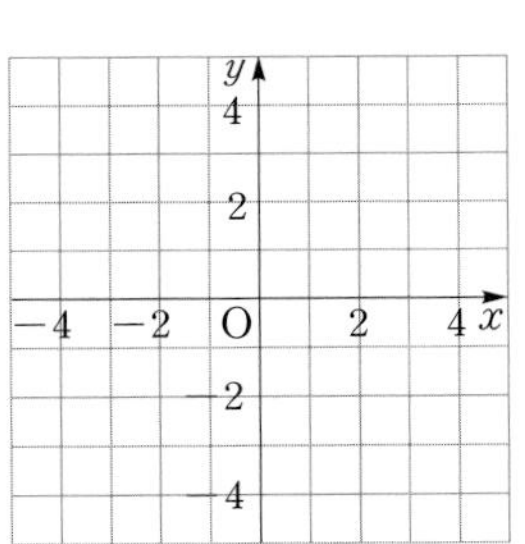

x절편, y절편을 이용하여 일차함수의 그래프 그리기 (2)

날짜 :   월 일

Subnote ➲ 52쪽

$y=ax+b$에서 y절편은 b이므로 계산하지 않고 바로 알 수 있어!

x절편과 y절편을 이용하여 일차함수의 그래프를 그리는 방법은 다음과 같다.

❶ x절편, y절편을 각각 구한다.

❷ 좌표평면 위에 두 점 (x절편, 0), (0, y절편)을 나타낸다.

❸ 두 점을 직선으로 연결한다.

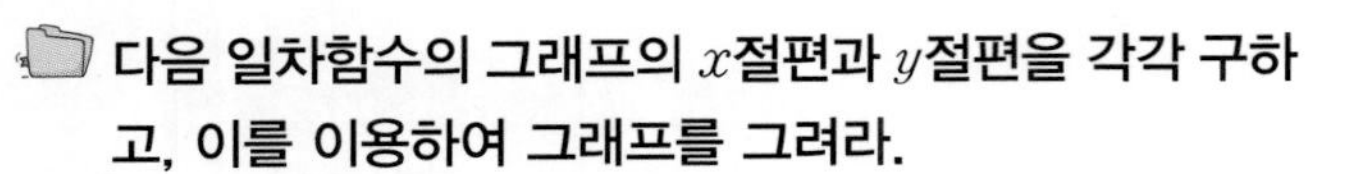

다음 일차함수의 그래프의 x절편과 y절편을 각각 구하고, 이를 이용하여 그래프를 그려라.

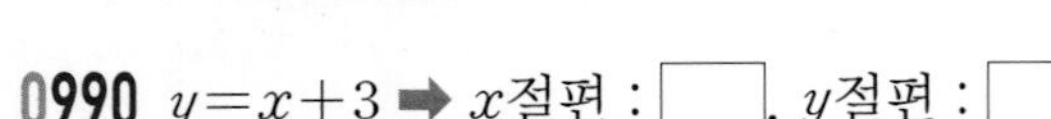

0990 $y=x+3$ ➡ x절편 : ☐, y절편 : ☐

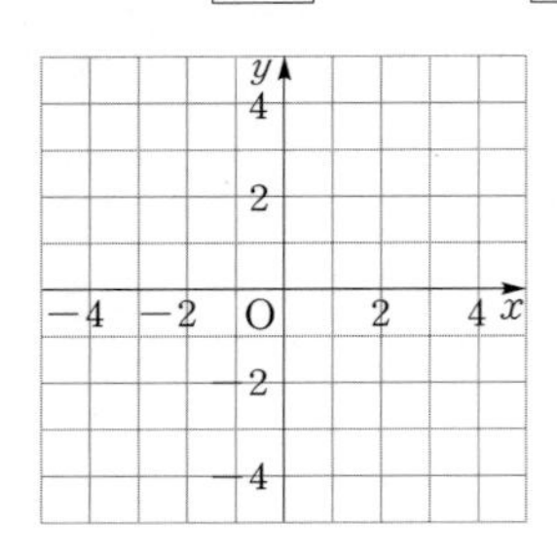

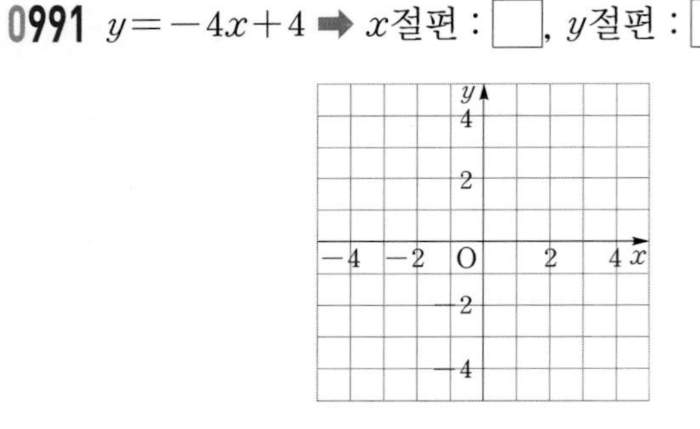

0991 $y=-4x+4$ ➡ x절편 : ☐, y절편 : ☐

0992 $y=3x+3$ ➡ x절편 : ☐, y절편 : ☐

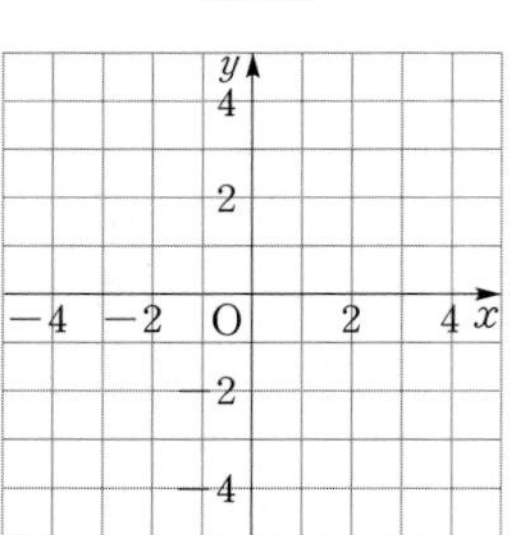

0993 $y=-2x-4$ ➡ x절편 : ☐, y절편 : ☐

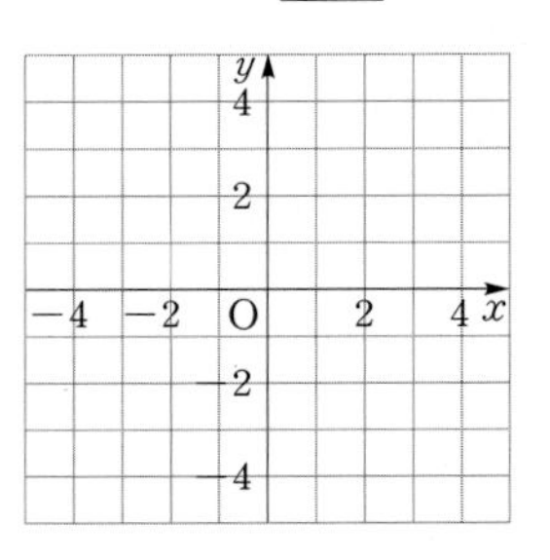

0994 $y=\frac{2}{3}x-2$ ➡ x절편 : ☐, y절편 : ☐

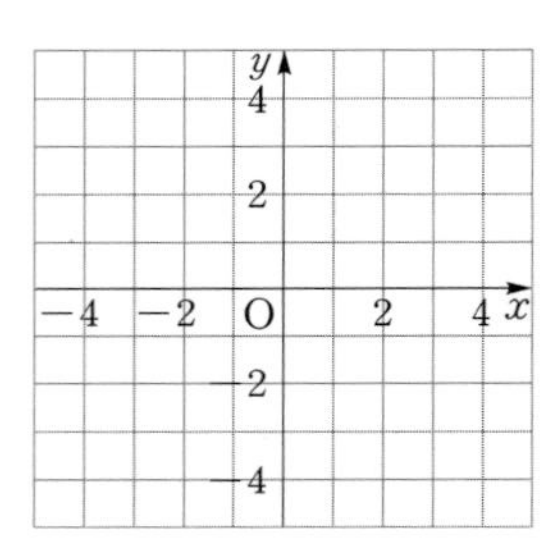

0995 $y=-\frac{3}{4}x-3$ ➡ x절편 : ☐, y절편 : ☐

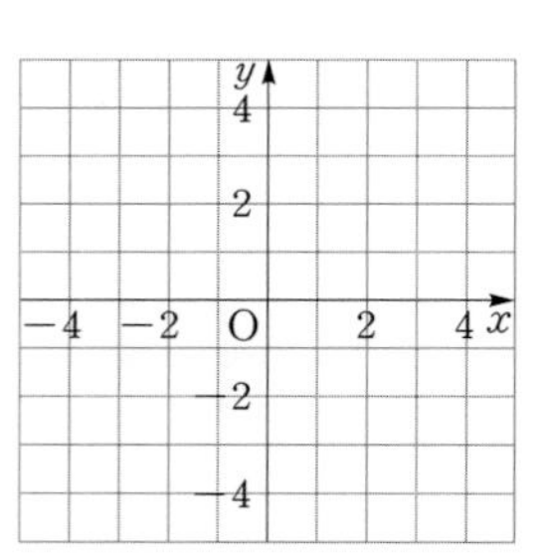

핵심 15 일차함수의 그래프의 기울기

날짜 : 월 일

Subnote 52쪽

일차함수의 식 $y=ax+b$에서 x의 계수 a가 바로 기울기야!

일차함수 $y=ax+b(a\neq0)$에서 x의 값의 증가량에 대한 y의 값의 증가량의 비율은 항상 일정하고, 그 값은 a와 같다.
이때 a를 일차함수 $y=ax+b$의 그래프의 **기울기**라고 한다.

➡ $(\text{기울기})=\dfrac{(y\text{의 값의 증가량})}{(x\text{의 값의 증가량})}=a$

주어진 일차함수에 대하여 다음 표를 완성하고, 그래프의 기울기를 구하여라.

0996 $y=3x$

x	⋯	-2	-1	0	1	2	⋯
y	⋯	-6	-3	0	3	6	⋯

(x: $+1$, $+1$ / y: $+3$, $+3$)

sol x의 값이 -2에서 -1로 1만큼 증가할 때
y의 값은 -6에서 -3으로 □만큼 증가한다.
➡ $(\text{기울기})=\dfrac{(y\text{의 값의 증가량})}{(x\text{의 값의 증가량})}=\dfrac{\square}{1}=\square$

0997 $y=-x+5$

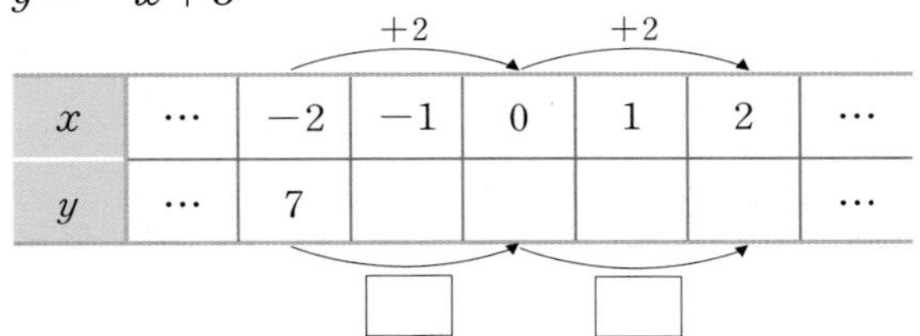

x	⋯	-2	-1	0	1	2	⋯
y	⋯	7					⋯

(x: $+2$, $+2$ / y: □, □)

sol x의 값이 2만큼 증가할 때, y의 값은 □만큼 증가한다.
➡ $(\text{기울기})=\dfrac{\square}{2}=\square$

0998 $y=x-7$

x	⋯	-2	-1	0	1	2	⋯
y	⋯						⋯

(x: $+3$ / y: □)

sol x의 값이 3만큼 증가할 때, y의 값도 □만큼 증가한다.
➡ $(\text{기울기})=\dfrac{\square}{3}=\square$

0999 $y=4x-3$

x	⋯	-2	-1	0	1	2	⋯
y	⋯						⋯

1000 $y=\dfrac{1}{5}x+\dfrac{1}{2}$

x	⋯	-10	-5	0	5	10	⋯
y	⋯						⋯

x의 값이 5만큼 증가할 때, y의 값이 얼마만큼 증가하는지 확인해 봐.

1001 $y=-\dfrac{3}{2}x+3$

x	⋯	-4	-2	0	2	4	⋯
y	⋯						⋯

그래프를 보고 기울기 구하기

날짜 :  월  일

Subnote ◐ 53쪽

증가는 $+$로!
감소는 $-$로!

예 오른쪽 일차함수의 그래프에서

$$(\text{기울기})=\frac{(y\text{의 값의 증가량})}{(x\text{의 값의 증가량})}=\frac{2}{1}=\frac{4}{2}=2$$

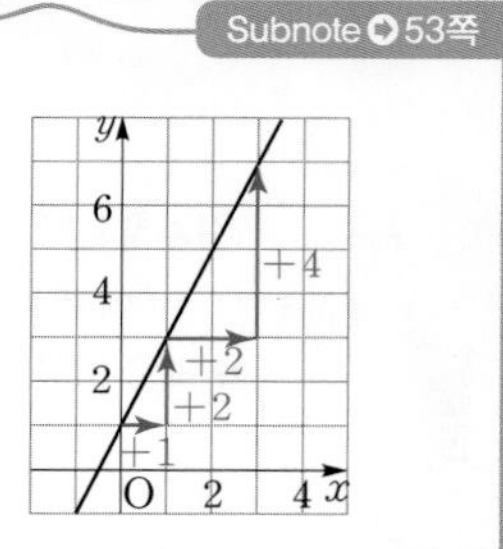

다음 일차함수의 그래프에서 □ 안에 알맞은 수를 써 넣고, 그래프의 기울기를 구하여라.

1002

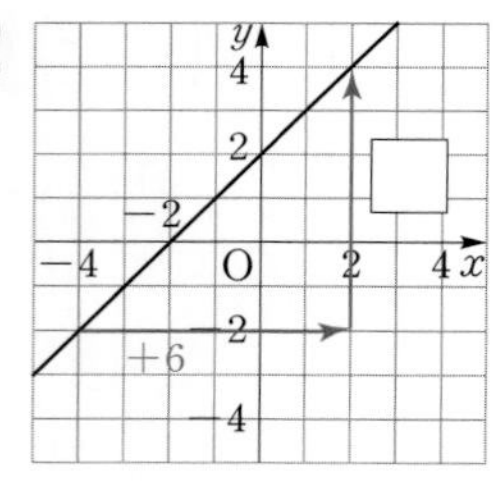

key $(\text{기울기})=\frac{(y\text{의 값의 증가량})}{(x\text{의 값의 증가량})}$

1003

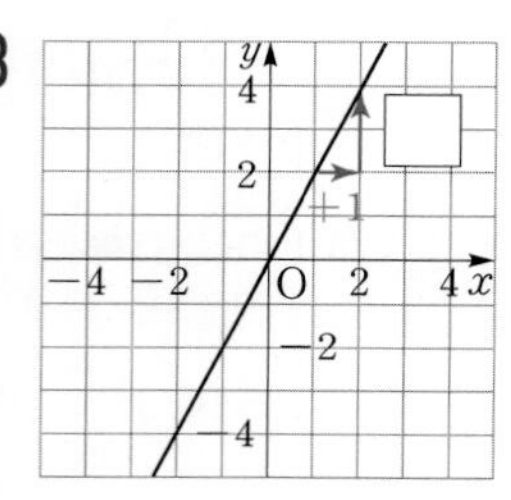

1004

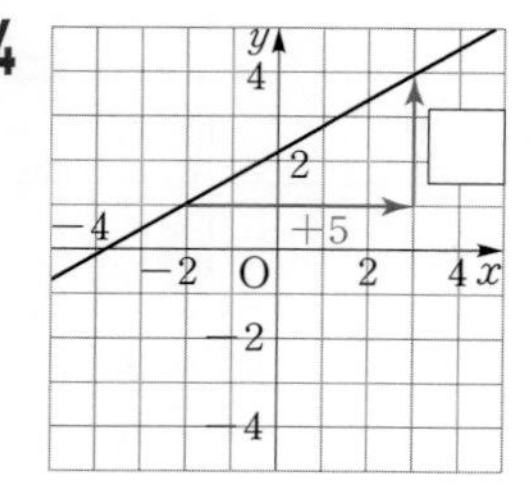

1005

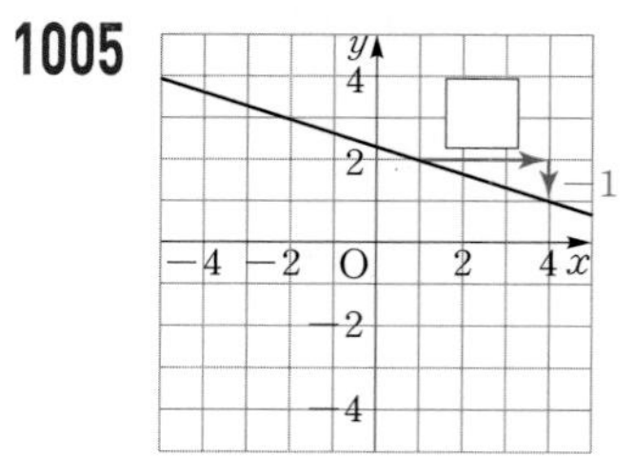

1006

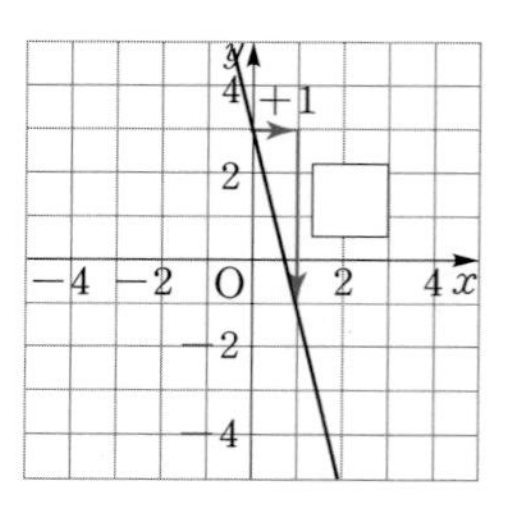

1007

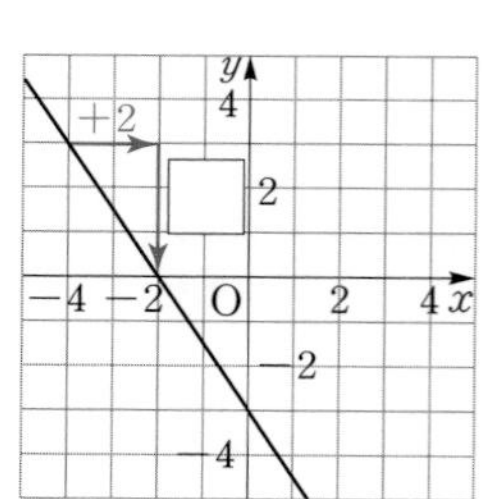

날짜 : 월 일

Subnote 53쪽

x의 값의 증가량과
y의 값의 증가량으로
기울기를 구해 보자.

일차함수 $y=ax+b(a\neq0)$의 그래프에서

$$(\text{기울기})=\frac{(y\text{의 값의 증가량})}{(x\text{의 값의 증가량})}=a$$

$y=ax+b$ ← 기울기 (a)

다음을 만족하는 일차함수를 보기에서 골라라.

보기

ㄱ. $y=-x+2$　　ㄴ. $y=-2x-3$
ㄷ. $y=-3x+1$　　ㄹ. $y=x-1$
ㅁ. $y=2x+3$　　ㅂ. $y=5x-2$

1008 x의 값이 2만큼 증가할 때, y의 값이 10만큼 증가하는 일차함수

sol $(\text{기울기})=\frac{(y\text{의 값의 증가량})}{(x\text{의 값의 증가량})}=\frac{10}{2}=\square$

즉, 기울기가 □인 일차함수는 □이다.

1009 x의 값이 3만큼 증가할 때, y의 값이 9만큼 감소하는 일차함수 ________

key y의 값이 9만큼 감소하면 y의 값의 증가량은 -9이다.

1010 x의 값이 1만큼 증가할 때, y의 값이 2만큼 증가하는 일차함수 ________

1011 x의 값이 4만큼 증가할 때, y의 값이 4만큼 감소하는 일차함수 ________

일차함수의 그래프의 기울기를 이용하여 다음을 구하여라.

1012 일차함수 $y=x+6$의 그래프에서 x의 값의 증가량이 3일 때, y의 값의 증가량

sol $y=x+6$의 그래프의 기울기가 1이므로

$\frac{(y\text{의 값의 증가량})}{3}=1$

$\therefore$ (y의 값의 증가량)$=\square$

1013 일차함수 $y=-2x-3$의 그래프에서 x의 값의 증가량이 4일 때, y의 값의 증가량 ________

1014 일차함수 $y=-x-6$의 그래프에서 y의 값이 3에서 5까지 증가할 때, x의 값의 증가량

sol $y=-x-6$의 그래프의 기울기가 -1이므로

$\frac{5-3}{(x\text{의 값의 증가량})}=-1$

$\therefore$ (x의 값의 증가량)$=\square$

1015 일차함수 $y=\frac{2}{5}x+3$의 그래프에서 y의 값이 -1에서 5까지 증가할 때, x의 값의 증가량 ________

핵심 18 두 점을 이용하여 기울기 구하기

날짜 :  월  일

Subnote 53쪽

그래프가 지나는 두 점의 좌표를 알면 기울기를 구할 수 있어.

두 점 (x_1, y_1), (x_2, y_2)를 지나는 일차함수의 그래프의 기울기는

$$\frac{(y\text{의 값의 증가량})}{(x\text{의 값의 증가량})}=\frac{y_2-y_1}{x_2-x_1}=\frac{y_1-y_2}{x_1-x_2}$$

주의 두 점을 지나는 일차함수의 그래프의 기울기를 구할 때 $\frac{y_1-y_2}{x_2-x_1}$와 같이 순서를 바꾸어 계산하지 않도록 주의한다.

다음 두 점을 지나는 일차함수의 그래프의 기울기를 구하여라.

1016 $(4, 5), (7, 2)$

sol (기울기)$=\frac{(y\text{의 값의 증가량})}{(x\text{의 값의 증가량})}=\frac{2-5}{7-4}=\frac{-3}{3}=$□

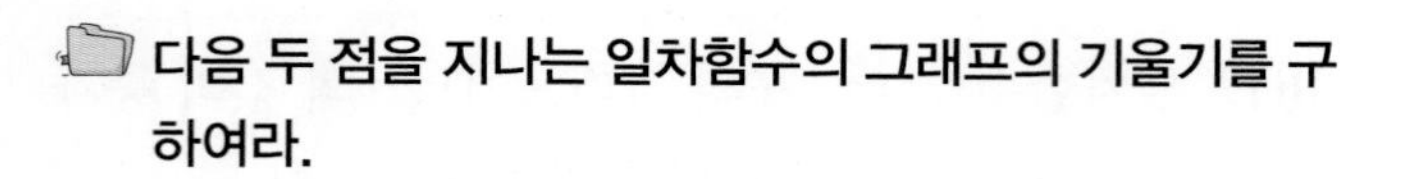

(기울기)$=\frac{5-2}{4-7}=\frac{3}{-3}=-1$로 구해도 결과는 같아.

1017 $(3, -1), (9, 11)$ ______

1018 $(5, 8), (0, -2)$ ______

1019 $(-7, 1), (1, 9)$ ______

1020 $(-5, 5), (2, -2)$ ______

1021 $(2, 7), (9, 1)$ ______

1022 $(4, 12), (3, 8)$ ______

1023 $(6, -5), (1, 0)$ ______

1024 $(9, 8), (-7, 6)$ ______

1025 학교 시험 맛보기 

두 점 $(-12, k)$, $(-3, 1)$을 지나는 일차함수의 그래프의 기울기가 $-\frac{1}{3}$일 때, k의 값을 구하여라.

______

핵심 **19**

기울기와 y절편을 이용하여 일차함수의 그래프 그리기 (1)

날짜 : 월 일

Subnote 54쪽

이 방법 역시 그래프가 y축과 만나는 점과 또 다른 한 점을 찾아서 두 점을 직선으로 연결해서 그래프를 그리는 거야.

기울기와 y절편을 이용하여 일차함수의 그래프를 그리는 방법은 다음과 같다.

❶ 좌표평면 위에 점 (0, y절편)을 나타낸다.

❷ 기울기를 이용하여 그래프가 지나는 다른 한 점을 찾아 좌표평면 위에 나타낸다.

❸ 두 점을 직선으로 연결한다.

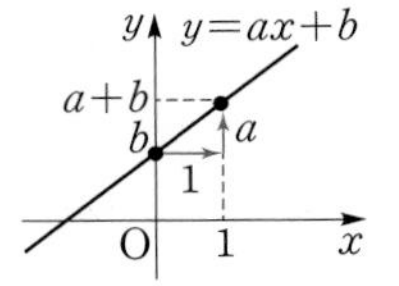

기울기와 y절편이 각각 다음과 같은 일차함수의 그래프가 지나는 두 점을 구하고, 이를 이용하여 그래프를 그려라.

1026 기울기 : 2, y절편 : -3

sol ❶ y절편이 -3이므로 그래프는 점 (0, ☐)을 지난다.
❷ 기울기가 2이므로 점 (0, ☐)에서 x축의 방향으로 1만큼 증가할 때, y축의 방향으로 2만큼 증가하므로 점 (☐, ☐)을 지난다.
❸ 두 점 (0, ☐), (☐, ☐)을 직선으로 연결한다.

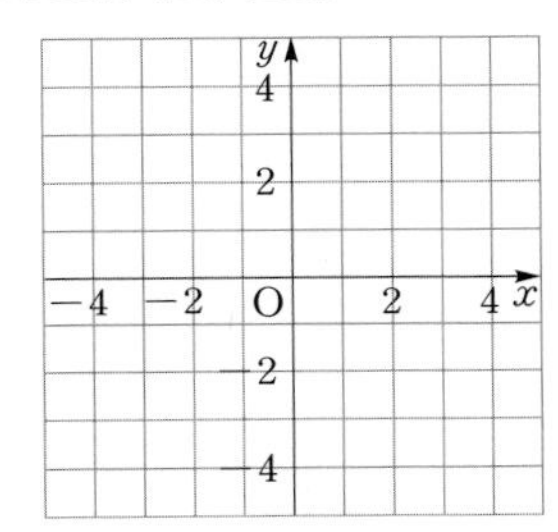

1027 기울기 : 3, y절편 : 1

➡ 지나는 두 점은
점 (0, ☐)
x의 값이 1만큼 증가
y의 값이 ☐만큼 증가
점 (☐, ☐)

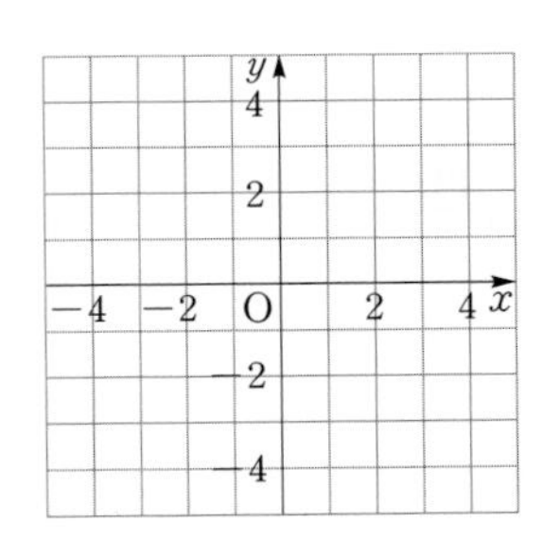

1028 기울기 : -1
y절편 : 3

➡ 지나는 두 점은
점 (0, ☐)
x의 값이 1만큼 증가
y의 값이 1만큼 감소
점 (☐, ☐)

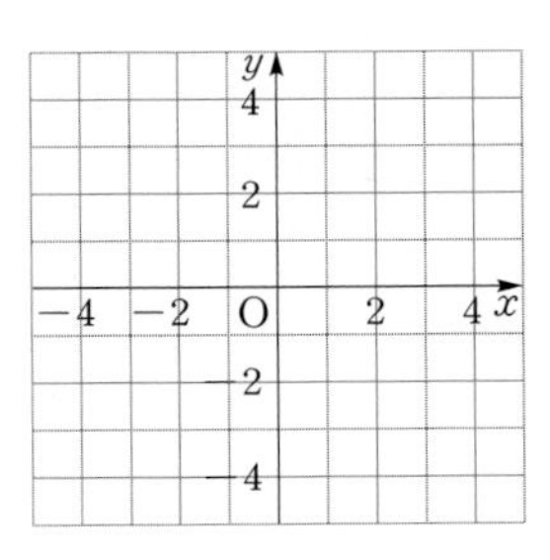

1029 기울기 : $\frac{1}{2}$
y절편 : -2

➡ 지나는 두 점은
점 (0, ☐)
x의 값이 2만큼 증가
y의 값이 1만큼 증가
점 (☐, ☐)

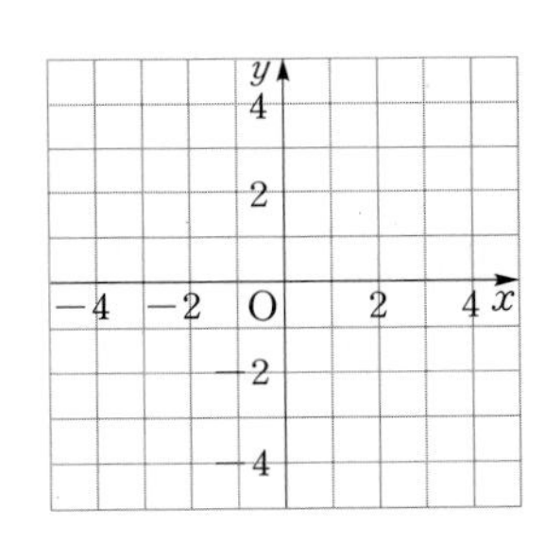

1030 기울기 : $-\frac{2}{3}$
y절편 : 4

➡ 지나는 두 점은
점 (0, ☐)
x의 값이 3만큼 증가
y의 값이 2만큼 감소
점 (☐, ☐)

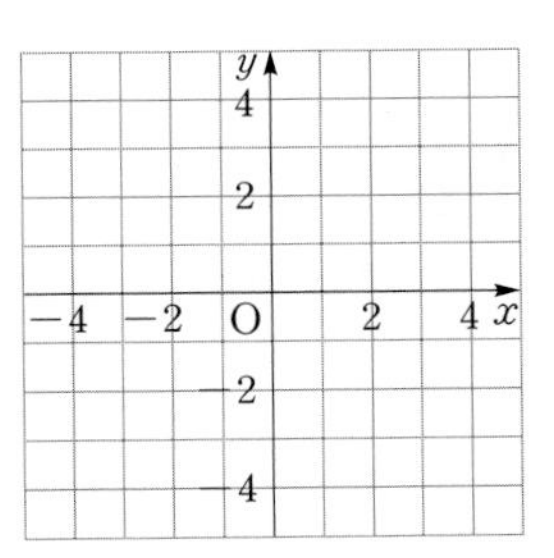

핵심 20

기울기와 y절편을 이용하여 일차함수의 그래프 그리기 (2)

날짜 : 월 일

Subnote 54쪽

$y = ax + b$ (기울기: a, y절편: b)

기울기와 y절편을 이용하여 일차함수의 그래프를 그리는 방법은 다음과 같다.

❶ 기울기, y절편을 각각 구한다.

❷ 좌표평면 위에 점 $(0, y$절편$)$을 나타낸다.

❸ 기울기를 이용하여 그래프가 지나는 다른 한 점을 찾아 좌표평면 위에 나타낸다.

❹ 두 점을 직선으로 연결한다.

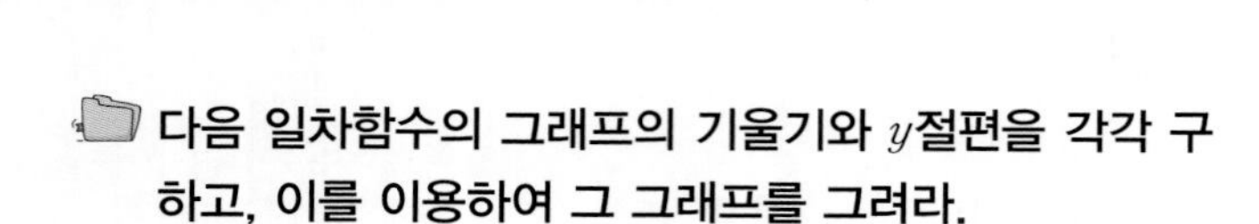

다음 일차함수의 그래프의 기울기와 y절편을 각각 구하고, 이를 이용하여 그 그래프를 그려라.

1031 $y=x+3$

➡ 기울기 : □

y절편 : □

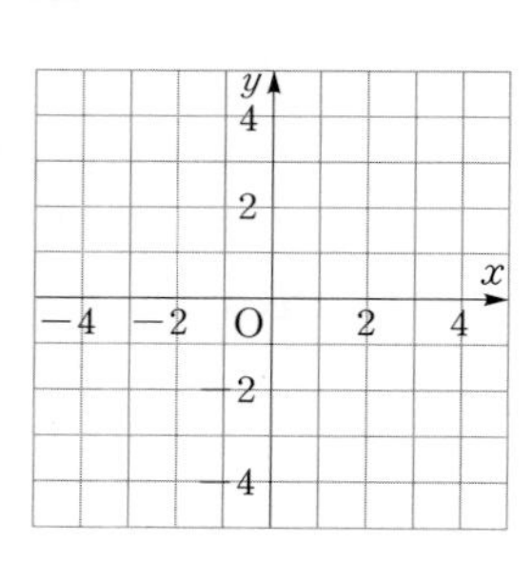

1032 $y=2x-4$

➡ 기울기 : □

y절편 : □

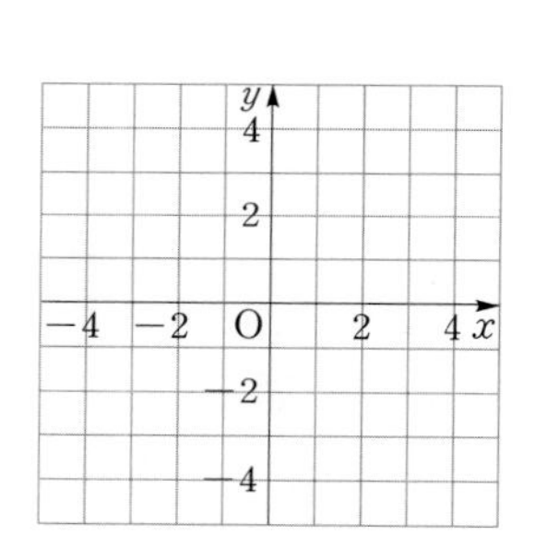

1033 $y=-2x-1$

➡ 기울기 : □

y절편 : □

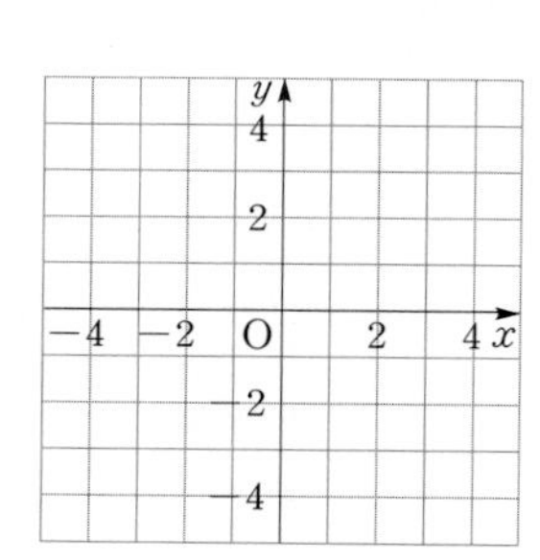

1034 $y=\frac{3}{4}x+1$

➡ 기울기 : □

y절편 : □

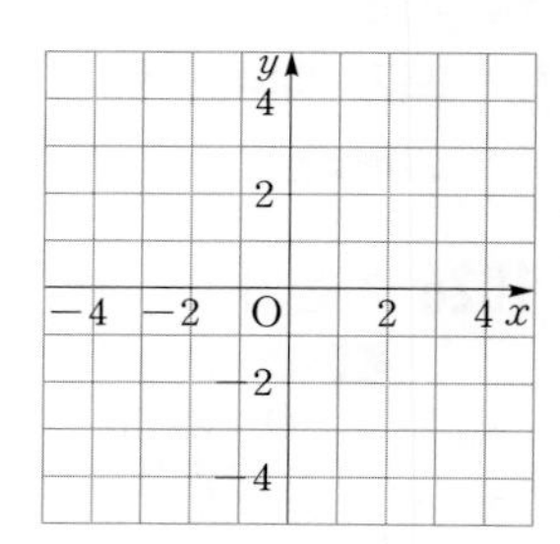

1035 $y=\frac{5}{2}x-2$

➡ 기울기 : □

y절편 : □

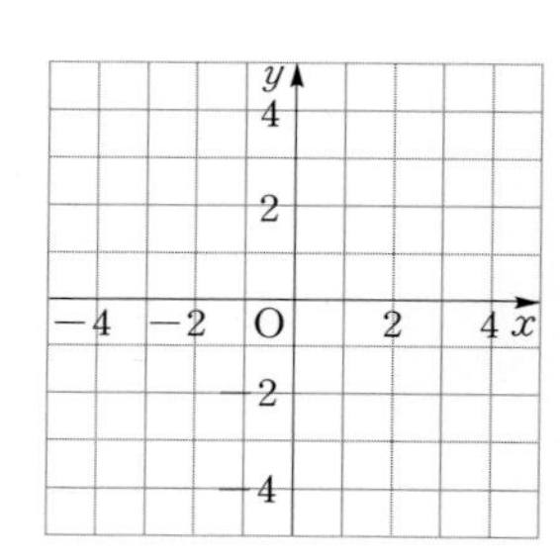

1036 $y=-\frac{2}{3}x+2$

➡ 기울기 : □

y절편 : □

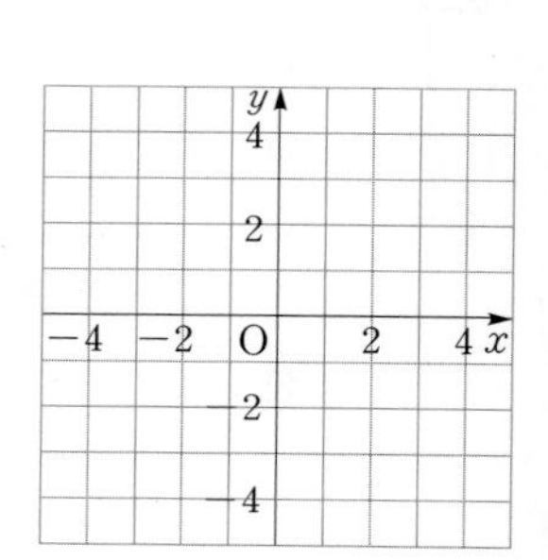

Mini Review Test

날짜 : 월 일

Subnote ➡ 55쪽

핵심 11

1037 일차함수 $y=\frac{2}{3}x-2$의 그래프가 오른쪽 그림과 같을 때, $m+n$의 값을 구하여라.

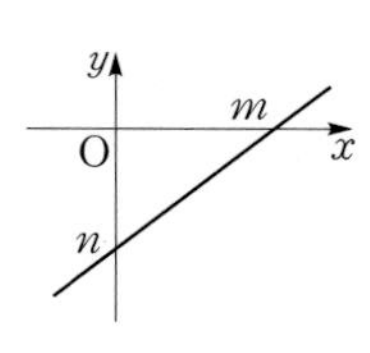

핵심 12 서술형

1038 일차함수 $y=-4x+a$의 그래프의 x절편이 3일 때, y절편을 구하여라. (단, a는 상수)

핵심 14

1039 일차함수 $y=\frac{5}{2}x+5$의 그래프를 x절편과 y절편을 이용하여 바르게 그린 것은?

①
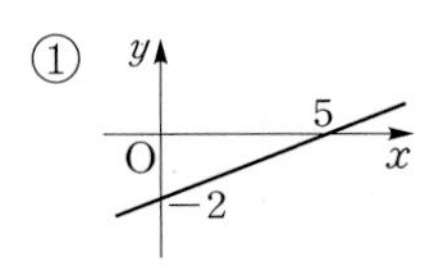

②
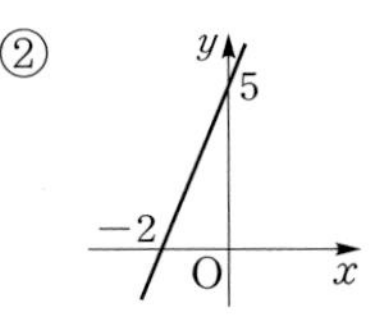

③
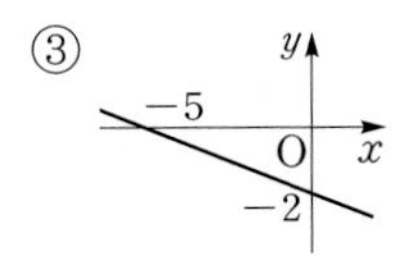

④
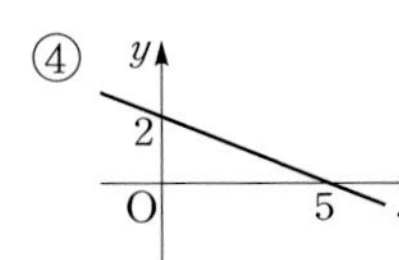

⑤
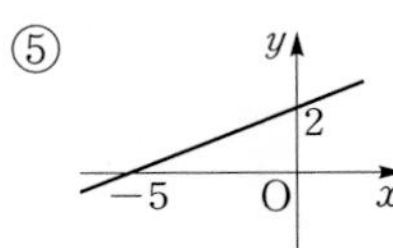

핵심 17

1040 일차함수 $y=-2x+1$의 그래프에서 x의 값이 5에서 k까지 증가할 때, y의 값은 -11에서 3까지 증가한다. 이때 k의 값을 구하여라.

핵심 18

1041 오른쪽 그림과 같은 일차함수의 그래프의 기울기를 구하여라.

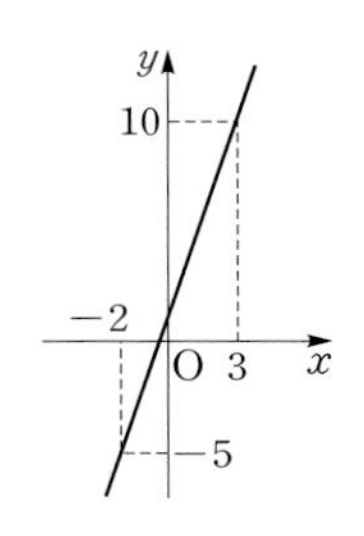

핵심 18

1042 x절편이 -4, y절편이 k인 일차함수의 그래프의 기울기가 -1일 때, k의 값을 구하여라.

핵심 17

1043 일차함수 $y=3x-6$의 그래프의 기울기를 a, x절편을 b, y절편을 c라고 할 때, $a+b+c$의 값을 구하여라.

Review

Talk Talk

YOU♡
PM 3:11
x의 값이 정해짐에 따라 y의 값이 오직 하나씩 정해지는 관계?
y는 x의 (❶)라고 해.
일차함수란?
$y=x$에 대한 (❷)
즉, $y=ax+b$ 꼴로 나타내어지는 함수
$f(x)=2x$에서 $f(3)$의 값은?
x 대신 (❸)을 대입한 값이야.
➡ $f(3)=2\times3=6$
일차함수의 그래프에서 x절편과 y절편이란?
x절편: 그래프가 (❹)축과 만나는 점의 x좌표
y절편: 그래프가 (❺)축과 만나는 점의 y좌표
일차함수의 그래프에서 기울기란?
(기울기)$=\frac{(❼ \quad)\text{의 값의 증가량}}{(❻ \quad)\text{의 값의 증가량}}$
❶ 함수 ❷ 일차식 ❸ 3 ❹ x ❺ y ❻ x ❼ y

9 일차함수의 그래프의 성질과 식

스스로 공부 계획 세우기

	학습 내용	공부한 날짜	반복하기
9. 일차함수의 그래프의 성질과 식	01. 일차함수의 그래프의 성질	월 일	□□
	02. 일차함수의 그래프와 계수의 부호 (1)	월 일	□□
	03. 일차함수의 그래프와 계수의 부호 (2)	월 일	□□
	04. 일차함수의 그래프의 평행, 일치 (1)	월 일	□□
	05. 일차함수의 그래프의 평행, 일치 (2)	월 일	□□
	Mini Review Test(01~05)	월 일	□□
	06. 기울기와 y절편이 주어질 때, 일차함수의 식 구하기 (1)	월 일	□□
	07. 기울기와 y절편이 주어질 때, 일차함수의 식 구하기 (2)	월 일	□□
	08. 기울기와 한 점이 주어질 때, 일차함수의 식 구하기 (1)	월 일	□□
	09. 기울기와 한 점이 주어질 때, 일차함수의 식 구하기 (2)	월 일	□□
	10. 서로 다른 두 점이 주어질 때, 일차함수의 식 구하기 (1)	월 일	□□
	11. 서로 다른 두 점이 주어질 때, 일차함수의 식 구하기 (2)	월 일	□□
	12. x절편, y절편이 주어질 때, 일차함수의 식 구하기	월 일	□□
	13. 일차함수의 활용 (1)	월 일	□□
	14. 일차함수의 활용 (2)	월 일	□□
	Mini Review Test(06~14)	월 일	□□

9 일차함수의 그래프의 성질과 식

1 일차함수의 그래프의 성질 핵심 01 ~ 03

일차함수 $y=ax+b$의 그래프에서

(1) a의 부호 : 그래프의 모양 결정

① $a>0$일 때 x의 값이 증가하면 y의 값도 증가한다. ➡ 오른쪽 위로 향하는 직선

② $a<0$일 때 x의 값이 증가하면 y의 값은 감소한다. ➡ 오른쪽 아래로 향하는 직선

(2) b의 부호 : 그래프가 y축과 만나는 부분 결정

① $b>0$일 때 y축과 양의 부분에서 만난다.

② $b<0$일 때 y축과 음의 부분에서 만난다.

2 일차함수의 그래프의 평행과 일치 핵심 04 05

(1) 기울기가 같은 두 일차함수의 그래프는 평행하거나 일치한다.

① 기울기가 같고 y절편이 다른 두 그래프는 서로 평행하다.

② 기울기가 같고 y절편도 같은 두 그래프는 일치한다.

(2) 평행한 두 일차함수의 그래프의 기울기는 같다.

3 일차함수의 식 구하기 핵심 06 ~ 12

(1) 기울기가 a이고, y절편이 b인 직선을 그래프로 하는 일차함수의 식 ➡ $y=ax+b$

(2) 기울기가 a이고, 점 (x_1, y_1)을 지나는 직선을 그래프로 하는 일차함수의 식 구하기

❶ 일차함수의 식을 $y=ax+b$로 놓는다.

❷ $y=ax+b$에 $x=x_1$, $y=y_1$을 대입하여 b의 값을 구한다.

(3) 두 점 (x_1, y_1), (x_2, y_2)를 지나는 직선을 그래프로 하는 일차함수의 식 구하기

❶ 두 점을 지나는 직선의 기울기 a의 값을 구한다. ➡ $a=\frac{y_2-y_1}{x_2-x_1}$ (단, $x_1 \neq x_2$)

❷ $y=ax+b$에 한 점의 좌표를 대입하여 b의 값을 구한다.

(4) x절편이 m, y절편이 n인 직선을 그래프로 하는 일차함수의 식 구하기

❶ 두 점 $(m, 0)$, $(0, n)$을 지나는 직선의 기울기를 구한다. ➡ (기울기)$=\frac{n-0}{0-m}=-\frac{n}{m}$

❷ y절편은 n이므로 구하는 일차함수의 식은 $y=-\frac{n}{m}x+n$

4 일차함수의 활용 핵심 13 14

일차함수의 활용 문제는 다음과 같은 순서로 푼다.

❶ 문제의 뜻을 파악하고, 변수 x, y를 정한다.

❷ x, y 사이의 관계식을 세운다.

❸ 함숫값이나 그래프를 이용하여 주어진 조건에 맞는 값을 구한다.

❹ 구한 해가 문제의 뜻에 맞는지 확인한다.

개념 NOTE

일차함수 $y=ax+b$의 그래프에서 $|a|$의 값이 클수록 그래프는 y축에 가깝고 $|a|$의 값이 작을수록 그래프는 x축에 가깝다.

평행

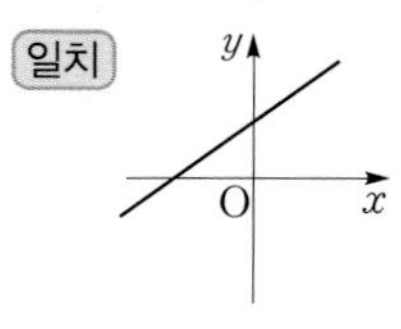

일치

$y=ax+b$ (기울기: a, y절편: b)

서로 다른 두 점을 지나는 직선은 오직 하나뿐이다.

일차함수의 그래프의 성질

날짜 : 월 일

Subnote 55쪽

$y=ax+b$에서
a는 기울기!
b는 y절편!

일차함수 $y=ax+b$의 그래프에서

(1) a의 부호 : 그래프의 모양 결정
① $a>0$일 때 x의 값이 증가하면 y의 값도 증가한다.
➡ 오른쪽 위로 향하는 직선
② $a<0$일 때 x의 값이 증가하면 y의 값은 감소한다.
➡ 오른쪽 아래로 향하는 직선

(2) b의 부호 : 그래프가 y축과 만나는 부분 결정
① $b>0$일 때 y축과 양의 부분에서 만난다.
② $b<0$일 때 y축과 음의 부분에서 만난다.

보기의 일차함수에서 그 그래프가 다음을 만족시키는 것을 모두 골라라.

보기

ㄱ. $y=2x-6$　　ㄴ. $y=8x+\frac{1}{2}$
ㄷ. $y=-4x-5$　　ㄹ. $y=-2x-1$
ㅁ. $y=-\frac{1}{3}x+1$　　ㅂ. $y=\frac{3}{2}x+4$

1044 오른쪽 위로 향하는 직선 ________

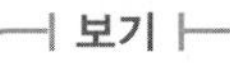

$y=ax+b$에서 a의 부호가 그래프의 방향을 결정한다.

1045 x의 값이 증가할 때, y의 값은 감소하는 직선 ________

1046 y축과 양의 부분에서 만나는 직선 ________

1047 y축과 음의 부분에서 만나는 직선 ________

일차함수 $y=-5x+1$의 그래프에 대하여 □ 안에 알맞은 것을 써넣어라.

1048 x절편은 □이다.

1049 y절편은 □이다.

1050 기울기는 □이다.

1051 오른쪽 □로 향하는 직선이다.

1052 x의 값이 증가하면 y의 값은 □한다.

1053 제 □사분면을 지나지 않는다.

핵심 02 일차함수의 그래프와 계수의 부호 (1)

날짜 :  월  일

Subnote ➔ 56쪽

$y = ax + b$

a: 그래프의 모양 결정

b: y축과 만나는 부분 결정

a, b의 부호에 따른 일차함수 $y=ax+b$의 그래프의 모양은 다음과 같다.

$a>0,\ b>0$	$a>0,\ b<0$	$a<0,\ b>0$	$a<0,\ b<0$
제1, 2, 3사분면을 지난다.	제1, 3, 4사분면을 지난다.	제1, 2, 4사분면을 지난다.	제2, 3, 4사분면을 지난다.

일차함수 $y=ax+b$의 그래프가 다음과 같을 때, 상수 a, b의 부호를 정하여라.

1054

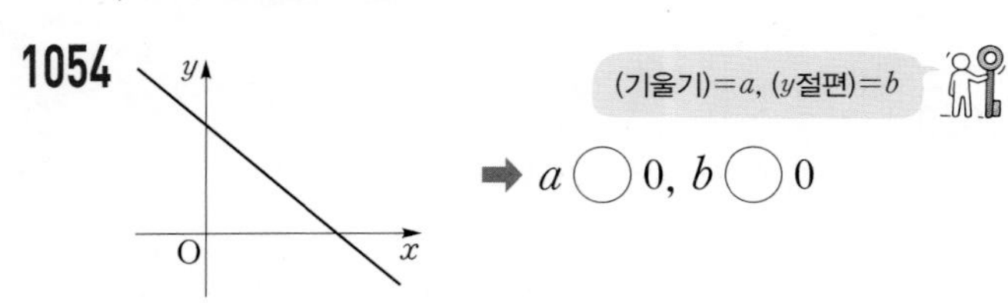

(기울기)$=a$, (y절편)$=b$

➡ a ◯ 0, b ◯ 0

1055

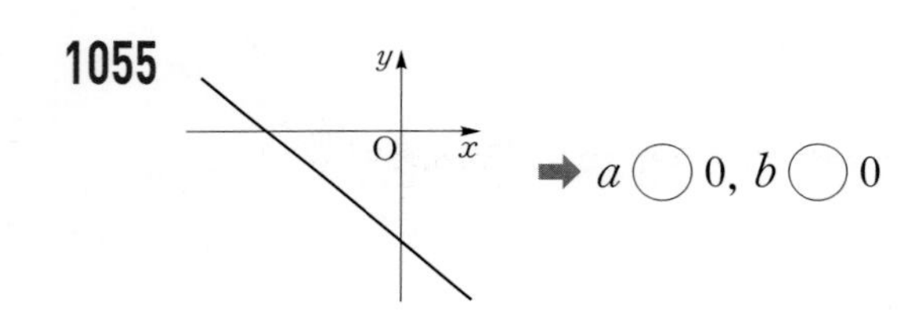

➡ a ◯ 0, b ◯ 0

1056

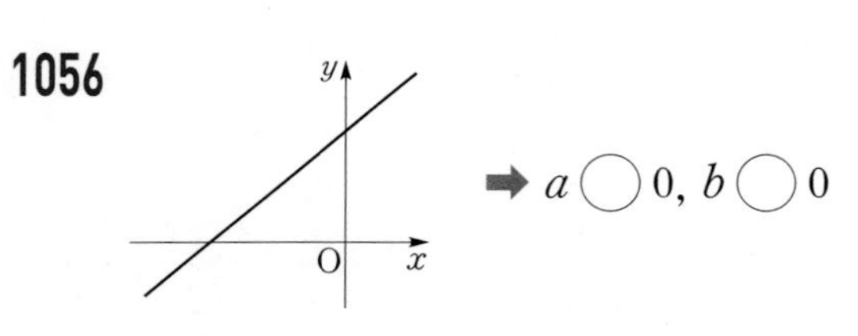

➡ a ◯ 0, b ◯ 0

1057

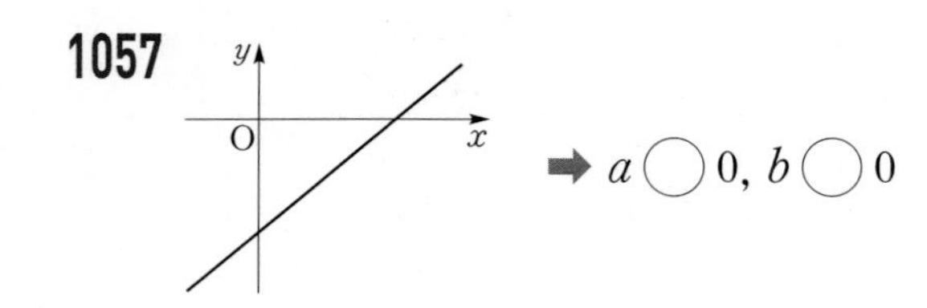

➡ a ◯ 0, b ◯ 0

일차함수 $y=-ax-b$의 그래프가 다음과 같을 때, 상수 a, b의 부호를 정하여라.

1058

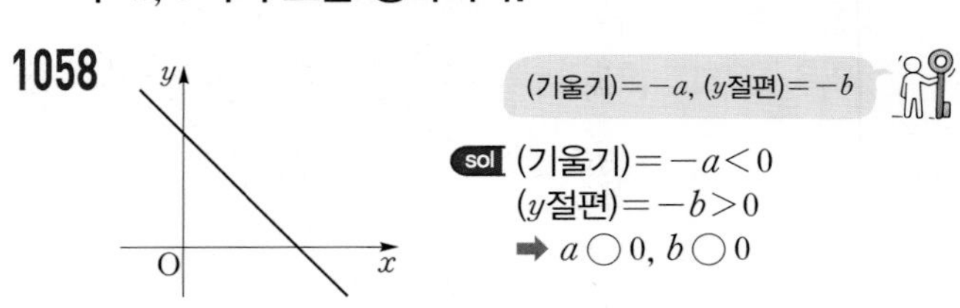

(기울기)$=-a$, (y절편)$=-b$

sol (기울기)$=-a<0$

(y절편)$=-b>0$

➡ a ◯ 0, b ◯ 0

1059

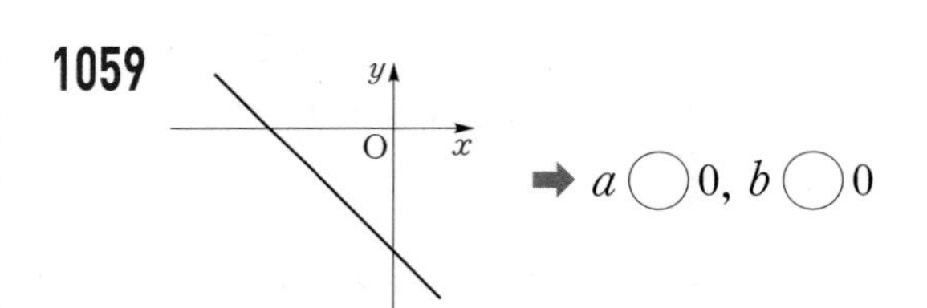

➡ a ◯ 0, b ◯ 0

1060

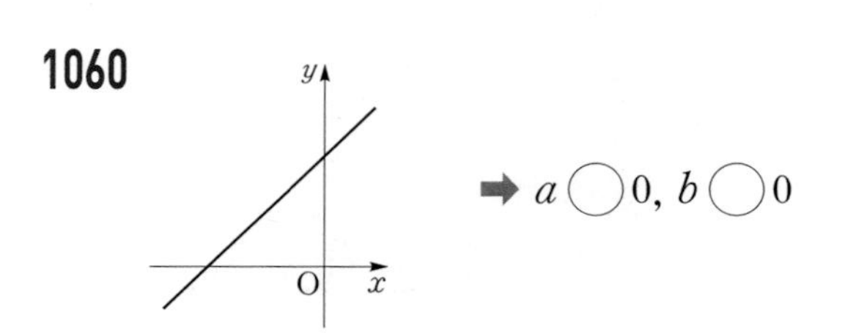

➡ a ◯ 0, b ◯ 0

1061

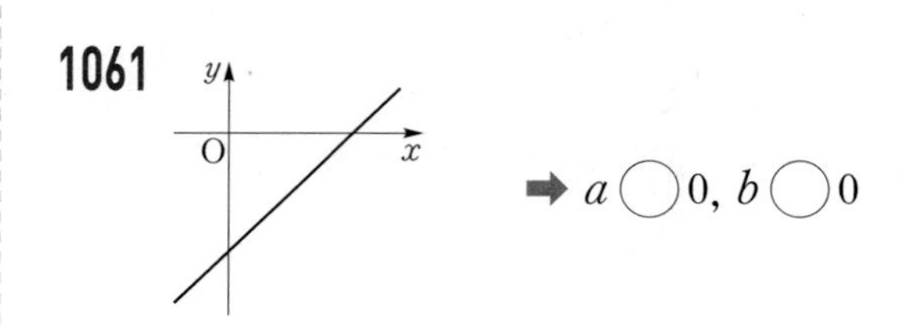

➡ a ◯ 0, b ◯ 0

03 일차함수의 그래프와 계수의 부호 (2)

상수 a, b의 부호가 다음과 같을 때, 일차함수 $y=ax+b$의 그래프의 개형을 그리고, 그래프가 지나는 사분면을 모두 구하여라.

1062 $a>0$, $b<0$

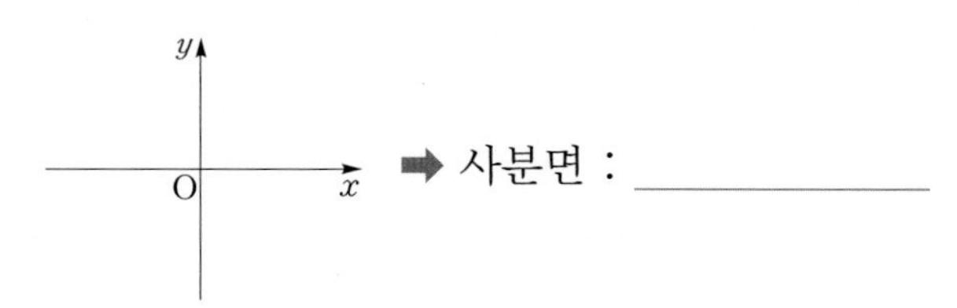

➡ 사분면 :

1063 $a<0$, $b>0$

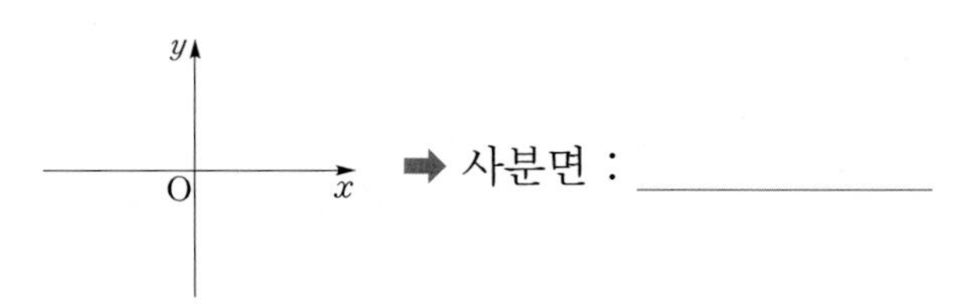

➡ 사분면 :

1064 $a>0$, $b>0$

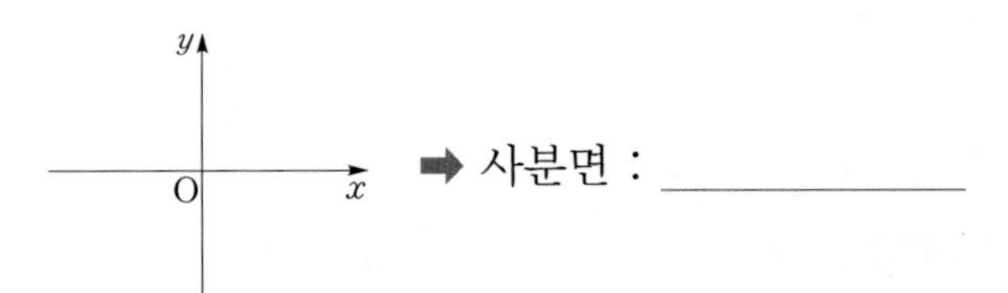

➡ 사분면 :

1065 $a<0$, $b<0$

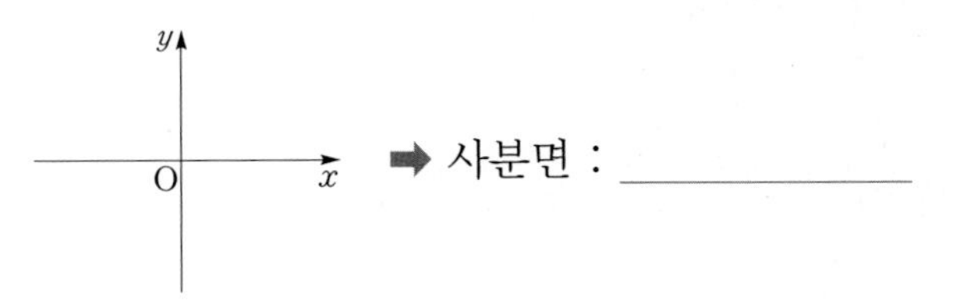

➡ 사분면 :

$a<0$, $b>0$일 때, 다음 일차함수의 그래프의 모양을 그리고, 그래프가 지나는 사분면을 모두 구하여라.

1066 $y=abx+b$

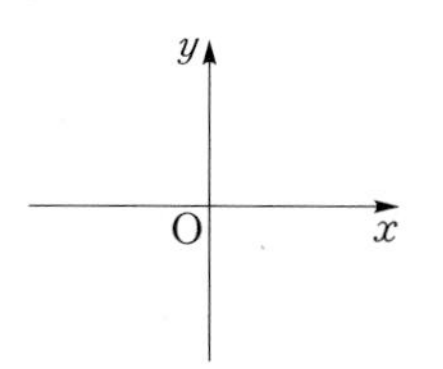

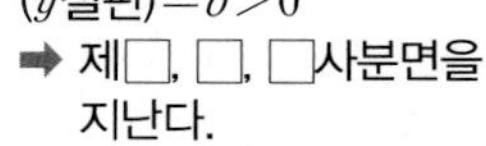

sol (기울기)$=ab<0$
(y절편)$=b>0$
➡ 제□, □, □사분면을 지난다.

1067 $y=ax-b$

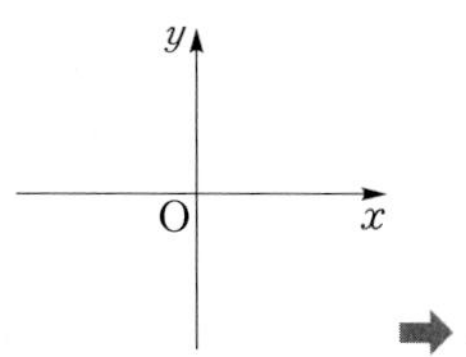

➡ 사분면 :

1068 $y=bx+a$

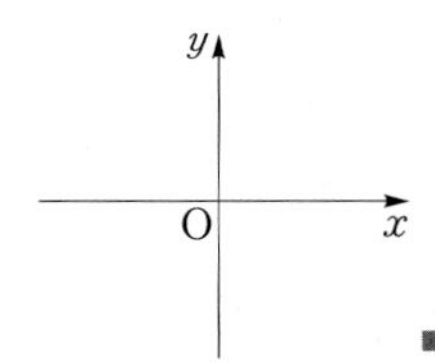

➡ 사분면 :

1069 학교 시험 맛보기 

일차함수 $y=ax+b$의 그래프가 오른쪽 그림과 같을 때, 일차함수 $y=bx-a$의 그래프가 지나는 사분면을 모두 구하여라.

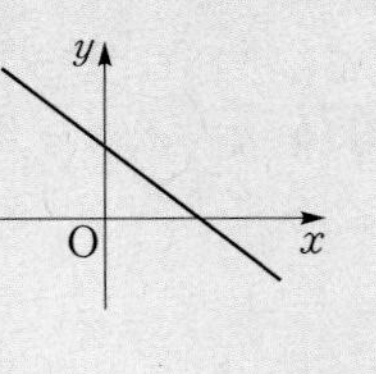

핵심 04 일차함수의 그래프의 평행, 일치 (1)

날짜 : 월 일

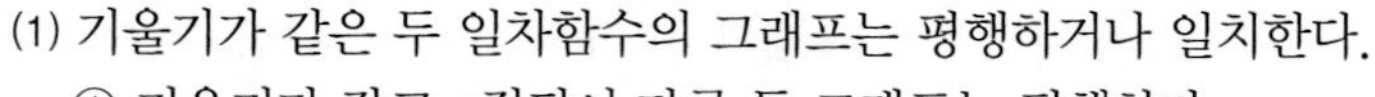

Subnote ➡ 56쪽

두 그래프의 기울기가 같으면 직선의 기울어진 정도가 같으니까 두 그래프가 서로 평행하거나 일치해.

(1) 기울기가 같은 두 일차함수의 그래프는 평행하거나 일치한다.
① 기울기가 같고 y절편이 다른 두 그래프는 평행하다.
② 기울기가 같고 y절편도 같은 두 그래프는 일치한다.

평행 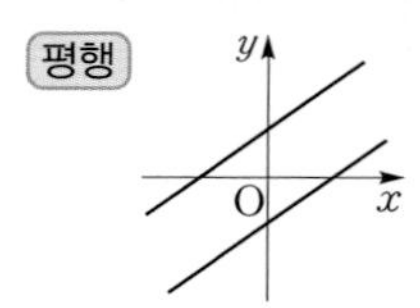

일치 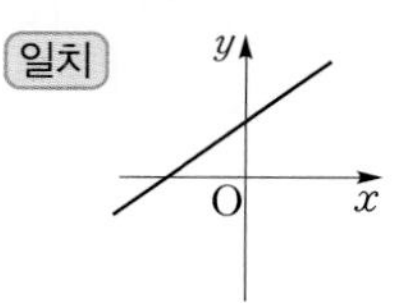

(2) 평행한 두 일차함수의 그래프의 기울기는 같다.

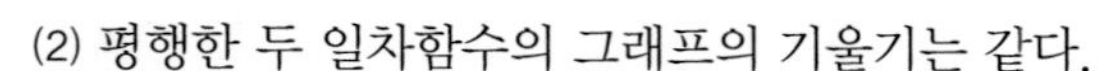

참고 기울기가 다른 두 일차함수의 그래프는 한 점에서 만난다.

다음 두 일차함수의 식을 보고, 두 일차함수의 그래프가 평행한지 일치하는지 말하여라.

1070 $y=3x+1$, $y=3x-3$ ______

1071 $y=-2x-6$, $y=-2x+6$ ______

1072 $y=5x+1$, $y=5x+1$ ______

1073 $y=\frac{2}{3}x+1$, $y=\frac{2}{3}\left(x+\frac{3}{2}\right)$ ______

key 일차함수의 식을 간단히 하여 비교한다.

1074 $y=\frac{1}{2}x-3$, $y=\frac{1}{2}(6+x)$ ______

다음 보기의 일차함수의 그래프에 대하여 다음 물음에 답하여라.

보기

ㄱ. $y=3x-9$ ㄴ. $y=\frac{1}{3}x+3$
ㄷ. $y=4-3x$ ㄹ. $y=3(2-x)$
ㅁ. $y=3(x-3)$ ㅂ. $y=\frac{1}{3}x+1$

1075 서로 평행한 것끼리 짝 지어라. ______

그래프의 기울기는 같고, y절편은 다른 두 일차함수를 찾아봐!

1076 서로 일치하는 것끼리 짝 지어라. ______

1077 오른쪽 그림의 그래프와 평행한 것을 찾아라. ______

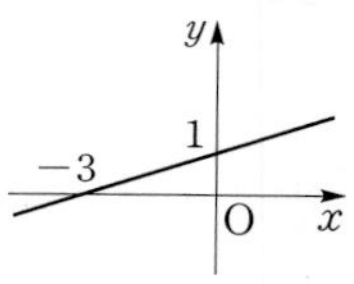

key 주어진 그래프를 보고 기울기를 먼저 구해 본다.

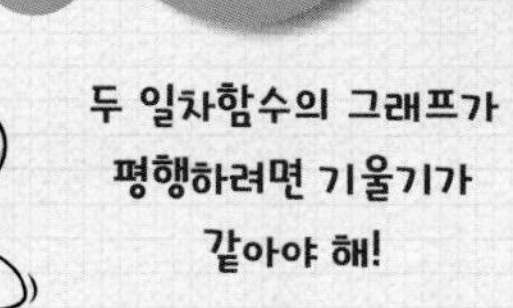

05 일차함수의 그래프의 평행, 일치 (2)

날짜 : 월 일

Subnote ➲ 57쪽

두 일차함수의 그래프가 평행하려면 기울기가 같아야 해!

두 일차함수 $y=ax+b$, $y=cx+d$에 대하여
(1) $a=c$, $b\neq d$ ➡ 두 그래프는 평행하다.
(2) $a=c$, $b=d$ ➡ 두 그래프는 일치한다.

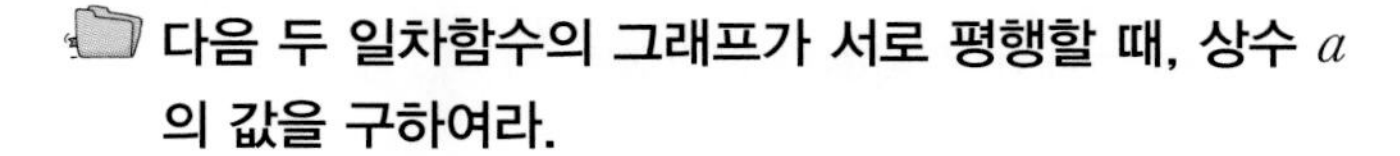

다음 두 일차함수의 그래프가 서로 평행할 때, 상수 a의 값을 구하여라.

1078 $y=-x+3$, $y=ax+1$

sol 두 일차함수 $y=-x+3$, $y=ax+1$의 그래프가 평행하려면 기울기가 같아야 하므로 $a=$□

1079 $y=ax+\frac{1}{5}$, $y=-5x+3$ ______

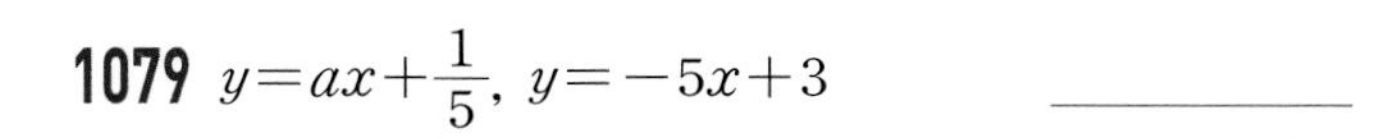

1080 $y=\frac{4}{3}x-2$, $y=ax+2$ ______

1081 $y=ax$, $y=-\frac{6}{5}x-3$ ______

1082 $y=2ax+3$, $y=6x-1$ ______

다음 두 일차함수의 그래프가 서로 일치할 때, 두 상수 a, b의 값을 각각 구하여라.

1083 $y=2x-3$, $y=ax+b$

sol 두 일차함수 $y=2x-3$, $y=ax+b$의 그래프가 일치하려면 기울기와 y절편이 각각 같아야 하므로
$a=$□, $b=$□

1084 $y=ax+b$, $y=-5x+3$ ______

1085 $y=\frac{3}{2}x+b$, $y=ax-\frac{1}{2}$ ______

1086 $y=ax-2$, $y=-8x+b$ ______

1087 $y=\frac{a}{2}x+1$, $y=3x+\frac{b}{2}$ ______

Mini Review Test

날짜 : 월 일

Subnote 57쪽

핵심 01

1088 다음 중 일차함수 $y=\frac{1}{2}x-3$의 그래프에 대한 설명으로 옳은 것을 모두 고르면? (정답 2개)

① x절편은 -3이다.
② 기울기는 $-\frac{1}{2}$이다.
③ 오른쪽 아래로 향하는 직선이다.
④ 점 $(4, -1)$을 지난다.
⑤ x의 값이 증가할 때 y의 값도 증가한다.

핵심 03

1089 $a<0$, $b>0$일 때, 다음 중 일차함수 $y=-ax+b$의 그래프로 알맞은 것은? (단, a, b는 상수)

①
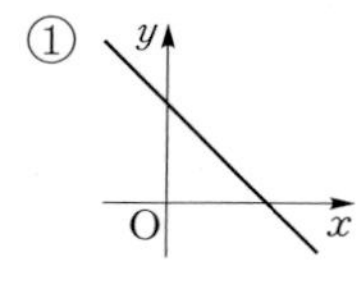

②
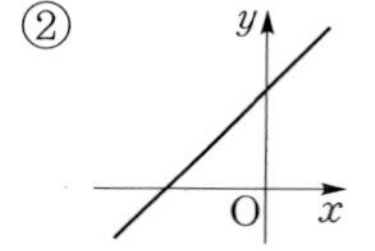

③
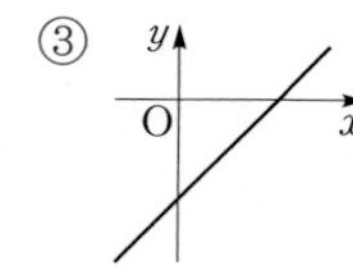

④
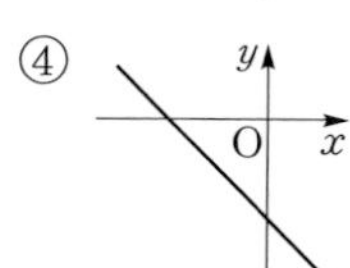

⑤
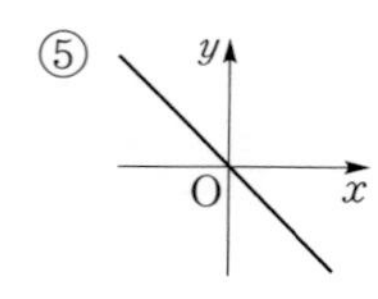

핵심 03

1090 $a>0$, $b<0$일 때, 일차함수 $y=-ax-b$의 그래프가 지나지 않는 사분면을 구하여라. (단, a, b는 상수)

핵심 04

1091 다음 일차함수의 그래프 중 일차함수 $y=-\frac{3}{4}x+3$의 그래프와 평행한 것은?

① $y=-3x+\frac{3}{4}$　② $y=-\frac{4}{3}x+3$
③ $y=-\frac{3}{4}x-1$　④ $y=x-\frac{3}{4}$
⑤ $y=3x-4$

핵심 05 서술형

1092 일차함수 $y=ax+2$의 그래프는 일차함수 $y=\frac{1}{2}x-1$의 그래프와 평행하고 점 $(4, b)$를 지난다. 이때 ab의 값을 구하여라. (단, a는 상수)

핵심 05

1093 두 일차함수 $y=(2a-5)x+4$, $y=(4-a)x-2$의 그래프가 서로 평행할 때, 상수 a의 값을 구하여라.

핵심 05

1094 두 일차함수 $y=\frac{a}{3}x-\frac{5}{2}$, $y=-2x+\frac{b}{4}$의 그래프가 일치할 때, 상수 a, b에 대하여 $a+b$의 값을 구하여라.

06 기울기와 y절편이 주어질 때, 일차함수의 식 구하기(1)

날짜 : 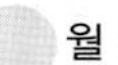 월  일

Subnote ➡ 57쪽

다시 한번 봐 두자!

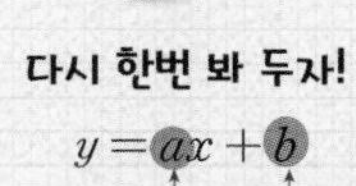

기울기가 a, y절편이 b인 직선을 그래프로 하는 일차함수의 식은
➡ $y=ax+b$

예 기울기가 3, y절편이 -7인 직선을 그래프로 하는 일차함수의 식은
$y=3x-7$

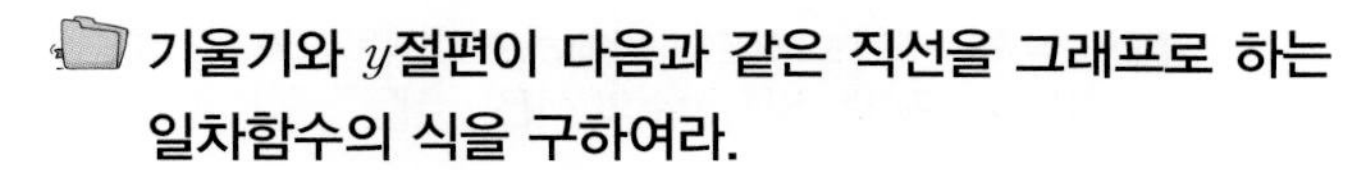

기울기와 y절편이 다음과 같은 직선을 그래프로 하는 일차함수의 식을 구하여라.

1095 기울기가 3이고, y절편이 8인 직선

1096 기울기가 6이고, y절편이 -1인 직선

1097 기울기가 1이고, y절편이 -2인 직선

1098 기울기가 -1이고, y절편이 $\frac{3}{2}$인 직선

1099 기울기가 $\frac{3}{5}$이고, y절편이 $-\frac{2}{5}$인 직선

다음과 같은 직선을 그래프로 하는 일차함수의 식을 구하여라.

1100 기울기가 6이고 점 $(0,\ -2)$를 지나는 직선

점 $(0,\ -2)$를 지나면 y절편이 -2야.

1101 기울기가 -1이고 점 $(0,\ 9)$를 지나는 직선

1102 기울기가 $\frac{7}{3}$이고 점 $(0,\ 1)$을 지나는 직선

1103 기울기가 $-\frac{1}{5}$이고 점 $(0,\ -5)$를 지나는 직선

1104 기울기가 -6이고 점 $\left(0,\ \frac{1}{6}\right)$을 지나는 직선

07 기울기와 y절편이 주어질 때, 일차함수의 식 구하기 (2)

날짜 :  월  일

Subnote ➡ 57쪽

다음과 같은 직선을 그래프로 하는 일차함수의 식을 구하여라.

1105 x의 값이 3만큼 증가할 때 y의 값은 6만큼 증가하고, y절편이 -1인 직선

sol (기울기)$=\dfrac{(y\text{의 값의 증가량})}{(x\text{의 값의 증가량})}=\dfrac{6}{3}=\square$이므로 구하는 일차함수의 식은 $y=$□

1106 x의 값이 2만큼 증가할 때 y의 값은 5만큼 증가하고, y절편이 4인 직선 ________

1107 x의 값이 5만큼 증가할 때 y의 값은 10만큼 감소하고, y절편이 1인 직선 ________

1108 x의 값이 4만큼 증가할 때 y의 값은 2만큼 증가하고, y절편이 $\dfrac{3}{2}$인 직선 ________

1109 x의 값이 8만큼 증가할 때 y의 값은 2만큼 감소하고, y절편이 $-\dfrac{1}{6}$인 직선 ________

1110 x의 값이 12만큼 증가할 때 y의 값은 10만큼 감소하고, y절편이 8인 직선 ________

다음과 같은 직선을 그래프로 하는 일차함수의 식을 구하여라.

1111 일차함수 $y=5x-5$의 그래프와 평행하고, y절편이 -2인 직선

sol $y=5x-5$의 그래프와 평행하므로 기울기가 □이다. 따라서 구하는 일차함수의 식은 $y=$□

1112 일차함수 $y=-3x-4$의 그래프와 평행하고, y절편이 3인 직선 ________

1113 일차함수 $y=\dfrac{2}{5}x-4$의 그래프와 평행하고, y절편이 1인 직선 ________

1114 일차함수 $y=-\dfrac{3}{2}x+\dfrac{1}{2}$의 그래프와 평행하고, y절편이 -5인 직선 ________

1115 학교 시험 맛보기 

오른쪽 그림의 직선과 평행하고, y절편이 -1인 직선을 그래프로 하는 일차함수의 식을 구하여라.

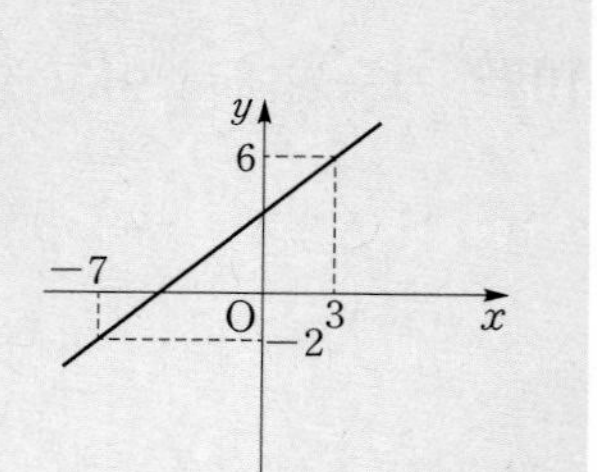

____

08 기울기와 한 점이 주어질 때, 일차함수의 식 구하기 (1)

날짜 : 월 일

Subnote ➡ 58쪽

그래프가 지나는 점의 좌표를 함수의 식에 대입해도 등식이 성립함을 이용하는 방법이야.

기울기가 a이고, 점 (x_1, y_1)을 지나는 직선을 그래프로 하는 일차함수의 식은 다음과 같이 구한다.

❶ 기울기가 a이므로 구하는 일차함수의 식을 $y=ax+b$로 놓는다.

❷ $y=ax+b$에 $x=x_1$, $y=y_1$을 대입하여 b의 값을 구한다.

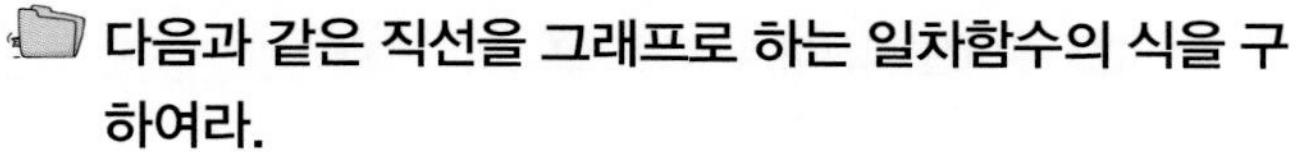

다음과 같은 직선을 그래프로 하는 일차함수의 식을 구하여라.

1116 기울기가 4이고, 점 $(2, 10)$을 지나는 직선

sol ❶ 기울기가 4이므로 $y=4x+b$로 놓는다.
❷ $y=4x+b$에 $x=2$, $y=10$을 대입하면
$10=4\times2+b$ $\therefore b=\square$
➡ 구하는 일차함수의 식은 $y=$ ______

1117 기울기가 2이고, 점 $(4, 5)$를 지나는 직선

______

1118 기울기가 -3이고, 점 $(2, -1)$을 지나는 직선

______

1119 기울기가 $-\frac{5}{2}$이고, 점 $\left(\frac{4}{5}, -1\right)$을 지나는 직선

______

1120 기울기가 $\frac{4}{3}$이고, x절편이 -6인 직선

______

다음과 같은 직선을 그래프로 하는 일차함수의 식을 구하여라.

1121 x의 값이 3만큼 증가할 때 y의 값은 9만큼 증가하고, 점 $(2, 7)$을 지나는 직선

sol ❶ 기울기가 $\frac{9}{3}=3$이므로 $y=3x+b$로 놓는다.
❷ $x=2$, $y=7$을 대입하면 $7=3\times2+b$ $\therefore b=\square$
➡ 구하는 일차함수의 식은 $y=$ ______

1122 x의 값이 6만큼 증가할 때 y의 값은 8만큼 증가하고, x절편이 -3인 직선

______

key 기울기를 먼저 구한다.

1123 x의 값이 3만큼 증가할 때 y의 값은 15만큼 감소하고, 점 $(-2, 12)$를 지나는 직선

______

1124 x의 값이 8만큼 증가할 때 y의 값은 12만큼 감소하고, 점 $\left(\frac{4}{3}, -\frac{4}{3}\right)$를 지나는 직선

______

기울기와 한 점이 주어질 때, 일차함수의 식 구하기 (2)

날짜 : 월 일

Subnote 59쪽

다음과 같은 직선을 그래프로 하는 일차함수의 식을 구하여라.

1125 일차함수 $y=-3x+5$의 그래프와 평행하고, 점 $(3, -5)$를 지나는 직선

sol 기울기가 -3이므로 $y=-3x+b$로 놓고
$x=3$, $y=-5$를 대입하면
$-5=-3\times3+b \quad \therefore b=\square$
따라서 구하는 일차함수의 식은 $y=\square$

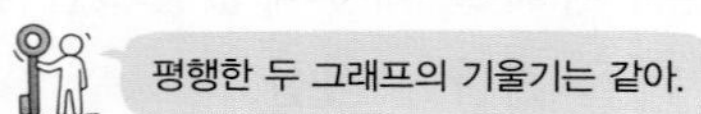

1126 일차함수 $y=2x+9$의 그래프와 평행하고, 점 $(2, 8)$을 지나는 직선 ______

1127 일차함수 $y=-4x+1$의 그래프와 평행하고, 점 $(-1, 6)$을 지나는 직선 ______

1128 일차함수 $y=-\frac{1}{5}x-3$의 그래프와 평행하고, 점 $(10, -3)$을 지나는 직선 ______

1129 일차함수 $y=\frac{4}{3}x-\frac{5}{2}$의 그래프와 평행하고, x절편이 -6인 지나는 직선 ______

다음과 같은 직선을 그래프로 하는 일차함수의 식을 구하여라.

1130 오른쪽 그림의 직선과 평행하고, 점 $(1, 4)$를 지나는 직선

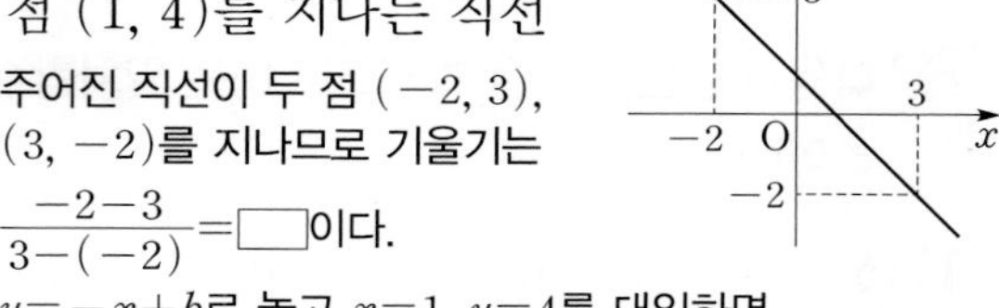

sol 주어진 직선이 두 점 $(-2, 3)$, $(3, -2)$를 지나므로 기울기는
$\frac{-2-3}{3-(-2)}=\square$이다.
$y=-x+b$로 놓고 $x=1$, $y=4$를 대입하면
$4=-1\times1+b \quad \therefore b=\square$
따라서 구하는 일차함수의 식은 $y=\square$

1131 오른쪽 그림의 직선과 평행하고, 점 $(-1, 8)$을 지나는 직선 ______

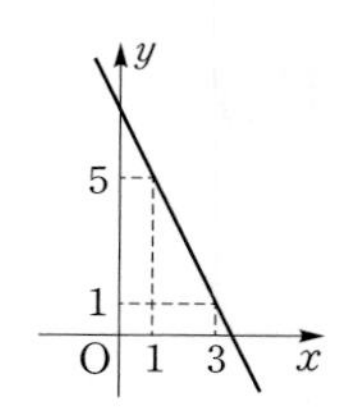

key 주어진 그래프의 기울기를 먼저 구한다.

1132 오른쪽 그림의 직선과 평행하고, 점 $\left(\frac{2}{3}, -\frac{7}{3}\right)$을 지나는 직선 ______

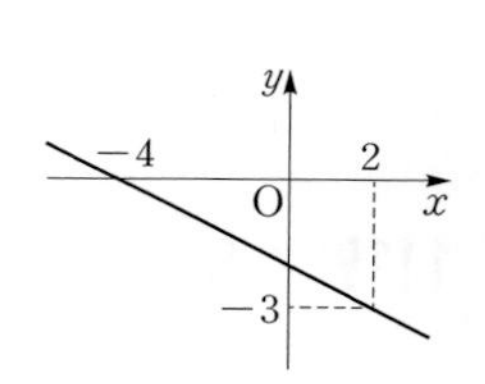

1133 학교 시험 맛보기

두 점 $(2, 2)$, $(-2, -1)$을 지나는 직선과 평행하고 점 $(-4, 2)$를 지나는 직선을 그래프로 하는 일차함수의 식을 구하여라. ______

10 서로 다른 두 점이 주어질 때, 일차함수의 식 구하기 (1)

핵심

날짜 : 월 일

Subnote ➡ 59쪽

두 점의 좌표를 이용해서 그래프의 기울기를 먼저 구하고, 기울기와 한 점을 이용하여 함수의 식을 구해.

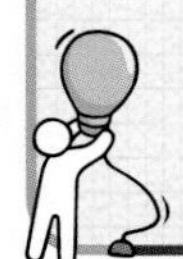

서로 다른 두 점 (x_1, y_1), (x_2, y_2)를 지나는 직선을 그래프로 하는 일차함수의 식은 다음과 같은 순서로 구한다.

❶ 두 점을 지나는 직선의 기울기 a의 값을 구한다.

➡ $a=\frac{y_2-y_1}{x_2-x_1}=\frac{y_1-y_2}{x_1-x_2}$ (단, $x_1 \neq x_2$)

❷ 일차함수의 식을 $y=ax+b$로 놓는다.

❸ $y=ax+b$에 한 점의 좌표를 대입하여 b의 값을 구한다.

참고 위의 방법 이외에 다른 방법으로도 구할 수 있다.

❶ 두 점의 좌표를 각각 $y=ax+b$에 대입한다.

❷ ❶의 두 일차방정식을 풀어 a, b의 값을 각각 구한다.

다음 두 점을 지나는 직선의 기울기를 구하고, 이 직선을 그래프로 하는 일차함수의 식을 구하여라.

1134 $(1, 2)$, $(3, 10)$

sol ❶ (기울기)$=\frac{10-2}{3-1}=\square$

❷ $y=4x+b$로 놓고 $x=1$, $y=2$를 대입하면

$2=4\times1+b$ $\therefore b=\square$

따라서 구하는 일차함수의 식은 $y=\square$

기울기를 먼저 구한 후에 주어진 두 점 중에서 계산이 편리한 점의 좌표를 대입해.

1135 $(-12, 1)$, $(-3, 4)$

➡ 기울기 : ______

➡ 일차함수의 식 : ______

1136 $(4, 1)$, $(6, 8)$

➡ 기울기 : ______

➡ 일차함수의 식 : ______

1137 $(4, 3)$, $(-8, -12)$

➡ 기울기 : ______

➡ 일차함수의 식 : ______

1138 $(7, 2)$, $(5, -4)$

➡ 기울기 : ______

➡ 일차함수의 식 : ______

1139 $(-5, -2)$, $(-1, 2)$

➡ 기울기 : ______

➡ 일차함수의 식 : ______

9 일차함수의 그래프의 성질과 식

서로 다른 두 점이 주어질 때, 일차함수의 식 구하기 (2)

날짜 : 월 일

Subnote ➡ 60쪽

일차함수의 그래프가 다음 그림과 같을 때, 그래프가 지나는 두 점을 이용하여 기울기를 구하고, 일차함수의 식을 구하여라.

1140

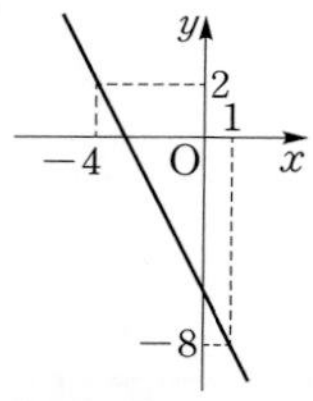

sol ❶ 두 점 $(-4, 2)$, $(1, -8)$을 지나므로

$(\text{기울기})=\frac{-8-2}{1-(-4)}=\frac{-10}{5}=\square$

❷ $y=-2x+b$로 놓고 $x=1$, $y=-8$을 대입하면

$-8=-2\times1+b \quad \therefore b=\square$

따라서 구하는 일차함수의 식은 $y=\square$

1141

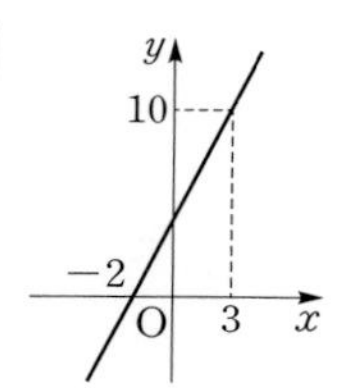

➡ 기울기 : ________

➡ 일차함수의 식 : ________

1142

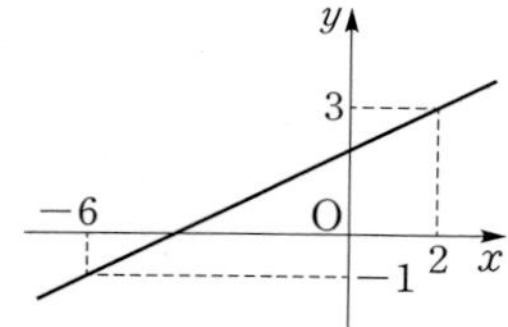

➡ 기울기 : ________

➡ 일차함수의 식 : ________

1143

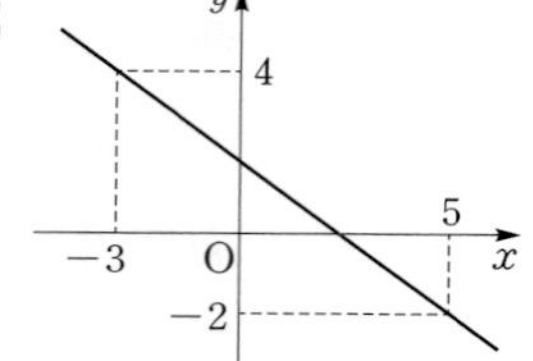

➡ 기울기 : ________

➡ 일차함수의 식 : ________

1144

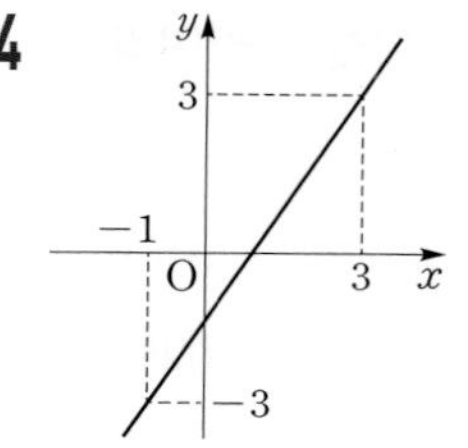

➡ 기울기 : ________

➡ 일차함수의 식 : ________

1145

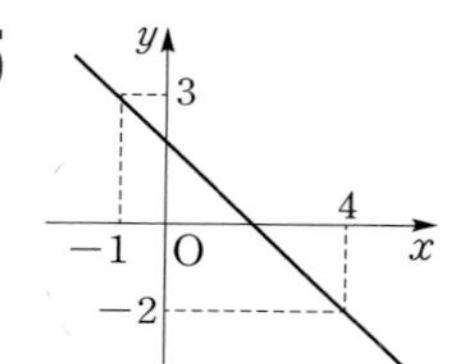

➡ 기울기 : ________

➡ 일차함수의 식 : ________

1146 학교 시험 맛보기

두 점 $(-4, 2)$, $(-1, 5)$를 지나는 직선을 그래프로 하는 일차함수의 식을 $y=ax+b$라고 할 때, 상수 a, b의 값을 각각 구하여라.

____

핵심 12 x절편, y절편이 주어질 때, 일차함수의 식 구하기

날짜 : 월 일

Subnote ➡ 60쪽

x절편, y절편을 알면 그래프가 x축, y축과 만나는 점의 좌표를 알 수 있겠지?!

x절편이 m, y절편이 n인 직선을 그래프로 하는 일차함수의 식은 다음과 같이 구한다.

❶ 두 점 $(m, 0)$, $(0, n)$을 지나는 직선의 기울기를 구한다.

➡ $(\text{기울기})=\dfrac{n-0}{0-m}=-\dfrac{n}{m}$

❷ y절편은 n이므로 구하는 일차함수의 식은 $y=-\dfrac{n}{m}x+n$

x절편과 y절편이 다음과 같은 직선을 그래프로 하는 일차함수의 식을 구하여라.

1147 x절편이 2이고 y절편이 6인 직선

sol 두 점 $(2, 0)$, $(0, 6)$을 지나므로 그래프의 기울기는

$\dfrac{6-0}{0-2}=\square$

따라서 구하는 일차함수의 식은 $y=\square$

x절편이 2, y절편이 6이면 두 점 $(2, 0)$, $(0, 6)$을 지난다는 것을 알 수 있어.

1148 x절편이 -1이고 y절편이 5인 직선

1149 x절편이 1이고 y절편이 -4인 직선

1150 x절편이 $-\dfrac{2}{3}$이고 y절편이 $\dfrac{1}{3}$인 직선

1151 x절편이 -3이고 y절편이 $-\dfrac{3}{8}$인 직선

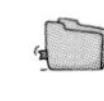

다음과 같은 직선을 그래프로 하는 일차함수의 식을 구하여라.

1152

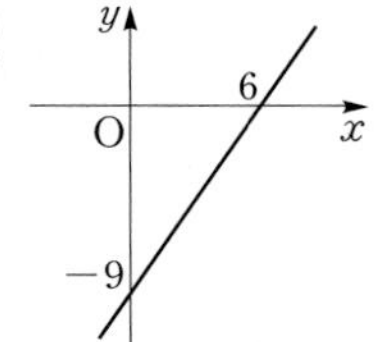

sol 두 점 $(6, 0)$, $(0, -9)$를 지나므로 그래프의 기울기는

$\dfrac{-9-0}{0-6}=\square$

따라서 구하는 일차함수의 식은 $y=\square$

key 일차함수의 그래프가 x축과 만나는 점의 y좌표는 0, y축과 만나는 점의 x좌표는 0이다.

1153

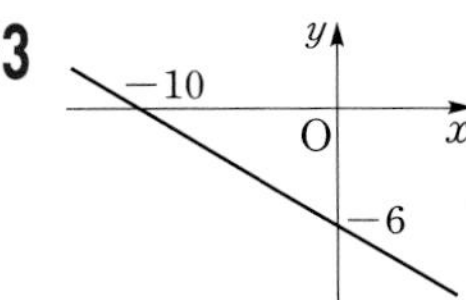

1154

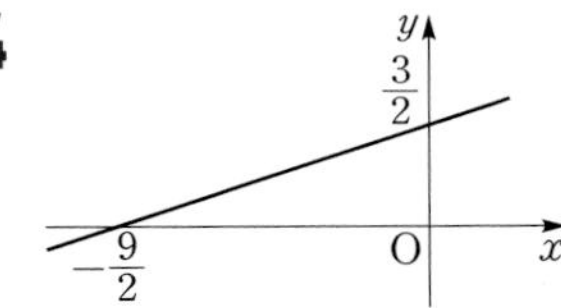

핵심 13 일차함수의 활용 (1)

날짜 : 월 일

Subnote ➡ 61쪽

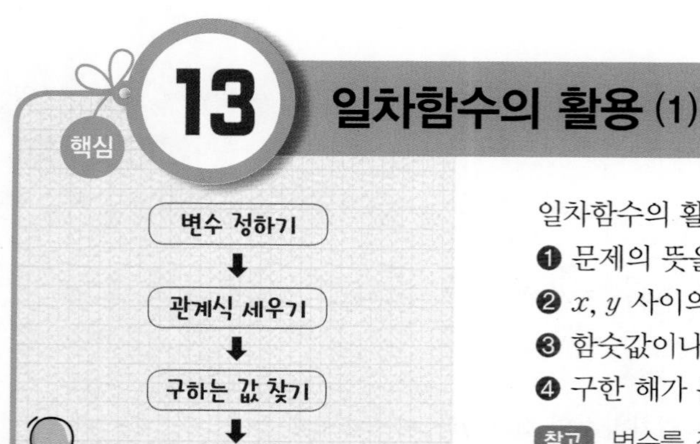

일차함수의 활용 문제는 다음과 같은 순서로 푼다.

❶ 문제의 뜻을 파악하고, 변수 x, y를 정한다.
❷ x, y 사이의 관계식을 세운다.
❸ 함숫값이나 그래프를 이용하여 주어진 조건에 맞는 값을 구한다.
❹ 구한 해가 문제의 뜻에 맞는지 확인한다.

참고 변수를 정할 때, 먼저 변하는 양을 x로, x에 따라 변하는 양을 y로 정하도록 한다.

1155 공기 중에서 소리의 속력은 기온이 0 ℃일 때, 초속 331 m이고, 기온이 1 ℃씩 올라갈 때마다 초속 0.6 m씩 증가한다고 한다. 기온이 x ℃일 때의 소리의 속력을 초속 y m라고 할 때, 다음 물음에 답하여라.

(1) x와 y 사이의 관계식을 구하여라.

sol 기온이 1 ℃씩 올라갈 때마다 초속 0.6 m씩 증가
➡ x ℃ 올라가면 초속 $0.6x$ m 증가
따라서 x와 y 사이의 관계식은 $y=$ ☐

(2) 기온이 20 ℃일 때의 소리의 속력을 구하여라.

(3) 소리의 속력이 초속 355 m일 때의 기온을 구하여라.

1156 주전자에 15 ℃의 물을 담아 끓일 때, 3분마다 물의 온도가 12 ℃씩 올라간다고 한다. x분 후의 물의 온도를 y ℃라고 할 때, 다음 물음에 답하여라.

(1) 1분마다 올라가는 물의 온도를 구하여라.

(2) x와 y 사이의 관계식을 구하여라.

(3) 물을 끓인 지 20분 후의 물의 온도를 구하여라.

1157 길이가 25 cm인 양초에 불을 붙이면 일정한 속력으로 타서 100분 후에 양초가 다 탄다고 한다. x분 후에 남은 양초의 길이를 y cm라고 할 때, 다음 물음에 답하여라.

(1) 1분 동안 타는 양초의 길이를 구하여라.

(2) x와 y 사이의 관계식을 구하여라.

(3) 8분 후의 양초의 길이를 구하여라.

(4) 양초의 길이가 10 cm가 될 때까지 걸린 시간을 구하여라.

1158 길이가 35 cm인 용수철 저울은 무게가 1g인 물체를 달 때마다 3 cm씩 늘어난다. 용수철에 x g인 물건을 달았을 때, 용수철의 길이는 y cm라고 한다. 다음 물음에 답하여라.

(1) 다음 표를 완성하여라.

x(g)	0	2	4	6	8	10
y(cm)	35					

(2) x와 y 사이의 관계식을 구하여라.

(3) 12 g인 물건을 달았을 때의 용수철의 길이를 구하여라.

1159 300 L의 물이 들어 있는 물통에서 2분마다 6 L씩 일정한 양의 물을 흘려보낸다고 한다. 물이 흘러나가기 시작한 지 x분 후의 물의 양을 y L라고 할 때, 다음 물음에 답하여라.

(1) 1분 동안 흘러나가는 물의 양을 구하여라.

(2) x와 y 사이의 관계식을 구하여라.

(3) 물이 흘러나간 지 15분 후에 남아 있는 물의 양을 구하여라.

(4) 물통의 물이 완전히 흘러나갈 때까지 걸리는 시간을 구하여라.

key 물이 완전히 흘러나갈 때는 $y=0$일 때이다.

1160 출발지에서 320 km 떨어진 목적지를 향해 자동차를 타고 시속 70 km로 가고 있다. x시간 후에 목적지까지 남은 거리를 y km라고 할 때, 다음 물음에 답하여라.

(1) 출발한 지 x시간 후 간 거리를 구하여라.

(2) x와 y 사이의 관계식을 구하여라.

(3) 출발한 지 2시간 후에 남은 거리를 구하여라.

(4) 목적지까지 남은 거리가 40 km일 때까지 걸린 시간을 구하여라.

1161 연료 1 L로 12 km를 달릴 수 있는 자동차에 80 L의 연료가 들어 있다고 한다. x km를 달린 후에 남아 있는 연료의 양을 y L라고 할 때, 다음 물음에 답하여라.

(1) 1 km를 달리는 데 필요한 연료의 양을 구하여라.

(2) x와 y 사이의 관계식을 구하여라.

(3) 60 km를 달린 후에 남아 있는 연료의 양을 구하여라.

(4) 연료가 68 L 남았을 때까지 달린 거리를 구하여라.

1162 오른쪽 그림의 직사각형 ABCD에서 점 P는 점 B를 출발하여 변 BC를 따라 점 C까지 움직인다. 점 P가 움직인 거리를 x cm, $\triangle$ABP의 넓이를 y cm^{2}라고 할 때, 다음 물음에 답하여라.

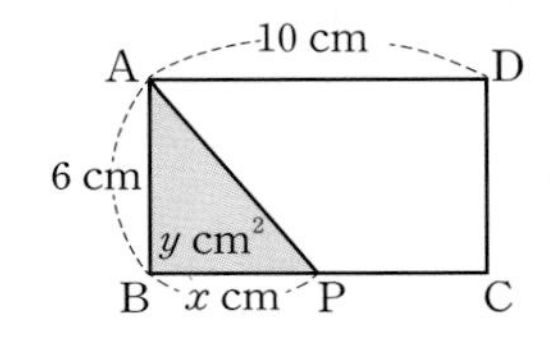

(1) x와 y 사이의 관계식을 구하여라.

(2) 점 P가 5 cm 움직였을 때, $\triangle$ABP의 넓이를 구하여라.

(3) $\triangle$ABP의 넓이가 9 cm^{2}일 때, 점 P가 움직인 거리를 구하여라.

핵심 06~14

Mini Review Test

날짜 :  월 일

Subnote ◎ 61쪽

핵심 06

1163 기울기가 $\frac{1}{3}$이고 y절편이 -2인 직선이 점 $(-3a,\ a+2)$를 지날 때, a의 값을 구하여라.

핵심 07

1164 x의 값이 5만큼 증가할 때, y의 값은 3만큼 감소하는 일차함수의 그래프가 y축과 만나는 점의 좌표는 $(0,\ -3)$이다. 이 일차함수의 식을 구하여라.

핵심 08 서술형

1165 기울기가 -3이고 점 $\left(4,\ -\frac{15}{2}\right)$를 지나는 직선의 x절편과 y절편의 합을 구하여라.

핵심 09

1166 일차함수 $y=-5x-3$의 그래프와 평행하고 점 $(2,\ -3)$을 지나는 직선을 그래프로 하는 일차함수의 식은?

① $y=-5x-3$ ② $y=-5x+3$
③ $y=-5x+4$ ④ $y=-5x+7$
⑤ $y=5x-3$

핵심 10

1167 두 점 $(-1,\ 3)$, $(2,\ -6)$을 지나는 직선을 그래프로 하는 일차함수의 식을 $y=ax+b$라 할 때, $a+b$의 값을 구하여라. (단, a, b는 상수)

핵심 10

1168 다음 중 두 점 $(-3,\ 2)$, $(2,\ 12)$를 지나는 일차함수의 그래프에 대한 설명으로 옳지 않은 것은?

① x절편은 -4이다.
② y절편은 8이다.
③ 점 $(-1,\ 6)$을 지난다.
④ 일차함수 $y=2x-3$의 그래프와 평행하다.
⑤ x의 값이 1만큼 증가하면 y의 값은 2만큼 감소한다.

핵심 12

1169 일차함수 $y=ax+b$의 그래프의 x절편이 -2, y절편이 8일 때, ab의 값을 구하여라. (단, a, b는 상수)

핵심 10

1170 지면으로부터 10 km까지는 1 km씩 높아질 때마다 기온이 6 °C씩 내려간다고 한다. 지면의 기온이 22 °C일 때, 기온이 -2 °C인 지점은 지면으로부터 높이가 몇 km인지 구하여라.

Review

9. 일차함수의 그래프의 성질과 식

6 일차함수와 일차방정식의 관계

이미 배운 내용

[중학교 1학년]
- 좌표평면과 그래프

이번에 배울 내용

10. 일차함수와 일차방정식의 관계

- 일차함수와 일차방정식의 그래프
- 좌표축에 평행한 직선의 방정식
- 연립방정식의 해와 그래프
- 두 직선의 위치 관계와 연립방정식의 해의 개수

10 일차함수와 일차방정식의 관계

스스로 공부 계획 세우기

	학습 내용	공부한 날짜	반복하기
10. 일차함수와 일차방정식의 관계	01. 일차함수와 일차방정식의 그래프 (1)	월 일	□□
	02. 일차함수와 일차방정식의 그래프 (2)	월 일	□□
	03. 일차방정식의 그래프의 성질	월 일	□□
	04. 좌표축에 평행한 직선의 방정식 (1)	월 일	□□
	05. 좌표축에 평행한 직선의 방정식 (2)	월 일	□□
	06. 연립방정식의 해와 그래프 (1)	월 일	□□
	07. 연립방정식의 해와 그래프 (2)	월 일	□□
	08. 두 직선의 위치 관계와 연립방정식의 해의 개수 (1)	월 일	□□
	09. 두 직선의 위치 관계와 연립방정식의 해의 개수 (2)	월 일	□□
	Mini Review Test(01~09)	월 일	□□

10 일차함수와 일차방정식의 관계

개념 NOTE

1 일차함수와 일차방정식의 그래프 핵심 01 ~ 03

(1) x, y가 수 전체일 때, 일차방정식 $ax+by+c=0$(a, b, c는 상수, $a\neq0$ 또는 $b\neq0$)의 해는 무수히 많고 그 해를 좌표평면 위에 나타내면 직선이 된다. 이때 일차방정식 $ax+by+c=0$을 **직선의 방정식**이라고 한다.

(2) 일차방정식 $ax+by+c=0$(a, b, c는 상수, $a\neq0$, $b\neq0$)의 그래프는 일차함수 $y=-\frac{a}{b}x-\frac{c}{b}$의 그래프와 같다.

일차방정식 $ax+by+c=0$ (a, b, c는 상수, $a\neq0$, $b\neq0$)의 그래프의 기울기는 $-\frac{a}{b}$, y절편은 $-\frac{c}{b}$이다.

2 일차방정식 $x=p$, $y=q$의 그래프 핵심 04 05

(1) 일차방정식 $x=p$(p는 상수)의 그래프
점 $(p, 0)$을 지나고 y축에 평행한(x축에 수직인) 직선

(2) 일차방정식 $y=q$(q는 상수)의 그래프
점 $(0, q)$를 지나고 x축에 평행한(y축에 수직인) 직선

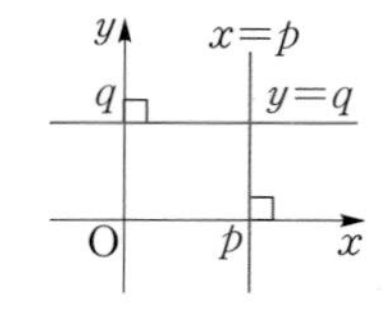

$x=p$는 함수가 아니다.
$y=q$는 함수이지만 일차함수는 아니다.

$x=0$의 그래프는 y축,
$y=0$의 그래프는 x축

3 연립방정식의 해와 그래프 핵심 06 ~ 09

(1) 연립방정식의 해와 그래프

연립방정식 $\begin{cases} ax+by+c=0 \\ a'x+b'y+c'=0 \end{cases}$의 해가 $x=p$, $y=q$이면 두 일차방정식의 그래프의 교점의 좌표는 (p, q)이다.

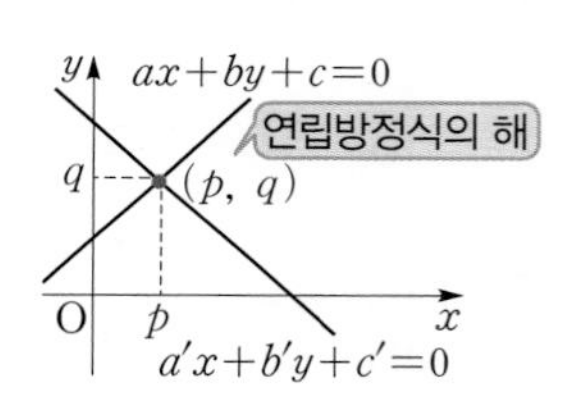

(2) 두 직선의 위치 관계와 연립방정식의 해의 개수

연립방정식 $\begin{cases} ax+by+c=0 \\ a'x+b'y+c'=0 \end{cases}$의 해의 개수는 두 일차방정식 $ax+by+c=0$, $a'x+b'y+c'=0$의 그래프의 교점의 개수와 같다.

그래프	한 점	평행	일치
두 직선의 위치 관계	한 점에서 만난다.	평행하다.	일치한다.
연립방정식의 해의 개수	한 개	해가 없다.	해가 무수히 많다.
기울기와 y절편	기울기가 다르다.	기울기는 같고, y절편은 다르다.	기울기와 y절편이 각각 같다.
$\begin{cases} ax+by+c=0 \\ a'x+b'y+c'=0 \end{cases}$	$\frac{a}{a'}\neq\frac{b}{b'}$	$\frac{a}{a'}=\frac{b}{b'}\neq\frac{c}{c'}$	$\frac{a}{a'}=\frac{b}{b'}=\frac{c}{c'}$

일차함수와 일차방정식의 그래프 (1)

날짜 : 월 일

Subnote ➊ 63쪽

일차방정식 $ax+by+c=0$의 해 (x, y)를 좌표평면 위에 나타낸 것을 일차방정식의 그래프라고 해.

일차방정식 $ax+by+c=0(a\neq0,\ b\neq0)$의 그래프는 일차함수 $y=-\frac{a}{b}x-\frac{c}{b}$의 그래프와 같다.

일차방정식 $ax+by+c=0$ $(a\neq0,\ b\neq0)$

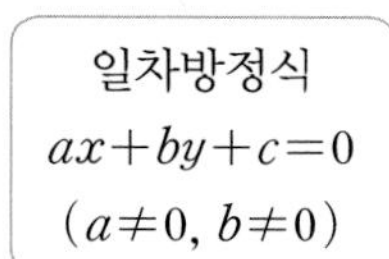

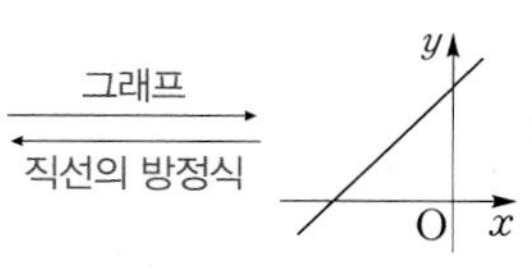

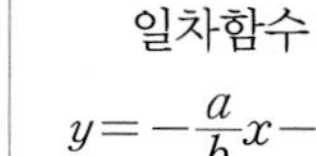

일차함수 $y=-\frac{a}{b}x-\frac{c}{b}$

참고 위 그래프는 x, y가 수 전체일 때의 그래프이고, x, y가 자연수 또는 정수일 때의 일차방정식 $ax+by+c=0$의 그래프는 점으로 나타난다.

일차방정식 $x-2y+6=0$에 대하여 다음 물음에 답하여라.

1171 아래 표를 완성하여라.

x	$\cdots$	-6	-4	-2	0	2	4	$\cdots$
y	$\cdots$	0						$\cdots$

1172 1171에서 구한 해의 순서쌍 (x, y)를 좌표평면 위에 나타내어라.

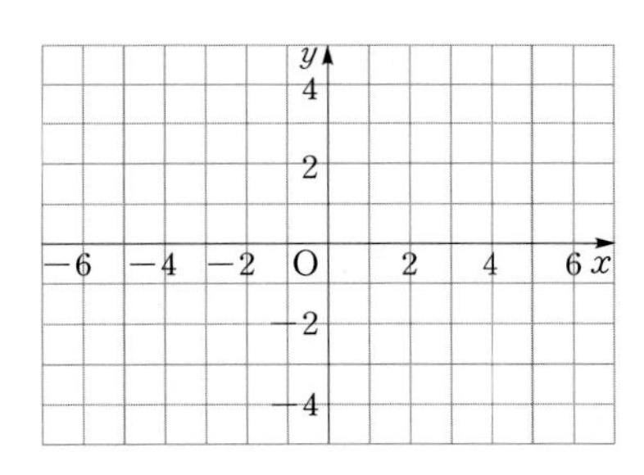

1173 x, y의 값의 범위가 수 전체일 때, 일차방정식의 그래프를 위의 좌표평면 위에 그려라.

일차방정식 $x-2y+6=0$의 그래프를 그리는 과정이다. □ 안에 알맞은 것을 써넣고, 그래프를 그려라.

1174 일차방정식 $x-2y+6=0$에서 y를 x에 대한 식으로 나타내어라.

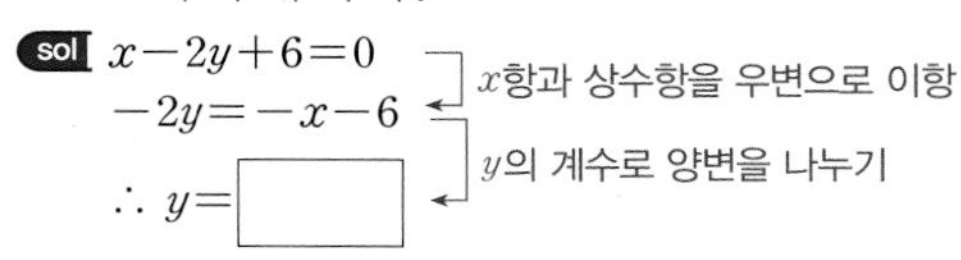

1175 일차방정식 $x-2y+6=0$의 그래프는 기울기가 □, y절편이 □인 일차함수의 그래프와 같다.

1176 일차함수의 그래프를 이용하여 일차방정식 $x-2y+6=0$의 그래프를 그려라.

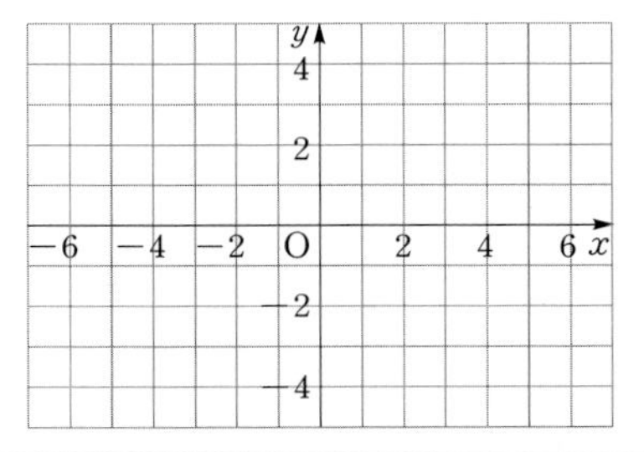

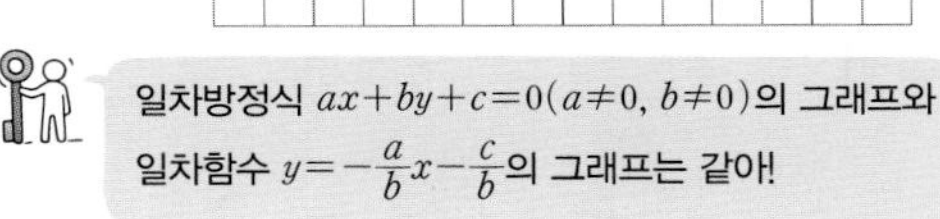

일차함수와 일차방정식의 그래프 (2)

날짜 :  월  일

Subnote 63쪽

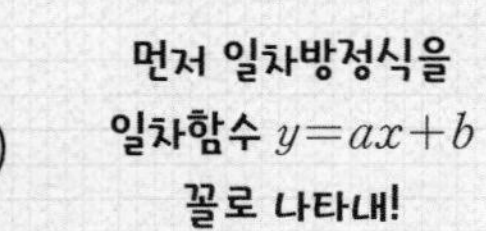

예 일차방정식 $x-y+1=0$ → (y에 대하여 풀기) → 일차함수 $y=x+1$ → 기울기 : 1, x절편 : 1, y절편 : 1

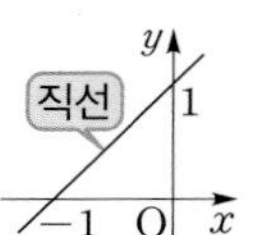

다음 일차방정식을 일차함수 $y=ax+b$ 꼴로 나타내고, 그 그래프의 기울기, x절편, y절편을 각각 구하여라.

1177 $x-y+9=0$ ➡ $y=$________

기울기 : ________

x절편 : ________, y절편 : ________

x절편은 $-\frac{b}{a}$, y절편은 b

1178 $x-5y-15=0$ ➡ $y=$________

기울기 : ________

x절편 : ________, y절편 : ________

1179 $3x+6y+1=0$ ➡ $y=$________

기울기 : ________

x절편 : ________, y절편 : ________

1180 $4x-y+1=0$ ➡ $y=$________

기울기 : ________

x절편 : ________, y절편 : ________

다음 일차방정식을 $y=ax+b$ 꼴로 나타내고, 그 그래프를 그려라.

1181 $x-y-2=0$

➡ $y=$________

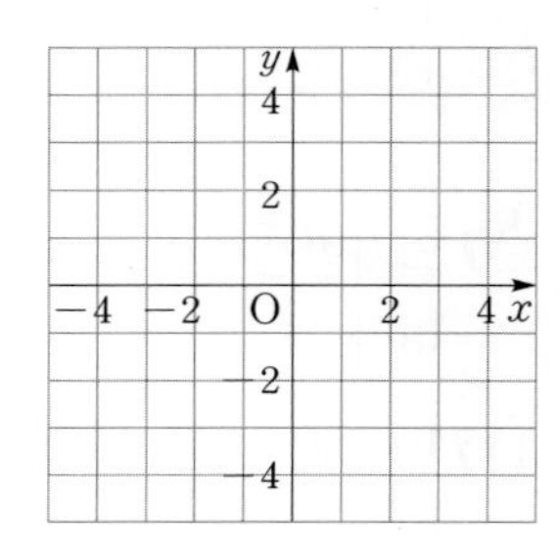

1182 $-x+3y+12=0$

➡ $y=$________

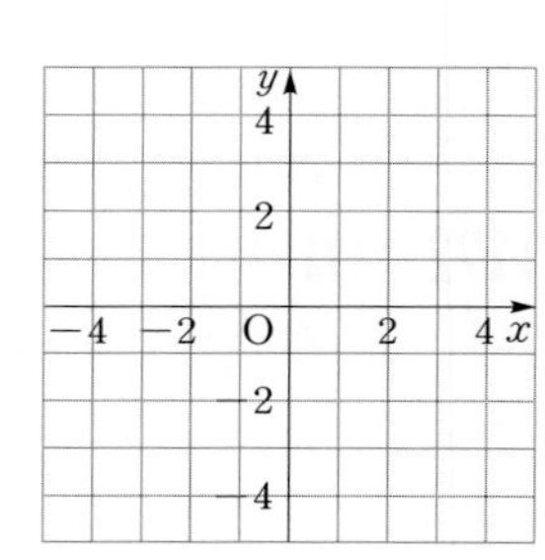

1183 $2x-5y-10=0$

➡ $y=$________

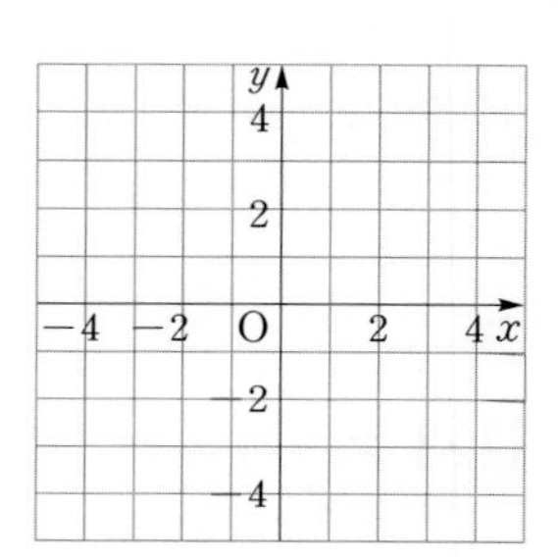

핵심 **03**

일차방정식의 그래프의 성질

날짜 : 월 일

Subnote ➲ 64쪽

일차방정식의 그래프의 성질은 일차함수로 변형하여 생각해!

일차방정식 $ax+by+c=0(a\neq0,\ b\neq0)$의 그래프는 일차함수 $y=-\frac{a}{b}x-\frac{c}{b}$ 꼴로 바꾸어 생각한다.

참고 $a\neq0,\ b\neq0$일 때, 일차방정식 $ax+by+c=0$의 그래프의 기울기는 $-\frac{a}{b}$, y절편은 $-\frac{c}{b}$이다.

일차방정식 $-2x+4y+10=0$의 그래프에 대한 설명으로 옳은 것은 ○표, 옳지 않은 것은 ×표를 하여라.

1184 x절편은 5이다. (　　)

1185 y절편은 $\frac{5}{2}$이다. (　　)

1186 점 $(3,\ -1)$을 지난다. (　　)

점의 좌표를 주어진 일차방정식에 대입해 봐.

1187 x의 값이 증가하면 y의 값도 증가한다. (　　)

1188 제3사분면을 지나지 않는다. (　　)

1189 일차함수 $y=\frac{1}{2}x+1$의 그래프와 평행하다. (　　)

일차방정식 $ax+y+b=0$의 그래프가 다음과 같을 때, 상수 a, b의 부호를 정하여라.

1190

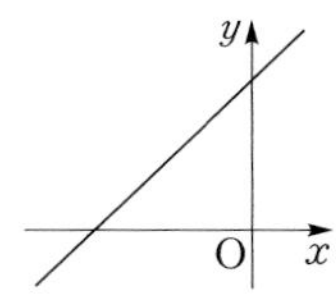

$ax+y+b=0$
➡ $y=-ax-b$
이 그래프의 기울기는 $-a$, y절편은 $-b$야.

sol 주어진 그래프가 오른쪽 위로 향하므로 (기울기)>0

$-a$ ◯ 0　　$\therefore a$ ◯ 0

y축과 양의 부분에서 만나므로 (y절편)>0

$-b$ ◯ 0　　$\therefore b$ ◯ 0

1191

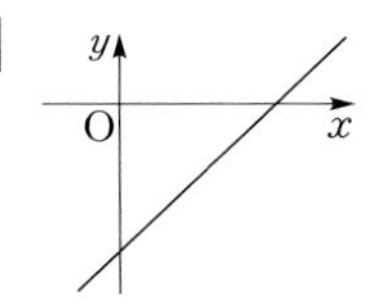

➡ a ◯ 0, b ◯ 0

1192

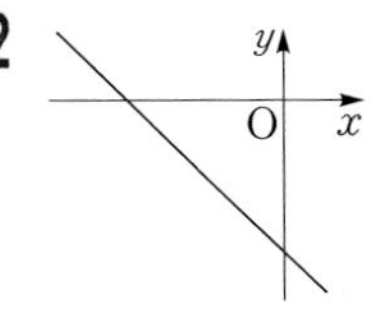

➡ a ◯ 0, b ◯ 0

1193

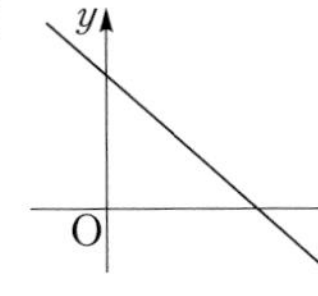

➡ a ◯ 0, b ◯ 0

04 좌표축에 평행한 직선의 방정식 (1)

핵심

날짜 : 월 일

Subnote 64쪽

x축에 수직이라는 것은 y축에 평행하다는 의미이고 y축에 수직이라는 것은 x축에 평행하다는 의미야!

(1) 일차방정식 $x=p$ (p는 상수)의 그래프
점 $(p, 0)$을 지나고 y축에 평행한(x축에 수직인) 직선

(2) 일차방정식 $y=q$ (q는 상수)의 그래프
점 $(0, q)$를 지나고 x축에 평행한(y축에 수직인) 직선

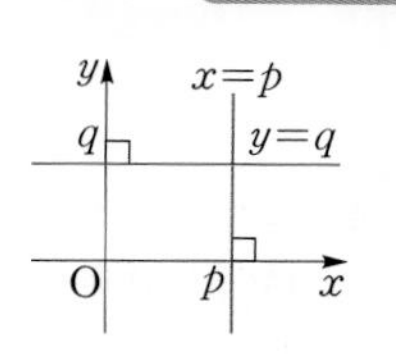

참고 $x=0$의 그래프는 y축, $y=0$의 그래프는 x축을 나타낸다.

다음 방정식의 그래프를 아래 좌표평면 위에 그려라.

1194 $x=3$ 모든 점의 x좌표가 3이야.

sol 점 (□, 0)을 지나고 □축에 평행한 직선

1195 $3x+12=0$

key 주어진 식을 먼저 $x=p$ 꼴로 정리한다.

1196 $y=-4$ 모든 점의 y좌표가 -4야.

sol 점 (0, □)를 지나고 □축에 평행한 직선

1197 $3y-6=0$

1198 $2y=8$

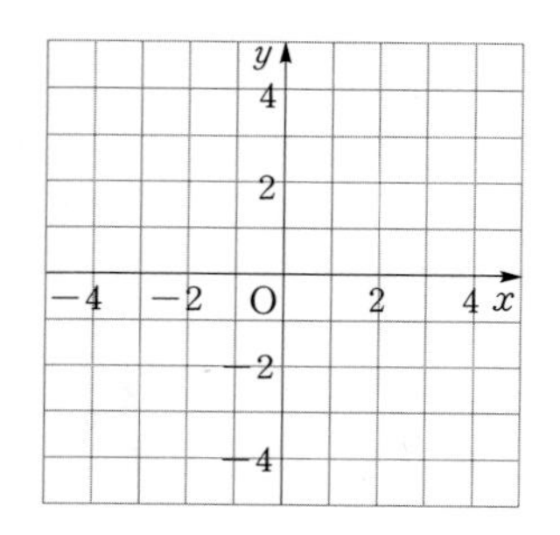

다음 그래프가 나타내는 직선의 방정식을 구하여라.

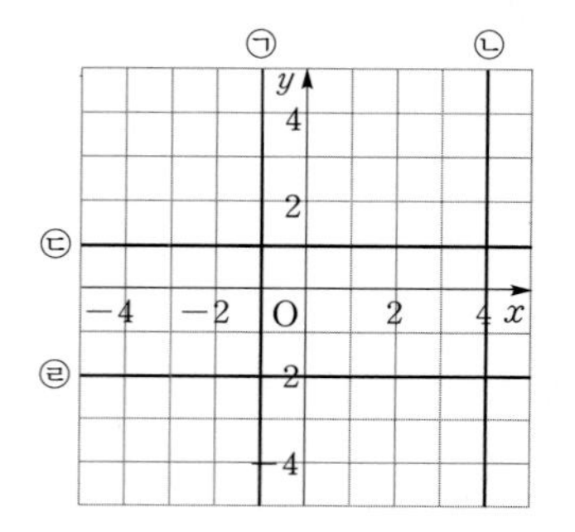

1199 ㉠ : ______ **1200** ㉡ : ______

1201 ㉢ : ______ **1202** ㉣ : ______

1203 학교 시험 맛보기

다음을 만족시키는 직선의 방정식을 보기에서 모두 골라라.

보기

ㄱ. $x=-1$　　ㄴ. $4y=-12$
ㄷ. $5y-3=7$　　ㄹ. $2x+6=0$

(1) x축에 평행한 직선 ______

(2) y축에 평행한 직선 ______

05 좌표축에 평행한 직선의 방정식 (2)

날짜 :  월  일

Subnote 64쪽

x축에 평행한 직선 위의 점은 y좌표가 같고, y축에 평행한 직선 위의 점은 x좌표가 같아.

(1) x축에 평행한 (y축에 수직인) 직선 : $y=k$ 꼴
(2) y축에 평행한 (x축에 수직인) 직선 : $x=k$ 꼴

참고 (1) x축에 평행한 한 직선 위의 두 점 : y좌표가 같다.
(2) y축에 평행한 한 직선 위의 두 점 : x좌표가 같다.

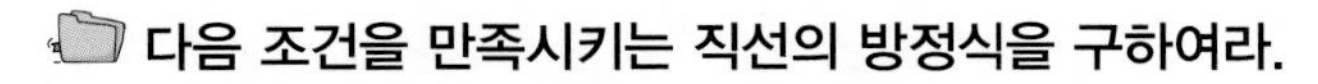

다음 조건을 만족시키는 직선의 방정식을 구하여라.

1204 점 $(2, 1)$을 지나고 x축에 평행한 직선

key x축에 평행한 직선의 방정식은 $y=q$ 꼴이다.

1205 점 $(-4, 3)$을 지나고 y축에 평행한 직선

1206 점 $(1, -1)$을 지나고 x축에 수직인 직선

key x축에 수직인 직선은 y축에 평행한 직선이다.

1207 점 $(-2, -6)$을 지나고 y축에 수직인 직선

1208 두 점 $(3, 2)$, $(3, -1)$을 지나는 직선

1209 두 점 $(0, -5)$, $(6, -5)$를 지나는 직선

다음 조건을 만족시키는 a의 값을 구하여라.

1210 두 점 $(2, a-1)$, $(3, -3)$을 지나는 직선이 x축에 평행하다.

sol $a-1=-3$ $\therefore a=$ ☐

x축에 평행한 직선 위의 점들의 y좌표는 모두 같아.

1211 두 점 $(-2a, 5)$, $(12, 1)$을 지나는 직선이 y축에 평행하다.

1212 두 점 $(a+2, 10)$, $(-a, 6)$을 지나는 직선이 x축에 수직이다.

1213 두 점 $(-5, 2a+3)$, $(7, 3a-1)$을 지나는 직선이 y축에 수직이다.

연립방정식의 해와 그래프 (1)

날짜 : 월 일

연립방정식을 이루는 두 일차방정식의 그래프의 교점의 좌표를 알면 연립방정식의 해를 알 수 있어.

연립방정식 $\begin{cases} ax+by+c=0 \\ a'x+b'y+c'=0 \end{cases}$의 해가 $x=p, y=q$이면 두 일차방정식의 그래프의 교점의 좌표는 (p, q)이다.

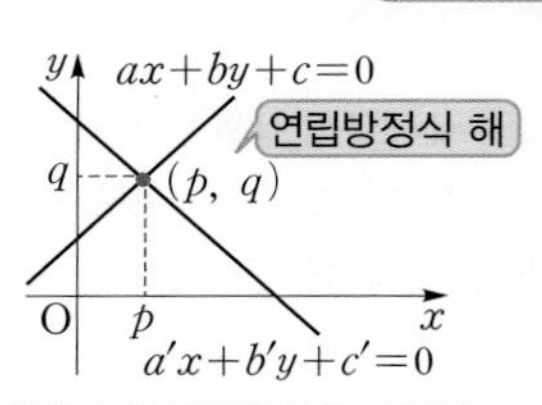

연립방정식의 해 $x=p, y=q$	⇄	두 일차방정식의 그래프의 교점의 좌표 (p, q)

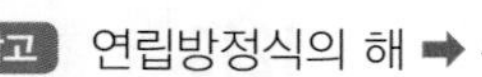

참고 연립방정식의 해 ➡ 두 일차방정식의 공통인 해
➡ 두 직선의 교점의 좌표

다음은 그래프를 이용하여 연립방정식 $\begin{cases} 2x-y=-2 \\ x+y=5 \end{cases}$의 해를 구하는 과정이다. □ 안에 알맞은 것을 써넣어라.

1214 일차방정식 $2x-y=-2$를 y에 대하여 풀면
$y=$□ …… ㉠
일차방정식 $x+y=5$를 y에 대하여 풀면
$y=$□ …… ㉡

1215 두 일차방정식 ㉠, ㉡의 그래프를 그려라.

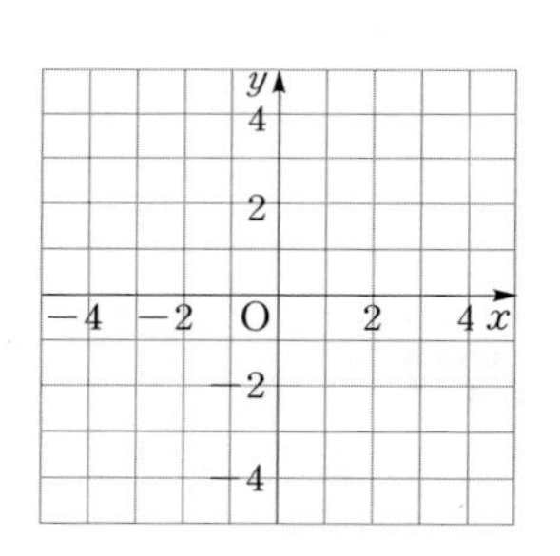

1216 두 그래프의 교점의 좌표는 (□, □)이다.

1217 연립방정식 $\begin{cases} 2x-y=-2 \\ x+y=5 \end{cases}$의 해는 두 일차방정식 $2x-y=-2$, $x+y=5$의 그래프의 교점의 좌표와 같고, 교점의 좌표는 (□, □)이므로 연립방정식의 해는 $x=$□, $y=$□

주어진 연립방정식에서 두 일차방정식의 그래프가 다음과 같을 때, 이 연립방정식의 해를 구하여라.

1218 $\begin{cases} 2x+y=-4 \\ x+3y=3 \end{cases}$

key 두 직선의 교점의 좌표를 알면 연립방정식의 해를 알 수 있다.

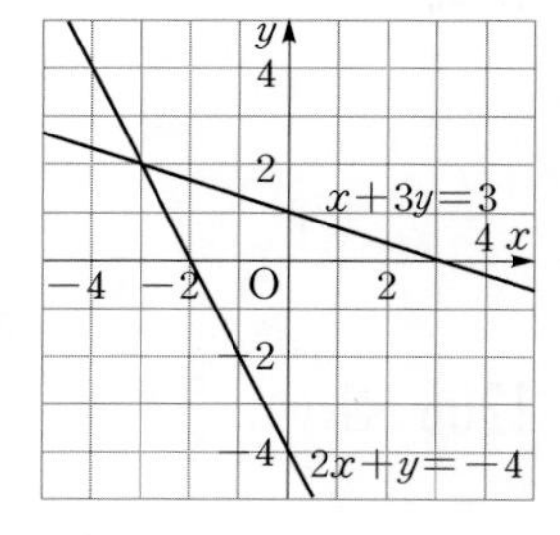

1219 $\begin{cases} 3x-y=7 \\ x+y=-3 \end{cases}$

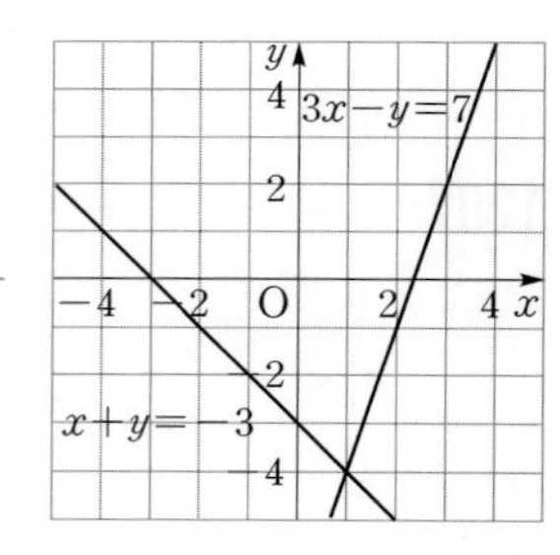

1220 $\begin{cases} 2x-y=1 \\ -3x+y=-3 \end{cases}$

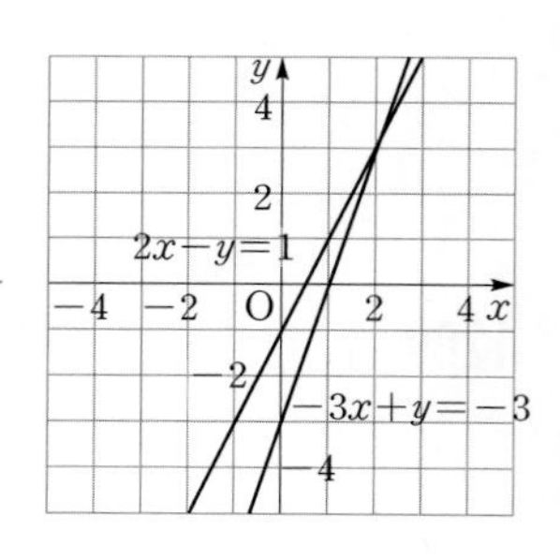

연립방정식의 해와 그래프 (2)

날짜 : 월 일

Subnote ➡ 65쪽

다음 연립방정식에서 두 일차방정식의 그래프를 각각 좌표평면 위에 그리고, 그 그래프를 이용하여 연립방정식의 해를 구하여라.

1221 $\begin{cases} 2x+y=3 \\ -x+3y=-12 \end{cases}$

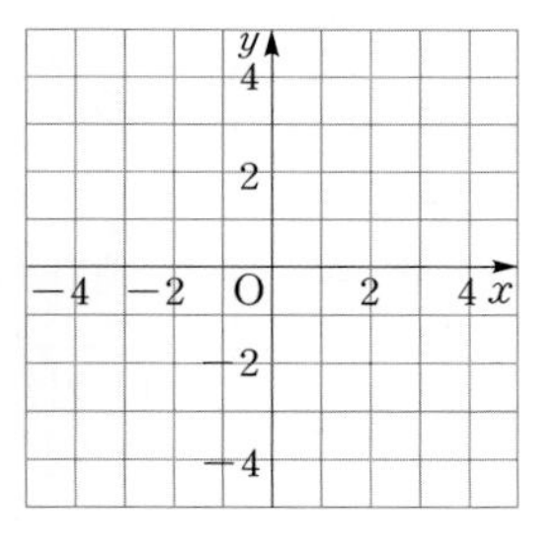

> 두 일차방정식의 그래프의 교점의 좌표가 연립방정식의 해야.

1222 $\begin{cases} x-y=2 \\ -3x+2y=-8 \end{cases}$

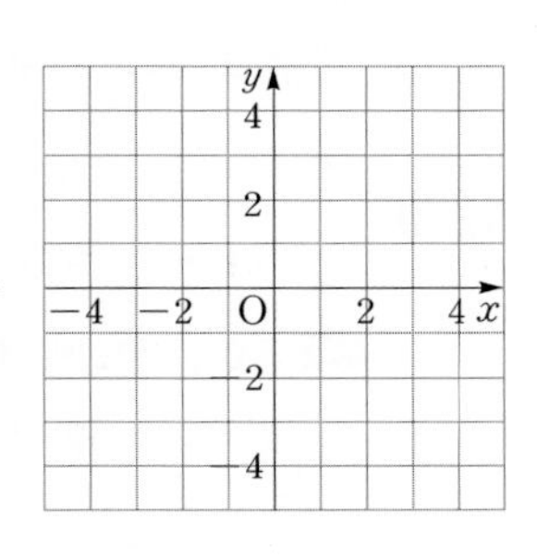

1223 $\begin{cases} 4x-y=3 \\ x+y=2 \end{cases}$

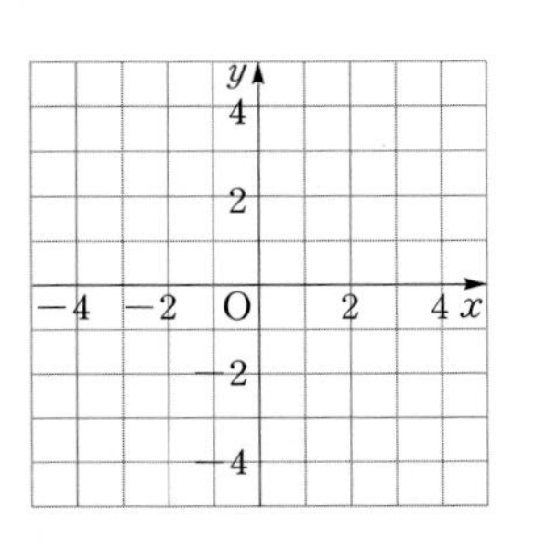

다음 연립방정식에서 두 일차방정식의 그래프를 이용하여 상수 a, b의 값을 각각 구하여라.

1224 $\begin{cases} 3x-ay=-2 \\ bx-y=2 \end{cases}$

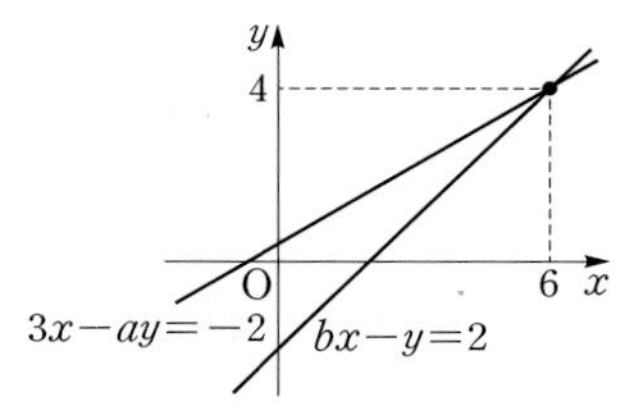

sol 두 일차방정식의 그래프의 교점의 좌표가 $(6, 4)$이므로
$3x-ay=-2$에 $x=6$, $y=4$를 대입하면
$3\times6-4a=-2$, $-4a=-20$ $\quad\therefore a=\square$
$bx-y=2$에 $x=6$, $y=4$를 대입하면
$6b-4=2$, $6b=6$ $\quad\therefore b=\square$

1225 $\begin{cases} ax+y=2 \\ 2x+by=2 \end{cases}$

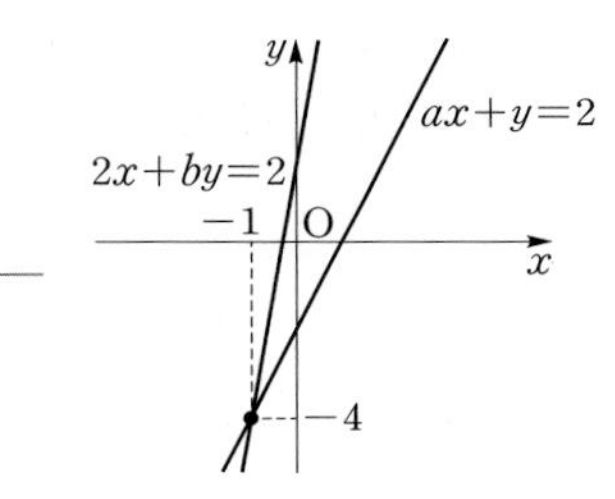

1226 $\begin{cases} x-2y=a \\ x+by=-3 \end{cases}$

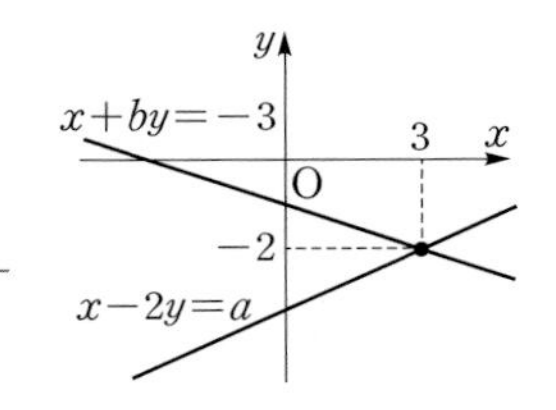

1227 학교 시험 맛보기 

두 직선 $2x-y=4$, $3x+4y=6$의 교점의 좌표를 (a, b)라고 할 때, $a+b$의 값을 구하여라.

핵심 08 두 직선의 위치 관계와 연립방정식의 해의 개수 (1)

날짜 : 월 일

Subnote ➔ 65쪽

연립방정식의 해의 개수와 두 일차방정식의 그래프의 교점의 개수가 같다고 생각하면 돼.

연립방정식 $\begin{cases} ax+by+c=0 \\ a'x+b'y+c'=0 \end{cases}$의 해의 개수는 두 일차방정식 $ax+by+c=0$, $a'x+b'y+c'=0$의 그래프의 교점의 개수와 같다.

그래프	한 점	평행	일치
연립방정식의 해의 개수	한 개	해가 없다.	해가 무수히 많다.
기울기와 y절편	기울기가 다르다.	기울기는 같고, y절편은 다르다.	기울기와 y절편이 각각 같다.
$\begin{cases} ax+by+c=0 \\ a'x+b'y+c'=0 \end{cases}$	$\dfrac{a}{a'} \neq \dfrac{b}{b'}$	$\dfrac{a}{a'} = \dfrac{b}{b'} \neq \dfrac{c}{c'}$	$\dfrac{a}{a'} = \dfrac{b}{b'} = \dfrac{c}{c'}$

다음 연립방정식에서 두 일차방정식의 그래프를 각각 좌표평면 위에 그리고, 그 그래프를 이용하여 연립방정식의 해의 개수를 구하여라.

1228 $\begin{cases} x-3y=3 \\ -x+3y=-3 \end{cases}$

____

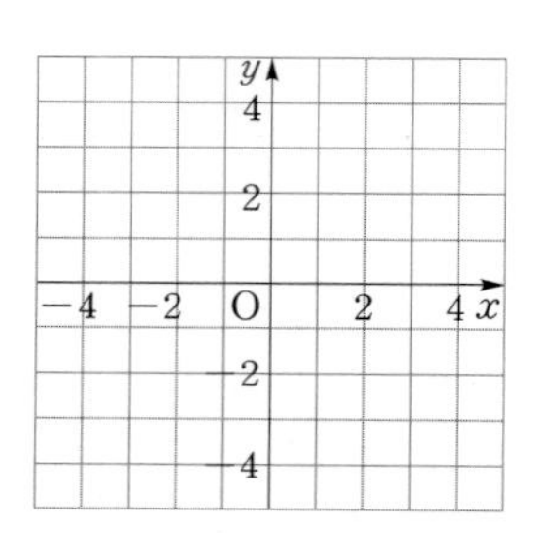

1229 $\begin{cases} x+4y=-4 \\ -2x-8y=-8 \end{cases}$

____

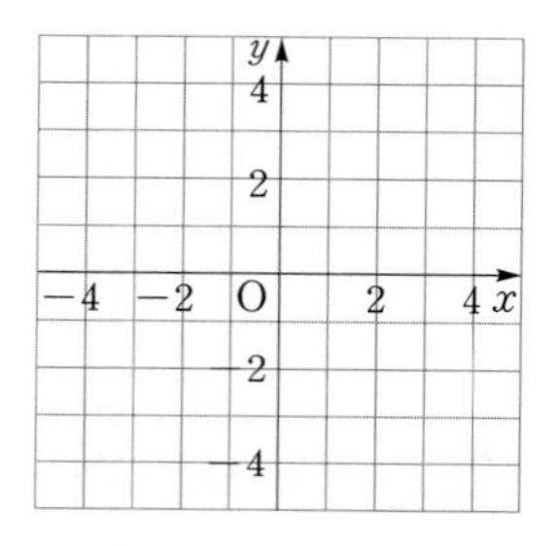

다음 연립방정식에서 두 일차방정식의 그래프의 교점의 개수와 해의 개수를 각각 구하여라.

1230 $\begin{cases} 2x-y=-5 \\ -4x+2y=10 \end{cases}$

sol 주어진 연립방정식에서 $\begin{cases} y=2x+5 \\ y=2x+5 \end{cases}$

즉, 두 일차방정식의 그래프가 일치하므로 교점의 개수는 ☐.

따라서 연립방정식의 해가 ☐.

1231 $\begin{cases} 4x+8y=-12 \\ 3x-6y=-9 \end{cases}$

➡ 교점의 개수 : ______________

➡ 해의 개수 : ______________

1232 $\begin{cases} x-5y=10 \\ 3x-15y=10 \end{cases}$

➡ 교점의 개수 : ______________

➡ 해의 개수 : ______________

09 두 직선의 위치 관계와 연립방정식의 해의 개수 (2)

날짜 : 월 일

Subnote ➔ 66쪽

다음 보기의 연립방정식 중 다음에 해당하는 것을 모두 골라라.

보기

ㄱ. $\begin{cases} x-2y=3 \\ 3x-6y=-9 \end{cases}$ ㄴ. $\begin{cases} 4x-3y=5 \\ 8x+6y=10 \end{cases}$

ㄷ. $\begin{cases} 6x-4y=8 \\ 9x-6y=12 \end{cases}$ ㄹ. $\begin{cases} 2x+y=7 \\ 2x+y=-7 \end{cases}$

1233 한 쌍의 해를 갖는 연립방정식 ________

key $\begin{cases} ax+by=c \\ a'x+b'y=c' \end{cases}$에서 $\frac{a}{a'} \neq \frac{b}{b'}$

1234 해가 무수히 많은 연립방정식 ________

key $\begin{cases} ax+by=c \\ a'x+b'y=c' \end{cases}$에서 $\frac{a}{a'} = \frac{b}{b'} = \frac{c}{c'}$

1235 해가 없는 연립방정식 ________

key $\begin{cases} ax+by=c \\ a'x+b'y=c' \end{cases}$에서 $\frac{a}{a'} = \frac{b}{b'} \neq \frac{c}{c'}$

다음 연립방정식의 해가 없을 때, 상수 a, b의 값 또는 조건을 각각 구하여라.

1236 $\begin{cases} 2x+ay=-4 \\ 4x-6y=b \end{cases}$

sol $\frac{2}{4} = \frac{a}{-6} \neq \frac{-4}{b}$에서 $a=\square$, $b\neq\square$

1237 $\begin{cases} -3x+y=b \\ ax-4y=16 \end{cases}$ ________

다음 연립방정식의 해가 무수히 많을 때, 상수 a, b의 값을 각각 구하여라.

1238 $\begin{cases} 3x-y=-2 \\ ax+2y=b \end{cases}$

sol $\frac{3}{a} = \frac{-1}{2} = \frac{-2}{b}$에서 $a=\square$, $b=\square$

1239 $\begin{cases} ax-y=4 \\ -6x+2y=b \end{cases}$ ________

연립방정식 $\begin{cases} ax+3y=5 \\ 12x+9y=b \end{cases}$의 해가 다음과 같을 때, 상수 a, b의 값 또는 조건을 각각 구하여라.

1240 해가 한 쌍이다. ________

1241 해가 무수히 많다. ________

1242 해가 없다. ________

1243 학교 시험 맛보기 

두 직선 $ax-2y=-4$, $3x-y=b$의 교점이 무수히 많을 때, 상수 a, b의 값을 각각 구하여라.

____

key 두 직선의 교점이 무수히 많으면 연립방정식의 해가 무수히 많다.

Mini Review Test

날짜 : 월 일

Subnote ➔ 66쪽

핵심 02

1244 일차방정식 $3x-2y+6=0$의 그래프의 기울기를 a, x절편을 b, y절편을 c라고 할 때, abc의 값을 구하여라.

핵심 03

1245 다음 중 일차방정식 $5x+2y-4=0$의 그래프에 대한 설명으로 옳지 않은 것은?

① x절편은 $\frac{4}{5}$이다.
② y절편은 2이다.
③ $y=-\frac{5}{2}x$의 그래프와 평행하다.
④ 오른쪽 위로 향하는 직선이다.
⑤ 제3사분면을 지나지 않는다.

핵심 03

1246 일차방정식 $ax+by-3=0$의 그래프가 오른쪽 그림과 같을 때, 다음 중 옳은 것은? (단, a, b는 상수)

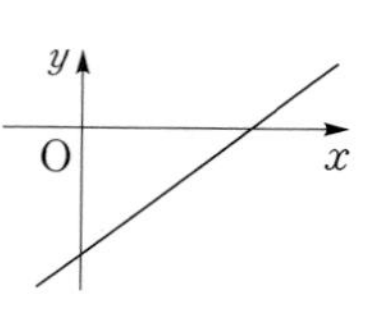

① $a>0$, $b>0$ ② $a>0$, $b<0$
③ $a<0$, $b>0$ ④ $a<0$, $b<0$
⑤ $a\neq0$, $b=0$

핵심 05

1247 두 점 $(9, 3-2a)$, $(-1, 2a-5)$를 지나는 직선이 x축에 평행할 때, a의 값을 구하여라.

핵심 07

1248 두 일차방정식 $x-3y=-9$, $-2x+y=8$의 그래프의 교점의 좌표를 (a, b)라고 할 때, ab의 값을 구하여라.

핵심 07 서술형

1249 두 일차방정식 $6x+y-2=0$, $ax-3y+15=0$의 그래프의 교점의 좌표가 $(-1, b)$일 때, $a+b$의 값을 구하여라. (단, a는 상수)

핵심 09

1250 두 직선 $3x-y=a$, $bx+y=4$의 교점이 존재하지 않을 때, 상수 a, b의 값 또는 조건은?

① $a=-4$, $b=-3$ ② $a=-4$, $b\neq-3$
③ $a\neq-4$, $b=-3$ ④ $a=4$, $b=-3$
⑤ $a\neq4$, $b=-3$

Review

10. 일차함수와 일차방정식의 관계

Memo

Memo

Memo

숨마쿰라우데
[반복 수학 문제집]

스타트업 중학 수학

2-상

SUB NOTE 정답 및 해설

스타트업 중학 수학 2-상

SUB NOTE

정답 및 해설

❶ 유리수와 순환소수

1. 유리수와 순환소수

01 유리수

본문 ○ 15쪽

0001 $\frac{8}{2}$, 5 **0002** -2, $-\frac{15}{3}$

0003 -2, 0, $-\frac{15}{3}$, $\frac{8}{2}$, 5

0004 -2, 0, $-\frac{15}{3}$, $\frac{14}{4}$, $\frac{8}{2}$, 5, 0.2444, $-\frac{1}{6}$

0005 $\frac{14}{4}$, 0.2444, $-\frac{1}{6}$ **0006** ○ **0007** ×

0008 ○ **0009** ○ **0010** ×

0007 정수는 양의 정수, 0, 음의 정수로 이루어져 있다.

0010 유리수에는 0.3과 같이 정수가 아닌 유리수도 있다.

02 유한소수와 무한소수

본문 ○ 16쪽

0011 유 **0012** 무 **0013** 유 **0014** 무

0015 무 **0016** 0.4, 유 **0017** -1.75, 유

0018 0.41666⋯, 무 **0019** -0.7, 유

0020 0.555⋯, 무

03 유한소수를 기약분수로 나타내기

본문 ○ 17쪽

0021 $\frac{3}{10}$ / 2, 5 **0022** $\frac{4}{5}$ / 5

0023 $\frac{1}{20}$ / 2, 5 **0024** $\frac{9}{100}$ / 2, 5

0025 $\frac{4}{25}$ / 5 **0026** $\frac{21}{100}$ / 2, 5 **0027** $\frac{3}{4}$ / 2

0028 $\frac{9}{20}$ / 2, 5 **0029** $\frac{21}{25}$ / 5 **0030** $\frac{6}{5}$ / 5

0021 $0.3=\frac{3}{10}=\frac{3}{2\times5}$

0022 $0.8=\frac{8}{10}=\frac{4}{5}$

0023 $0.05=\frac{5}{100}=\frac{1}{20}=\frac{1}{2^2\times5}$

0024 $0.09=\frac{9}{100}=\frac{9}{2^2\times5^2}$

0025 $0.16=\frac{16}{100}=\frac{4}{25}=\frac{4}{5^2}$

0026 $0.21=\frac{21}{100}=\frac{21}{2^2\times5^2}$

0027 $0.75=\frac{75}{100}=\frac{3}{4}=\frac{3}{2^2}$

0028 $0.45=\frac{45}{100}=\frac{9}{20}=\frac{9}{2^2\times5}$

0029 $0.84=\frac{84}{100}=\frac{21}{25}=\frac{21}{5^2}$

0030 $1.2=\frac{12}{10}=\frac{6}{5}$

04 분수를 유한소수로 나타내기 (1)

본문 ○ 18쪽

0031 2, 10, 풀이 참조 **0032** ❷ 5^2, 2, 풀이 참조

0033 ❶ 5 ❷ 5, 2, 풀이 참조 **0034** ~ **0038** 풀이 참조

0031 $\frac{3}{5}=\frac{3\times2}{5\times2}=\frac{6}{10}=0.6$

0032 $\frac{1}{4}=\frac{1}{2^2}=\frac{1\times5^2}{2^2\times5^2}=\frac{25}{100}=0.25$

0033 $\frac{3}{20}=\frac{3}{2^2\times5}=\frac{3\times5}{2^2\times5\times5}=\frac{15}{2^2\times5^2}=\frac{15}{100}=0.15$

0034 $\frac{2}{25}=\frac{2}{5^2}=\frac{2\times2^2}{5^2\times2^2}=\frac{8}{100}=0.08$

0035 $\frac{1}{8}=\frac{1}{2^3}=\frac{1\times5^3}{2^3\times5^3}=\frac{125}{1000}=0.125$

0036 $\frac{9}{40}=\frac{9}{2^3\times5}=\frac{9\times5^2}{2^3\times5\times5^2}=\frac{225}{1000}=0.225$

0037 $\frac{21}{60}=\frac{7}{20}=\frac{7\times5}{2^2\times5\times5}=\frac{35}{100}=0.35$

0038 $\frac{9}{150}=\frac{3}{50}=\frac{3\times2}{2\times5^2\times2}=\frac{6}{100}=0.06$

05 분수를 유한소수로 나타내기 (2)

본문 ◎ 19쪽

0039 0.32 **0040** 0.14 **0041** 0.55 **0042** 0.12
0043 0.25 **0044** 0.4 **0045** 0.2 **0046** 0.375
0047 0.24 **0048** 0.42 **0049** 0.045
0050 $a=25$, $b=2^2$, $c=8$, $d=0.08$

0039 $\frac{8}{25}=\frac{2^3}{5^2}=\frac{2^3\times2^2}{5^2\times2^2}=\frac{32}{100}=0.32$

0040 $\frac{7}{50}=\frac{7}{2\times5^2}=\frac{7\times2}{2\times5^2\times2}=\frac{14}{100}=0.14$

0041 $\frac{11}{20}=\frac{11}{2^2\times5}=\frac{11\times5}{2^2\times5\times5}=\frac{55}{100}=0.55$

0042 $\frac{9}{75}=\frac{3}{25}=\frac{3}{5^2}=\frac{3\times2^2}{5^2\times2^2}=\frac{12}{100}=0.12$

0043 $\frac{7}{28}=\frac{1}{4}=\frac{1}{2^2}=\frac{5^2}{2^2\times5^2}=\frac{25}{100}=0.25$

0044 $\frac{14}{35}=\frac{2}{5}=\frac{2\times2}{5\times2}=\frac{4}{10}=0.4$

0045 $\frac{22}{110}=\frac{1}{5}=\frac{2}{5\times2}=\frac{2}{10}=0.2$

0046 $\frac{6}{16}=\frac{3}{8}=\frac{3}{2^3}=\frac{3\times5^3}{2^3\times5^3}=\frac{375}{1000}=0.375$

0047 $\frac{30}{125}=\frac{6}{25}=\frac{6}{5^2}=\frac{6\times2^2}{5^2\times2^2}=\frac{24}{100}=0.24$

0048 $\frac{63}{150}=\frac{21}{50}=\frac{21}{2\times5^2}=\frac{42}{2^2\times5^2}=\frac{42}{100}=0.42$

0049 $\frac{9}{200}=\frac{9}{2^3\times5^2}=\frac{9\times5}{2^3\times5^2\times5}=\frac{45}{1000}=0.045$

0050 $\frac{6}{75}=\frac{2}{25}=\frac{2}{5^2}=\frac{2\times2^2}{5^2\times2^2}=\frac{8}{100}=0.08$

$\therefore a=25, b=2^3, c=8, d=0.08$

06 유한소수로 나타낼 수 있는 분수 판별하기 (1)

본문 ◎ 20쪽

0051 2, 5, 유한소수 **0052** 3, 무한소수
0053 5, 유한소수 **0054** 3, 무한소수
0055 $\frac{1}{20}$, $\frac{1}{2^2\times5}$, 유한소수 **0056** $\frac{4}{25}$, $\frac{4}{5^2}$, 유한소수
0057 $\frac{4}{15}$, $\frac{4}{3\times5}$, 무한소수 **0058** $\frac{1}{9}$, $\frac{1}{3^2}$, 무한소수
0059 $\frac{7}{50}$, $\frac{7}{2\times5^2}$, 유한소수

07 유한소수로 나타낼 수 있는 분수 판별하기 (2)

본문 ◎ 21쪽

0060 ○ **0061** × **0062** ○ **0063** ×
0064 × **0065** × **0066** ○ **0067** ×
0068 ○ **0069** ㄴ, ㄹ

0062 $\frac{3}{2\times3\times5}=\frac{1}{2\times5}$ (유한소수)

0063 $\frac{30}{2\times3^2\times5^2}=\frac{2\times3\times5}{2\times3^2\times5^2}=\frac{1}{3\times5}$ (무한소수)

0064 $\frac{15}{3\times5^2\times7}=\frac{3\times5}{3\times5^2\times7}=\frac{1}{5\times7}$ (무한소수)

0065 $\frac{14}{60}=\frac{7}{30}=\frac{7}{2\times3\times5}$ (무한소수)

0066 $\frac{13}{65}=\frac{1}{5}$ (유한소수)

0067 $\frac{42}{72}=\frac{7}{12}=\frac{7}{2^2\times3}$ (무한소수)

0068 $\frac{21}{280}=\frac{3}{40}=\frac{3}{2^3\times5}$ (유한소수)

0069 ㄱ. $\frac{11}{24}=\frac{11}{2^3\times3}$ ㄴ. $\frac{12}{75}=\frac{4}{25}=\frac{4}{5^2}$

ㄷ. $\frac{4}{56}=\frac{1}{14}=\frac{1}{2\times7}$ ㄹ. $\frac{27}{240}=\frac{9}{80}=\frac{9}{2^4\times5}$

08 유한소수가 되게 하는 자연수 구하기

본문 ◎ 22쪽

0070 3, 3 **0071** 7 **0072** 9 **0073** 21
0074 3 **0075** 3 **0076** 7 **0077** 33
0078 11 **0079** 18

0071 a는 7의 배수이어야 하므로 a의 값이 될 수 있는 가장 작은 자연수는 7이다.

0072 a는 3^2의 배수이어야 하므로 a의 값이 될 수 있는 가장 작은 자연수는 9이다.

0073 a는 $3\times7=21$의 배수이어야 하므로 a의 값이 될 수 있는 가장 작은 자연수는 21이다.

0074 $\dfrac{3\times a}{2^2\times3^2\times5}=\dfrac{a}{2^2\times3\times5}$이므로 a는 3의 배수이어야 한다.
따라서 a의 값이 될 수 있는 가장 작은 자연수는 3이다.

0075 $\dfrac{4}{15}\times a=\dfrac{4}{3\times5}\times a$가 유한소수로 나타내어지므로 a는 3의 배수이어야 한다.
따라서 a의 값이 될 수 있는 가장 작은 자연수는 3이다.

0076 $\dfrac{5}{28}\times a=\dfrac{5}{2^2\times7}\times a$가 유한소수로 나타내어지므로 a는 7의 배수이어야 한다.
따라서 a의 값이 될 수 있는 가장 작은 자연수는 7이다.

0077 $\dfrac{13}{66}\times a=\dfrac{13}{2\times3\times11}\times a$가 유한소수로 나타내어지므로 a는 $3\times11=33$의 배수이어야 한다.
따라서 a의 값이 될 수 있는 가장 작은 자연수는 33이다.

0078 $\dfrac{21}{330}\times a=\dfrac{21}{2\times3\times5\times11}\times a=\dfrac{7}{2\times5\times11}\times a$가 유한소수로 나타내어지므로 a는 11의 배수이어야 한다.
따라서 a의 값이 될 수 있는 가장 작은 자연수는 11이다.

0079 $\dfrac{7}{36}\times a=\dfrac{7}{2^2\times3^2}\times a$가 유한소수로 나타내어지므로 a는 9의 배수이어야 한다.
따라서 a의 값이 될 수 있는 가장 작은 두 자리의 자연수는 18이다.

핵심 01~08 Mini Review Test 본문 ◎ 23쪽

0080 $2.5,\ -\dfrac{8}{7}$ **0081** ④ **0082** ③, ⑤
0083 $A=2,\ B=2,\ C=22,\ D=0.22$ **0084** ①
0085 33

0080 $-\dfrac{10}{2}=-5,\ \dfrac{18}{3}=6$

0081 ① 양수, 0, 음수를 통틀어 유리수라고 한다.
② 유리수는 모두 분수로 나타낼 수 있다.
③ 양의 정수가 아닌 정수는 0, 음의 정수이다.
⑤ 0은 유리수이다.

0082 ①, ②, ④ 무한소수

0083 $\dfrac{11}{50}=\dfrac{11}{2\times5^2}=\dfrac{11\times2}{2\times5^2\times2}=\dfrac{11\times2}{2^2\times5^2}=\dfrac{22}{100}=0.22$
$\therefore\ A=2,\ B=2,\ C=22,\ D=0.22$

0084 ① $\dfrac{1}{5}$ ② $\dfrac{2}{7}$ ③ $\dfrac{7}{2^3\times3}$ ④ $\dfrac{1}{3}$ ⑤ $\dfrac{1}{3\times5}$
따라서 유한소수로 나타낼 수 있는 것은 ①이다.

0085 $\dfrac{8}{165}\times a=\dfrac{8}{3\times5\times11}\times a$ …… ❶
유한소수가 되려면 분모의 소인수가 2나 5뿐이어야 하므로 a는 $3\times11=33$의 배수이어야 한다. …… ❷
즉, a의 값이 될 수 있는 가장 작은 자연수는 33이다. …… ❸

채점 기준	배점
❶ 분모를 소인수분해하여 나타내기	40 %
❷ a의 값의 조건 알기	40 %
❸ a의 값이 될 수 있는 가장 작은 자연수 구하기	20 %

09 순환소수의 표현 (1)

본문 ◎ 24쪽

0086 ○, 24 **0087** × **0088** × **0089** ○
0090 ○ **0091** $5,\ 0.\dot{5}$ **0092** $3,\ 1.4\dot{3}$
0093 $61,\ 0.2\dot{6}\dot{1}$ **0094** $312,\ 2.\dot{3}1\dot{2}$
0095 ㄱ

0095 ㄴ. $1.23123123\cdots=1.\dot{2}3\dot{1}$
ㄷ. $3.41234123\cdots=3.\dot{4}12\dot{3}$
따라서 옳은 것은 ㄱ이다.

10 순환소수의 표현 (2)

본문 ◎ 25쪽

0096 풀이 참조 (1) $0.8333\cdots$ (2) 3 (3) $0.8\dot{3}$
0097 풀이 참조 (1) $0.727272\cdots$ (2) 72 (3) $0.\dot{7}\dot{2}$
0098 풀이 참조 (1) $2.777\cdots$ (2) 7 (3) $2.\dot{7}$
0099 풀이 참조 (1) $0.3666\cdots$ (2) 6 (3) $0.3\dot{6}$
0100 $0.\dot{7}$ **0101** $0.1\dot{6}$ **0102** $2.\dot{6}\dot{3}$ **0103** $0.1\dot{3}$
0104 $0.41\dot{6}$ **0105** (1) 296 (2) $0.\dot{2}9\dot{6}$

0096

$$\begin{array}{r} 0.833\cdots \\ 6\overline{)\,5} \\ \underline{4\,8} \\ 2\,0 \\ \underline{1\,8} \\ 2\,0 \\ \underline{1\,8} \\ 2 \\ \vdots \end{array}$$

0097

$$\begin{array}{r} 0.7272\cdots \\ 11\overline{)\,8} \\ \underline{7\,7} \\ 3\,0 \\ \underline{2\,2} \\ 8\,0 \\ \underline{7\,7} \\ 3\,0 \\ \underline{2\,2} \\ 8 \\ \vdots \end{array}$$

0098

$$\begin{array}{r} 2.777\cdots \\ 9\overline{)\,2\,5} \\ \underline{1\,8} \\ 7\,0 \\ \underline{6\,3} \\ 7\,0 \\ \underline{6\,3} \\ 7\,0 \\ \underline{6\,3} \\ 7 \\ \vdots \end{array}$$

0099

$$\begin{array}{r} 0.3666\cdots \\ 30\overline{)\,1\,1} \\ \underline{9\,0} \\ 2\,0\,0 \\ \underline{1\,8\,0} \\ 2\,0\,0 \\ \underline{1\,8\,0} \\ 2\,0\,0 \\ \underline{1\,8\,0} \\ 2\,0 \\ \vdots \end{array}$$

0100 $7\div9=0.777\cdots=0.\dot{7}$

0101 $1\div6=0.1666\cdots=0.1\dot{6}$

0102 $29\div11=2.636363\cdots=2.\dot{6}\dot{3}$

0103 $2\div15=0.1333\cdots=0.1\dot{3}$

0104 $\frac{5}{12}=5\div12=0.41666\cdots=0.41\dot{6}$

0105 $8\div27=0.296296296\cdots=0.\dot{2}9\dot{6}$

11 소수점 아래 n번째 자리의 숫자 구하기

본문 ○ 26쪽

0106 7, 6, 3, 2, 2, 7 **0107** 1, 1, 3 **0108** 2, 2, 3
0109 $0.\dot{5}7142\dot{8}$ **0110** 6 **0111** 8
0112 (1) $0.\dot{9}2307\dot{6}$ (2) 2

0109 $\frac{4}{7}=4\div7=0.571428571428\cdots$

0111 $30=6\times5$이므로 소수점 아래 30번째 자리의 숫자는 순환마디의 6번째 자리의 숫자와 같은 8이다.

0112 (1) $12\div13=0.923076923076\cdots=0.\dot{9}2307\dot{6}$
(2) $50=6\times8+2$이므로 소수점 아래 50번째 자리의 숫자는 순환마디의 2번째 자리의 숫자와 같은 2이다.

12 순환소수를 분수로 나타내기 (1)

본문 ○ 27쪽

0113 10, 9, $\frac{2}{9}$ **0114** 100, 99, 43, $\frac{43}{99}$
0115 100, 99, 99, $\frac{58}{33}$
0116 1000, 999, 999, $\frac{46}{37}$

13 순환소수를 분수로 나타내기 (2)

본문 ○ 28쪽

0117 ㄱ	**0118** ㄴ	**0119** ㄴ	**0120** ㄷ
0121 ㄷ	**0122** ㄹ	**0123** $\frac{7}{3}$	**0124** $\frac{41}{333}$
0125 $\frac{103}{99}$	**0126** $\frac{94}{999}$	**0127** $\frac{5}{11}$	**0128** $\frac{3268}{999}$

0117

$$\begin{array}{rr} & 10x=15.555\cdots \\ -) & \underline{x=1.555\cdots} \\ & 9x=14 \end{array}$$

0118

$$\begin{array}{rr} & 100x=24.242424\cdots \\ -) & \underline{x=0.242424\cdots} \\ & 99x=24 \end{array}$$

0119

$$\begin{array}{rr} & 100x=120.202020\cdots \\ -) & \underline{x=1.202020\cdots} \\ & 99x=119 \end{array}$$

0120

$$\begin{array}{rr} & 1000x=2324.324324324\cdots \\ -) & \underline{x=2.324324324\cdots} \\ & 999x=2322 \end{array}$$

0121

$$\begin{array}{rr} & 1000x=1516.516516516\cdots \\ -) & \underline{x=1.516516516\cdots} \\ & 999x=1515 \end{array}$$

0122

$$\begin{array}{rr} & 10000x=31234.12341234\cdots \\ -) & \underline{x=3.12341234\cdots} \\ & 9999x=31231 \end{array}$$

0123 $x=2.\dot{3}=2.333\cdots$으로 놓으면

$$\begin{array}{rr} & 10x=23.333\cdots \\ -) & \underline{x=2.333\cdots} \\ & 9x=21 \end{array}$$

$\therefore x=\frac{21}{9}=\frac{7}{3}$

0124 $x=0.\dot{1}2\dot{3}=0.123123123\cdots$으로 놓으면

$$\begin{array}{rl} 1000x= & 123.123123123\cdots \\ -)\quad x= & 0.123123123\cdots \\ \hline 999x= & 123 \end{array}$$

$\therefore x=\frac{123}{999}=\frac{41}{333}$

0125 $x=1.\dot{0}\dot{4}=1.040404\cdots$로 놓으면

$$\begin{array}{rl} 100x= & 104.040404\cdots \\ -)\quad x= & 1.040404\cdots \\ \hline 99x= & 103 \end{array}$$

$\therefore x=\frac{103}{99}$

0126 $x=0.\dot{0}9\dot{4}=0.094094094\cdots$로 놓으면

$$\begin{array}{rl} 1000x= & 94.094094094\cdots \\ -)\quad x= & 0.094094094\cdots \\ \hline 999x= & 94 \end{array}$$

$\therefore x=\frac{94}{999}$

0127 $x=0.\dot{4}\dot{5}=0.454545\cdots$로 놓으면

$$\begin{array}{rl} 100x= & 45.454545\cdots \\ -)\quad x= & 0.454545\cdots \\ \hline 99x= & 45 \end{array}$$

$\therefore x=\frac{45}{99}=\frac{5}{11}$

0128 $x=3.\dot{2}7\dot{1}=3.271271271\cdots$로 놓으면

$$\begin{array}{rl} 1000x= & 3271.271271271\cdots \\ -)\quad x= & 3.271271271\cdots \\ \hline 999x= & 3268 \end{array}$$

$\therefore x=\frac{3268}{999}$

14 순환소수를 분수로 나타내기 (3)

본문 ◎ 29쪽

0129 100, 10, 90, 90, $\frac{7}{45}$

0130 1000, 10, 990, 990, $\frac{68}{55}$

0131 1000, 100, 900, 900, $\frac{244}{225}$

0132 1000, 10, 990, 990, $\frac{61}{495}$

15 순환소수를 분수로 나타내기 (4)

본문 ◎ 30쪽

0133 ㄱ **0134** ㄷ **0135** ㄷ **0136** ㄴ

0137 ㄹ **0138** ㅁ **0139** $\frac{17}{45}$ **0140** $\frac{4}{45}$

0141 $\frac{277}{990}$ **0142** $\frac{71}{150}$ **0143** $\frac{862}{495}$ **0144** $\frac{949}{900}$

0145 $\frac{37}{18}$

0133

$$\begin{array}{rl} 100x= & 42.222\cdots \\ -)\quad 10x= & 4.222\cdots \\ \hline 90x= & 38 \end{array}$$

0134

$$\begin{array}{rl} 1000x= & 1207.777\cdots \\ -)\quad 100x= & 120.777\cdots \\ \hline 900x= & 1087 \end{array}$$

0135

$$\begin{array}{rl} 1000x= & 2028.888\cdots \\ -)\quad 100x= & 202.888\cdots \\ \hline 900x= & 1826 \end{array}$$

0136

$$\begin{array}{rl} 1000x= & 1245.454545\cdots \\ -)\quad 10x= & 12.454545\cdots \\ \hline 990x= & 1233 \end{array}$$

0137

$$\begin{array}{rl} 10000x= & 4616.616616616\cdots \\ -)\quad 10x= & 4.616616616\cdots \\ \hline 9990x= & 4612 \end{array}$$

0138

$$\begin{array}{rl} 10000x= & 1234.343434\cdots \\ -)\quad 100x= & 12.343434\cdots \\ \hline 9900x= & 1222 \end{array}$$

0139 $x=0.3\dot{7}=0.3777\cdots$로 놓으면

$$\begin{array}{rl} 100x= & 37.777\cdots \\ -)\quad 10x= & 3.777\cdots \\ \hline 90x= & 34 \end{array}$$

$\therefore x=\frac{34}{90}=\frac{17}{45}$

0140 $x=0.0\dot{8}=0.0888\cdots$로 놓으면

$$\begin{array}{rl} 100x= & 8.888\cdots \\ -)\quad 10x= & 0.888\cdots \\ \hline 90x= & 8 \end{array}$$

$\therefore x=\frac{8}{90}=\frac{4}{45}$

0141 $x=0.2\dot{7}\dot{9}=0.2797979\cdots$로 놓으면

$$\begin{array}{rl} 1000x= & 279.797979\cdots \\ -)\quad 10x= & 2.797979\cdots \\ \hline 990x= & 277 \end{array}$$

$\therefore x=\frac{277}{990}$

0142 $x=0.47\dot{3}=0.47333\cdots$으로 놓으면

$$\begin{array}{rl} 1000x= & 473.333\cdots \\ -)\quad 100x= & 47.333\cdots \\ \hline 900x= & 426 \end{array}$$

$\therefore x=\frac{426}{900}=\frac{71}{150}$

0143 $x=1.7\dot{4}\dot{1}=1.7414141\cdots$로 놓으면

$$\begin{array}{rl} 1000x= & 1741.414141\cdots \\ -)\quad 10x= & 17.414141\cdots \\ \hline 990x= & 1724 \end{array}$$

$\therefore x=\frac{1724}{990}=\frac{862}{495}$

0144 $x=1.05\dot{4}=1.05444\cdots$로 놓으면

$$\begin{array}{rl} 1000x= & 1054.444\cdots \\ -)\quad 100x= & 105.444\cdots \\ \hline 900x= & 949 \end{array}$$

$\therefore x=\frac{949}{900}$

0145 $x=2.0\dot{5}=2.0555\cdots$로 놓으면

$$\begin{array}{rl} 100x= & 205.555\cdots \\ -)\quad 10x= & 20.555\cdots \\ \hline 90x= & 185 \end{array}$$

$\therefore x=\frac{185}{90}=\frac{37}{18}$

16 순환소수를 분수로 나타내기 – 공식 (1)

본문 ◎ 31쪽

0146 9, 1 **0147** 99, 2 **0148** 54, 99, $\frac{6}{11}$, 2

0149 234, 999, $\frac{26}{111}$, 3 **0150** $\frac{1}{3}$ **0151** $\frac{3}{11}$

0152 $\frac{46}{99}$ **0153** $\frac{104}{999}$ **0154** $\frac{625}{999}$

0150 $0.\dot{3}=\frac{3}{9}=\frac{1}{3}$

0151 $0.\dot{2}\dot{7}=\frac{27}{99}=\frac{3}{11}$

0152 $0.\dot{4}\dot{6}=\frac{46}{99}$

0153 $0.\dot{1}0\dot{4}=\frac{104}{999}$

0154 $0.\dot{6}2\dot{5}=\frac{625}{999}$

17 순환소수를 분수로 나타내기 – 공식 (2)

본문 ◎ 32쪽

0155 3, 9, $\frac{31}{9}$, 1 **0156** 2, 99, $\frac{245}{99}$, 2

0157 3715, 3, 999, $\frac{3712}{999}$, 3 **0158** 1123, 11, 99, $\frac{1112}{99}$, 2

0159 1709, 1, 999, $\frac{1708}{999}$, 3 **0160** $\frac{4}{3}$ **0161** $\frac{217}{33}$

0162 $\frac{47}{33}$ **0163** $\frac{4231}{999}$ **0164** ⑤

0160 $1.\dot{3}=\frac{13-1}{9}=\frac{12}{9}=\frac{4}{3}$

0161 $6.\dot{5}\dot{7}=\frac{657-6}{99}=\frac{651}{99}=\frac{217}{33}$

0162 $1.\dot{4}\dot{2}=\frac{142-1}{99}=\frac{141}{99}=\frac{47}{33}$

0163 $4.\dot{2}3\dot{5}=\frac{4235-4}{999}=\frac{4231}{999}$

0164 ⑤ $5.\dot{6}1\dot{4}=\frac{5614-5}{999}=\frac{5609}{999}$

18 순환소수를 분수로 나타내기 – 공식 (3)

본문 ◎ 33쪽

0165 4, 90, $\frac{37}{90}$, 1, 1 **0166** 0, 90, $\frac{7}{90}$, 1, 1

0167 425, 42, 900, $\frac{383}{900}$, 1, 2 **0168** $\frac{59}{90}$

0169 $\frac{11}{30}$ **0170** $\frac{151}{198}$ **0171** $\frac{17}{900}$ **0172** $\frac{311}{990}$

0168 $0.6\dot{5}=\frac{65-6}{90}=\frac{59}{90}$

0169 $0.3\dot{6}=\frac{36-3}{90}=\frac{33}{90}=\frac{11}{30}$

0170 $0.7\dot{6}\dot{2}=\frac{762-7}{990}=\frac{755}{990}=\frac{151}{198}$

0171 $0.01\dot{8}=\frac{18-1}{900}=\frac{17}{900}$

0172 $0.3\dot{1}\dot{4}=\frac{314-3}{990}=\frac{311}{990}$

19 순환소수를 분수로 나타내기 – 공식 (4)

본문 ○ 34쪽

0173 15, 90, $\frac{139}{90}$, 1, 1 **0174** 34, 90, $\frac{308}{90}$, $\frac{154}{45}$, 1, 1

0175 1627, 16, 990, $\frac{1611}{990}$, $\frac{179}{110}$, 2, 1

0176 2574, 257, 900, $\frac{2317}{900}$, 1, 2 **0177** $\frac{383}{90}$

0178 $\frac{23}{6}$ **0179** $\frac{1}{75}$ **0180** $\frac{127}{990}$ **0181** ④

0177 $4.2\dot{5}=\frac{425-42}{90}=\frac{383}{90}$

0178 $3.8\dot{3}=\frac{383-38}{90}=\frac{345}{90}=\frac{23}{6}$

0179 $0.01\dot{3}=\frac{13-1}{900}=\frac{12}{900}=\frac{1}{75}$

0180 $0.1\dot{2}\dot{8}=\frac{128-1}{990}=\frac{127}{990}$

0181 ① $0.1\dot{4}=\frac{14-1}{90}=\frac{13}{90}$

② $1.3\dot{8}=\frac{138-13}{90}=\frac{125}{90}=\frac{25}{18}$

③ $0.\dot{4}3\dot{2}=\frac{432-4}{990}=\frac{428}{990}=\frac{214}{495}$

④ $2.3\dot{7}\dot{8}=\frac{2378-23}{990}=\frac{2355}{990}=\frac{157}{66}$

⑤ $1.34\dot{2}=\frac{1342-134}{900}=\frac{1208}{900}=\frac{302}{225}$

20 유리수와 소수 사이의 관계

본문 ○ 35쪽

0182 ㄱ, ㄷ, ㄹ, ㅂ **0183** ㄷ, ㄹ, ㅂ

0184 × **0185** × **0186** × **0187** ○

0188 ○ **0189** ○

0184 유한소수로 나타낼 수 없는 유리수도 있다.

0185 π와 같은 순환하지 않는 무한소수는 유리수가 아니다.

0186 소수 중 순환하지 않는 무한소수는 유리수가 아니다.

핵심 09~20 Mini Review Test

본문 ○ 36쪽

0190 ②, ③ **0191** (1) $1.\dot{4}\dot{5}$ (2) $0.2\dot{6}$ **0192** 5

0193 ⑤ **0194** ④ **0195** ③ **0196** ㄱ, ㄴ

0190 ② $1.\dot{2}5\dot{0}$ ③ $4.\dot{3}21\dot{4}$

0191 (1) $\frac{16}{11}=1.454545\cdots=1.\dot{4}\dot{5}$

(2) $\frac{4}{15}=0.2666\cdots=0.2\dot{6}$

0192 $\frac{5}{27}=0.185185185\cdots=0.\dot{1}8\dot{5}$ ······ ❶

순환마디가 185이므로 순환마디의 숫자가 3개이다. ······ ❷

$30=3\times10$이므로 소수점 아래 30번째 자리의 숫자는 순환마디의 3번째 숫자와 같은 5이다. ······ ❸

채점 기준	배점
❶ 분수를 소수로 나타내기	30 %
❷ 순환마디의 숫자의 개수 구하기	20 %
❸ 소수점 아래 30번째 자리의 숫자 구하기	50 %

0193

$$\begin{array}{rl} 1000x= & 1234.444\cdots \\ -)\ 100x= & 123.444\cdots \\ \hline 900x= & 1111 \end{array}$$

0194 ①, ② $x=1.5686868\cdots=1.5\dot{6}\dot{8}$이므로 순환마디의 숫자는 2개이다.

③, ④

$$\begin{array}{rl} 1000x= & 1568.686868\cdots \\ -)\ 10x= & 15.686868\cdots \\ \hline 990x= & 1553 \end{array}$$

$\therefore x=\frac{1553}{990}$

0195 ① $1.\dot{6}=\frac{16-1}{9}=\frac{15}{9}=\frac{5}{3}$

② $0.5\dot{2}=\frac{52-5}{90}=\frac{47}{90}$

③ $2.\dot{7}\dot{2}=\frac{272-2}{99}=\frac{270}{99}=\frac{30}{11}$

④ $0.40\dot{8}=\frac{408-40}{900}=\frac{368}{900}=\frac{92}{225}$

⑤ $1.27\dot{3}=\frac{1273-127}{900}=\frac{1146}{900}=\frac{191}{150}$

0196 ㄱ. 순환소수는 무한소수이지만 유리수이다. (거짓)

ㄴ. $\frac{1}{3}$은 기약분수이지만 $\frac{1}{3}=0.333\cdots$이므로 유한소수로 나타낼 수 없다. (거짓)

따라서 옳지 않은 것은 ㄱ, ㄴ이다.

❷ 식의 계산 

2. 단항식의 계산

01 지수법칙-거듭제곱의 곱셈 (1)

본문 ○ 41쪽

0197 6, 8	**0198** 5^6	**0199** b^4	**0200** 1, 2, 6
0201 3^{12}	**0202** x^{13}	**0203** 3, 7, 2	**0204** x^5y^7
0205 1, 1, 3, 4	**0206** x^6y^5	**0207** x^4y^3	**0208** a^5b^6

0198 $5^2\times5^4=5^{2+4}=5^6$

0199 $b\times b^3=b^{1+3}=b^4$

0201 $3^3\times3^4\times3^5=3^{3+4+5}=3^{12}$

0202 $x^3\times x^2\times x^7\times x=x^{3+2+7+1}=x^{13}$

0204 $x^3\times y^7\times x^2=x^3\times x^2\times y^7=x^{3+2}\times y^7=x^5\times y^7$

0206 $x^2\times y^4\times x^4\times y=x^{2+4}\times y^{4+1}=x^6\times y^5$

0207 $x^3\times y\times x\times y^2=x^{3+1}\times y^{1+2}=x^4y^3$

0208 $a^2\times b^2\times b^4\times a^3=a^{2+3}\times b^{2+4}=a^5\times b^6$

02 지수법칙-거듭제곱의 곱셈 (2)

본문 ○ 42쪽

0209 3	**0210** 6	**0211** 5	**0212** 10
0213 6	**0214** 5	**0215** 6, 11	**0216** 6, 2
0217 4, 2	**0218** (1) × (2) ○ (3) ×		

0209 $a^{\square+4}=a^7$에서 $\square+4=7$ $\therefore \square=3$

0210 $x^{5+\square}=x^{11}$에서
$5+\square=11$ $\therefore \square=6$

0211 $2^{2+\square}=2^7$에서
$2+\square=7$ $\therefore \square=5$

0212 $3^{2+3+\square}=3^{15}$에서
$2+3+\square=15$ $\therefore \square=10$

0213 $x^{2+\square+1}=x^9$에서
$2+\square+1=9$ $\therefore \square=6$

0214 $4^{\square+5+5+5}=4^{20}$에서
$\square+5+5+5=\square+15=20$ $\therefore \square=5$

0215 $a^{5+n}\times b^{m+7}=a^{16}b^{13}$
$5+n=16$에서 $n=11$
$m+7=13$에서 $m=6$

0216 $x^{m+3}\times y^{n+4}=x^9y^6$
$m+3=9$에서 $m=6$
$n+4=6$에서 $n=2$

0217 $3^{1+m}\times5^{3+2+n}=3^5\times5^7$
$1+m=5$에서 $m=4$
$3+2+n=7$에서 $n=2$

0218 (1) $3^4+3^4=2\times3^4$ (×)
(2) $a\times a^2\times a^5=a^{1+2+5}=a^8$ (○)
(3) $5^2\times5^2\times5^2=5^{2+2+2}=5^6$ (×)

03 지수법칙-거듭제곱의 거듭제곱 (1)

본문 ○ 43쪽

0219 2, 10	**0220** x^8	**0221** y^{12}	**0222** 3^6
0223 a^9	**0224** 2^{32}	**0225** 4, 12, 14	**0226** a^{24}
0227 b^{16}	**0228** y^{12}	**0229** x^{20}	**0230** a^{42}

0220 $(x^2)^4=x^{2\times4}=x^8$

0221 $(y^4)^3=y^{4\times3}=y^{12}$

0222 $(3^3)^2=3^{3\times2}=3^6$

0223 $(a^3)^3=a^{3\times3}=a^9$

0224 $(2^4)^8=2^{4\times8}=2^{32}$

0226 $a^{12}\times(a^4)^3=a^{12}\times a^{12}=a^{12+12}=a^{24}$

0227 $(b^3)^2\times(b^5)^2=b^6\times b^{10}=b^{6+10}=b^{16}$

0228 $(y^2)^2\times(y^4)^2=y^4\times y^8=y^{12}$

0229 $x^2\times(x^2)^3\times(x^3)^4=x^2\times x^6\times x^{12}=x^{2+6+12}=x^{20}$

0230 $(a^2)^4\times(a^4)^4\times(a^6)^3=a^8\times a^{16}\times a^{18}=a^{8+16+18}=a^{42}$

04 지수법칙-거듭제곱의 거듭제곱 (2)

본문 ◎ 44쪽

0231 6, 9, 10, 6 **0232** x^9y^{12} **0233** $a^{29}b^6$
0234 $a^{21}b^8$ **0235** $a^{18}b^3$ **0236** $x^{22}y^{12}$ **0237** 4, 4
0238 5 **0239** 4 **0240** 6 **0241** ㄴ

0232 $(x^2)^3\times(y^4)^3\times x^3=x^6\times y^{12}\times x^3=x^{6+3}\times y^{12}=x^9y^{12}$

0233 $(a^4)^2\times(b^3)^2\times(a^7)^3=a^8\times b^6\times a^{21}=a^{8+21}\times b^6=a^{29}b^6$

0234 $(a^3)^2\times(b^4)^2\times(a^3)^5=a^6\times b^8\times a^{15}=a^{6+15}b^8=a^{21}b^8$

0235 $(a^3)^4\times b^2\times(a^2)^3\times b=a^{12}\times b^2\times a^6\times b$
$=a^{12+6}\times b^{2+1}=a^{18}b^3$

0236 $(x^5)^2\times(y^2)^4\times(y^2)^2\times(x^6)^2=x^{10}\times y^8\times y^4\times x^{12}$
$=x^{10+12}\times y^{8+4}=x^{22}y^{12}$

0237 $4\times\square=16$ $\therefore \square=4$

0238 $x^{\square\times3}=x^{15}$에서 $\square\times3=15$ $\therefore \square=5$

0239 $x^{3\times\square+2}=x^{14}$에서 $3\times\square+2=14$ $\therefore \square=4$

0240 $(a^4)^2\times(a^\square)^2=a^8\times a^{\square\times2}=a^{8+\square\times2}=a^{20}$에서
$8+\square\times2=20$, $\square\times2=12$ $\therefore \square=6$

0241 ㄱ. $(a^2)^5=a^{10}$
ㄴ. $a^4\times a\times a^2=a^{4+1+2}=a^7$
ㄷ. $(a^3)^3\times a=a^9\times a=a^{9+1}=a^{10}$
ㄹ. $(a^3)^2\times(a^2)^2=a^6\times a^4=a^{6+4}=a^{10}$
따라서 결과가 다른 것은 ㄴ이다.

05 지수법칙-거듭제곱의 나눗셈 (1)

본문 ◎ 45쪽

0242 6, 2, 4 **0243** y^4 **0244** 3^2 **0245** 2^8
0246 1 **0247** 4, 3 **0248** $\frac{1}{x^3}$ **0249** $\frac{1}{y}$
0250 $\frac{1}{3^8}$ **0251** $\frac{1}{5^9}$

0243 $y^8\div y^4=y^{8-4}=y^4$

0244 $3^7\div3^5=3^{7-5}=3^2$

0245 $2^{12}\div2^4=2^{12-4}=2^8$

0248 $x^3\div x^6=\frac{1}{x^{6-3}}=\frac{1}{x^3}$

0249 $y^5\div y^6=\frac{1}{y^{6-5}}=\frac{1}{y}$

0250 $3^7\div3^{15}=\frac{1}{3^{15-7}}=\frac{1}{3^8}$

0251 $5\div5^{10}=\frac{1}{5^{10-1}}=\frac{1}{5^9}$

06 지수법칙-거듭제곱의 나눗셈 (2)

본문 ◎ 46쪽

0252 30, 30, 21 **0253** x **0254** 2, 6, 3
0255 $\frac{1}{y^2}$ **0256** $\frac{1}{x^2}$ **0257** $\frac{1}{2^6}$ **0258** 8
0259 4 **0260** 5 **0261** 2
0262 (1) ○ (2) × (3) ×

0253 $(x^7)^3\div(x^5)^4=x^{21}\div x^{20}=x^{21-20}=x$

0255 $y^5\div y^3\div y^4=y^{5-3}\div y^4=y^2\div y^4=\frac{1}{y^{4-2}}=\frac{1}{y^2}$

0256 $(x^3)^2\div x^3\div x^5=x^6\div x^3\div x^5=x^3\div x^5=\frac{1}{x^2}$

0257 $(2^8)^2\div2^2\div(2^2)^{10}=2^{16}\div2^2\div2^{20}=2^{14}\div2^{20}=\frac{1}{2^6}$

0258 $x^{10-\square}=x^2$에서 $10-\square=2$ $\therefore \square=8$

0259 $a^\square=a^4$이므로 $\square=4$

0260 $a^1\div a^\square=\frac{1}{a^{\square-1}}=\frac{1}{a^4}$에서 $\square-1=4$이므로
$\square=5$

0261 $(a^\square)^4\div a^6=a^{\square\times4-6}=a^2$에서
$4\times\square-6=2$, $4\times\square=8$
$\therefore \square=2$

0262 (1) $(x^5)^2\div(x^2)^5=x^{10}\div x^{10}=1$ (○)
(2) $x\div x^8=\frac{1}{x^{8-1}}=\frac{1}{x^7}$ (×)
(3) $y^8\div y^5\div y^3=y^3\div y^3=1$ (×)

07 지수법칙-전체의 거듭제곱 (1)

본문 ◎ 47쪽

0263 3, 3, 3, 3 **0264** $x^{10}y^5$ **0265** a^6b^{12}
0266 a^6b^{10} **0267** x^9y^3 **0268** $27a^3b^9$ **0269** x^4
0270 $-x^6y^{12}$ **0271** $16a^{12}b^4$ **0272** 5

0264 $(x^2y)^5=x^{2\times5}y^{1\times5}=x^{10}y^5$

0265 $(a^2b^4)^3=a^{2\times3}b^{4\times3}=a^6b^{12}$

0266 $(a^3b^5)^2=a^{3\times2}b^{5\times2}=a^6b^{10}$

0267 $(x^3y)^3=x^{3\times3}y^{1\times3}=x^9y^3$

0268 $(3ab^3)^3=3^3a^{1\times3}b^{3\times3}=27a^3b^9$

0269 $(-x^2)^2=(-1)^2x^{2\times2}=x^4$

0270 $(-x^2y^4)^3=(-1)^3x^{2\times3}y^{4\times3}=-x^6y^{12}$

0271 $(-2a^3b)^4=(-2)^4\times a^{3\times4}b^{1\times4}=16a^{12}b^4$

0272 $(2x^a)^b=8x^6$이므로 $2^bx^{ab}=8x^6$
즉, $2^b=8=2^3$이므로 $b=3$,
$x^{ab}=x^6$이므로 $ab=6$ $\therefore a=2$
$\therefore a+b=2+3=5$

08 지수법칙-전체의 거듭제곱 (2)

본문 ◎ 48쪽

0273 2, 2 **0274** $\frac{x^5}{y^{15}}$ **0275** $\frac{a^8}{b^{16}}$ **0276** $\frac{b^9}{8a^6}$
0277 $\frac{81b^8}{a^4}$ **0278** $\frac{y^4}{x^8}$ **0279** $-\frac{64b^{12}}{a^{21}}$ **0280** $\frac{9b^6}{16a^4}$
0281 ㄱ, ㄴ

0274 $\left(\frac{x}{y^3}\right)^5=\frac{x^{1\times5}}{y^{3\times5}}=\frac{x^5}{y^5}$

0275 $\left(\frac{a^2}{b^4}\right)^4=\frac{a^{2\times4}}{b^{4\times4}}=\frac{a^8}{b^{16}}$

0276 $\left(\frac{b^3}{2a^2}\right)^3=\frac{b^{3\times3}}{2^3a^{2\times3}}=\frac{b^9}{8a^6}$

0277 $\left(\frac{3b^2}{a}\right)^4=\frac{3^4b^{2\times4}}{a^{1\times4}}=\frac{81b^8}{a^4}$

0278 $\left(-\frac{y}{x^2}\right)^4=(-1)^4\times\frac{y^{1\times4}}{x^{2\times4}}=\frac{y^4}{x^8}$

0279 $\left(-\frac{4b^4}{a^7}\right)^3=(-1)^3\times\frac{4^3b^{4\times3}}{a^{7\times3}}=-\frac{64b^{12}}{a^{21}}$

0280 $\left(-\frac{3b^3}{4a^2}\right)^2=(-1)^2\times\frac{3^2b^{3\times2}}{4^2a^{2\times2}}=\frac{9b^6}{16a^4}$

0281 ㄱ. $(x^4y^2)^2=x^{4\times2}y^{2\times2}=x^8y^4$
ㄴ. $(-3b^5)^2=(-1)^2\times3^2b^{5\times2}=9b^{10}$
ㄷ. $\left(-\frac{2y}{x^2}\right)^3=(-1)^3\times\frac{2^3y^{1\times3}}{x^{2\times3}}=-\frac{8y^3}{x^6}$
따라서 옳은 것은 ㄱ, ㄴ이다.

핵심 01~08 Mini Review Test

본문 ◎ 49쪽

0282 (1) a^{11}, a^{16} (2) x^4, x^3 **0283** $A=18$, $B=4$, $C=15$
0284 (1) a (2) 2^6 (3) 1 **0285** (1) 1 (2) 7 (3) 5 (4) 3
0286 2 **0287** ㄴ, ㄷ

0282 (1) 앞의 ○ 안의 식에 → 위의 식을 곱하면 뒤의 ○ 안의 식이 된다.
$a^7\times a^4=a^{7+4}=a^{11}$, $a^{11}\times a^5=a^{11+5}=a^{16}$
(2) 앞의 ○ 안의 식을 → 위의 식으로 나누면 뒤의 ○ 안의 식이 된다.
$x^{12}\div x^8=x^{12-8}=x^4$, $x^4\div x=x^{4-1}=x^3$

0283 $(x^2)^3\times(x^4)^3=x^6\times x^{12}=x^{6+12}=x^{18}$ $\therefore A=18$ …… ❶
$(a^5)^3\times(b^3)^B=a^Cb^{12}$에서 $a^{15}b^{3B}=a^Cb^{12}$ …… ❷
따라서 $15=C$, $3B=12$이므로
$B=4$, $C=15$ …… ❸

채점 기준	배점
❶ A의 값 구하기	30 %
❷ (나)의 좌변을 간단히 하기	30 %
❸ B, C의 값 각각 구하기	40 %

0284 (1) $a^5\div a^4=a^{5-4}=a$
(2) $2^{14}\div2^6\div2^2=2^{14-6-2}=2^6$
(3) $y^4\div y^3\div y=y\div y=1$

0285 (1) $16=2^4$이므로 $2^{\square}\times2^3=16$에서 $2^{\square+3}=2^4$
따라서 $\square+3=4$이므로 $\square=1$
(2) $81=3^4$이므로 $3^{\square}\div3^3=81$에서 $3^{\square-3}=3^4$
따라서 $\square-3=4$이므로 $\square=7$
(3) $\frac{1}{64}=\frac{1}{8^2}$이므로 $8^{\square}\div8^7=\frac{1}{64}$에서 $8^{\square}\div8^7=\frac{1}{8^2}$
따라서 $7-\square=2$이므로 $\square=5$
(4) $x^{\square\times4}=x^{12}$이므로 $\square\times4=12$ $\therefore \square=3$

0286 $a^{4x-6}=a^2$이므로 $4x-6=2$에서 $4x=8$ $\therefore x=2$

0287 ㄱ. $(2a^4)^3=2^3a^{4\times3}=8a^{12}$
ㄴ. $(-3a^2b^{11})^2=(-3)^2a^{2\times2}b^{11\times2}=9a^4b^{22}$
ㄷ. $\left(\frac{a^4}{4b^3}\right)^3=\frac{a^{4\times3}}{4b^{3\times3}}=\frac{a^{12}}{64b^9}$
따라서 바르게 계산한 것은 ㄴ, ㄷ이다.

09 단항식의 곱셈 (1)

본문 50쪽

0288 3, y, $6xy$ **0289** $28ab$ **0290** $-18pq$
0291 $-10ab$ **0292** $16xy$ **0293** $30x^7$ **0294** $-6y^3$
0295 $-20a^4b$ **0296** $14x^2y^3$ **0297** $-2a^3b^6$

0289 $4a\times7b=4\times7\times a\times b=28ab$

0290 $(-3p)\times6q=-(3\times6)\times p\times q=-18pq$

0291 $5a\times(-2b)=-(5\times2)\times a\times b=-10ab$

0292 $(-2x)\times(-8y)=2\times8\times x\times y=16xy$

0293 $5x^3\times6x^4=5\times6\times x^3\times x^4=30x^7$

0294 $2y\times(-3y^2)=-(2\times3)\times y\times y^2=-6y^3$

0295 $(-4ab)\times5a^3=-(4\times5)\times a\times a^3\times b=-20a^4b$

0296 $(-2x^2y)\times(-7y^2)=2\times7\times x^2\times y\times y^2=14x^2y^3$

0297 $(-a^2b^4)\times2ab^2=-2\times a^2\times a\times b^4\times b^2=-2a^3b^6$

10 단항식의 곱셈 (2)

본문 51쪽

0298 x^2, 9, x^2, $36x^3$ **0299** $-40x^3y^8$ **0300** $12a^{11}b^9$
0301 $-2a^{12}b^7$ **0302** $-9a^{10}b^9$ **0303** $144a^7b^7$ **0304** $-8x^8y^7$
0305 $3x^8y^5$ **0306** $2x^{16}y^8$ **0307** $-48x^7y^6$

0299 $5y^2\times(-2xy^2)^3=5y^2\times(-8x^3y^6)$
$=5\times(-8)\times x^3\times y^2\times y^6=-40x^3y^8$

0300 $\frac{1}{3}a^7b\times(6a^2b^4)^2=\frac{1}{3}a^7b\times36a^4b^8$
$=\frac{1}{3}\times36\times a^7\times a^4\times b\times b^8=12a^{11}b^9$

0301 $(-2a^3b^2)^3\times\frac{1}{4}a^3b=(-8a^9b^6)\times\frac{1}{4}a^3b$
$=-8\times\frac{1}{4}\times a^9\times a^3\times b^6\times b$
$=-2a^{12}b^7$

0302 $(-3a^2b^3)^2\times(-a^2b)^3=9a^4b^6\times(-a^6b^3)$
$=9\times(-1)\times a^4\times a^6\times b^6\times b^3$
$=-9a^{10}b^9$

0303 $(2ab^2)^2\times4a^3b\times(3ab)^2=4a^2b^4\times4a^3b\times9a^2b^2=144a^7b^7$

0304 $(2x^2y)^2\times(-xy)^3\times2xy^2=4x^4y^2\times(-x^3y^3)\times2xy^2$
$=-8x^8y^7$

0305 $\frac{1}{2}x^2\times\frac{2}{3}y^3\times(3x^3y)^2=\frac{1}{2}x^2\times\frac{2}{3}y^3\times9x^6y^2=3x^8y^5$

0306 $\frac{2}{9}x^6\times(3xy^2)^2\times(-x^2y)^4=\frac{2}{9}x^6\times9x^2y^4\times x^8y^4=2x^{16}y^8$

0307 $(-x^2y)\times3xy^3\times(-4x^2y)^2=-x^2y\times3xy^3\times16x^4y^2$
$=-48x^7y^6$

11 단항식의 나눗셈 (1)

본문 52쪽

0308 $2x$, 2 **0309** $3ab$ **0310** $\frac{y^2}{2x}$ **0311** $-\frac{4y}{x^2}$
0312 $-\frac{3m}{n^3}$ **0313** x, 2, x, $16xy$ **0314** $-\frac{3y}{14}$
0315 $\frac{4x}{y}$ **0316** $-2a^2b$

0309 $15a^2b\div5a=\frac{15a^2b}{5a}=3ab$

0310 $12xy^5\div24x^2y^3=\frac{12xy^5}{24x^2y^3}=\frac{y^2}{2x}$

0311 $8xy^3\div(-2x^3y^2)=\frac{8xy^3}{-2x^3y^2}=-\frac{4y}{x^2}$

0312 $9m^2n\div(-3mn^4)=\frac{9m^2n}{-3mn^4}=-\frac{3m}{n^3}$

0314 $\frac{1}{4}xy\div\left(-\frac{7}{6}x\right)=\frac{1}{4}xy\times\left(-\frac{6}{7x}\right)=-\frac{3y}{14}$

0315 $\frac{2}{3}x^2y\div\frac{1}{6}xy^2=\frac{2}{3}x^2y\times\frac{6}{xy^2}=\frac{4x}{y}$

0316 $\frac{3}{4}a^3b^4 \div \left(-\frac{3}{8}ab^3\right)=\frac{3}{4}a^3b^4 \times \left(-\frac{8}{3ab^3}\right)=-2a^2b$

12 단항식의 나눗셈 (2)

본문 ◎ 53쪽

0317 8 **0318** $-\frac{x^4y}{9}$ **0319** $-\frac{3b^5}{a^5}$ **0320** $-x$

0321 $\frac{16}{y^4}$ **0322** $\frac{3a}{b^2}$ **0323** $16a^4$, $5a$, $-\frac{8a^2}{5}$

0324 $\frac{18a^3}{b^7}$ **0325** $\frac{6}{b}$ **0326** (1) ○ (2) × (3) ○

0317 $(-4x^2)^2 \div 2x^4=16x^4 \div 2x^4=\frac{16x^4}{2x^4}=8$

0318 $(-x^2y)^3 \div (-3xy)^2=(-x^6y^3) \div 9x^2y^2$

$=\frac{-x^6y^3}{9x^2y^2}=-\frac{x^4y}{9}$

0319 $(-3ab^3)^3 \div (-3a^4b^2)^2=(-27a^3b^9) \div 9a^8b^4$

$=\frac{-27a^3b^9}{9a^8b^4}=-\frac{3b^5}{a^5}$

0320 $\left(-\frac{1}{2}x\right)^3 \div \frac{1}{8}x^2=-\frac{1}{8}x^3 \div \frac{1}{8}x^2=-\frac{1}{8}x^3 \times \frac{8}{x^2}=-x$

0321 $(2xy)^2 \div \left(\frac{1}{2}xy^3\right)^2=4x^2y^2 \div \frac{1}{4}x^2y^6=4x^2y^2 \times \frac{4}{x^2y^6}=\frac{16}{y^4}$

0322 $\left(-\frac{3}{2}a^2b\right)^2 \div \frac{3}{4}a^3b^4=\frac{9}{4}a^4b^2 \div \frac{3}{4}a^3b^4$

$=\frac{9}{4}a^4b^2 \times \frac{4}{3a^3b^4}=\frac{3a}{b^2}$

0324 $(-3ab)^2 \div \left(\frac{b^4}{a}\right)^3 \div \frac{a^2}{2b^3}=9a^2b^2 \div \frac{b^{12}}{a^3} \div \frac{a^2}{2b^3}$

$=9a^2b^2 \times \frac{a^3}{b^{12}} \times \frac{2b^3}{a^2}=\frac{18a^3}{b^7}$

0325 $(9a^4b^3)^2 \div (-2ab^2)^2 \div \left(\frac{3}{2}a^2b\right)^3$

$=81a^8b^6 \div 4a^2b^4 \div \frac{27}{8}a^6b^3$

$=81a^8b^6 \times \frac{1}{4a^2b^4} \times \frac{8}{27a^6b^3}=\frac{6}{b}$

0326 (1) $3a^2b \div (-9a^4b)=\frac{3a^2b}{-9a^4b}=-\frac{1}{3a^2}$

(2) $(-24xy^3) \div (-2x^2y)=-24xy^3 \times \left(-\frac{1}{2x^2y}\right)=\frac{12y^2}{x}$

(3) $(-3xy) \div \frac{xy^3}{6}=(-3xy) \times \frac{6}{xy^3}=-\frac{18}{y^2}$

13 다항식의 곱셈과 나눗셈의 혼합 계산 (1)

본문 ◎ 54쪽

0327 $2a$, 2, a, $6a^4$ **0328** $-6b^5$ **0329** $-5x$

0330 $-\frac{9}{8}x$ **0331** $-2x^9$ **0332** $-\frac{8}{3}x^2$ **0333** $\frac{3}{4}x^4$

0334 $3x^4$ **0335** $-\frac{4}{a}$

0328 (주어진 식) $=9b^6 \div (-6b^2) \times 4b$

$=9b^6 \times \frac{1}{-6b^2} \times 4b=-6b^5$

0329 (주어진 식) $=-4x \times \frac{5}{8x^3} \times 2x^3=-5x$

0330 (주어진 식) $=\frac{9}{4}x^2 \times (-3x^2) \times \frac{1}{6x^3}=-\frac{9}{8}x$

0331 (주어진 식) $=(-2x^4) \times 9x^2 \times \frac{x^3}{9}=-2x^9$

0332 (주어진 식) $=36x^3 \times 2x^2 \div (-27x^3)$

$=36x^3 \times 2x^2 \times \frac{1}{-27x^3}=-\frac{8}{3}x^2$

0333 (주어진 식) $=16x^6 \times 3x^4 \div 64x^6$

$=16x^6 \times 3x^4 \times \frac{1}{64x^6}=\frac{3}{4}x^4$

0334 (주어진 식) $=8x^5 \div (-8x^3) \times (-3x^2)$

$=8x^5 \times \left(-\frac{1}{8x^3}\right) \times (-3x^2)=3x^4$

0335 (주어진 식) $=16a^2 \div 8a^5 \times (-2a^2)$

$=16a^2 \times \frac{1}{8a^5} \times (-2a^2)=-\frac{4}{a}$

14 단항식의 곱셈과 나눗셈의 혼합 계산 (2)

본문 ◎ 55쪽

0336 $5x^4y$, x^4y, $12x^4y^3$ **0337** $2xy$ **0338** $20x^2y^6$

0339 $-x^3y^4$ **0340** $-54xy^5$ **0341** $9x^4y^2$ **0342** $-6x^5y^4$

0343 $54x^5y^5$ **0344** $-x$ **0345** 3, 3, 4

0337 (주어진 식) $=4x^2y^2 \times \frac{1}{6x^5y^2} \times 3x^4y=2xy$

0338 (주어진 식) $=8x^3y^5 \times (-5xy^2) \times \frac{1}{-2x^2y}=20x^2y^6$

0339 (주어진 식)$=27x^8y^4\times xy^3\div(-27x^6y^3)$

$=27x^8y^4\times xy^3\times\frac{1}{-27x^6y^3}=-x^3y^4$

0340 (주어진 식)$=(-12x^5y^2)\div2x^4y\times9y^4$

$=(-12x^5y^2)\times\frac{1}{2x^4y}\times9y^4=-54xy^5$

0341 (주어진 식)$=(-27x^2y)\times y^2\times\left(-\frac{x^2}{3y}\right)=9x^4y^2$

0342 (주어진 식)$=-8x^6y^3\times x^4y^8\times\frac{3}{4x^5y^7}=-6x^5y^4$

0343 (주어진 식)$=36x^6y^2\times\frac{1}{3x^2y}\times\frac{9xy^4}{2}=54x^5y^5$

0344 (주어진 식)$=18xy^5\div9x^2y^6\times\left(-\frac{1}{2}x^2y\right)$

$=18xy^5\times\frac{1}{9x^2y^6}\times\left(-\frac{1}{2}x^2y\right)=-x$

0345 $x^2y\div\frac{1}{3}xy^5\times(xy^4)^2=x^2y\div\frac{1}{3}xy^5\times x^2y^8$

$=x^2y\times\frac{3}{xy^5}\times x^2y^8=3x^3y^4$

$\therefore A=3, B=3, C=4$

15 단항식의 계산 – □ 안에 알맞은 식 구하기

본문 ◎ 56쪽

0346 $5xy$ **0347** $-4x^2y$ **0348** $48x^9y^9$ **0349** $2xy^2$

0350 xy^3 **0351** $\frac{4}{x^2}$ **0352** $\frac{4y^7}{x^8}$ **0353** $2a^2b^2$

0347 $\square\times(-6x^2y)=24x^4y^2$에서 $\square=\frac{24x^4y^2}{-6x^2y}=-4x^2y$

0348 $\square\div(-2xy)^2=12x^7y^7$에서 $\square\times\frac{1}{4x^2y^2}=12x^7y^7$

$\therefore \square=12x^7y^7\times4x^2y^2=48x^9y^9$

0349 $(-4x^2y)\div\square=-\frac{2x}{y}$에서 $(-4x^2y)\times\frac{1}{\square}=-\frac{2x}{y}$

$\therefore \square=(-4x^2y)\times\left(-\frac{y}{2x}\right)=2xy^2$

0351 $\left(-\frac{3}{2}x^2y\right)^2\times\square\div3x^2y=3y$에서 $\frac{9}{4}x^4y^2\times\square\div3x^2y=3y$

$\frac{9}{4}x^4y^2\times\square\times\frac{1}{3x^2y}=3y$

$\frac{3}{4}x^2y\times\square=3y$

$\therefore \square=3y\times\frac{4}{3x^2y}=\frac{4}{x^2}$

0352 $\left(\frac{1}{x^3y}\right)^2\times(4x^2y^4)^2\div\square=\frac{4x^6}{3y}$에서

$\frac{1}{x^6y^2}\times16x^4y^8\div\square=\frac{4x^6}{y}$, $\frac{16y^6}{x^2}\times\frac{1}{\square}=\frac{4x^6}{y}$

$\therefore \square=\frac{16y^6}{x^2}\times\frac{y}{4x^6}=\frac{4y^7}{x^8}$

0353 $(-18a^4b^3)\div\square\times\left(\frac{1}{3}ab\right)^2=-a^4b^3$에서

$(-18a^4b^3)\div\square\times\frac{1}{9}a^2b^2=-a^4b^3$

$(-18a^4b^3)\times\frac{1}{\square}\times\frac{1}{9}a^2b^2=-a^4b^3$

$(-2a^6b^5)\times\frac{1}{\square}=-a^4b^3$

$\therefore \square=\frac{-2a^6b^5}{-a^4b^3}=2a^2b^2$

핵심 09~15 Mini Review Test

본문 ◎ 57쪽

0354 (1) $-32a^{11}$ (2) $-54x^7y^5$ **0355** 13 **0356** ②

0357 (1) $-2a^5b^3$ (2) $\frac{18a^3}{b^7}$ **0358** $\frac{16}{a^4}$

0359 (1) $-\frac{8a^6}{b^7}$ (2) $\frac{9}{4b^2}$ (3) $-\frac{18a^6}{b^9}$ **0360** $-2x^8y$

0354 (1) $(2a^3)^3\times(-4a^2)=8a^9\times(-4a^2)=-32a^{11}$

(2) $(-3x^2y)^3\times2xy^2=-27x^6y^3\times2xy^2=-54x^7y^5$

0355 $12x^4y^5\div\frac{3}{2}xy^3=12x^4y^5\times\frac{2}{3xy^3}=8x^3y^2$

따라서 $A=8, B=3, C=2$이므로

$A+B+C=8+3+2=13$

0356 ② $9x^2y\div\frac{1}{3}xy=9x^2y\times\frac{3}{xy}=27x$

③ $(-a^2b)^4\times2a^3b=a^8b^4\times2a^3b=2a^{11}b^5$

⑤ $(-2x^2y)^2\times x^2y=4x^4y^2\times x^2y=4x^6y^3$

0357 (1) (주어진 식)$=16a^6b^2\div\left(-\frac{8a^9}{b^3}\right)\div\frac{b^2}{a^8}$

$=16a^6b^2\times\left(-\frac{b^3}{8a^9}\right)\times\frac{a^8}{b^2}=-2a^5b^3$

(2) (주어진 식)$=9a^2b^2\div\frac{b^{12}}{a^3}\div\frac{a^2}{2b^3}$

$=9a^2b^2\times\frac{a^3}{b^{12}}\times\frac{2b^3}{a^2}=\frac{18a^3}{b^7}$

0358 (주어진 식)$=4a^4b^6\div\frac{9}{4}a^2b^4\times\frac{9}{a^6b^2}$

$=4a^4b^6\times\frac{4}{9a^2b^4}\times\frac{9}{a^6b^2}=\frac{16}{a^4}$

0359 (1) $A=-8a^6b^3\times\frac{a^3}{b^9}\times\frac{1}{a^3b}=-\frac{8a^6}{b^7}$ …… ❶

(2) $B=9a^2b^4\times\frac{1}{4a^2b^6}=\frac{9}{4b^2}$ …… ❷

(3) $AB=-\frac{8a^6}{b^7}\times\frac{9}{4b^2}=-\frac{18a^6}{b^9}$ …… ❸

채점 기준	배점
❶ 단항식 A 구하기	30 %
❷ 단항식 B 구하기	30 %
❸ AB 구하기	40 %

0360 $24x^2y^3\div(-2x^3y)^2\times\square=-12x^4y^2$에서

$24x^2y^3\div4x^6y^2\times\square=-12x^4y^2$

$\frac{24x^2y^3}{4x^6y^2}\times\square=-12x^4y^2$

$\frac{6y}{x^4}\times\square=-12x^4y^2$

$\therefore\ \square=(-12x^4y^2)\times\frac{x^4}{6y}=-2x^8y$

3. 다항식의 계산

01 다항식의 덧셈

본문 ○ 61쪽

0361 $3x$, 5, 5 **0362** $8x-5y$ **0363** $-2a-b$ **0364** $7a+b$
0365 $-2a+b$ **0366** $6a-b$ **0367** $7x+2y$ **0368** $11x+2y$
0369 $5a+8b+3$ **0370** $3a-2b+3$

0362 $(3x+2y)+(5x-7y)=3x+2y+5x-7y$
$=3x+5x+2y-7y=8x-5y$

0363 $(a-2b)+(-3a+b)=a-2b-3a+b$
$=a-3a-2b+b=-2a-b$

0364 $(6a-2b)+(a+3b)=6a-2b+a+3b$
$=6a+a-2b+3b=7a+b$

0365 $(-4a-5b)+(2a+6b)=-4a-5b+2a+6b$
$=-4a+2a-5b+6b=-2a+b$

0366 $(4a+3b)+2(a-2b)=4a+3b+2a-4b$
$=4a+2a+3b-4b=6a-b$

0367 $3(2x-y)+(x+5y)=6x-3y+x+5y$
$=6x+x-3y+5y=7x+2y$

0368 $(7x-6y)+4(x+2y)=7x-6y+4x+8y$
$=7x+4x-6y+8y=11x+2y$

0369 $(4a+5b-1)+(a+3b+4)=4a+5b+a+3b+4$
$=4a+a+5b+3b-1+4$
$=5a+8b+3$

0370 $(2a+3b+4)+(a-5b-1)=2a+3b+4+a-5b-1$
$=2a+a+3b-5b+4-1$
$=3a-2b+3$

02 다항식의 뺄셈

본문 ○ 62쪽

0371 $3y$, $4x$, $3y$, $-x-5y$ **0372** $-x-3y$
0373 $-5a+7b$ **0374** $4a+8b$ **0375** $7a+7b$
0376 $10x+y$ **0377** $3a+8b$ **0378** $5x+18y$
0379 $a+5b-5$ **0380** $4x+6y+3$

0372 $(2x-5y)-(3x-2y)=2x-5y-3x+2y$
$=2x-3x-5y+2y=-x-3y$

0373 $(-4a+5b)-(a-2b)=-4a+5b-a+2b$
$=-4a-a+5b+2b=-5a+7b$

0374 $(6a+5b)-(2a-3b)=6a+5b-2a+3b$
$=6a-2a+5b+3b=4a+8b$

0375 $(2a+b)-(-5a-6b)=2a+b+5a+6b$
$=2a+5a+b+6b=7a+7b$

0376 $4(3x+y)-(2x+3y)=12x+4y-2x-3y$
$=12x-2x+4y-3y=10x+y$

0377 $(5a-2b)-2(a-5b)=5a-2b-2a+10b$
$=5a-2a-2b+10b=3a+8b$

0378 $(2x+6y)-3(-x-4y)=2x+6y+3x+12y$
$=2x+3x+6y+12y=5x+18y$

0379 $(4a+7b-2)-(3a+2b+3)=4a+7b-2-3a-2b-3$
$=4a-3a+7b-2b-2-3$
$=a+5b-5$

0380 $2(3x+y-1)-(2x-4y-5)=6x+2y-2-2x+4y+5$
$=6x-2x+2y+4y-2+5$
$=4x+6y+3$

03 여러 가지 괄호가 있는 다항식의 덧셈과 뺄셈

본문 ◎ 63쪽

0381 4, 2, 4, 2, $-2x+y$ **0382** $-y$
0383 $5x+7y-1$ **0384** $-x+6y+4$
0385 $3a+5b$ **0386** $10y$ **0387** $-3x+y$
0388 $-x+y+3$ **0389** 11

0382 (주어진 식) $=2x-(3x-y-x+2y)$
$=2x-(2x+y)$
$=2x-2x-y$
$=-y$

0383 (주어진 식) $=6x+5y-(4x-y-3x-y+1)$
$=6x+5y-(x-2y+1)$
$=6x+5y-x+2y-1$
$=5x+7y-1$

0384 (주어진 식) $=-x+3y+5-(1-x+x-3y)$
$=-x+3y+5-(1-3y)$
$=-x+3y+5-1+3y$
$=-x+6y+4$

0385 (주어진 식) $=3a-\{4a+(-2b-3b-4a)\}$
$=3a-\{4a+(-4a-5b)\}$
$=3a-(4a-4a-5b)$
$=3a-(-5b)$
$=3a+5b$

0386 (주어진 식) $=8y-\{2x-(-3x+2y+5x)\}$
$=8y-\{2x-(2x+2y)\}$
$=8y-(2x-2x-2y)$
$=8y-(-2y)$
$=8y+2y$
$=10y$

0387 (주어진 식) $=x-\{3x+(6y+x-7y)\}$
$=x-\{3x+(x-y)\}$
$=x-(3x+x-y)$
$=x-(4x-y)$
$=x-4x+y$
$=-3x+y$

0388 (주어진 식) $=2-\{6x-(4y+1-3y+5x)\}$
$=2-\{6x-(5x+y+1)\}$
$=2-(6x-5x-y-1)$
$=2-(x-y-1)$
$=2-x+y+1$
$=-x+y+3$

0389 (좌변) $=5x-\{3y-(6x-2x+7y+y-3x)\}$
$=5x-\{3y-(x+8y)\}$
$=5x-(3y-x-8y)$
$=5x-(-x-5y)$
$=5x+x+5y$
$=6x+5y$

따라서 $a=6$, $b=5$이므로 $a+b=6+5=11$

04 계수가 분수인 다항식의 덧셈과 뺄셈

본문 ◎ 64쪽

0390 3, 2, $3a$, $8b$, 7, 5, $\frac{7}{6}$, $\frac{5}{6}$
0391 $-\frac{7}{12}x+\frac{11}{12}y$ **0392** $-\frac{1}{4}x+\frac{3}{4}y$
0393 $\frac{5}{12}a-\frac{7}{6}b$ **0394** $\frac{7}{6}a-\frac{6}{5}b$
0395 $-\frac{1}{14}x-\frac{1}{8}y$ **0396** $\frac{7}{4}x-\frac{4}{21}y$

0391 (주어진 식) $=\frac{2(x-2y)-3(3x-5y)}{12}$
$=\frac{2x-4y-9x+15y}{12}$
$=\frac{-7x+11y}{12}$
$=-\frac{7}{12}x+\frac{11}{12}y$

0392 (주어진 식) $=\frac{2(x+y)-(3x-y)}{4}$
$=\frac{2x+2y-3x+y}{4}$
$=\frac{-x+3y}{4}$
$=-\frac{1}{4}x+\frac{3}{4}y$

0393 (주어진 식) $=\frac{3(-a+2b)+4(2a-5b)}{12}$
$=\frac{-3a+6b+8a-20b}{12}$
$=\frac{5a-14b}{12}$
$=\frac{5}{12}a-\frac{7}{6}b$

0394 $(\text{주어진 식})=\dfrac{3(a+b)+2(2a-4b)}{6}$
$=\dfrac{3a+3b+4a-8b}{6}$
$=\dfrac{7a-5b}{6}=\dfrac{7}{6}a-\dfrac{6}{5}b$

0395 $(\text{주어진 식})=\dfrac{1}{7}x-\dfrac{3}{4}y-\dfrac{3}{14}x+\dfrac{5}{8}y$
$=\dfrac{2}{14}x-\dfrac{3}{14}x-\dfrac{6}{8}y+\dfrac{5}{8}y$
$=-\dfrac{1}{14}x-\dfrac{1}{8}y$

0396 $(\text{주어진 식})=3x-\dfrac{1}{3}y-\dfrac{5}{4}x+\dfrac{1}{7}y$
$=\dfrac{12}{4}x-\dfrac{5}{4}x-\dfrac{7}{21}y+\dfrac{3}{21}y$
$=\dfrac{7}{4}x-\dfrac{4}{21}y$

05 이차식

본문 ◎ 65쪽

0397 4, -2, 5, 2, 이차식	**0398** ×	**0399** ○
0400 ×	**0401** ×	**0402** ×	**0403** ○
0404 ○	**0405** ×	**0406** ㄷ, ㄹ

0398 차수가 가장 높은 항의 차수는 1이다.

0399 차수가 가장 높은 항의 차수는 2이다.

0400 차수가 가장 높은 항의 차수는 3이다.

0401 다항식이 아니다.

0402 차수가 가장 높은 항의 차수는 3이다.

0403 $\dfrac{x^2+x-5}{3}=\dfrac{1}{3}x^2+\dfrac{1}{3}x-\dfrac{5}{3}$이므로 차수가 가장 높은 항의 차수는 2이다.

0404 $x^3+x^2-(x^3-1)=x^2+1$이므로 차수가 가장 높은 항의 차수는 2이다.

0405 $\dfrac{1}{3}x^2-2\left(x+\dfrac{1}{6}x^2\right)=\dfrac{1}{3}x^2-2x-\dfrac{1}{3}x^2=-2x$이므로 차수가 가장 높은 항의 차수는 1이다.

0406 ㄱ. 차수가 가장 높은 항의 차수는 1이다.
ㄴ. 다항식이 아니다.
ㄷ. 차수가 가장 높은 항의 차수는 2이다.
ㄹ. $2-(3x)^2=2-9x^2$이므로 차수가 가장 높은 항의 차수는 2이다.
따라서 이차식인 것은 ㄷ, ㄹ이다.

06 이차식의 덧셈과 뺄셈

본문 ◎ 66쪽

0407 -3, 6	**0408** $-5x^2-5x$
0409 $2x^2-x+1$	**0410** $6x^2-6x$
0411 $2x-4$	**0412** $3x$, x^2, $3x$, $-7x^2+x$
0413 $2x^2-4x+2$	**0414** $-x^2+4x-2$
0415 $5x^2-3x+2$	**0416** $-7x^2+2x+10$

0408 $(\text{주어진 식})=-6x^2+x^2-2x-3x$
$=-5x^2-5x$

0409 $(\text{주어진 식})=3x^2-x^2-4x+3x+1$
$=2x^2-x+1$

0410 $(\text{주어진 식})=4x^2+2x^2-5x-x+1-1$
$=6x^2-6x$

0411 $(\text{주어진 식})=x^2-x^2+x+x-3-1$
$=2x-4$

0413 $(\text{주어진 식})=4x^2-5x+1-2x^2+x+1$
$=4x^2-2x^2-5x+x+1+1$
$=2x^2-4x+2$

0414 $(\text{주어진 식})=x^2+3x-2-2x^2+x$
$=x^2-2x^2+3x+x-2$
$=-x^2+4x-2$

0415 $(\text{주어진 식})=3x^2-2x-5+2x^2-x+7$
$=3x^2+2x^2-2x-x-5+7$
$=5x^2-3x+2$

0416 $(\text{주어진 식})=4x^2-2x+7-11x^2+4x+3$
$=4x^2-11x^2-2x+4x+7+3$
$=-7x^2+2x+10$

07 복잡한 이차식의 덧셈과 뺄셈

본문 ○ 67쪽

0417 $\frac{7}{12}x^2+\frac{7}{12}x+\frac{3}{4}$ **0418** $\frac{13}{6}x^2-x+\frac{2}{3}$

0419 $\frac{13}{15}x^2+\frac{4}{15}x+\frac{28}{15}$ **0420** $\frac{11}{20}x^2-\frac{7}{20}x+\frac{3}{10}$

0421 x^2-x+1 **0422** $3x^2+5x+1$

0423 $3x^2-5x+6$ **0424** $4x^2+4x+1$

0425 $2x^2+x+4$

0417 (주어진 식) $=\frac{4(x^2-2x+3)+3(x^2+5x-1)}{12}$

$=\frac{4x^2-8x+12+3x^2+15x-3}{12}$

$=\frac{4x^2+3x^2-8x+15x+12-3}{12}$

$=\frac{7x^2+7x+9}{12}$

$=\frac{7}{12}x^2+\frac{7}{12}x+\frac{3}{4}$

0418 (주어진 식) $=\frac{3(6x^2-3x+2)-(5x^2-3x+2)}{6}$

$=\frac{18x^2-9x+6-5x^2+3x-2}{6}$

$=\frac{13x^2-6x+4}{6}$

$=\frac{13}{6}x^2-x+\frac{2}{3}$

0419 (주어진 식) $=\frac{5(2x^2-x+5)+3(x^2+3x+1)}{15}$

$=\frac{10x^2-5x+25+3x^2+9x+3}{15}$

$=\frac{10x^2+3x^2-5x+9x+25+3}{15}$

$=\frac{13x^2+4x+28}{15}$

$=\frac{13}{15}x^2+\frac{4}{15}x+\frac{28}{15}$

0420 (주어진 식) $=\frac{5(3x^2+x-2)-4(x^2+3x-4)}{20}$

$=\frac{15x^2+5x-10-4x^2-12x+16}{20}$

$=\frac{11x^2-7x+6}{20}$

$=\frac{11}{20}x^2-\frac{7}{20}x+\frac{3}{10}$

0421 (주어진 식) $=x^2-(2x-x-1)$

$=x^2-(x-1)$

$=x^2-x+1$

0422 (주어진 식) $=5x^2-(2x^2-4x-1-x)$

$=5x^2-(2x^2-5x-1)$

$=5x^2-2x^2+5x+1$

$=3x^2+5x+1$

0423 (주어진 식) $=2x^2+3-(4x-x^2+x-3)$

$=2x^2+3-(-x^2+5x-3)$

$=2x^2+3+x^2-5x+3$

$=3x^2-5x+6$

0424 (주어진 식) $=3x^2+x+2-(2x^2-3x-3x^2+1)$

$=3x^2+x+2-(-x^2-3x+1)$

$=3x^2+x+2+x^2+3x-1$

$=4x^2+4x+1$

0425 (주어진 식) $=x^2+5-(2x-3x-x^2+1)$

$=x^2+5-(-x^2-x+1)$

$=x^2+5+x^2+x-1$

$=2x^2+x+4$

08 □ 안에 알맞은 식 구하기

본문 ○ 68쪽

0426 -3, 2 **0427** $7x+6y+2$

0428 $5x-4y-6$ **0429** $-2x+2y+5$

0430 $-x^2+2x+2$ **0431** $3x^2-x-1$

0432 $-x^2-2x+1$ **0433** $2x^2+x-2$

0427 (□) $=x+y-5+(6x+5y+7)$

$=x+6x+y+5y-5+7$

$=7x+6y+2$

0428 (□) $=3x-y-2-(-2x+3y+4)$

$=3x-y-2+2x-3y-4$

$=3x+2x-y-3y-2-4$

$=5x-4y-6$

0429 (□) $=2x-y+3-(4x-3y-2)$

$=2x-y+3-4x+3y+2$

$=2x-4x-y+3y+3+2$

$=-2x+2y+5$

0430 (□) $=x^2-2x+3+(-2x^2+4x-1)$

$=x^2-2x^2-2x+4x+3-1$

$=-x^2+2x+2$

0431 $(\square)=6x^2+4x-2-(3x^2+5x-1)$
$=6x^2+4x-2-3x^2-5x+1$
$=6x^2-3x^2+4x-5x-2+1$
$=3x^2-x-1$

0432 $(\square)=4x^2-3x+1-(5x^2-x)$
$=4x^2-3x+1-5x^2+x$
$=4x^2-5x^2-3x+x+1$
$=-x^2-2x+1$

0433 어떤 식을 $\square$라고 하면
$(\square)+(-3x^2+2x+4)=-x^2+3x+2$
$\therefore (\square)=-x^2+3x+2-(-3x^2+2x+4)$
$=-x^2+3x+2+3x^2-2x-4$
$=-x^2+3x^2+3x-2x+2-4=2x^2+x-2$

핵심 01~08 Mini Review Test 본문 ⊙ 69쪽

0434 (1) $x+y+4$ (2) $7x-5y-9$ **0435** -7
0436 $9x-8y$ **0437** (1) $\frac{1}{6}x-\frac{3}{2}y$ (2) $\frac{1}{8}x+\frac{1}{2}y$
0438 ②
0439 (1) $-4x^2+x+4$ (2) $-\frac{5}{12}x^2-\frac{1}{6}x+\frac{1}{12}$
0440 $-x^2+7x-3$

0434 (1) $(5x+2y-1)+(-4x-y+5)$
$=5x-4x+2y-y-1+5$
$=x+y+4$
(2) $(6x+y-4)-(-x+6y+5)$
$=6x+y-4+x-6y-5$
$=7x-5y-9$

0435 (주어진 식)$=3x+2y-1-5x+y-7=-2x+3y-8$
이므로 $a=-2$, $b=3$, $c=-8$
$\therefore a+b+c=(-2)+3+(-8)=-7$

0436 (주어진 식)$=3x-\{7y+2x-(5x+3x-y)\}$
$=3x-(7y+2x-8x+y)$
$=3x+6x-8y$
$=9x-8y$

0437 (1) (주어진 식)$=\dfrac{3(3x-5y)-2(4x-3y)}{6}$
$=\dfrac{9x-15y-8x+6y}{6}$
$=\dfrac{x-9y}{6}=\dfrac{1}{6}x-\dfrac{3}{2}y$
(2) (주어진 식)$=\dfrac{3}{4}x-\dfrac{5}{14}y-\dfrac{5}{8}x+\dfrac{6}{7}y$
$=\dfrac{6}{8}x-\dfrac{5}{8}x-\dfrac{5}{14}y+\dfrac{12}{14}y$
$=\dfrac{1}{8}x+\dfrac{7}{14}y$
$=\dfrac{1}{8}x+\dfrac{1}{2}y$

0438 ① $2x+4$이므로 차수가 가장 높은 항의 차수는 1이다.
② $-x^2+3x-1$이므로 차수가 가장 높은 항의 차수는 2이다.
③ $-x-1$이므로 차수가 가장 높은 항의 차수는 1이다.
④ 차수가 가장 높은 항의 차수는 1이다.
⑤ 차수가 가장 높은 항의 차수는 3이다.
따라서 이차식인 것은 ②이다.

0439 (1) (주어진 식)$=-7x^2+3x+3x^2-2x+4$
$=-7x^2+3x^2+3x-2x+4$
$=-4x^2+x+4$
(2) (주어진 식)$=\dfrac{3(x^2-2x+1)-2(4x^2-2x+1)}{12}$
$=\dfrac{3x^2-6x+3-8x^2+4x-2}{12}$
$=\dfrac{-5x^2-2x+1}{12}$
$=-\dfrac{5}{12}x^2-\dfrac{1}{6}x+\dfrac{1}{12}$

0440 어떤 식을 $\square$라고 하면 ······ ❶
$(\square)-(2x^2+3x+4)=-3x^2+4x-7$ ······ ❷
$\therefore \square=(-3x^2+4x-7)+(2x^2+3x+4)$
$=-3x^2+2x^2+4x+3x-7+4$
$=-x^2+7x-3$ ······ ❸

채점 기준	배점
❶ 어떤 식을 □로 놓기	10 %
❷ □를 구하는 식 세우기	40 %
❸ □ 안에 알맞은 식 구하기	50 %

09 (단항식)×(다항식) (1)

본문 ○ 70쪽

0441 $3b$, $-2a$, $3ab$, $2a^2$ **0442** $6a^2-15ab$
0443 $2x^2-x$ **0444** $10a^2-20ab$
0445 $-6xy-18y^2$ **0446** $3a$, $3a$, $9a^2$, $15a$
0447 $-7x^2+xy$ **0448** $-2xy+12y^2$
0449 $12x^2+3xy$ **0450** $-25a^2+15ab$

0442 (주어진 식)$=3a\times 2a+3a\times(-5b)$
$=6a^2-15ab$

0443 (주어진 식)$=x\times 2x+x\times(-1)$
$=2x^2-x$

0444 (주어진 식)$=\frac{5}{4}a\times 8a+\frac{5}{4}a\times(-16b)$
$=10a^2-20ab$

0445 (주어진 식)$=\left(-\frac{3}{2}y\right)\times 4x+\left(-\frac{3}{2}y\right)\times 12y$
$=-6xy-18y^2$

0447 (주어진 식)$=7x\times(-x)+(-y)\times(-x)$
$=-7x^2+xy$

0448 (주어진 식)$=x\times(-2y)+(-6y)\times(-2y)$
$=-2xy+12y^2$

0449 (주어진 식)$=20x\times\frac{3}{5}x+5y\times\frac{3}{5}x$
$=12x^2+3xy$

0450 (주어진 식)$=30a\times\left(-\frac{5}{6}a\right)+(-18b)\times\left(-\frac{5}{6}a\right)$
$=-25a^2+15ab$

10 (단항식)×(다항식) (2)

본문 ○ 71쪽

0451 $-3b$, $-4a$, $-4a^2+12ab-4a$
0452 $-6x^2-3xy+9x$ **0453** $-6a^2+4ab-2a$
0454 $-6a^2+10ab+2a$ **0455** $-15xy+6y^2-21y$
0456 $2x^2+2xy+6x$
0457 $4x$, $-2x$, 20, 8, $-2x^2+28x$
0458 $-16x^2-2x$ **0459** $-2a^2-9ab+6b^2$
0460 $16x^2+xy$ **0461** 1

0452 (주어진 식)$=(-3x)\times 2x+(-3x)\times y+(-3x)\times(-3)$
$=-6x^2-3xy+9x$

0453 (주어진 식)$=(-2a)\times 3a+(-2a)\times(-2b)+(-2a)\times 1$
$=-6a^2+4ab-2a$

0454 (주어진 식)$=(-3a)\times 2a+5b\times 2a+1\times 2a$
$=-6a^2+10ab+2a$

0455 (주어진 식)$=5x\times(-3y)+(-2y)\times(-3y)+7\times(-3y)$
$=-15xy+6y^2-21y$

0456 (주어진 식)$=x\times 2x+y\times 2x+3\times 2x$
$=2x^2+2xy+6x$

0458 (주어진 식)
$=(-5x)\times 3x+(-5x)\times 1+(-x)\times x+(-x)\times(-3)$
$=-15x^2-5x-x^2+3x$
$=-16x^2-2x$

0459 (주어진 식)
$=(-a)\times 2a+(-a)\times 3b+(-6b)\times a+(-6b)\times(-b)$
$=-2a^2-3ab-6ab+6b^2$
$=-2a^2-9ab+6b^2$

0460 (주어진 식)
$=2x\times 3x+y\times 3x+(-2x)\times y+(-2x)\times(-5x)$
$=6x^2+3xy-2xy+10x^2$
$=16x^2+xy$

0461 (주어진 식)
$=3x\times x+3x\times 2y+\left(-\frac{1}{2}x\right)\times 12x+\left(-\frac{1}{2}x\right)\times 4y$
$=3x^2+6xy-6x^2-2xy$
$=-3x^2+4xy$
따라서 $a=-3$, $b=4$이므로 $a+b=1$

11 (다항식)÷(단항식) (1)

본문 ○ 72쪽

0462 $5a$, $5a$, $5a$, $3a-4$ **0463** $-3+2x$
0464 $-5a+4b$ **0465** $3x-4y+xy^2$
0466 $-4y^2+3x-xy^2$
0467 $2x$, $-3y$, $2x$, $-3y$, $4y$, $-2x-6y$
0468 $-2y$ **0469** $9a-7$ **0470** $7x-12$

0463 (주어진 식) $=\frac{12x-8x^2}{-4x}=\frac{12x}{-4x}-\frac{8x^2}{-4x}$
$=-3+2x$

0464 (주어진 식) $=\frac{10a^2b-8ab^2}{-2ab}=\frac{10a^2b}{-2ab}-\frac{8ab^2}{-2ab}$
$=-5a+4b$

0465 (주어진 식) $=\frac{9x^2y-12xy^2+3x^2y^3}{3xy}$
$=3x-4y+xy^2$

0466 (주어진 식) $=\frac{24xy^3-18x^2y+6x^2y^3}{-6xy}$
$=\frac{24xy^3}{-6xy}-\frac{18x^2y}{-6xy}+\frac{6x^2y^3}{-6xy}$
$=-4y^2+3x-xy^2$

0468 (주어진 식) $=\frac{9x^2-3xy}{3x}+\frac{12xy+4y^2}{-4y}$
$=3x-y-3x-y$
$=-2y$

0469 (주어진 식) $=\frac{12a^2-4a}{2a}+\frac{9a^2-15a}{3a}$
$=6a-2+3a-5$
$=9a-7$

0470 (주어진 식) $=\frac{15x^2-21x}{3x}-\frac{20x-8x^2}{4x}$
$=5x-7-5+2x$
$=7x-12$

12 (다항식)÷(단항식) (2)

본문 ◎ 73쪽

0471 $\frac{2}{7x}$, $\frac{2}{7x}$, $\frac{2}{7x}$, $-6x^2+4x$
0472 $-12y+9x^2$ **0473** $25y-10x^2$
0474 $-8x^2+10x-4$ **0475** $-18x+27-36y$
0476 $\frac{2}{5x}$, $\frac{2}{x}$, 2, $20x$, $24x-10$
0477 $6a-7b$ **0478** $7y-24x+61$
0479 a^2-2a

0472 (주어진 식) $=(8xy^2-6x^3y)\times\left(-\frac{3}{2xy}\right)$
$=-12y+9x^2$

0473 (주어진 식) $=(15xy^2-6x^3y)\times\frac{5}{3xy}$
$=25y-10x^2$

0474 (주어진 식) $=(12x^3-15x^2+6x)\times\left(-\frac{2}{3x}\right)$
$=-8x^2+10x-4$

0475 (주어진 식) $=(4x^2y+8xy^2-6xy)\times\left(-\frac{9}{2xy}\right)$
$=-18x-36y+27$

0477 (주어진 식) $=(6b^2-4ab)\times\frac{3}{2b}-(12ab-9a^2)\times\frac{4}{3a}$
$=9b-6a-16b+12a$
$=6a-7b$

0478 (주어진 식) $=(4xy+12x)\times\frac{7}{4x}+(9xy-15y)\times\left(-\frac{8}{3y}\right)$
$=7y+21-24x+40$
$=7y-24x+61$

0479 (주어진 식) $=(15a^2b-10ab)\times\left(-\frac{1}{5b}\right)+(a^2b-ab)\times\frac{4}{b}$
$=-3a^2+2a+4a^2-4a$
$=a^2-2a$

13 사칙연산의 혼합 계산 (1)

본문 ◎ 74쪽

0480 $5b$, $8a^2b$, $5b$, $5b$, $8a^2b$, $2a$, $5a^2b-10a$ **0481** $6x-2y$
0482 $-2x^2+6xy-2y$ **0483** $-5a^2+15ab-3b$
0484 $\frac{3}{2x}$, $9xy$, $6x^2-10xy+2y$
0485 $-2x^2+5xy-2y^2$ **0486** $-2x^2-3xy+8$
0487 $-6x^2y+12xy^2$

0481 (주어진 식) $=\frac{x^2-7xy}{x}+5x+5y$
$=x-7y+5x+5y$
$=6x-2y$

0482 (주어진 식) $=-2x(x-y)-\frac{12x^2y-6xy}{-3x}$
$=-2x^2+2xy+4xy-2y$
$=-2x^2+6xy-2y$

0483 (주어진 식) $=-5a(a-2b)-\frac{15a^2b-9ab}{-3a}$
$=-5a^2+10ab+5ab-3b$
$=-5a^2+15ab-3b$

0485 (주어진 식)$=(-x^2y+xy^2)\times\left(-\frac{2}{x}\right)-x(2x-3y)$
$=2xy-2y^2-2x^2+3xy$
$=-2x^2+5xy-2y^2$

0486 (주어진 식)$=(-x)\times(2x-y)+(2x-x^2y)\times\frac{4}{x}$
$=-2x^2+xy+8-4xy$
$=-2x^2-3xy+8$

0487 (주어진 식)$=3xy(2x+3y)-(16x^2y^2-4xy^3)\times\frac{3}{4y}$
$=6x^2y+9xy^2-12x^2y+3xy^2$
$=-6x^2y+12xy^2$

14 사칙연산의 혼합 계산 (2)

본문 ○ 75쪽

0488 $3x$, $4x^2$, $3y$, $4x^2$, $8x^3-12x^2y$
0489 $21x^2y+7xy-3y^2$ **0490** $18x^3-36x^2-3$
0491 $7xy+12x$ **0492** $2x^2+5xy-3x$
0493 $3xy$, $10x^2$, -9, 5, $\frac{2}{x}$, $-18x+10y$
0494 $6y$ **0495** $34x^2-4x-4$
0496 $27x^2-34x$

0489 (주어진 식)$=3xy(7x+2)-\frac{12x^2y^2-4x^3y}{4x^2}$
$=21x^2y+6xy-3y^2+xy$
$=21x^2y+7xy-3y^2$

0490 (주어진 식)$=\frac{72x^5-24x^3}{8x^3}+(2x-5)\times 9x^2$
$=9x^2-3+18x^3-45x^2$
$=18x^3-36x^2-3$

0491 (주어진 식)$=(27xy^3-18xy^2)\div\frac{9}{4}y^2-5x(y-4)$
$=(27xy^3-18xy^2)\times\frac{4}{9y^2}-5x(y-4)$
$=12xy-8x-5xy+20x$
$=7xy+12x$

0492 (주어진 식)$=\frac{9x^3+45x^3y}{9x^2}-(4x-8)\times\left(-\frac{x}{2}\right)$
$=x+5xy+2x^2-4x$
$=2x^2+5xy-3x$

0494 (주어진 식)$=\{(28x^2y^3-16x^2y^3)\div 4y^2+3x^2y\}\div x^2$
$=\left(\frac{12x^2y^3}{4y^2}+3x^2y\right)\div x^2$
$=(3x^2y+3x^2y)\div x^2$
$=6x^2y\times\frac{1}{x^2}=6y$

0495 (주어진 식)$=-2\left\{(x^3y^2+x^2y^2)\times\frac{2}{x^2y^2}+x^2\right\}+36x^2$
$=-2(2x+2+x^2)+36x^2$
$=-4x-4-2x^2+36x^2=34x^2-4x-4$

0496 (주어진 식)$=20x^2-24x-\{4x-(9x^2-2x^2-6x)\}$
$=20x^2-24x-\{4x-(7x^2-6x)\}$
$=20x^2-24x-(4x-7x^2+6x)$
$=20x^2-24x-(-7x^2+10x)$
$=20x^2-24x+7x^2-10x$
$=27x^2-34x$

핵심 09~14 Mini Review Test

본문 ○ 76쪽

0497 (1) $\frac{1}{2}x^3-x^2y$ (2) $-2x^3y-4x^2y^2+6xy^3$
0498 -4 **0499** $-6x+2y^2$ **0500** ㄷ
0501 ②, ⑤ **0502** ㄴ, ㄹ **0503** $-x^2+8xy-4x$

0498 (주어진 식)$=8x^2-20x+4-2x^2+6x$
$=6x^2-14x+4$ ······ ❶
따라서 $a=6$, $b=-14$, $c=4$이므로 ······ ❷
$a+b+c=-4$ ······ ❸

채점 기준	배점
❶ 식 간단히 하기	60 %
❷ a, b, c의 값 각각 구하기	30 %
❸ $a+b+c$의 값 구하기	10 %

0499 어떤 식을 A라고 하면
$A\times 2xy=-12x^2y+4xy^3$
$\therefore A=(-12x^2y+4xy^3)\div 2xy=-6x+2y^2$

0500 ㄱ. $(9ab-6ab^2)\div 3a=\frac{9ab-6ab^2}{3a}=3b-2b^2$
ㄴ. $(6x^3+4x^2)\div\left(-\frac{1}{2}x\right)=(6x^3+4x^2)\times\left(-\frac{2}{x}\right)$
$=-12x^2-8x$
ㄷ. $\left(\frac{1}{4}x^3-\frac{1}{6}x^2\right)\div\frac{1}{12}x^2=\left(\frac{1}{4}x^3-\frac{1}{6}x^2\right)\times\frac{12}{x^2}=3x-2$
따라서 간단히 한 결과가 $3x-2$인 것은 ㄷ이다.

0501 ① $2x(x+y+3)=2x^2+2xy+6x$
③ $(x-1)x=x^2-x$
④ $(a^3+3a^2-a)\div(-a)=-a^2-3a+1$
따라서 옳은 것은 ②, ⑤이다.

0502 $(\text{주어진 식})=-2xy+6x+(6x^2-12xy^2+18x)\times\left(-\frac{2}{3x}\right)$
$=-2xy+6x-4x+8y^2-12$
$=-2xy+2x+8y^2-12$
ㄱ. x의 계수는 2이다.
ㄷ. y^2의 계수는 8이다.

0503 $(\text{주어진 식})=(-xy^2+xy^3)\div\frac{1}{4}y^2-x^2+4xy$
$=(-xy^2+xy^3)\times\frac{4}{y^2}-x^2+4xy$
$=-4x+4xy-x^2+4xy$
$=-x^2+8xy-4x$

❸ 일차부등식

4. 일차부등식의 풀이

01 부등식

본문 ◎ 82쪽

0504 × **0505** ○ **0506** × **0507** ×
0508 ○ **0509** $a\le-3$ **0510** $9x-4\ge36$
0511 $3<x\le12$ **0512** $0.6+0.3x>4.5$
0513 $x-2<4$

02 부등식과 그 해

본문 ◎ 83쪽

0514 ○ **0515** × **0516** × **0517** ○
0518 ○ **0519** ○ **0520** × **0521** ×
0522 ○ **0523** -1, 0

0523 $x=-2$일 때, $1-3\times(-2)\le4$ (거짓)
$x=-1$일 때, $1-3\times(-1)\le4$ (참)
$x=0$일 때, $1-3\times0\le4$ (참)
따라서 부등식을 참이 되게 하는 x의 값은 -1, 0이므로 부등식의 해는 -1, 0이다.

03 부등식의 성질 (1)

본문 ◎ 84쪽

0524 $>$ **0525** $>$ **0526** $>$ **0527** $<$
0528 $>$ **0529** $<$ **0530** $>$, $>$, $>$
0531 $<$ **0532** $<$ **0533** $>$

0531 $a>b$의 양변에 -5를 곱하면 $-5a<-5b$
양변에 2를 더하면 $-5a+2<-5b+2$

0532 $a>b$의 양변에 -1을 곱하면 $-a<-b$
양변에 10을 더하면 $10-a<10-b$

0533 $a>b$의 양변을 2로 나누면 $\frac{a}{2}>\frac{b}{2}$
양변에 $\frac{1}{3}$을 더하면 $\frac{a}{2}+\frac{1}{3}>\frac{b}{2}+\frac{1}{3}$

04 부등식의 성질 (2)

본문 ○ 85쪽

0534 $>$ **0535** $>$ **0536** $\geq$ **0537** $>$
0538 $>$ **0539** $\geq$ **0540** -1
0541 $-x+7\leq 10$ **0542** -5, 3
0543 $-1<-\frac{x}{5}<2$ **0544** $-11<-3x+1\leq 7$
0545 $-13\leq A<7$

0534 $2a-3>2b-3$의 양변에 3을 더하면 $2a>2b$
양변을 2로 나누면 $a>b$

0535 $9-2a<9-2b$의 양변에서 9를 빼면 $-2a<-2b$
양변을 -2로 나누면 $a>b$

0536 $1-\frac{a}{7}\leq 1-\frac{b}{7}$의 양변에서 1을 빼면 $-\frac{a}{7}\leq -\frac{b}{7}$
양변에 -7을 곱하면 $a\geq b$

0537 $\frac{a}{7}-4>\frac{b}{7}-4$의 양변에 4를 더하면 $\frac{a}{7}>\frac{b}{7}$
양변에 7을 곱하면 $a>b$

0538 $5a-\frac{1}{3}>5b-\frac{1}{3}$의 양변에 $\frac{1}{3}$을 더하면 $5a>5b$
양변을 5로 나누면 $a>b$

0539 $\frac{a+4}{2}\geq\frac{b+4}{2}$의 양변에 2를 곱하면 $a+4\geq b+4$
양변에서 4를 빼면 $a\geq b$

0541 $x\geq -3$의 양변에 -1을 곱하면 $-x\leq 3$
양변에 7을 더하면 $-x+7\leq 10$

0543 $-10<x<5$의 각 변을 -5로 나누면
$-1<-\frac{x}{5}<2$

0544 $-2\leq x<4$의 각 변에 -3을 곱하면 $-12<-3x\leq 6$
각 변에 1을 더하면 $-11<-3x+1\leq 7$

0545 $-3\leq x<2$의 각 변에 4를 곱하면 $-12\leq 4x<8$
$-12\leq 4x<8$의 각 변에서 1을 빼면
$-13\leq 4x-1<7$ $\quad\therefore -13\leq A<7$

핵심 01~04 Mini Review Test

본문 ○ 86쪽

0546 ㄱ, ㄴ, ㄹ, ㅁ **0547** ③ **0548** ④
0549 2 **0550** ② **0551** ④ **0552** $1\leq A\leq 7$

0546 ㄷ. 부등호가 없으므로 부등식이 아니다.
ㅂ. 등호가 있으므로 등식이다. 즉, 부등식이 아니다.

0547 ③ $8a<40$

0548 각 부등식에 주어진 수를 대입하면
① $-3+4<11$ (참)
② $2\leq 9+6\times 2$ (참)
③ $10-2\times 4>1$ (참)
④ $0-1>-2\times 0$ (거짓)
⑤ $2\times(-1)+3\geq -(-1)$ (참)
따라서 주어진 수가 부등식의 해가 아닌 것은 ④이다.

0549 $x=-1$일 때, $3\times(-1)+7\geq 11-(-1)$ (거짓)
$x=0$일 때, $3\times 0+7\geq 11-0$ (거짓)
$x=1$일 때, $3\times 1+7\geq 11-1$ (참)
$x=2$일 때, $3\times 2+7\geq 11-2$ (참)
따라서 주어진 부등식의 해는 1, 2의 2개이다.

0550 ① $a<b$의 양변에 4를 더하면 $a+4<b+4$
② $a<b$의 양변에 -6을 곱하면 $-6a>-6b$
③ $a<b$의 양변을 12로 나누면 $\frac{a}{12}<\frac{b}{12}$
④ $a<b$의 양변에서 9를 빼면 $a-9<b-9$
⑤ $a<b$의 양변을 -8로 나누면 $-\frac{a}{8}>-\frac{b}{8}$

0551 ① $a-3<b-3$의 양변에 3을 더하면 $a<b$이다.
② $2-5a>2-5b$의 양변에서 2를 빼면 $-5a>-5b$
양변을 -5로 나누면 $a<b$이다.
③ $-a-6>-b-6$의 양변에 6을 더하면 $-a>-b$
양변에 -1을 곱하면 $a<b$이다.
④ $-\frac{3}{2}a<-\frac{3}{2}b$의 양변에 $-\frac{2}{3}$를 곱하면 $a>b$이다.
⑤ $\frac{a-1}{6}<\frac{b-1}{6}$의 양변에 6을 곱하면 $a-1<b-1$
양변에 1을 더하면 $a<b$이다.

0552 $-1\leq x\leq\frac{1}{5}$의 각 변에 -5를 곱하면
$-1\leq -5x\leq 5$
각 변에 2를 더하면 $1\leq -5x+2\leq 7$
$\therefore 1\leq A\leq 7$

05 부등식의 해와 수직선

본문 87쪽

0553~0557 풀이 참조　**0558** 4, 풀이 참조
0559 $x\geq -2$, 풀이 참조　**0560** $x>-3$, 풀이 참조
0561 $x\leq -6$, 풀이 참조

0553

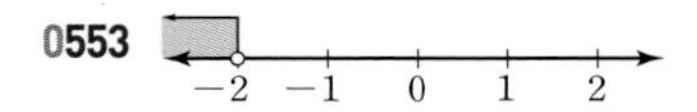

0554

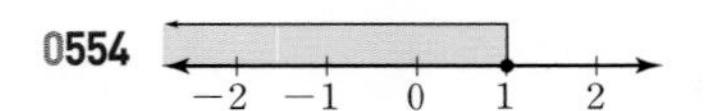

0555

0556

0557

0558

0559 $-2x\leq 4$에서
$-2x\div(-2)\geq 4\div(-2)$
$\therefore x\geq -2$

0560 $\frac{1}{3}x+1>0$에서
$\frac{1}{3}x+1-1>0-1$
$\frac{1}{3}x>-1$
$\therefore x>-3$

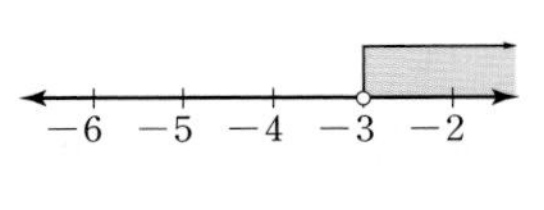

0561 $-\frac{1}{2}x-1\geq 2$에서
$-\frac{1}{2}x-1+1\geq 2+1$
$-\frac{1}{2}x\geq 3$
$-\frac{1}{2}x\times(-2)\leq 3\times(-2)$
$\therefore x\leq -6$

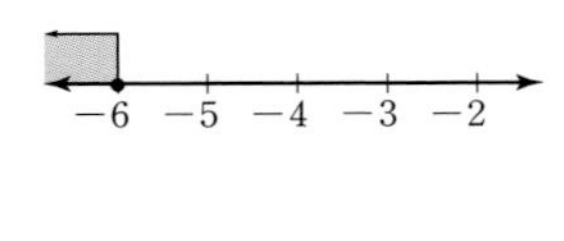

06 일차부등식

본문 88쪽

0562 $x-7$, 이다　**0563** $2x-3$, 이다
0564 -3, 이 아니다　**0565** $3x+1$, 이다
0566 $-2x^2$, 이 아니다　**0567** ○　**0568** ○
0569 ×　**0570** ×　**0571** ○

0567 모든 항을 좌변으로 이항하여 정리하면 $-8+x>0$
➡ 일차부등식이다.

0568 모든 항을 좌변으로 이항하여 정리하면 $7x-1<0$
➡ 일차부등식이다.

0569 $7-2x\leq -2(x+1)$에서 $7-2x\leq -2x-2$
모든 항을 좌변으로 이항하여 정리하면 $9\leq 0$
➡ 일차부등식이 아니다.

0570 $x(x-3)>3x$에서 $x^2-3x>3x$
모든 항을 좌변으로 이항하여 정리하면 $x^2-6x>0$
➡ 일차부등식이 아니다.

0571 모든 항을 좌변으로 이항하여 정리하면 $-x-5\geq 0$
➡ 일차부등식이다.

07 일차부등식의 풀이

본문 89쪽

0572 $x<-3$, 풀이 참조　**0573** $x\geq -5$, 풀이 참조
0574 $x>-1$, 풀이 참조　**0575** $x\leq 7$, 풀이 참조
0576 $x<-1$　**0577** $x>-4$　**0578** $x\geq -5$　**0579** ㄷ

0572 $x-3<-6$에서 $x<-6+3$　$\therefore x<-3$

0573 $-6x\leq 30$에서 $x\geq -5$

0574 $9x+12>3$에서 $9x>-9$　$\therefore x>-1$

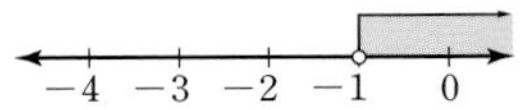

0575 $2x\geq 3x-7$에서 $-x\geq -7$　$\therefore x\leq 7$

0576 $4x+8<x+5$에서 $3x<-3$ $\therefore x<-1$

0577 $2x-5<5x+7$에서 $-3x<12$ $\therefore x>-4$

0578 $6x-9\le 8x+1$에서 $-2x\le 10$ $\therefore x\ge -5$

0579 ㄱ. $6<4x-2$에서 $-4x>-8$ $\therefore x>2$
ㄴ. $13-x<x-3$에서 $-2x<-16$ $\therefore x>8$
ㄷ. $14-9x>x-6$에서 $-10x>-20$ $\therefore x<2$
따라서 해가 $x<2$인 것은 ㄷ이다.

08 괄호가 있는 일차부등식의 풀이

본문 ◎ 90쪽

0580 6, 3 **0581** $x>1$ **0582** $x\ge -4$ **0583** $x<-3$
0584 $x\le -3$ **0585** $x>1$ **0586** $x>-3$ **0587** $x\ge -4$
0588 $x\le -2$ **0589** 2

0581 $6<2(x+2)$에서 $6<2x+4$
$-2x<-2$ $\therefore x>1$

0582 $-x\le 4(x+5)$에서 $-x\le 4x+20$
$-5x\le 20$ $\therefore x\ge -4$

0583 $-(x+1)+5>7$에서 $-x-1+5>7$
$-x>3$ $\therefore x<-3$

0584 $12-3(x+5)\ge -2x$에서 $12-3x-15\ge -2x$
$-x\ge 3$ $\therefore x\le -3$

0585 $3(x+7)>2(x+11)$에서 $3x+21>2x+22$
$\therefore x>1$

0586 $-(5-x)<2(x-1)$에서 $-5+x<2x-2$
$-x<3$ $\therefore x>-3$

0587 $6(x+5)+4\ge -2(x-1)$에서
$6x+30+4\ge -2x+2$
$8x\ge -32$ $\therefore x\ge -4$

0588 $2-(x+3)\le -3(x+4)+7$에서
$2-x-3\le -3x-12+7$, $2x\le -4$
$\therefore x\le -2$

0589 $7(x-3)\le 3(-x-1)+2$에서 $7x-21\le -3x-3+2$
$10x\le 20$ $\therefore x\le 2$
따라서 주어진 부등식을 만족시키는 자연수 x는 1, 2의 2개이다.

09 복잡한 일차부등식의 풀이

본문 ◎ 91쪽

0590 $5x$, -2 **0591** $x\le 2$ **0592** $x\ge -2$ **0593** $x<6$
0594 $x>2$ **0595** -9, -1 **0596** $x\le 3$ **0597** $x<4$
0598 $x>2$ **0599** $x\ge -\frac{1}{2}$

0591 $\frac{5}{2}-\frac{1}{4}x\ge x$의 양변에 분모의 최소공배수 4를 곱하면
$10-x\ge 4x$, $-5x\ge -10$ $\therefore x\le 2$

0592 $\frac{x-2}{4}\le\frac{2x+1}{3}$의 양변에 분모의 최소공배수 12를 곱하면
$3(x-2)\le 4(2x+1)$, $3x-6\le 8x+4$
$-5x\le 10$ $\therefore x\ge -2$

0593 $7-\frac{2}{3}x>\frac{1}{2}x$의 양변에 분모의 최소공배수 6을 곱하면
$42-4x>3x$, $-7x>-42$ $\therefore x<6$

0594 $\frac{x-2}{3}+\frac{4x-3}{5}>1$의 양변에 분모의 최소공배수 15를 곱하면
$5(x-2)+3(4x-3)>15$, $5x-10+12x-9>15$
$17x>34$ $\therefore x>2$

0596 $0.3x+0.5\le 2-0.2x$의 양변에 10을 곱하면
$3x+5\le 20-2x$, $5x\le 15$ $\therefore x\le 3$

0597 $0.5x-1.1<0.1x+0.5$의 양변에 10을 곱하면
$5x-11<x+5$, $4x<16$ $\therefore x<4$

0598 $\frac{1}{5}x-0.8>-0.1(x+2)$의 양변에 10을 곱하면
$2x-8>-(x+2)$, $2x-8>-x-2$
$3x>6$ $\therefore x>2$

0599 $0.42x+0.2\ge 0.14x+0.06$의 양변에 100을 곱하면
$42x+20\ge 14x+6$, $28x\ge -14$ $\therefore x\ge -\frac{1}{2}$

10 x의 계수가 미지수인 일차부등식의 풀이

본문 ◎ 92쪽

0600 $>$ **0601** $x \le -\frac{2}{a}$ **0602** $x > \frac{5}{a}$ **0603** $x \le \frac{11}{a}$
0604 $x < \frac{8}{a}$ **0605** $<$ **0606** $x > \frac{8}{a}$ **0607** $x \le -\frac{9}{a}$
0608 $x \ge \frac{2}{a}$ **0609** $x < -\frac{2}{a}$

0601 $ax \le -2$에서 $a>0$이므로 $x \le -\frac{2}{a}$

0602 $ax+2>7$에서 $ax>5$
이때 $a>0$이므로 $x>\frac{5}{a}$

0603 $-1+ax \le 10$에서 $ax \le 11$
이때 $a>0$이므로 $x \le \frac{11}{a}$

0604 $2ax<16$에서 $2a>0$이므로
$x<\frac{16}{2a}$ $\therefore x<\frac{8}{a}$

0606 $ax<8$에서 $a<0$이므로 $x>\frac{8}{a}$

0607 $ax+9 \ge 0$에서 $ax \ge -9$
이때 $a<0$이므로 $x \le -\frac{9}{a}$

0608 $-5+ax \le -3$에서 $ax \le 2$
이때 $a<0$이므로 $x \ge \frac{2}{a}$

0609 $-ax<2$에서 $-a>0$이므로 $x<-\frac{2}{a}$

11 일차부등식의 해가 주어질 때 미지수 구하기(1)

본문 ◎ 93쪽

0610 6 **0611** -7 **0612** -4 **0613** $\frac{2}{3}$
0614 -1, 1 **0615** 13 **0616** 2 **0617** -7

0611 $2x+1 \le -a$에서 $2x \le -a-1$ $\therefore x \le \frac{-a-1}{2}$
즉, $\frac{-a-1}{2}=3$이므로 $-a-1=6$
$-a=7$ $\therefore a=-7$

0612 $2-3x<-x+2a$에서 $-2x<2a-2$ $\therefore x>-a+1$
즉, $-a+1=5$이므로 $-a=4$ $\therefore a=-4$

0613 $\frac{x+5}{3} \ge 2a$에서 $x+5 \ge 6a$ $\therefore x \ge 6a-5$
즉, $6a-5=-1$이므로 $6a=4$ $\therefore a=\frac{2}{3}$

0615 $6x+7 \ge 3x-2$에서 $3x \ge -9$ $\therefore x \ge -3$
$4-5x \le a-2x$에서 $-3x \le a-4$, $x \ge \frac{-a+4}{3}$
따라서 $\frac{-a+4}{3}=-3$이므로 $-a+4=-9$
$-a=-13$ $\therefore a=13$

0616 $2-x>15$에서 $-x>13$ $\therefore x<-13$
$-(x+2a)>9$에서 $-x-2a>9$, $-x>9+2a$
$\therefore x<-9-2a$
따라서 $-9-2a=-13$이므로 $-2a=-4$ $\therefore a=2$

0617 $-4x \le a-13$에서 $x \ge \frac{-a+13}{4}$
이때 주어진 부등식의 해가 $x \ge 5$이므로
$\frac{-a+13}{4}=5$, $-a+13=20$
$-a=7$ $\therefore a=-7$

12 일차부등식의 해가 주어질 때 미지수 구하기(2)

본문 ◎ 94쪽

0618 $\ge$, -1 **0619** 4 **0620** 9 **0621** 0
0622 $>$, 5 **0623** -3 **0624** 4 **0625** 9

0619 $-x+2a \le 0$에서 $-x \le -2a$ $\therefore x \ge 2a$
해 중 가장 작은 수가 8이므로 $2a=8$
$\therefore a=4$

0620 $6-3x \ge 2a$에서 $-3x \ge 2a-6$ $\therefore x \le \frac{-2a+6}{3}$
해 중 가장 큰 수가 -4이므로 $\frac{-2a+6}{3}=-4$
$-2a+6=-12$, $-2a=-18$ $\therefore a=9$

0621 $5x \le 2(x-3a)+1$에서 $5x \le 2x-6a+1$
$3x \le -6a+1$ $\therefore x \le \frac{-6a+1}{3}$
해 중 가장 큰 수가 $\frac{1}{3}$이므로 $\frac{-6a+1}{3}=\frac{1}{3}$
$-6a+1=1$, $-6a=0$ $\therefore a=0$

0623 $ax+7>-5$에서 $ax>-12$ …… ㉠
이 부등식의 해가 $x<4$이므로 $a<0$
즉, ㉠의 해는 $x<-\frac{12}{a}$이므로
$-\frac{12}{a}=4$ $\quad\therefore a=-3$

0624 $3-ax<2$에서 $-ax<-1$ …… ㉠
이 부등식의 해가 $x>\frac{1}{4}$이므로 $-a<0$
즉, ㉠의 해는 $x>\frac{1}{a}$이므로
$\frac{1}{a}=\frac{1}{4}$ $\quad\therefore a=4$

0625 $ax-2>4x-7$에서 $ax-4x>-5$
$(a-4)x>-5$ …… ㉠
이 부등식의 해가 $x>-1$이므로 $a-4>0$
즉, ㉠의 해는 $x>-\frac{5}{a-4}$이므로
$-\frac{5}{a-4}=-1$, $a-4=5$ $\quad\therefore a=9$

핵심 05~12 Mini Review Test 본문 ◎ 95쪽

0626 ③, ④ **0627** ③ **0628** ④ **0629** 17
0630 $x<3$ **0631** 9 **0632** 1

0626 ③ $10+x>x$에서 $10>0$ ➡ 일차부등식이 아니다.
④ $2x+9<2(x-1)+3$에서 $2x+9<2x-2+3$
$8<0$ ➡ 일차부등식이 아니다.
⑤ $x^2+1\le x(x+1)$에서 $x^2+1\le x^2+x$
$-x+1\le 0$ ➡ 일차부등식이다.

0627 주어진 수직선 위의 해는 $x\ge -4$이다.
① $2x-1>7$, $2x>8$ $\quad\therefore x>4$
② $3x<-12$ $\quad\therefore x<-4$
③ $x+3\le 2x+7$, $-x\le 4$ $\quad\therefore x\ge -4$
④ $x-4\ge -2x$, $3x\ge 4$ $\quad\therefore x\ge\frac{4}{3}$
⑤ $6x+3<4x-5$, $2x<-8$ $\quad\therefore x<-4$
따라서 해를 수직선 위에 나타내었을 때 주어진 그림과 같은 것은 ③이다.

0628 $-3(x-5)<x-1$에서 $-3x+15<x-1$
$-4x<-16$ $\quad\therefore x>4$
따라서 수직선 위에 바르게 나타낸 것은 ④이다.

0629 $\frac{x+1}{5}\le -1.5+0.3x$의 양변에 10을 곱하면
$2(x+1)\le -15+3x$, $2x+2\le -15+3x$
$-x\le -17$ $\quad\therefore x\ge 17$
따라서 주어진 부등식을 만족시키는 가장 작은 정수 x는 17이다.

0630 $ax-2a>a$에서 $ax>3a$
이때 $a<0$이므로 $x<3$

0631 $3x-a<x+1$에서 $2x<1+a$ $\quad\therefore x<\frac{1+a}{2}$
즉, $\frac{1+a}{2}=5$이므로 $1+a=10$ $\quad\therefore a=9$

0632 $ax-1\ge 3x-5$에서 $ax-3x\ge -4$, $(a-3)x\ge -4$
이때 주어진 부등식의 해가 $x\le 2$이므로
$a-3<0$ …… ❶
즉, ㉠의 해는 $x\le -\frac{4}{a-3}$이므로 …… ❷
$-\frac{4}{a-3}=2$, $2(a-3)=-4$, $2a-6=-4$
$2a=2$ $\quad\therefore a=1$ …… ❸

채점 기준	배점
❶ x의 계수의 부호 구하기	30 %
❷ 부등식의 해 구하기	40 %
❸ a의 값 구하기	30 %

5. 일차부등식의 활용

01 일차부등식의 활용 (1) – 수 본문 ◎ 99쪽

0633 (1) ① $6x-2$, ② $x+7$ (2) $6x-2<x+7$ (3) $x<\frac{9}{5}$ (4) 1
0634 26 **0635** 4, 5, 6 **0636** 28, 29, 30

0633 (3) $6x-2<x+7$, $5x<9$ $\quad\therefore x<\frac{9}{5}$
(4) $x<\frac{9}{5}$를 만족시키는 가장 큰 정수 x는 1이다.

0634 어떤 정수를 x라고 하면
$3x+5>80$, $3x>75$ $\quad\therefore x>25$
따라서 구하는 가장 작은 수는 26이다.

0635 주사위의 눈의 수를 x라고 하면 $2x<3(x-1)$
$2x<3x-3$, $-x<-3$ $\quad\therefore x>3$
이때 주사위의 눈의 수는 1, 2, 3, 4, 5, 6의 6가지 뿐이므로 조건을 만족시키는 주사위의 눈의 수는 4, 5, 6이다.

0636 연속하는 세 자연수를 $x-1$, x, $x+1$이라고 하면
$(x-1)+x+(x+1)<90$, $3x<90$ $\therefore x<30$
따라서 x의 값 중 가장 큰 수는 29이므로 연속하는 세 자연수는 28, 29, 30이다.

02 일차부등식의 활용 (2) – 개수, 평균

본문 ◎ 100쪽

0637 (1) $12-x$, $900(12-x)$
(2) $1500x+900(12-x)+2500\le 18000$ (3) $x\le\frac{47}{6}$
(4) 7자루
0638 6조각 **0639** 92점 **0640** 87점

0637 (3) $1500x+900(12-x)+2500\le 18000$에서
$1500x+10800-900x+2500\le 18000$
$600x\le 4700$ $\therefore x\le\frac{47}{6}$

0638 조각 케이크를 x조각 산다고 하면
$3000x+2000\le 20000$, $3000x\le 18000$ $\therefore x\le 6$
따라서 조각 케이크를 최대 6조각까지 살 수 있다.

0639 세 번째 수학 시험의 성적을 x점이라고 하면
$\frac{93+85+x}{3}\ge 90$, $178+x\ge 270$ $\therefore x\ge 92$
따라서 세 번째 시험에서 92점 이상을 받아야 한다.

0640 네 번째 영어 시험 성적을 x점이라고 하면
$\frac{98+95+92+x}{4}\ge 93$, $285+x\ge 372$ $\therefore x\ge 87$
따라서 네 번째 영어 시험 시험에서 87점 이상을 받아야 한다.

03 일차부등식의 활용 (3) – 예금액, 추가 요금

본문 ◎ 101쪽

0641 (1) $20000+3000x$, $30000+2000x$
(2) $20000+3000x>30000+2000x$
(3) $x>10$ (4) 11개월
0642 31일
0643 (1) ① $x-10$ ② $5000+(x-10)\times 300$
(2) $5000+(x-10)\times 300\le 8000$ (3) $x\le 20$ (4) 20장
0644 280분

0641 (3) $20000+3000x>30000+2000x$에서
$1000x>10000$ $\therefore x>10$

0642 x일 후의 주원이와 수지의 저금통에 있는 돈은 각각 $(9000+500x)$원, $(6000+200x)$원이므로
$9000+500x>2(6000+200x)$
$9000+500x>12000+400x$, $100x>3000$
$\therefore x>30$
따라서 31일 후부터이다.

0643 (3) $5000+(x-10)\times 300\le 8000$에서
$5000+300x-3000\le 8000$, $300x\le 6000$
$\therefore x\le 20$

0644 x분 동안의 주차 요금은 $1500+10(x-30)$원이므로
$1500+10(x-30)\le 4000$
$1500+10x-300\le 4000$, $10x\le 2800$ $\therefore x\le 280$
따라서 최대 280분 동안 주차할 수 있다.

04 일차부등식의 활용 (4) – 유리한 방법, 정가

본문 ◎ 102쪽

0645 (1) $600x$, 1600 (2) $800x>600x+1600$
(3) $x>8$ (4) 9묶음
0646 4개
0647 (1) $0.8x$ (2) $0.8x\ge 20000\times 1.25$ (3) $x\ge 31250$
(4) 31250원
0648 5000원

0645 (3) $800x>600x+1600$, $200x>1600$ $\therefore x>8$

0646 빵을 x개 산다고 하면 슈퍼마켓에서 살 때 드는 비용은 $2000x$원, 대형마트에서 살 때 드는 비용은 $(2000x\times 0.8+1500)$원이므로
$2000x>2000x\times 0.8+1500$
$2000x>1600x+1500$
$400x>1500$ $\therefore x>3.75$
따라서 빵을 4개 이상 사는 경우에 대형마트에서 사는 것이 유리하다.

0647 $0.8x\ge 20000\times 1.25$에서 $0.8x\ge 25000$ $\therefore x\ge 31250$

0648 원가를 x원이라고 하면 정가는 $x+0.16x=1.16x$(원)
즉, 할인하여 판매한 가격은 $(1.16x-400)$원이므로
$1.16x-400\ge 1.08x$
$116x-40000\ge 108x$, $8x\ge 40000$ $\therefore x\ge 5000$
따라서 원가는 5000원 이상이다.

05 일차부등식의 활용 (5) – 거리, 속력, 시간

본문 ◎ 103쪽

0649 (1) $(10-x)$ km, $\frac{10-x}{3}$시간 (2) $\frac{x}{5}+\frac{10-x}{3}\le 3$

(3) $x\ge\frac{5}{2}$ (4) $\frac{5}{2}$ km

0650 15 km

0651 (1) $(x+2)$ km, $\frac{x+2}{3}$시간 (2) $\frac{x}{2}+\frac{x+2}{3}\le 4$

(3) $x\le 4$ (4) 4 km

0652 2 km

0649 (3) $\frac{x}{5}+\frac{10-x}{3}\le 3$, $3x+5(10-x)\le 45$

$3x+50-5x\le 45$, $-2x\le -5$ $\quad\therefore x\ge\frac{5}{2}$

0650 버스를 타고 간 거리를 x km라고 하면

	버스를 타고 갈 때	걸어갈 때
거리	x km	$(20-x)$ km
속력	시속 60 km	시속 4 km
시간	$\frac{x}{60}$시간	$\frac{20-x}{4}$시간

1시간 30분은 $1\frac{1}{2}=\frac{3}{2}$시간이므로 $\frac{x}{60}+\frac{20-x}{4}\le\frac{3}{2}$

$x+15(20-x)\le 90$, $x+300-15x\le 90$

$-14x\le -210$ $\quad\therefore x\ge 15$

따라서 버스를 타고 간 거리는 최소 15 km이다.

0651 (3) $\frac{x}{2}+\frac{x+2}{3}\le 4$에서

$3x+2(x+2)\le 24$, $3x+2x+4\le 24$

$5x\le 20$ $\quad\therefore x\le 4$

0652 집에서 x km 떨어진 곳까지 간다고 하면

1시간 30분은 $1\frac{1}{2}=\frac{3}{2}$시간이므로

$\frac{x}{4}+\frac{x}{2}\le\frac{3}{2}$, $x+2x\le 6$

$3x\le 6$ $\quad\therefore x\le 2$

따라서 최대 2 km 떨어진 곳까지 갔다 올 수 있다.

06 일차부등식의 활용 (6) – 거리, 속력, 시간

본문 ◎ 104쪽

0653 (1) x km, 시속 3 km, $\frac{x}{3}$시간 (2) $\frac{x}{4}+\frac{1}{4}+\frac{x}{3}\le 2$

(3) $x\le 3$ (4) 3 km

0654 10 km

0655 (1) $200x$ m, $150x$ m (2) $200x+150x\ge 1050$

(3) $x\ge 3$ (4) 3분

0656 100분

0653 (3) $\frac{x}{4}+\frac{1}{4}+\frac{x}{3}\le 2$에서 $3x+3+4x\le 24$

$7x\le 21$ $\quad\therefore x\le 3$

0654 x km까지 올라갔다 내려온다고 하면

	올라갈 때	쉴 때	내려올 때
거리	x km		x km
속력	시속 4 km		시속 5 km
시간	$\frac{x}{4}$시간	$\frac{1}{2}$시간	$\frac{x}{5}$시간

$\frac{x}{4}+\frac{1}{2}+\frac{x}{5}\le 5$

$5x+10+4x\le 100$, $9x\le 90$ $\quad\therefore x\le 10$

따라서 최대 10 km 까지 올라갔다 내려올 수 있다.

0655 (3) $200x+150x\ge 1050$에서

$350x\ge 1050$ $\quad\therefore x\ge 3$

0656 x분 동안 달린다고 하면

	기준	은정
시간	$\frac{x}{60}$시간	$\frac{x}{60}$시간
속력	시속 16 km	시속 14 km
거리	$16\times\frac{x}{60}$	$14\times\frac{x}{60}$

$16\times\frac{x}{60}+14\times\frac{x}{60}\ge 50$

$16x+14x\ge 3000$, $30x\ge 3000$ $\quad\therefore x\ge 100$

따라서 최소한 100분이 지나야 한다.

07 일차부등식의 활용 (7) – 농도

본문 ◎ 105쪽

0657 (1) $300+x$, $\frac{6}{100}\times(300+x)$

(2) $\frac{10}{100}\times 300\le\frac{6}{100}\times(300+x)$ (3) $x\ge 200$ (4) 200 g

0658 100 g

0659 (1) 풀이 참조

(2) $\frac{7}{100}\times 600+\frac{12}{100}\times x\ge\frac{9}{100}\times(600+x)$

(3) $x\ge 400$ (4) 400 g

0660 180 g

0657 (3) $\frac{10}{100}\times 300\le\frac{6}{100}\times(300+x)$

$3000\le 6(300+x)$, $3000\le 1800+6x$

$-6x\le -1200$ $\quad\therefore x\ge 200$

0658 증발시키는 물의 양을 x g이라고 하면

$\frac{8}{100}\times500\geq\frac{10}{100}\times(500-x)$

$4000\geq10(500-x)$, $4000\geq5000-10x$

$10x\geq1000$ $\therefore x\geq100$

따라서 100 g 이상의 물을 증발시켜야 한다.

0659 (1)

	섞기 전		섞은 후
농도	7 %	12 %	9 % 이상
소금물의 양(g)	600	x	$600+x$
소금의 양(g)	$\frac{7}{100}\times600$	$\frac{12}{100}\times x$	$\frac{9}{100}\times(600+x)$

(3) $\frac{7}{100}\times600+\frac{12}{100}\times x\geq\frac{9}{100}\times(600+x)$에서

$4200+12x\geq9(600+x)$, $4200+12x\geq5400+9x$

$3x\geq1200$ $\therefore x\geq400$

0660 5 %의 소금물의 양을 x g이라고 하면

	섞기 전		섞은 후
농도	5 %	10 %	8 % 이하
소금물의 양(g)	x	$450-x$	450
소금의 양(g)	$\frac{5}{100}\times x$	$\frac{10}{100}\times(450-x)$	$\frac{8}{100}\times450$

이므로 $\frac{5}{100}\times x+\frac{10}{100}\times(450-x)\leq\frac{8}{100}\times450$

$5x+10(450-x)\leq3600$, $5x+4500-10x\leq3600$

$-5x\leq-900$ $\therefore x\geq180$

따라서 5 %의 소금물을 180 g 이상 섞어야 한다.

핵심 01~07 **Mini Review Test** 본문 ◎ 106쪽

0661 18, 13 **0662** 16개 **0663** 9회 **0664** 21명
0665 2 km **0666** ④ **0667** 60 g

0661 두 자연수를 x, $x-5$라고 하면

$x+(x-5)<32$, $2x<37$ $\therefore x<\frac{37}{2}$

따라서 x가 될 수 있는 가장 큰 자연수는 18이므로 두 자연수는 18, 13이다.

0662 상자를 x개라고 하면 1톤은 1000 kg이므로

$60x+1000\leq2000$, $60x\leq1000$ $\therefore x\leq\frac{50}{3}$

따라서 상자를 최대 16개까지 실을 수 있다.

0663 A 놀이기구를 x회 이용한다고 하면

$12000+3000x\leq40000$, $3000x\leq28000$ $\therefore x\leq\frac{28}{3}$

따라서 A 놀이기구를 최대 9회까지 이용할 수 있다.

0664 입장객의 수를 x명이라고 하면

$2000x>2000\times0.8\times25$ ······ ❶

$\therefore x>20$ ······ ❷

따라서 최소 21명 이상이면 25명의 단체 입장권을 사는 것이 유리하다. ······ ❸

채점 기준	배점
❶ 일차부등식 세우기	40 %
❷ 일차부등식 풀기	40 %
❸ 답 구하기	20 %

0665 갈 때 걸은 거리를 x km라고 하면 올 때 걸은 거리는 $(x+1)$ km이므로

$\frac{x}{2}+\frac{x+1}{3}\leq2$, $3x+2(x+1)\leq12$

$3x+2x+2\leq12$, $5x\leq10$ $\therefore x\leq2$

따라서 갈 때 걸은 거리는 최대 2 km이다.

0666 상점까지의 거리를 x km라고 하면

$\frac{x}{4}+\frac{12}{60}+\frac{x}{4}\leq\frac{3}{2}$, $\frac{x}{2}+\frac{1}{5}\leq\frac{3}{2}$

$5x+2\leq15$, $5x\leq13$

$\therefore x\leq2.6$

따라서 역에서 최대 2.6 km 이내의 상점을 이용할 수 있다.

0667 8 %의 소금물 400 g에 들어 있는 소금의 양은

$\frac{8}{100}\times400=32$(g)

소금을 x g 넣는다고 하면

$32+x\leq\frac{20}{100}\times(400+x)$, $3200+100x\leq20(400+x)$

$3200+100x\leq8000+20x$, $80x\leq4800$ $\therefore x\leq60$

따라서 소금을 최대 60 g까지 넣을 수 있다.

6. 연립방정식의 풀이

01 미지수가 2개인 일차방정식

본문 ○ 112쪽

0668 ○ **0669** × **0670** × **0671** ×
0672 ○ **0673** × **0674** $8y$
0675 $2x+4y=32$ **0676** $7x=y$
0677 ㄱ, ㄹ

0669 등식이 아니므로 일차방정식이 아니다.

0670 미지수가 2개, 차수가 2인 방정식이므로 일차방정식이 아니다.

0671 정리하면 $4y-1=0$
➡ 미지수가 1개, 차수가 1인 방정식이므로 미지수가 2개인 일차방정식이 아니다.

0672 정리하면 $3x-2y=0$
➡ 미지수가 2개인 일차방정식이다.

0673 정리하면 $xy-4=0$
➡ 미지수가 2개, 차수가 2인 방정식이므로 일차방정식이 아니다.

0676 (가로의 길이)×(세로의 길이)=(사각형의 넓이)이므로
$7x=y$

0677 ㄴ. 등식이 아니다.
ㄷ. 미지수가 2개, 차수가 2인 방정식이므로 일차방정식이 아니다.
ㄹ. 양변에 6을 곱하여 정리하면 $2x-3y-6=0$이므로 미지수가 2개인 일차방정식이다.
따라서 미지수가 2개인 일차방정식은 ㄱ, ㄹ이다.

02 미지수가 2개인 일차방정식의 해 (1)

본문 ○ 113쪽

0678 3, 4, =, 해이다 **0679** × **0680** ×
0681 ○ **0682** ○ **0683** -2, 3, ≠, 갖지 않는다
0684 × **0685** ○ **0686** ○ **0687** ㄴ, ㄷ

0679 $1+2\times6\neq11$

0680 $5+2\times4\neq11$

0681 $7+2\times2=11$

0682 $9+2\times1=11$

0684 $-2-3-1\neq0$

0685 $\frac{-2}{2}+\frac{3}{3}=0$

0686 $2\times(-2)+3\times3-5=0$

0687 ㄱ. $2\times0-3\times(-1)-5\neq0$
ㄴ. $2\times1-3\times(-1)-5=0$
ㄷ. $2\times4-3\times1-5=0$
ㄹ. $2\times(-2)-3\times3-5\neq0$
따라서 일차방정식 $2x-3y=0$의 해는 ㄴ, ㄷ이다.

03 미지수가 2개인 일차방정식의 해 (2)

본문 ○ 114쪽

0688 9, 4, -1; 14, 9, 4
0689 4, 2, 0, -2; (1, 4), (2, 2)
0690 4, 3, 2, 1, 0; (1, 4), (2, 3), (3, 2), (4, 1)
0691 11, 7, 3, -1; (1, 11), (2, 7), (3, 3)
0692 (1, 5), (2, 3), (3, 1)
0693 (8, 1), (4, 2) **0694** (2, 2), (4, 1)
0695 (1, 7), (3, 4), (5, 1) **0696** 4

0692 x가 자연수이므로 $x=1, 2, 3, \cdots$을 $2x+y-7=0$에 대입하면

x	1	2	3	4
y	5	3	1	-1

이때 y도 자연수이므로 구하는 해는 (1, 5), (2, 3), (3, 1)이다.

0693 y가 자연수이므로 $y=1, 2, 3, \cdots$을 $x+4y=12$에 대입하면

x	8	4	0
y	1	2	3

이때 x도 자연수이므로 구하는 해는 (8, 1), (4, 2)이다.

0694 x가 자연수이므로 $x=1, 2, 3, \cdots$을 $\frac{1}{2}x+y=3$에 대입하면

x	1	2	3	4	5	6
y	$\frac{5}{2}$	2	$\frac{3}{2}$	1	$\frac{1}{2}$	0

이때 y도 자연수이므로 구하는 해는 $(2, 2)$, $(4, 1)$이다.

0695 x가 자연수이므로 $x=1, 2, 3, \cdots$을 $3x+2y=17$에 대입하면

x	1	2	3	4	5	6
y	7	$\frac{11}{2}$	4	$\frac{5}{2}$	1	$-\frac{1}{2}$

이때 y도 자연수이므로 구하는 해는 $(1, 7)$, $(3, 4)$, $(5, 1)$이다.

0696 y가 자연수이므로 $y=1, 2, 3, \cdots$을 $x+3y=15$에 대입하면

x	12	9	6	3	0	$\cdots$
y	1	2	3	4	5	$\cdots$

이때 x도 자연수이므로 구하는 해는
$(12, 1)$, $(9, 2)$, $(6, 3)$, $(3, 4)$이므로 해의 개수는 4이다.

04 미지수가 2개인 일차방정식의 해 (3)

본문 ◎ 115쪽

0697 1 **0698** 4 **0699** 6 **0700** 10
0701 -5 **0702** -1 **0703** 5 **0704** 2
0705 1 **0706** 1 **0707** 2

0698 $1-(-3)=a$ $\therefore a=4$

0699 $2a-2=10$, $2a=12$ $\therefore a=6$

0700 $-4+a=6$ $\therefore a=10$

0701 $-3a-4=11$, $-3a=15$ $\therefore a=-5$

0702 $2x-y=5$에 $x=2$, $y=a$를 대입하면
$2\times2-a=5$
$\therefore a=-1$

0703 $a+12=17$ $\therefore a=5$

0704 $2a+9=13$, $2a=4$ $\therefore a=2$

0705 $2+9a-11=0$, $9a-9=0$ $\therefore a=1$

0706 $6+2a=8$, $2a=2$ $\therefore a=1$

0707 $x=a+1$, $y=a$를 $2x+y-8=0$에 대입하면
$2(a+1)+a-8=0$, $3a-6=0$, $3a=6$
$\therefore a=2$

05 미지수가 2개인 연립일차방정식의 해 (1)

본문 ◎ 116쪽

0708 2, 5 **0709** 10, 6, 2 ; 3, 2, 1 ; 3, 2
0710 $(3, 2)$ **0711** $(3, 4)$ **0712** 6

0710 $x+y=5$의 해는 $(1, 4)$, $(2, 3)$, $(3, 2)$, $(4, 1)$
$3x+y=11$의 해는 $(1, 8)$, $(2, 5)$, $(3, 2)$
따라서 주어진 연립방정식의 해는 $(3, 2)$이다.

0711 $3x+y=13$의 해는 $(1, 10)$, $(2, 7)$, $(3, 4)$, $(4, 1)$
$x+y=7$의 해는 $(1, 6)$, $(2, 5)$, $(3, 4)$, $(4, 3)$, $(5, 2)$, $(6, 1)$
따라서 주어진 연립방정식의 해는 $(3, 4)$이다.

0712 $2x+3y=15$의 해는 $(3, 3)$, $(6, 1)$
$x+2y=8$의 해는 $(2, 3)$, $(4, 2)$, $(6, 1)$
즉, 주어진 연립방정식의 해는 $(6, 1)$이다.
따라서 $a=6$, $b=1$이므로 $ab=6$

06 미지수가 2개인 연립일차방정식의 해 (2)

본문 ◎ 117쪽

0713 ×, =, 2, ≠, 해가 아니다
0714 ○ **0715** × **0716** ○ **0717** 7, 2
0718 $a=-1$, $b=1$ **0719** $a=3$, $b=2$
0720 $a=3$, $b=7$

0714 $x=2$, $y=1$을 두 일차방정식에 각각 대입하면
$\begin{cases} 2\times2+1=5 \\ 2-1=1 \end{cases}$
따라서 $(2, 1)$은 주어진 연립방정식의 해이다.

0715 $x=2$, $y=1$을 두 일차방정식에 각각 대입하면
$\begin{cases} -3\times2+2\times1\neq4 \\ 5\times2-1=9 \end{cases}$
따라서 $(2, 1)$은 주어진 연립방정식의 해가 아니다.

0716 $x=2$, $y=1$을 두 일차방정식에 각각 대입하면

$\begin{cases} 3\times2+4\times1=10 \\ 2\times2+3\times1=7 \end{cases}$

따라서 $(2, 1)$은 주어진 연립방정식의 해이다.

0718 $x=1$, $y=2$를 $3x-2y=a$에 대입하면

$3\times1-2\times2=a$ $\quad\therefore a=-1$

$x=1$, $y=2$를 $x+by=3$에 대입하면

$1+2b=3$, $2b=2$ $\quad\therefore b=1$

0719 $x=a$, $y=5$를 $x+y=8$에 대입하면

$a+5=8$ $\quad\therefore a=3$

$x=3$, $y=5$를 $bx+y=11$에 대입하면

$3b+5=11$, $3b=6$ $\quad\therefore b=2$

0720 $x=1$, $y=a$를 $2x-y=-1$에 대입하면

$2-a=-1$ $\quad\therefore a=3$

$x=1$, $y=3$을 $x+2y=b$에 대입하면

$1+6=b$ $\quad\therefore b=7$

핵심 01~06 Mini Review Test 본문 ○ 118쪽

0721 ㄱ, ㅁ, ㅂ **0722** ㄱ, ㄹ **0723** ③
0724 (1) $(2, 1)$ (2) $(3, 2)$ **0725** ②, ⑤ **0726** 4

0721 ㄱ. $x-2y+7=0$(일차방정식)

ㄴ, ㄷ. 차수가 2이다.

ㄹ. $3y+1=0$ ➡ 미지수가 1개이다.

ㅁ. $x-y-4=0$(일차방정식)

ㅂ. $3x-2y+1=0$(일차방정식)

따라서 미지수가 2개인 일차방정식은 ㄱ, ㅁ, ㅂ이다.

0722 $x=2$, $y=3$을 각 일차방정식에 대입하면

ㄱ. $3\times2+3=9$

ㄴ. $3\times2+2\times3\neq4$

ㄷ. $2\times2-3\times3\neq7$

ㄹ. $2\times2+5\times3=19$

따라서 $(2, 3)$을 해로 갖는 일차방정식은 ㄱ, ㄹ이다.

0723 $x=1$, $y=-2$를 $2x-ay=4$에 대입하면

$2+2a=4$, $2a=2$ $\quad\therefore a=1$

0724 (1) $x+2y=4$의 해는 $(2, 1)$

$4x+y=9$의 해는 $(1, 5)$, $(2, 1)$

따라서 주어진 연립방정식의 해는 $(2, 1)$이다.

(2) $x+2y=7$의 해는 $(1, 3)$, $(3, 2)$, $(5, 1)$

$3x+2y=13$의 해는 $(1, 5)$, $(3, 2)$

따라서 주어진 연립방정식의 해는 $(3, 2)$이다.

0725 ① $\begin{cases} 2+1\neq-3 \\ 4\times2-3\times(-3)=17 \end{cases}$

② $\begin{cases} 2-3=-1 \\ -2-3=-5 \end{cases}$

③ $\begin{cases} 3\times2-(-3)=9 \\ 3\times2+2\times(-3)\neq3 \end{cases}$

④ $\begin{cases} 3\times2-3\neq2\times(-3) \\ 3\times2-2\times(-3)\neq-12 \end{cases}$

⑤ $\begin{cases} 2\times2+3\times(-3)=-5 \\ 2+2\times(-3)=-4 \end{cases}$

0726 $x=-2$, $y=1$을 $ax+3y=7$에 대입하면

$-2a+3=7$, $-2a=4$ $\quad\therefore a=-2$ ······ ❶

$x=-2$, $y=1$을 $5x-by=-4$에 대입하면

$-10-b=-4$ $\quad\therefore b=-6$ ······ ❷

$\therefore a-b=-2-(-6)=4$ ······ ❸

채점 기준	배점
❶ a의 값 구하기	40 %
❷ b의 값 구하기	40 %
❸ $a-b$의 값 구하기	20 %

07 식의 대입

본문 ○ 119쪽

0727 $2x+3$, 4, 6, $7x+6$ **0728** $x-4$
0729 $4x^2+5x-3$ **0730** $-x-9$
0731 $8x^2+10x$ **0732** $-y+4$
0733 $-3y^2-12y+5$ **0734** $7y+29$
0735 $11y+48$ **0736** $-14y-96$

0728 $3x-y-1=3x-(2x+3)-1$

$=3x-2x-3-1$

$=x-4$

0729 $-x+2xy-3=-x+2x(2x+3)-3$

$=-x+4x^2+6x-3$

$=4x^2+5x-3$

0730 $3(x-y)+2x=3x-3y+2x=5x-3y$
$=5x-3(2x+3)$
$=5x-6x-9$
$=-x-9$

0731 $2x(2y+1)-4x=4xy-2x$
$=4x(2x+3)-2x$
$=8x^2+12x-2x$
$=8x^2+10x$

0732 $\frac{1}{3}x-2y=\frac{1}{3}(3y+12)-2y$
$=y+4-2y$
$=-y+4$

0733 $-xy+5=-(3y+12)y+5$
$=-3y^2-12y+5$

0734 $3x-2y-7=3(3y+12)-2y-7$
$=9y+36-2y-7$
$=7y+29$

0735 $x+2y-3(y-x)=x+2y-3y+3x$
$=4x-y$
$=4(3y+12)-y$
$=12y+48-y$
$=11y+48$

0736 $6(y-2x)+4(x+y)=10y-8x$
$=10y-8(3y+12)$
$=10y-24y-96$
$=-14y-96$

08 등식의 변형

본문 ◯ 120쪽

0737 -6, 12, -3, 6
0738 $x=-2y-5$
0739 $x=4y$
0740 $x=-\frac{1}{2}y+5$
0741 $x=\frac{1}{3}y-2$
0742 -4, 6, 2, 3
0743 $y=3x-9$
0744 $y=x-4$
0745 $y=\frac{1}{3}x-3$
0746 $y=-\frac{1}{3}x+\frac{1}{2}$

0738 $-4x-8y=20$에서 $-4x=8y+20$
$\therefore x=-2y-5$

0739 $5x-3y=2x+9y$에서 $5x-2x=9y+3y$
$3x=12y$ $\therefore x=4y$

0740 $y=-2x+10$에서 $2x=-y+10$
$\therefore x=-\frac{1}{2}y+5$

0741 $2y-8=6x+4$에서 $-6x=4-2y+8$
$-6x=-2y+12$ $\therefore x=\frac{1}{3}y-2$

0743 $3x-y-9=0$에서 $-y=-3x+9$
$\therefore y=3x-9$

0744 $x=y+4$에서 $-y=4-x$
$\therefore y=x-4$

0745 $4x+3y=5x-9$에서 $3y=5x-9-4x$
$3y=x-9$ $\therefore y=\frac{1}{3}x-3$

0746 $2x+y=-5y+3$에서 $y+5y=3-2x$
$6y=-2x+3$ $\therefore y=-\frac{1}{3}x+\frac{1}{2}$

09 대입법을 이용한 연립방정식의 풀이 (1)

본문 ◯ 121쪽

0747 -1, -1, -7
0748 $x=3$, $y=-1$
0749 $x=1$, $y=2$
0750 $x=-2$, $y=-13$
0751 $x=3$, $y=2$
0752 $x=3$, $y=1$
0753 $x=-1$, $y=8$
0754 $x=1$, $y=2$
0755 $x=1$, $y=1$

0748 $\begin{cases} 3x-2y=11 & \cdots\cdots ㉠ \\ y=-2x+5 & \cdots\cdots ㉡ \end{cases}$
㉡을 ㉠에 대입하면 $3x-2(-2x+5)=11$
$3x+4x-10=11$, $7x=21$ $\therefore x=3$
$x=3$을 ㉡에 대입하면 $y=-1$

0749 $\begin{cases} y=x+1 & \cdots\cdots ㉠ \\ x+2y=5 & \cdots\cdots ㉡ \end{cases}$
㉠을 ㉡에 대입하면 $x+2(x+1)=5$
$x+2x+2=5$, $3x=3$ $\therefore x=1$
$x=1$을 ㉠에 대입하면 $y=2$

0750 $\begin{cases} y=4x-5 & \cdots\cdots ㉠ \\ 2x-y=9 & \cdots\cdots ㉡ \end{cases}$

㉠을 ㉡에 대입하면 $2x-(4x-5)=9$

$2x-4x+5=9,\ -2x=4 \qquad \therefore x=-2$

$x=-2$를 ㉠에 대입하면 $y=-13$

0751 $\begin{cases} x=2y-1 & \cdots\cdots ㉠ \\ 2x+y=8 & \cdots\cdots ㉡ \end{cases}$

㉠을 ㉡에 대입하면 $2(2y-1)+y=8$

$4y-2+y=8,\ 5y=10 \qquad \therefore y=2$

$y=2$를 ㉠에 대입하면 $x=3$

0752 $\begin{cases} y=-2x+7 & \cdots\cdots ㉠ \\ y=3x-8 & \cdots\cdots ㉡ \end{cases}$

㉠을 ㉡에 대입하면 $-2x+7=3x-8$

$-5x=-15 \qquad \therefore x=3$

$x=3$을 ㉡에 대입하면 $y=1$

0753 $\begin{cases} x=3-\dfrac{y}{2} & \cdots\cdots ㉠ \\ y=2x+10 & \cdots\cdots ㉡ \end{cases}$

㉠을 ㉡에 대입하면 $y=2\left(3-\dfrac{y}{2}\right)+10$

$y=6-y+10,\ 2y=16 \qquad \therefore y=8$

$y=8$을 ㉠에 대입하면 $x=3-\dfrac{8}{2}=-1$

0754 $\begin{cases} x=5-2y & \cdots\cdots ㉠ \\ 3x-2y=-1 & \cdots\cdots ㉡ \end{cases}$

㉠을 ㉡에 대입하면 $3(5-2y)-2y=-1$

$15-6y-2y=-1,\ 15-8y=-1$

$-8y=-16 \qquad \therefore y=2$

$y=2$를 ㉠에 대입하면 $x=1$

0755 $\begin{cases} y=2x-1 & \cdots\cdots ㉠ \\ 3x=4-y & \cdots\cdots ㉡ \end{cases}$

㉠을 ㉡에 대입하면 $3x=4-(2x-1)$

$3x=4-2x+1,\ 3x+2x=5,\ 5x=5 \qquad \therefore x=1$

$x=1$을 ㉠에 대입하면 $y=1$

10 대입법을 이용한 연립방정식의 풀이 (2)

본문 ◎ 122쪽

0756 3, 3, 7 **0757** $x=2,\ y=-2$

0758 $x=-2,\ y=\dfrac{1}{2}$ **0759** $x=4,\ y=-7$

0760 $x=5,\ y=4$ **0761** $x=2,\ y=9$

0762 $x=-2,\ y=-2$ **0763** $x=4,\ y=2$

0764 10

0757 $\begin{cases} 6x+5y=2 & \cdots\cdots ㉠ \\ 3x+y=4 & \cdots\cdots ㉡ \end{cases}$

㉡을 y에 대하여 풀면 $y=-3x+4 \quad \cdots\cdots ㉢$

㉢을 ㉠에 대입하면 $6x+5(-3x+4)=2$

$6x-15x+20=2,\ -9x=-18 \qquad \therefore x=2$

$x=2$를 ㉢에 대입하면 $y=-2$

0758 $\begin{cases} x-2y=-3 & \cdots\cdots ㉠ \\ 5x+4y=-8 & \cdots\cdots ㉡ \end{cases}$

㉠을 x에 대하여 풀면 $x=2y-3 \quad \cdots\cdots ㉢$

㉢을 ㉡에 대입하면 $5(2y-3)+4y=-8$

$10y-15+4y=-8,\ 14y=7 \qquad \therefore y=\dfrac{1}{2}$

$y=\dfrac{1}{2}$을 ㉢에 대입하면 $x=2\times\dfrac{1}{2}-3=-2$

0759 $\begin{cases} x+2y=-10 & \cdots\cdots ㉠ \\ 3x+y=5 & \cdots\cdots ㉡ \end{cases}$

㉠을 x에 대하여 풀면 $x=-2y-10 \quad \cdots\cdots ㉢$

㉢을 ㉡에 대입하면 $3(-2y-10)+y=5$

$-6y-30+y=5,\ -5y=35 \qquad \therefore y=-7$

$y=-7$을 ㉢에 대입하면 $x=4$

0760 $\begin{cases} x+y=9 & \cdots\cdots ㉠ \\ x+2y=13 & \cdots\cdots ㉡ \end{cases}$

㉠을 x에 대하여 풀면 $x=-y+9 \quad \cdots\cdots ㉢$

㉢을 ㉡에 대입하면 $(-y+9)+2y=13 \qquad \therefore y=4$

$y=4$를 ㉢에 대입하면 $x=5$

0761 $\begin{cases} -3x+2y=12 & \cdots\cdots ㉠ \\ 5x-y=1 & \cdots\cdots ㉡ \end{cases}$

㉡을 y에 대하여 풀면 $y=5x-1 \quad \cdots\cdots ㉢$

㉢을 ㉠에 대입하면 $-3x+2(5x-1)=12$

$-3x+10x-2=12,\ 7x=14 \qquad \therefore x=2$

$x=2$를 ㉢에 대입하면 $y=9$

0762 $\begin{cases} 3x-11y=16 & \cdots\cdots ㉠ \\ x-4y=6 & \cdots\cdots ㉡ \end{cases}$

㉡을 x에 대하여 풀면 $x=4y+6 \quad \cdots\cdots ㉢$

㉢을 ㉠에 대입하면 $3(4y+6)-11y=16$

$12y+18-11y=16 \qquad \therefore y=-2$

$y=-2$를 ㉢에 대입하면 $x=-2$

0763 $\begin{cases} x-3y=-2 & \cdots\cdots ㉠ \\ 4x-5y=6 & \cdots\cdots ㉡ \end{cases}$

㉠을 x에 대하여 풀면 $x=3y-2 \quad \cdots\cdots ㉢$

㉢을 ㉡에 대입하면 $4(3y-2)-5y=6$

$12y-8-5y=6,\ 7y=14 \qquad \therefore y=2$

$y=2$를 ㉢에 대입하면 $x=4$

0764 $\begin{cases} x-y=8 & \cdots\cdots ㉠ \\ x-3y=6 & \cdots\cdots ㉡ \end{cases}$

㉠을 x에 대하여 풀면 $x=y+8$ ⋯⋯ ㉢

㉢을 ㉡에 대입하면 $y+8-3y=6$

$-2y=-2$ ∴ $y=1$

$y=1$을 ㉢에 대입하면 $x=9$

따라서 $a=9$, $b=1$이므로 $a+b=9+1=10$

11 가감법을 이용한 연립방정식의 풀이 (1)

본문 ◎ 123쪽

0765 ㉠+㉡, +, + **0766** ㉠−㉡
0767 ㉠−㉡ **0768** ㉠+㉡
0769 3, 3, 3, 4 **0770** $x=1$, $y=3$
0771 $x=1$, $y=-1$ **0772** $x=-2$, $y=-1$

0766 x의 계수의 절댓값이 같고 부호가 같으므로 ㉠−㉡

0767 y의 계수의 절댓값이 같고 부호가 같으므로 ㉠−㉡

0768 y의 계수의 절댓값이 같고 부호가 다르므로 ㉠+㉡

0770 $\begin{cases} x+y=4 & \cdots\cdots ㉠ \\ x-y=-2 & \cdots\cdots ㉡ \end{cases}$

㉠+㉡을 하면 $2x=2$ ∴ $x=1$

$x=1$을 ㉠에 대입하면 $1+y=4$ ∴ $y=3$

0771 $\begin{cases} 4x+y=3 & \cdots\cdots ㉠ \\ 5x+y=4 & \cdots\cdots ㉡ \end{cases}$

㉠−㉡을 하면 $-x=-1$ ∴ $x=1$

$x=1$을 ㉠에 대입하면 $4+y=3$ ∴ $y=-1$

0772 $\begin{cases} x-3y=1 & \cdots\cdots ㉠ \\ 2x+3y=-7 & \cdots\cdots ㉡ \end{cases}$

㉠+㉡을 하면 $3x=-6$ ∴ $x=-2$

$x=-2$를 ㉠에 대입하면 $-2-3y=1$

$-3y=3$ ∴ $y=-1$

12 가감법을 이용한 연립방정식의 풀이 (2)

본문 ◎ 124쪽

0773 ㉠+㉡×3, +, + **0774** ㉠×2+㉡
0775 ㉠×3−㉡×4 **0776** ㉠×2+㉡×3
0777 3, 3, 3, −2 **0778** $x=-1$, $y=1$
0779 $x=7$, $y=-5$ **0780** $x=1$, $y=-1$

0774 x의 계수의 절댓값을 같게 하기 위해 ㉠×2를 한 후 변끼리 더한다. 즉, ㉠×2+㉡

0775 x의 계수의 절댓값을 같게 하기 위해 ㉠×3, ㉡×4를 한 후 변끼리 뺀다. 즉, ㉠×3−㉡×4

0776 y의 계수의 절댓값을 같게 하기 위해 ㉠×2, ㉡×3을 한 후 변끼리 더한다. 즉, ㉠×2+㉡×3

0778 $\begin{cases} 5x-2y=-7 & \cdots\cdots ㉠ \\ -x+y=2 & \cdots\cdots ㉡ \end{cases}$

㉠+㉡×2를 하면 $3x=-3$ ∴ $x=-1$

$x=-1$을 ㉡에 대입하면 $1+y=2$ $y=1$

0779 $\begin{cases} 3x+2y=11 & \cdots\cdots ㉠ \\ 5x-y=40 & \cdots\cdots ㉡ \end{cases}$

㉠+㉡×2를 하면 $13x=91$ ∴ $x=7$

$x=7$을 ㉡에 대입하면 $35-y=40$ ∴ $y=-5$

0780 $\begin{cases} 7x+3y=4 & \cdots\cdots ㉠ \\ 4x+5y=-1 & \cdots\cdots ㉡ \end{cases}$

㉠×5−㉡×3을 하면 $23x=23$ ∴ $x=1$

$x=1$을 ㉡에 대입하면 $4+5y=-1$ ∴ $y=-1$

핵심 07~12 Mini Review Test

본문 ◎ 125쪽

0781 ⑤ **0782** −15 **0783** 5 **0784** ⑤
0785 ② **0786** ④

0781 ③ $4y-(5y+1)=3$에서

$4y-5y-1=3$, $-y=4$ ∴ $y=-4$

④ $x=5\times(-4)+1=-19$

⑤ 해는 $(-19, -4)$이다.

0782 ㉠을 x에 대하여 풀면 $x=9-2y$ ⋯⋯ ㉢

㉢을 ㉡에 대입하면 $2(9-2y)-3y=3$

$-7y=-15$

∴ $k=-15$

0783 $\begin{cases} 2x-3y=-1 & \cdots\cdots ㉠ \\ 2x+y=7 & \cdots\cdots ㉡ \end{cases}$

㉠을 $2x$에 대하여 풀면 $2x=3y-1$ ⋯⋯ ㉢

㉢을 ㉡에 대입하면 $3y-1+y=7$, $4y=8$ ∴ $y=2$

$y=2$를 ㉠에 대입하면 $2x=5$ ∴ $x=\frac{5}{2}$

따라서 $a=\frac{5}{2}$, $b=2$이므로

$ab=\frac{5}{2}\times2=5$

0784 ㉠+㉡을 하면 $3x=6$ ∴ $a=3$

0785 x를 소거하기 위해서는 x의 계수의 절댓값이 같아야 한다.
㉠×3을 하면 $6x-9y=-3$
㉡×2를 하면 $6x-8y=4$
이때 x항의 부호가 같으므로 두 식을 변끼리 빼야 한다.
즉, ㉠×3−㉡×2를 하면 $-y=-7$과 같이 x가 소거된다.

0786 $\begin{cases} 2x+3y=5 & \cdots\cdots ㉠ \\ x-2y=-1 & \cdots\cdots ㉡ \end{cases}$
㉠−㉡×2를 하면 $7y=7$ $\therefore y=1$
$y=1$을 ㉡에 대입하면 $x=1$

13 괄호가 있는 연립방정식의 풀이

본문 127쪽

0787 -4, -4, -1
0788 $3x-2y=2$, $2x-3y=-7$, $x=4$, $y=5$
0789 $2x+3y=2$, $x-y=1$, $x=1$, $y=0$
0790 $x-3y=-10$, $x-y=-4$, $x=-1$, $y=3$
0791 $-x+2y=4$, $3x+4y=-2$, $x=-2$, $y=1$
0792 -2

0788 $\begin{cases} 3x-2y=2 & \cdots\cdots ㉠ \\ 2x-3y=-7 & \cdots\cdots ㉡ \end{cases}$
㉠×2−㉡×3을 하면 $5y=25$ $\therefore y=5$
$y=5$를 ㉡에 대입하면
$2x-15=-7$, $2x=8$ $\therefore x=4$

0789 $\begin{cases} 2x+3y=2 & \cdots\cdots ㉠ \\ x-y=1 & \cdots\cdots ㉡ \end{cases}$
㉠−㉡×2를 하면 $5y=0$ $\therefore y=0$
$y=0$을 ㉡에 대입하면 $x=1$

0790 $\begin{cases} x-3y=-10 & \cdots\cdots ㉠ \\ x-y=-4 & \cdots\cdots ㉡ \end{cases}$
㉠−㉡을 하면 $-2y=-6$ $\therefore y=3$
$y=3$을 ㉡에 대입하면
$x-3=-4$ $\therefore x=-1$

0791 $\begin{cases} -x+2y=4 & \cdots\cdots ㉠ \\ 3x+4y=-2 & \cdots\cdots ㉡ \end{cases}$
㉠×2−㉡을 하면 $-5x=10$ $\therefore x=-2$
$x=-2$를 ㉠에 대입하면 $2+2y=4$, $2y=2$ $\therefore y=1$

0792 주어진 연립방정식의 괄호를 풀고, 간단히 정리하면
$\begin{cases} 2x-3y=1 & \cdots\cdots ㉠ \\ 3x-7y=4 & \cdots\cdots ㉡ \end{cases}$
㉠×3−㉡×2를 하면 $5y=-5$ $\therefore y=-1$
$y=-1$을 ㉠에 대입하면
$2x+3=1$, $2x=-2$ $\therefore x=-1$
따라서 $a=-1$, $b=-1$이므로 $a+b=-2$

14 계수가 분수인 연립방정식의 풀이

본문 127쪽

0793 -16, -16, -30
0794 $12x+y=-40$, $3x+2y=4$, $x=-4$, $y=8$
0795 $2x-3y=-10$, $6x-y=2$, $x=1$, $y=4$
0796 $3x-5y=2$, $3x-4y=1$, $x=-1$, $y=-1$
0797 $2x-y=-2$, $4x-3y=2$, $x=-4$, $y=-6$
0798 $3x+10y=-4$, $9x+20y=-2$, $x=2$, $y=-1$
0799 $x-2y=11$, $3x-10y=45$, $x=5$, $y=-3$

0794 $\begin{cases} \frac{3}{2}x+\frac{1}{8}y=-5 & \cdots\cdots ㉠ \\ \frac{1}{4}x+\frac{1}{6}y=\frac{1}{3} & \cdots\cdots ㉡ \end{cases}$
㉠×8을 하면 $12x+y=-40$ ⋯⋯ ㉢
㉡×12를 하면 $3x+2y=4$ ⋯⋯ ㉣
㉢×2−㉣을 하면 $21x=-84$ $\therefore x=-4$
$x=-4$를 ㉢에 대입하면 $-48+y=-40$ $\therefore y=8$

0795 $\begin{cases} \frac{1}{2}x-\frac{3}{4}y=-\frac{5}{2} & \cdots\cdots ㉠ \\ \frac{3}{5}x-\frac{1}{10}y=\frac{1}{5} & \cdots\cdots ㉡ \end{cases}$
㉠×4를 하면 $2x-3y=-10$ ⋯⋯ ㉢
㉡×10을 하면 $6x-y=2$ ⋯⋯ ㉣
㉢−㉣×3을 하면 $-16x=-16$ $\therefore x=1$
$x=1$을 ㉣에 대입하면 $6-y=2$ $\therefore y=4$

0796 $\begin{cases} 3x-5y=2 & \cdots\cdots ㉠ \\ \frac{x}{4}-\frac{y}{3}=\frac{1}{12} & \cdots\cdots ㉡ \end{cases}$
㉡×12를 하면 $3x-4y=1$ ⋯⋯ ㉢
㉠−㉢을 하면 $-y=1$ $\therefore y=-1$
$y=-1$을 ㉢에 대입하면 $3x+4=1$
$3x=-3$ $\therefore x=-1$

0797 $\begin{cases} x-\frac{y}{2}=-1 & \cdots\cdots ㉠ \\ \frac{x}{3}-\frac{y}{4}=\frac{1}{6} & \cdots\cdots ㉡ \end{cases}$
㉠×2를 하면 $2x-y=-2$ ⋯⋯ ㉢
㉡×12를 하면 $4x-3y=2$ ⋯⋯ ㉣
㉢×2−㉣을 하면 $y=-6$
$y=-6$을 ㉢에 대입하면 $2x+6=-2$
$2x=-8$ $\therefore x=-4$

0798 $\begin{cases} \frac{3}{10}x+y=-\frac{2}{5} & \cdots\cdots ㉠ \\ \frac{3}{4}x+\frac{5}{3}y=-\frac{1}{6} & \cdots\cdots ㉡ \end{cases}$

㉠×10을 하면 $3x+10y=-4$ …… ㉢

㉡×12를 하면 $9x+20y=-2$ …… ㉣

㉢×2−㉣을 하면 $-3x=-6$ $\therefore x=2$

$x=2$를 ㉢에 대입하면 $6+10y=-4$

$10y=-10$ $\therefore y=-1$

0799 $\begin{cases} \frac{x+1}{2}-y=6 & \cdots\cdots ㉠ \\ \frac{1}{5}x-\frac{2}{3}y=3 & \cdots\cdots ㉡ \end{cases}$

㉠×2를 하면 $x+1-2y=12$ $\therefore x-2y=11$ …… ㉢

㉡×15를 하면 $3x-10y=45$ …… ㉣

㉢×3−㉣을 하면 $4y=-12$ $\therefore y=-3$

$y=-3$을 ㉢에 대입하면 $x+6=11$ $\therefore x=5$

15 계수가 소수인 연립방정식의 풀이

본문 ◎ 128쪽

0800 4, 4, 2

0801 $5x-2y=20$, $3x+2y=-4$, $x=2$, $y=-5$

0802 $2x-3y=-4$, $4x+5y=3$, $x=-\frac{1}{2}$, $y=1$

0803 $3x+2y=-9$, $x-2y=5$, $x=-1$, $y=-3$

0804 $4x-5y=-7$, $2x-y=1$, $x=2$, $y=3$

0805 $4x+3y=20$, $2x+y=8$, $x=2$, $y=4$

0806 -1

0801 $\begin{cases} 0.5x-0.2y=2 & \cdots\cdots ㉠ \\ 0.3x+0.2y=-0.4 & \cdots\cdots ㉡ \end{cases}$

㉠×10을 하면 $5x-2y=20$ …… ㉢

㉡×10을 하면 $3x+2y=-4$ …… ㉣

㉢+㉣을 하면 $8x=16$ $\therefore x=2$

$x=2$를 ㉢에 대입하면 $10-2y=20$, $-2y=10$

$\therefore y=-5$

0802 $\begin{cases} 0.02x-0.03y=-0.04 & \cdots\cdots ㉠ \\ 0.04x+0.05y=0.03 & \cdots\cdots ㉡ \end{cases}$

㉠×100을 하면 $2x-3y=-4$ …… ㉢

㉡×100을 하면 $4x+5y=3$ …… ㉣

㉢×2−㉣을 하면 $-11y=-11$ $\therefore y=1$

$y=1$을 ㉢에 대입하면 $2x-3=-4$

$2x=-1$ $\therefore x=-\frac{1}{2}$

0803 $\begin{cases} 0.03x+0.02y=-0.09 & \cdots\cdots ㉠ \\ 0.1x-0.2y=0.5 & \cdots\cdots ㉡ \end{cases}$

㉠×100을 하면 $3x+2y=-9$ …… ㉢

㉡×10을 하면 $x-2y=5$ …… ㉣

㉢+㉣을 하면 $4x=-4$ $\therefore x=-1$

$x=-1$을 ㉣에 대입하면 $-1-2y=5$

$-2y=6$ $\therefore y=-3$

0804 $\begin{cases} \frac{2}{5}x-\frac{1}{2}y=-\frac{7}{10} & \cdots\cdots ㉠ \\ 0.2x-0.1y=0.1 & \cdots\cdots ㉡ \end{cases}$

㉠×10을 하면 $4x-5y=-7$ …… ㉢

㉡×10을 하면 $2x-y=1$ …… ㉣

㉢−2×㉣을 하면 $-3y=-9$ $\therefore y=3$

$y=3$을 ㉣에 대입하면 $2x-3=1$

$2x=4$ $\therefore x=2$

0805 $\begin{cases} 0.4x+0.3y=2 & \cdots\cdots ㉠ \\ \frac{x}{6}+\frac{y}{12}=\frac{2}{3} & \cdots\cdots ㉡ \end{cases}$

㉠×10을 하면 $4x+3y=20$ …… ㉢

㉡×12를 하면 $2x+y=8$ …… ㉣

㉢−㉣×2를 하면 $y=4$

$y=4$를 ㉣에 대입하면 $2x+4=8$ $\therefore x=2$

0806 $\begin{cases} 0.7x-0.2y=1.1 & \cdots\cdots ㉠ \\ \frac{3}{4}x+\frac{y}{3}=\frac{1}{12} & \cdots\cdots ㉡ \end{cases}$

㉠×10을 하면 $7x-2y=11$ …… ㉢

㉡×12를 하면 $9x+4y=1$ …… ㉣

㉢×2+㉣을 하면 $23x=23$ $\therefore x=1$

$x=1$을 ㉢에 대입하면 $y=-2$

즉, $x=1$, $y=-2$를 $x+ay=3$에 대입하면

$1+a\times(-2)=3$, $-2a=2$ $\therefore a=-1$

16 비례식을 포함한 연립방정식의 풀이

본문 ◎ 129쪽

0807 2, 2
0808 $5x-6y=0$
0809 $14x-2y=19$
0810 3, 2
0811 $x=4$, $y=1$
0812 $x=4$, $y=3$
0813 $x=2$, $y=-1$
0814 1

0808 $5x=6y$ $\therefore 5x-6y=0$

0809 $7(2x-3)=2(y-1)$, $14x-21=2y-2$

$\therefore 14x-2y=19$

0811 $\begin{cases} x:(y+1)=2:1 & \cdots\cdots ㉠ \\ x+3y=7 & \cdots\cdots ㉡ \end{cases}$

㉠에서 $x=2(y+1)$이므로

$x-2y=2$ ⋯⋯ ㉢

㉡－㉢을 하면 $5y=5$ $\quad\therefore y=1$

$y=1$을 ㉡에 대입하면 $x+3=7$ $\quad\therefore x=4$

0812 $\begin{cases} (x+2):y=2:1 & \cdots\cdots ㉠ \\ 3x-y=9 & \cdots\cdots ㉡ \end{cases}$

㉠에서 $x+2=2y$이므로 $x-2y=-2$ ⋯⋯ ㉢

㉡×2－㉢을 하면 $5x=20$ $\quad\therefore x=4$

$x=4$를 ㉡에 대입하면 $12-y=9$ $\quad\therefore y=3$

0813 $\begin{cases} (x-2):2=(x+2y):1 & \cdots\cdots ㉠ \\ x-2y=4 & \cdots\cdots ㉡ \end{cases}$

㉠에서 $x-2=2(x+2y)$, $x-2=2x+4y$

$-x-4y=2$ ⋯⋯ ㉢

㉡＋㉢을 하면 $-6y=6$ $\quad\therefore y=-1$

$y=-1$을 ㉡에 대입하면 $x+2=4$ $\quad\therefore x=2$

0814 $\begin{cases} (x+1):(x+2y)=2:3 & \cdots\cdots ㉠ \\ -2x+3y=-4 & \cdots\cdots ㉡ \end{cases}$

㉠에서 $3(x+1)=2(x+2y)$

$\therefore x-4y=-3$ ⋯⋯ ㉢

㉡＋㉢×2를 하면 $-5y=-10$ $\quad\therefore y=2$

$y=2$를 ㉢에 대입하면 $x=5$

따라서 $a=5$, $b=2$이므로 $a-2b=5-2\times2=1$

17 $A=B=C$ 꼴의 연립방정식의 풀이

본문 ◎ 130쪽

0815 $2x-3y$, $x-5y+9$, $x=3$, $y=3$
0816 $5x-3y=1$, $3x-2y=1$, $x=-1$, $y=-2$
0817 $2x-4y+2$, $x-4y+6$, $x=4$, $y=-2$
0818 $5x-y=2x+4y+1$, $5x-y=3x+5y$, $x=\frac{3}{4}$, $y=\frac{1}{4}$
0819 $4x-y=2x+2y$, $2x+2y=3x-2y+5$, $x=3$, $y=2$
0820 $x=11$, $y=4$

0815 $\begin{cases} 2x-3y=-3 & \cdots\cdots ㉠ \\ x-5y+9=-3 & \cdots\cdots ㉡ \end{cases}$

㉡을 간단히 정리하면 $x-5y=-12$ ⋯⋯ ㉢

㉠－㉢×2를 하면 $7y=21$ $\quad\therefore y=3$

$y=3$을 ㉢에 대입하면 $x-15=-12$ $\quad\therefore x=3$

0816 $\begin{cases} 5x-3y=1 & \cdots\cdots ㉠ \\ 3x-2y=1 & \cdots\cdots ㉡ \end{cases}$

㉠×2－㉡×3을 하면 $x=-1$

$x=-1$을 ㉠에 대입하면

$-5-3y=1$, $-3y=6$ $\quad\therefore y=-2$

0817 $\begin{cases} 2x-4y+2=5x+y & \cdots\cdots ㉠ \\ 5x+y=x-4y+6 & \cdots\cdots ㉡ \end{cases}$

㉠을 간단히 정리하면 $3x+5y=2$ ⋯⋯ ㉢

㉡을 간단히 정리하면 $4x+5y=6$ ⋯⋯ ㉣

㉣－㉢을 하면 $x=4$

$x=4$를 ㉢에 대입하면 $12+5y=2$ $\quad\therefore y=-2$

0818 $\begin{cases} 5x-y=2x+4y+1 & \cdots\cdots ㉠ \\ 5x-y=3x+5y & \cdots\cdots ㉡ \end{cases}$

㉠을 간단히 정리하면 $3x-5y=1$ ⋯⋯ ㉢

㉡을 간단히 정리하면 $x=3y$ ⋯⋯ ㉣

㉣을 ㉢에 대입하면 $4y=1$ $\quad\therefore y=\frac{1}{4}$

$y=\frac{1}{4}$을 ㉣에 대입하면 $x=\frac{3}{4}$

0819 $\begin{cases} 4x-y=2x+2y & \cdots\cdots ㉠ \\ 2x+2y=3x-2y+5 & \cdots\cdots ㉡ \end{cases}$

㉠을 간단히 정리하면 $2x-3y=0$ ⋯⋯ ㉢

㉡을 간단히 정리하면 $x-4y=-5$ ⋯⋯ ㉣

㉢－㉣×2를 하면 $5y=10$ $\quad\therefore y=2$

$y=2$를 ㉢에 대입하면 $2x=6$ $\quad\therefore x=3$

0820 $\begin{cases} \frac{x-2y}{3}=1 \\ \frac{2x-5y}{2}=1 \end{cases} \Rightarrow \begin{cases} x-2y=3 & \cdots\cdots ㉠ \\ 2x-5y=2 & \cdots\cdots ㉡ \end{cases}$

㉠×2－㉡을 하면 $y=4$

$y=4$를 ㉠에 대입하면 $x-8=3$ $\quad\therefore x=11$

18 해가 특수한 연립방정식의 풀이

본문 ◎ 131쪽

0821 2, $2x+2y=2$, 해가 무수히 많다.
0822 3, $6x-15y=6$, 해가 없다.
0823 8, 상수항, 없다 **0824** 해가 없다.
0825 해가 무수히 많다. **0826** 해가 없다.
0827 해가 무수히 많다. **0828** 해가 없다.

0824 $\begin{cases} 2x-3y=1 & \cdots\cdots ㉠ \\ -8x+12y=4 & \cdots\cdots ㉡ \end{cases}$

㉠×(-4)를 하면 $-8x+12y=-4$ ⋯⋯ ㉢

㉡, ㉢에서 x, y의 계수가 각각 같고, 상수항은 다르므로 해가 없다.

0825 $\begin{cases} -3x+3y=6 & \cdots\cdots ㉠ \\ x-y=-2 & \cdots\cdots ㉡ \end{cases}$

㉡$\times(-3)$을 하면 $-3x+3y=6$ ······ ㉢

㉠과 ㉢이 일치하므로 해가 무수히 많다.

0826 $\begin{cases} -x+2y=5 & \cdots\cdots ㉠ \\ 2x-4y=10 & \cdots\cdots ㉡ \end{cases}$

㉠$\times(-2)$를 하면 $2x-4y=-10$ ······ ㉢

㉡, ㉢에서 x, y의 계수가 각각 같고, 상수항은 다르므로 해가 없다.

0827 $\begin{cases} x-y=3 & \cdots\cdots ㉠ \\ 5x-5y=15 & \cdots\cdots ㉡ \end{cases}$

㉠$\times5$를 하면 $5x-5y=15$ ······ ㉢

㉡과 ㉢이 일치하므로 해가 무수히 많다.

0828 $\begin{cases} 6x-4y=7 & \cdots\cdots ㉠ \\ 3x-2y=4 & \cdots\cdots ㉡ \end{cases}$

㉡$\times2$를 하면 $6x-4y=8$ ······ ㉢

㉠, ㉢에서 x, y의 계수가 각각 같고, 상수항은 다르므로 해가 없다.

19 해가 특수한 연립방정식에서 미지수 구하기

본문 ○ 132쪽

0829 b, -4, 2, 6, 2, 6
0830 $a=3$, $b=-6$
0831 $a=4$, $b=2$
0832 $a=\frac{3}{2}$, $b=10$
0833 8, 8
0834 $a\neq\frac{4}{3}$
0835 $a=-4$
0836 $a=4$, $b\neq\frac{3}{2}$

0830 $\frac{1}{3}=\frac{-2}{b}=\frac{a}{9}$이어야 하므로

$a=3$, $b=-6$

0831 $\frac{a}{2}=\frac{b}{1}=\frac{2}{1}$이어야 하므로

$a=4$, $b=2$

0832 $\frac{6}{4}=\frac{-a}{-1}=\frac{15}{b}$이어야 하므로

$a=\frac{3}{2}$, $b=10$

0834 $\frac{2}{6}=\frac{1}{3}\neq\frac{a}{4}$이어야 하므로

$a\neq\frac{4}{3}$

0835 $\frac{3}{2}=\frac{-6}{a}\neq\frac{4}{1}$이어야 하므로

$a=-4$

0836 $\frac{a}{2}=\frac{-6}{-3}\neq\frac{3}{b}$이어야 하므로

$a=4$, $b\neq\frac{3}{2}$

핵심 13~19 Mini Review Test

본문 ○ 133쪽

0837 $x=1$, $y=3$
0838 -2
0839 $x=1$, $y=0$
0840 $x=5$, $y=2$
0841 4
0842 ㄱ, ㄷ
0843 $a=5$, $b=-3$

0837 괄호를 풀어 연립방정식을 정리하면

$\begin{cases} 3x+2y=9 & \cdots\cdots ㉠ \\ 2x-y=-1 & \cdots\cdots ㉡ \end{cases}$

㉠+㉡$\times2$를 하면 $7x=7$ $\quad\therefore x=1$

$x=1$을 ㉠에 대입하면 $3+2y=9$, $2y=6$ $\quad\therefore y=3$

0838 $\begin{cases} \frac{1}{2}x+\frac{2}{3}y=6 & \cdots\cdots ㉠ \\ \frac{3}{4}x-\frac{5}{6}y=-2 & \cdots\cdots ㉡ \end{cases}$

㉠$\times6$을 하면 $3x+4y=36$ ······ ㉢

㉡$\times12$를 하면 $9x-10y=-24$ ······ ㉣

㉢$\times3-$㉣을 하면 $22y=132$ $\quad\therefore y=6$

$\therefore b=6$ ······ ❶

$y=6$을 ㉢에 대입하면 $3x+24=36$, $3x=12$ $\quad\therefore x=4$

$\therefore a=4$ ······ ❷

$\therefore a-b=-2$ ······ ❸

채점 기준	배점
❶ b의 값 구하기	40 %
❷ a의 값 구하기	40 %
❸ $a-b$의 값 구하기	20 %

0839 $\begin{cases} 0.4x-0.1(2y-1)=\frac{1}{2} & \cdots\cdots ㉠ \\ 2x=\frac{3-2y}{3}+1 & \cdots\cdots ㉡ \end{cases}$

㉠$\times10$을 하면 $4x-(2y-1)=5$, $4x-2y=4$

$\therefore 2x-y=2$ ······ ㉢

㉡$\times3$을 하면 $6x=3-2y+3$, $6x+2y=6$

$\therefore 3x+y=3$ ······ ㉣

㉢+㉣을 하면 $5x=5$ $\quad\therefore x=1$

$x=1$을 ㉢에 대입하면 $4-2y=4$ $\quad\therefore y=0$

0840 $\begin{cases} (x+1):(x+2y)=2:3 & \cdots\cdots ㉠ \\ -2x+3y=-4 & \cdots\cdots ㉡ \end{cases}$

㉠에서 $3(x+1)=2(x+2y)$

$3x+3=2x+4y$ $\quad \therefore x-4y=-3$ $\quad \cdots\cdots$ ㉢

㉡+㉢×2를 하면 $-5y=-10$ $\quad \therefore y=2$

$y=2$를 ㉢에 대입하면 $x-8=-3$ $\quad \therefore x=5$

0841 $\begin{cases} \dfrac{x-1}{4}+\dfrac{y}{3}=1 & \cdots\cdots ㉠ \\ x+2+\dfrac{y-7}{2}=1 & \cdots\cdots ㉡ \end{cases}$

㉠×12를 하면 $3(x-1)+4y=12$

$3x-3+4y=12$ $\quad \therefore 3x+4y=15$ $\quad \cdots\cdots$ ㉢

㉡×2를 하면 $2(x+2)+y-7=2$

$2x+4+y-7=2$ $\quad \therefore 2x+y=5$ $\quad \cdots\cdots$ ㉣

㉢-㉣×4를 하면 $-5x=-5$ $\quad \therefore x=1$

$x=1$을 ㉣에 대입하면 $2+y=5$ $\quad \therefore y=3$

따라서 $a=1$, $b=3$이므로 $a+b=4$

0842 ㄱ. $\begin{cases} 10x-4y=2 \\ 10x-4y=3 \end{cases}$ ➡ 해가 없다.

ㄴ. $x=1$, $y=0$

ㄷ. $\begin{cases} 4x+2y=-2 \\ 4x+2y=2 \end{cases}$ ➡ 해가 없다.

ㄹ. $\begin{cases} 3x-3y=15 \\ 3x-3y=15 \end{cases}$ ➡ 해가 무수히 많다.

0843 $\dfrac{-3}{9}=\dfrac{a}{-15}=\dfrac{1}{b}$이어야 하므로

$a=5$, $b=-3$

7. 연립방정식의 활용

01 연립방정식의 활용 (1) – 수

본문 ○ 137쪽

0844 (1) $10y+x$ (2) 8, $10y+x$, 8, -2 (3) $x=3$, $y=5$ (4) 35

0845 36 **0846** 321, 31 **0847** $a=5$, $b=14$

0844 (3) $\begin{cases} x+y=8 & \cdots\cdots ㉠ \\ x-y=-2 & \cdots\cdots ㉡ \end{cases}$

㉠+㉡을 하면 $2x=6$ $\quad \therefore x=3$

$x=3$을 ㉠에 대입하면 $y=5$

0845 큰 수를 x, 작은 수를 y로 놓으면

$\begin{cases} x+y=50 & \cdots\cdots ㉠ \\ x=2y+8 & \cdots\cdots ㉡ \end{cases}$

㉡을 ㉠에 대입하면 $(2y+8)+y=50$

$3y=42$ $\quad \therefore y=14$

$y=14$를 ㉡에 대입하면 $x=36$

따라서 큰 수는 36이다.

0846 큰 수를 x, 작은 수를 y로 놓으면

$\begin{cases} x+y=352 & \cdots\cdots ㉠ \\ x=10y+11 & \cdots\cdots ㉡ \end{cases}$

㉡을 ㉠에 대입하면 $(10y+11)+y=352$ $\quad \therefore y=31$

$y=31$을 ㉡에 대입하면 $x=321$

따라서 큰 수는 321, 작은 수는 31이다.

0847 $\dfrac{a+8+b}{3}=9$에서 $a+8+b=27$

$\therefore a+b=19$ $\quad \cdots\cdots$ ㉠

$\dfrac{(a+2)+2b+10+(b+1)}{4}=15$에서

$(a+2)+2b+10+(b+1)=60$

$\therefore a+3b=47$ $\quad \cdots\cdots$ ㉡

㉠, ㉡을 연립하여 풀면 $a=5$, $b=14$

02 연립방정식의 활용 (2) – 나이, 가격

본문 ○ 138쪽

0848 (1) $x+3$, $y+3$ (2) $x+y=58$, $x+3=3(y+3)$ (3) $x=45$, $y=13$ (4) 45세, 13세

0849 42세

0850 (1) $300x$, $200y$ (2) $x+y=44$, $300x+200y=11400$ (3) $x=26$, $y=18$ (4) 26잔, 18잔

0851 1200원, 600원

0848 (3) $\begin{cases} x+y=58 & \cdots\cdots ㉠ \\ x+3=3(y+3) & \cdots\cdots ㉡ \end{cases}$

㉡을 간단히 정리하면 $x-3y=6$ ······ ㉢

㉠−㉢을 하면 $4y=52$ $\therefore y=13$

$y=13$을 ㉠에 대입하면 $x+13=58$ $\therefore x=45$

0849 현재 어머니의 나이를 x세, 딸의 나이를 y세로 놓으면

$\begin{cases} x+y=56 & \cdots\cdots ㉠ \\ x=y+28 & \cdots\cdots ㉡ \end{cases}$

$\therefore x=42, y=14$

따라서 현재 어머니의 나이는 42세이다.

0850 (3) $\begin{cases} x+y=44 & \cdots\cdots ㉠ \\ 300x+200y=11400 & \cdots\cdots ㉡ \end{cases}$

㉡을 간단히 정리하면 $3x+2y=114$ ······ ㉢

㉠$\times$2−㉢을 하면 $-x=-26$ $\therefore x=26$

$x=26$을 ㉠에 대입하면 $26+y=44$ $\therefore y=18$

0851 어른의 입장료를 x원, 학생의 입장료를 y원으로 놓으면

$\begin{cases} 3x+4y=6000 & \cdots\cdots ㉠ \\ 2x+5y=5400 & \cdots\cdots ㉡ \end{cases}$

㉠$\times$2−㉡$\times$3을 하면 $-7y=-4200$ $\therefore y=600$

$y=600$을 ㉠에 대입하면

$3x+2400=6000$ $\therefore x=1200$

따라서 어른의 입장료는 1200원, 학생의 입장료는 600원이다.

03 연립방정식의 활용 (3) – 개수, 길이

본문 ○ 139쪽

0852 (1) $4x$, $2y$ (2) $x+y=22$, $4x+2y=68$
(3) $x=12$, $y=10$ (4) 12마리, 10마리

0853 70마리

0854 (1) $x=y+4$, $2(x+y)=44$ (2) $x=13$, $y=9$
(3) 13 cm, 9 cm

0855 45 m, 95 m

0852 (3) $\begin{cases} x+y=22 & \cdots\cdots ㉠ \\ 4x+2y=68 & \cdots\cdots ㉡ \end{cases}$

㉠$\times$2−㉡을 하면 $-2x=-24$ $\therefore x=12$

$x=12$를 ㉠에 대입하면 $12+y=22$ $\therefore y=10$

0853 닭은 x마리, 돼지는 y마리로 놓으면

$\begin{cases} x+y=160 & \cdots\cdots ㉠ \\ 2x+4y=500 & \cdots\cdots ㉡ \end{cases}$

㉠$\times$2−㉡을 하면 $-2y=-180$ $\therefore y=90$

$y=90$을 ㉠에 대입하면 $x=70$

따라서 닭은 70마리이다.

0854 (2) $\begin{cases} x=y+4 & \cdots\cdots ㉠ \\ 2(x+y)=44 & \cdots\cdots ㉡ \end{cases}$

㉡을 간단히 정리하면 $x+y=22$ ······ ㉢

㉠을 ㉢에 대입하면 $y+4+y=22$

$2y=18$ $\therefore y=9$

$y=9$를 ㉠에 대입하면 $x=9+4=13$

0855 짧은 끈의 길이를 x m, 긴 끈의 길이를 y m로 놓으면

$\begin{cases} x+y=140 & \cdots\cdots ㉠ \\ x=y-50 & \cdots\cdots ㉡ \end{cases}$

㉡을 ㉠에 대입하면 $y-50+y=140$

$2y=190$ $\therefore y=95$

$y=95$를 ㉡에 대입하면 $x=45$

따라서 긴 끈의 길이는 95 m이고, 짧은 끈의 길이는 45 m이다.

04 연립방정식의 활용 (4) – 거리, 속력, 시간

본문 ○ 140쪽

0856 (1) $\frac{x}{3}$시간, $\frac{y}{4}$시간 (2) $y=x+2$, $\frac{x}{3}+\frac{y}{4}=4$
(3) $x=6$, $y=8$ (4) 6 km

0857 3 km **0858** 800 m **0859** 2 km

0856 (3) $\begin{cases} y=x+2 & \cdots\cdots ㉠ \\ \frac{x}{3}+\frac{y}{4}=4 & \cdots\cdots ㉡ \end{cases}$

㉡$\times$12를 하면 $4x+3y=48$ ······ ㉢

㉠을 ㉢에 대입하면

$4x+3(x+2)=48$, $4x+3x+6=48$

$7x=42$ $\therefore x=6$

$x=6$을 ㉠에 대입하면 $y=8$

0857 걸어간 거리를 x km, 뛰어간 거리를 y km로 놓으면

$\begin{cases} x+y=5 & \cdots\cdots ㉠ \\ \frac{x}{3}+\frac{y}{9}=1 & \cdots\cdots ㉡ \end{cases}$

㉡$\times$9를 하면 $3x+y=9$ ······ ㉢

㉠−㉢을 하면 $-2x=-4$ $\therefore x=2$

$x=2$를 ㉠에 대입하면 $2+y=5$ $\therefore y=3$

따라서 뛰어간 거리는 3 km이다.

0858 걸어간 거리를 x m, 뛰어간 거리를 y m로 놓으면

$\begin{cases} x+y=1500 & \cdots\cdots ㉠ \\ \frac{x}{50}+\frac{y}{200}=18 & \cdots\cdots ㉡ \end{cases}$

㉡$\times$200을 하면 $4x+y=3600$ ······ ㉢

㉠−㉢을 하면 $-3x=-2100$ $\therefore x=700$

$x=700$을 ㉠에 대입하면 $700+y=1500$ $\therefore y=800$

따라서 뛰어간 거리는 800 m이다.

0859 자전거로 간 거리를 x km, 걸어간 거리를 y km로 놓으면

$$\begin{cases} x+y=12 & \cdots\cdots ㉠ \\ \frac{x}{20}+\frac{y}{3}=\frac{70}{60} & \cdots\cdots ㉡ \end{cases}$$

㉠×3−㉡×60을 하면 $-17y=-34$ ∴ $y=2$

$y=2$를 ㉠에 대입하면 $x+2=12$ ∴ $x=10$

따라서 걸어간 거리는 2 km이다.

05 연립방정식의 활용 (5) – 거리, 속력, 시간

본문 ◎ 141쪽

0860 (1) $\frac{x}{50}$분, $\frac{y}{70}$분 (2) $x+y=1500$, $\frac{x}{50}=\frac{y}{70}$

(3) $x=625$, $y=875$ (4) 625 m, 875 m

0861 8 km

0862 (1) $4x+4y=1200$, $12y-12x=1200$

(2) $x=100$, $y=200$ (3) 분속 200 m

0863 분속 65 m

0860 (3) $\begin{cases} x+y=1500 & \cdots\cdots ㉠ \\ \frac{x}{50}=\frac{y}{70} & \cdots\cdots ㉡ \end{cases}$

㉡×350을 하면 $7x-5y=0$ ⋯⋯ ㉢

㉠×5+㉢을 하면 $x=625$

$x=625$를 ㉠에 대입하면 $y=875$

따라서 지수가 걸어간 거리는 625 m, 오빠가 걸어간 거리는 875 m이다.

0861 재석이가 걸은 거리를 x km, 하하가 걸은 거리를 y km로 놓으면

$\begin{cases} x+y=20 \\ \frac{x}{4}=\frac{y}{6} \end{cases}$, 즉 $\begin{cases} x+y=20 & \cdots\cdots ㉠ \\ 6x-4y=0 & \cdots\cdots ㉡ \end{cases}$

㉠×4+㉡을 하면 $10x=80$ ∴ $x=8$

$x=8$을 ㉠에 대입하면 $y=12$

따라서 재석이가 걸은 거리는 8 km이다.

0862 (2) $\begin{cases} 4x+4y=1200 \\ 12y-12x=1200 \end{cases}$, 즉 $\begin{cases} x+y=300 & \cdots\cdots ㉠ \\ y-x=100 & \cdots\cdots ㉡ \end{cases}$

㉠+㉡을 하면 $2y=400$ ∴ $y=200$

$y=200$을 ㉠에 대입하면 $x=100$

0863 언니의 속력을 분속 x m, 동생의 속력을 분속 y m로 놓으면

$\begin{cases} 5x+5y=1300 \\ 10x-10y=1300 \end{cases}$, 즉 $\begin{cases} x+y=260 & \cdots\cdots ㉠ \\ x-y=130 & \cdots\cdots ㉡ \end{cases}$

㉠+㉡을 하면 $2x=390$ ∴ $x=195$

$y=195$를 ㉠에 대입하면 $y=65$

따라서 동생의 속력은 분속 65 m이다.

06 연립방정식의 활용 (6) – 농도

본문 ◎ 142쪽

0864 (1) $\frac{10}{100}x$, $\frac{20}{100}y$, $\frac{15}{100}\times 1000$

(2) $x+y=1000$, $\frac{10}{100}x+\frac{20}{100}y=\frac{15}{100}\times 1000$

(3) $x=500$, $y=500$ (4) 500 g

0865 50 g **0866** 600 g **0867** 100 g

0864 (3) $\begin{cases} x+y=1000 & \cdots\cdots ㉠ \\ \frac{10}{100}x+\frac{20}{100}y=\frac{15}{100}\times 1000 & \cdots\cdots ㉡ \end{cases}$

㉡을 간단히 정리하면 $x+2y=1500$ ⋯⋯ ㉢

㉠−㉢을 하면 $-y=-500$ ∴ $y=500$

$y=500$을 ㉠에 대입하면 $x=500$

0865 9 %의 소금물을 x g, 6 %의 소금물을 y g으로 놓으면

$\begin{cases} x+y=150 & \cdots\cdots ㉠ \\ x\times\frac{9}{100}+y\times\frac{6}{100}=150\times\frac{7}{100} & \cdots\cdots ㉡ \end{cases}$

㉡의 양변에 100을 곱하면 $9x+6y=1050$ ⋯⋯ ㉢

㉠×6−㉢을 하면 $-3x=-150$ ∴ $x=50$

$x=50$을 ㉠에 대입하면 $50+y=150$ ∴ $y=100$

따라서 9 %의 소금물은 50 g이다.

0866 8 %의 소금물을 x g, 13 %의 소금물을 y g으로 놓으면

$\begin{cases} x+y=1000 & \cdots\cdots ㉠ \\ x\times\frac{8}{100}+y\times\frac{13}{100}=1000\times\frac{10}{100} & \cdots\cdots ㉡ \end{cases}$

㉡의 양변에 100을 곱하면 $8x+13y=10000$ ⋯⋯ ㉢

㉠×8−㉢을 하면 $-5y=-2000$ ∴ $y=400$

$y=400$을 ㉠에 대입하면 $x=600$

따라서 8 %의 소금물은 600 g이다.

0867 10 %의 소금물을 x g, 6 %의 소금물을 y g으로 놓으면

$\begin{cases} x+y=200 & \cdots\cdots ㉠ \\ x\times\frac{10}{100}+y\times\frac{6}{100}=200\times\frac{8}{100} & \cdots\cdots ㉡ \end{cases}$

㉡의 양변에 100을 곱하면 $10x+6y=1600$ ⋯⋯ ㉢

㉠×6−㉢을 하면 $-4x=-400$ ∴ $x=100$

$x=100$을 ㉠에 대입하면 $y=100$

따라서 10 %의 소금물은 100 g이다.

07 연립방정식의 활용 (7) – 농도

본문 143쪽

0868 (1) (가) $120\times\frac{x}{100}$, $40\times\frac{y}{100}$, $160\times\frac{4}{100}$

(나) $40\times\frac{x}{100}$, $120\times\frac{y}{100}$, $160\times\frac{6}{100}$

(2) $120\times\frac{x}{100}+40\times\frac{y}{100}=160\times\frac{4}{100}$,

$40\times\frac{x}{100}+120\times\frac{y}{100}=160\times\frac{6}{100}$

(3) $x=3$, $y=7$ (4) 3 %, 7 %

0869 9 % **0870** 12 % **0871** 20 %

0868 (3) $\begin{cases} 3x+y=16 & \cdots\cdots ㉠ \\ x+3y=24 & \cdots\cdots ㉡ \end{cases}$

㉠$\times3-$㉡을 하면 $8x=24$ $\therefore x=3$

$x=3$을 ㉠에 대입하면 $y=7$

0869 소금물 A의 농도를 x %, 소금물 B의 농도를 y %로 놓으면

$\begin{cases} 100\times\frac{x}{100}+200\times\frac{y}{100}=300\times\frac{5}{100} \\ 200\times\frac{x}{100}+100\times\frac{y}{100}=300\times\frac{7}{100} \end{cases}$

즉, $\begin{cases} x+2y=15 & \cdots\cdots ㉠ \\ 2x+y=21 & \cdots\cdots ㉡ \end{cases}$

㉠$\times2-$㉡을 하면 $3y=9$ $\therefore y=3$

$y=3$을 ㉠에 대입하면 $x=9$

따라서 소금물 A의 농도는 9 %이다.

0870 소금물 A의 농도를 x %, 소금물 B의 농도를 y %로 놓으면

$\begin{cases} 80\times\frac{x}{100}+120\times\frac{y}{100}=200\times\frac{8}{100} \\ 120\times\frac{x}{100}+80\times\frac{y}{100}=200\times\frac{6}{100} \end{cases}$

즉, $\begin{cases} 2x+3y=40 & \cdots\cdots ㉠ \\ 3x+2y=30 & \cdots\cdots ㉡ \end{cases}$

㉠$\times3-$㉡$\times2$를 하면 $5y=60$ $\therefore y=12$

$y=12$를 ㉠에 대입하면 $2x+36=40$, $2x=4$ $\therefore x=2$

따라서 소금물 B의 농도는 12 %이다.

0871 설탕물 A의 농도를 x %, 설탕물 B의 농도를 y %로 놓으면

$\begin{cases} 300\times\frac{x}{100}+200\times\frac{y}{100}=500\times\frac{18}{100} \\ 200\times\frac{x}{100}+300\times\frac{y}{100}=500\times\frac{17}{100} \end{cases}$

즉, $\begin{cases} 3x+2y=90 & \cdots\cdots ㉠ \\ 2x+3y=85 & \cdots\cdots ㉡ \end{cases}$

㉠$\times2-$㉡$\times3$을 하면 $-5y=-75$ $\therefore y=15$

$y=15$를 ㉠에 대입하면 $3x+30=90$

$3x=60$ $\therefore x=20$

따라서 설탕물 A의 농도는 20 %이다.

핵심 01~07 Mini Review Test

본문 144쪽

0872 75 **0873** 35세 **0874** 6장 **0875** 7대

0876 70 cm^2 **0877** 8 **0878** 250 g

0872 십의 자리의 숫자를 x, 일의 자리의 숫자를 y로 놓으면

$\begin{cases} x+y=12 \\ 10y+x=10x+y-18 \end{cases}$, 즉 $\begin{cases} x+y=12 & \cdots\cdots ㉠ \\ x-y=2 & \cdots\cdots ㉡ \end{cases}$

㉠$+$㉡을 하면 $2x=14$ $\therefore x=7$

$x=7$을 ㉠에 대입하면 $7+y=12$ $\therefore y=5$

따라서 민호의 출석번호는 75이다.

0873 현재 아버지의 나이를 x세, 주하의 나이를 y세로 놓으면

$\begin{cases} x-5=6(y-5) & \cdots\cdots ㉠ \\ x=y+25 & \cdots\cdots ㉡ \end{cases}$

㉠을 간단히 하면 $x-6y=-25$ $\cdots\cdots$ ㉢

㉡을 ㉢에 대입하면 $y+25-6y=-25$

$-5y=-50$ $\therefore y=10$

$y=10$을 ㉡에 대입하면 $x=10+25$ $\therefore x=35$

따라서 현재 주하의 아버지의 나이는 35세이다.

0874 100원짜리 우표를 x장, 170원짜리 우표를 y장 샀다고 하면

$\begin{cases} x+y=10 & \cdots\cdots ㉠ \\ 100x+170y=1280 & \cdots\cdots ㉡ \end{cases}$

㉡을 간단히 하면 $10x+17y=128$ $\cdots\cdots$ ㉢

㉠$\times10-$㉢을 하면 $-7y=-28$ $\therefore y=4$

$y=4$를 ㉠에 대입하면 $x+4=10$ $\therefore x=6$

따라서 100원짜리 우표는 6장을 샀다.

0875 오토바이가 x대, 승용차가 y대 있다고 하면

$\begin{cases} x+y=17 & \cdots\cdots ㉠ \\ 2x+4y=48 & \cdots\cdots ㉡ \end{cases}$

㉡을 간단히 정리하면 $x+2y=24$ $\cdots\cdots$ ㉢

㉠$-$㉢을 하면 $-y=-7$ $\therefore y=7$

$y=7$을 ㉠에 대입하면 $x+7=17$ $\therefore x=10$

따라서 승용차는 7대 있다.

0876 가로의 길이를 x cm, 세로의 길이를 y cm로 놓으면

$\begin{cases} 2(x+y)=38 & \cdots\cdots ㉠ \\ x=3y-1 & \cdots\cdots ㉡ \end{cases}$

㉠을 간단히 정리하면 $x+y=19$ $\cdots\cdots$ ㉢

㉡을 ㉢에 대입하면 $3y-1+y=19$, $4y=20$ $\therefore y=5$

$y=5$를 ㉡에 대입하면 $x=14$

따라서 직사각형의 가로의 길이가 14 cm, 세로의 길이가 5 cm이므로

(넓이)$=14\times5=70(cm^2)$

0877 올라간 거리를 x km, 내려온 거리를 y km로 놓으면

4시간 30분은 $4\frac{1}{2}=\frac{9}{2}$(시간)이므로

$\begin{cases} x+y=13 \\ \frac{x}{2}+\frac{y}{4}=\frac{9}{2} \end{cases}$ 즉, $\begin{cases} x+y=13 & \cdots\cdots ㉠ \\ 2x+y=18 & \cdots\cdots ㉡ \end{cases}$

㉠−㉡을 하면 $-x=-5$ $\quad\therefore x=5$

$x=5$를 ㉠에 대입하면 $y=8$

따라서 내려온 거리는 8 km이다.

0878 3 %의 소금물 x g, 7 %의 소금물 y g을 섞었다고 하면

$\begin{cases} x+y=1000 & \cdots\cdots ㉠ \\ x\times\frac{3}{100}+y\times\frac{7}{100}=1000\times\frac{4}{100} & \cdots\cdots ㉡ \end{cases}$ ······ ❶

㉡을 간단히 하면 $3x+7y=4000$ ······ ㉢

㉠×3−㉢을 하면 $-4y=-1000$ $\quad\therefore y=250$

$y=250$을 ㉠에 대입하면

$x+250=1000$ $\quad\therefore x=750$ ······ ❷

따라서 7 %의 소금물의 양은 250 g이다. ······ ❸

채점 기준	배점
❶ 연립방정식 세우기	60 %
❷ 연립방정식 풀기	30 %
❸ 7 %의 소금물의 양 구하기	10 %

8. 일차함수와 그 그래프

01 함수의 뜻

본문 ○ 149쪽

0879 (1) 풀이 참조 (2) $y=x+3$ (3) 함수이다.

0880 (1) 풀이 참조 (2) $y=\frac{1000}{x}$ (3) 함수이다.

0881 ○ **0882** × **0883** × **0884** ㄴ, ㄷ

0879 (1)

x	1	2	3	4	5	⋯
y	4	5	6	7	8	⋯

(3) x의 값이 정해짐에 따라 y의 값이 오직 하나씩 정해지므로 y는 x의 함수이다.

0880 (1)

x(명)	1	2	3	4	5	⋯
y(mL)	1000	500	$\frac{1000}{3}$	250	200	⋯

(3) x의 값이 정해짐에 따라 y의 값이 오직 하나씩 정해지므로 y는 x의 함수이다.

0881 x와 y 사이의 관계를 식으로 나타내면 $y=900x$이므로 y는 x의 함수이다.

0882 학생의 키가 같아도 몸무게는 다를 수 있다.
즉, x의 값이 정해짐에 따라 y의 값이 오직 하나씩 정해지지 않으므로 y는 x의 함수가 아니다.

0883 x와 y 사이의 관계를 표로 나타내면 다음과 같다.

x	1	2	3	4	5	⋯
y	1	1, 2	1, 3	1, 2, 4	1, 5	⋯

즉, x의 값이 정해짐에 따라 y의 값이 오직 하나씩 정해지지 않으므로 y는 x의 함수가 아니다.

0884 ㄱ. $x=1$일 때, 절댓값이 1인 수는 $1, -1$이므로 x의 값에 따라 y의 값이 오직 하나씩 정해지지 않는다.
따라서 y는 x의 함수가 아니다.

ㄴ. x와 y 사이의 관계를 표로 나타내면 다음과 같다.

x	⋯	-2	-1	0	1	2	⋯
y	⋯	2	1	0	1	2	⋯

즉, x의 값이 정해짐에 따라 y의 값이 오직 하나씩 정해지므로 y는 x의 함수이다.

ㄷ. x와 y 사이의 관계식은 $y=2x$이므로 y는 x의 함수이다.

따라서 함수인 것은 ㄴ, ㄷ이다.

02 일차함수의 뜻

본문 ◎ 150쪽

0885 ◯ **0886** ◯ **0887** × **0888** ×
0889 ◯ **0890** ◯ **0891** ◯ **0892** ×
0893 × **0894** ◯

0892 $xy=1$에서 $y=\frac{1}{x}$이므로 일차함수가 아니다.

0893 $y=x(x+3)=x^2+3x$이므로 일차함수가 아니다.

0894 $y=x^2-1-x^2+10x=10x-1$이므로 일차함수이다.

03 일차함수의 식 – x와 y 사이의 관계식

본문 ◎ 151쪽

0895 $y=200x+500$, ◯ **0896** $y=x^2$, ×
0897 $y=60x$, ◯ **0898** $y=300-8x$, ◯
0899 ◯ **0900** ◯ **0901** × **0902** ×

0899 $y=10-x$이므로 일차함수이다.

0900 $y=200+80x$이므로 일차함수이다.

0901 $\frac{1}{2}\times x\times y=16$에서 $y=\frac{32}{x}$이므로 일차함수가 아니다.

0902 $y=\frac{24}{x}$이므로 일차함수가 아니다.

04 함숫값

본문 ◎ 152쪽

0903 18 **0904** -15 **0905** 2 **0906** 4
0907 -13 **0908** -16 **0909** -4 **0910** -1
0911 -8 **0912** (1) 2 (2) 0

0911 $f(-1)=6\times(-1)-4=-10$
$f(1)=6\times1-4=2$
$\therefore f(-1)+f(1)=-10+2=-8$

0912 (1) 7을 5로 나눈 나머지는 2이므로 $f(7)=2$
(2) 45를 5로 나눈 나머지는 0이므로 $f(45)=0$

05 함숫값을 이용하여 미지수 구하기

본문 ◎ 153쪽

0913 -4 **0914** -4 **0915** -2 **0916** 1
0917 -3 **0918** 5 **0919** -35 **0920** -2
0921 6 **0922** 2

0914 $f(a)=-\frac{24}{a}=6$이므로
$-24=6a$ $\therefore a=-4$

0915 $f(a)=a+2=0$이므로
$\therefore a=-2$

0916 $f(a)=-a+5=4$이므로
$-a=-1$ $\therefore a=1$

0917 $f(a)=\frac{2}{3}a+3=1$이므로
$\frac{2}{3}a=-2$ $\therefore a=-3$

0919 $f(5)=\frac{a}{5}=-7$이므로 $a=-35$

0920 $f(-1)=a\times(-1)+3=5$이므로
$-a=2$ $\therefore a=-2$

0921 $f(2)=\frac{2+1}{a}=\frac{1}{2}$이므로 $a=6$

0922 $f\left(\frac{2}{3}\right)=6\times\frac{2}{3}-a=0$이므로 $a=4$
따라서 $f(x)=6x-4$이므로 $f(1)=2$

핵심 01~05 Mini Review Test

본문 ◎ 154쪽

0923 ④ **0924** ①, ⑤ **0925** ㄱ, ㄷ **0926** ④
0927 1 **0928** -6 **0929** -2

0923 ① $y=3x$
② 자연수 x의 약수의 개수는 다음 표와 같다.

x	1	2	3	4	5	6	7	8	⋯
y	1	2	2	3	2	4	2	4	⋯

즉, x의 값이 정해짐에 따라 y의 값이 오직 하나씩 정해지므로 y는 x의 함수이다.
③ $y=x+1$

④ $x=1$일 때, 1보다 작은 자연수는 없다.
$x=3$일 때, $y=1, 2$
$x=4$일 때, $y=1, 2, 3$
즉, x의 값이 정해짐에 따라, y의 값이 하나씩 정해지지 않으므로 y는 x의 함수가 아니다.
⑤ $y=20-x$

0924 ① $y=\frac{5}{2}x$ ➡ 일차함수이다.
② $y=x^2-2x$ ➡ 일차함수가 아니다.
③ $y=\frac{6}{x}$ ➡ 일차함수가 아니다.
④ $y=-5$ ➡ 일차함수가 아니다.
⑤ $y=-2x+5$ ➡ 일차함수이다.

0925 ㄱ. $y=x+2$ ➡ 일차함수이다.
ㄴ. $xy=100$ $\quad\therefore y=\frac{100}{x}$ ➡ 일차함수가 아니다.
ㄷ. $y=\frac{x}{100}\times 100=x$ ➡ 일차함수이다.
따라서 일차함수인 것은 ㄱ, ㄷ이다.

0926 ④ $f\left(\frac{1}{3}\right)=30\div\frac{1}{3}=30\times 3=90$

0927 $f(7)=7-4=3$
$g(-12)=\frac{1}{6}\times(-12)=-2$
$\therefore f(7)+g(-12)=3-2=1$

0928 $f(2)=-4+1=-3$이므로 $a=-3$
$f(b)=-2b+1=7$에서 $-2b=6$ $\quad\therefore b=-3$
$\therefore a+b=-3-3=-6$

0929 $f(-2)=2+a=1$이므로 $a=-1$ ······ ❶
따라서 $f(x)=-x-1$이므로 ······ ❷
$f(1)=-1-1=-2$ ······ ❸

채점 기준	배점
❶ a의 값 구하기	40 %
❷ 함수 $f(x)$ 구하기	30 %
❸ $f(1)$의 값 구하기	30 %

06 일차함수 $y=ax+b$의 그래프 (1)

본문 ◎ 155쪽

0930~0933 풀이 참조

0930

x	···	-2	-1	0	1	2	···
$y=x$	···	-2	-1	0	1	2	···
$y=x+2$	···	0	1	2	3	4	···

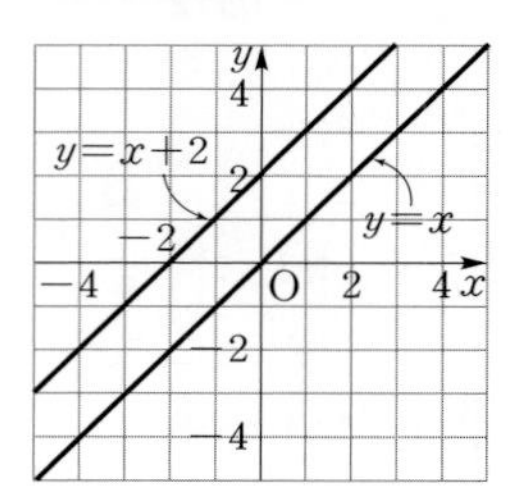

0931

x	···	-2	-1	0	1	2	···
$y=2x$	···	-4	-2	0	2	4	···
$y=2x-3$	···	-7	-5	-3	-1	1	···

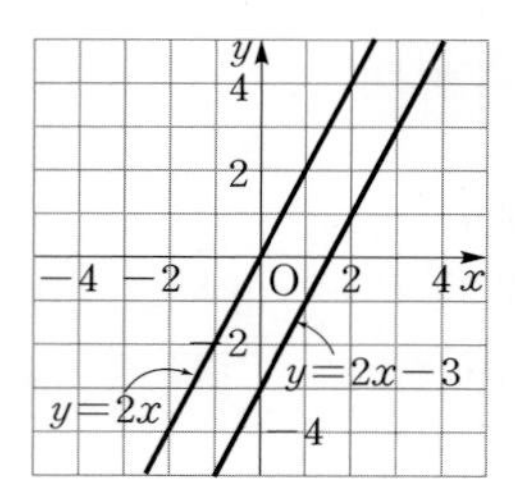

0932

x	···	-2	-1	0	1	2	···
$y=-2x$	···	4	2	0	-2	-4	···
$y=-2x+3$	···	7	5	3	1	-1	···

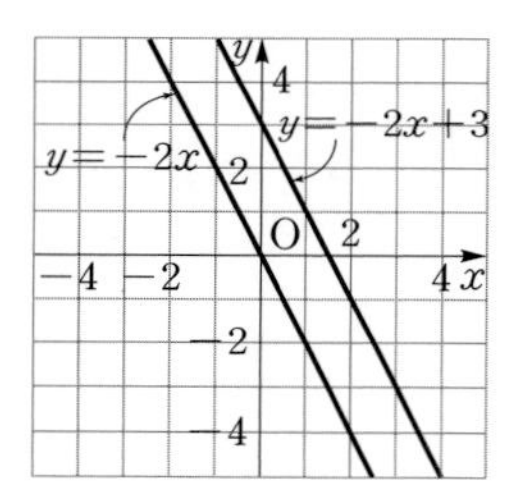

0933

x	···	-2	-1	0	1	2	···
$y=-x$	···	2	1	0	-1	-2	···
$y=-x-1$	···	1	0	-1	-2	-3	···

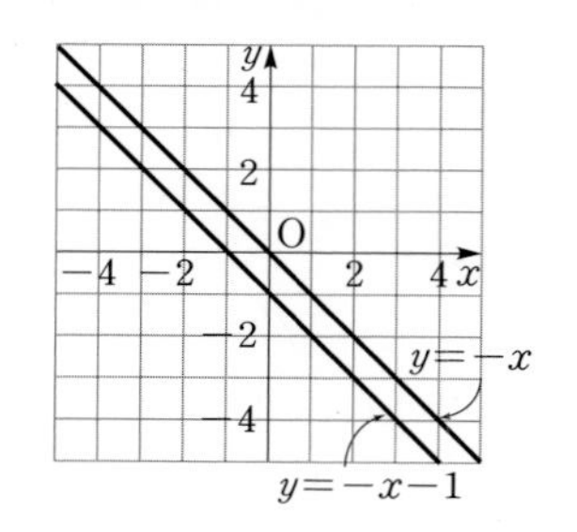

07 일차함수 $y=ax+b$의 그래프 (2)

본문 ◎ 156쪽

0934 -2 **0935** y, -3 **0936** y, 1 **0937** $y=x+3$
0938 $y=-\frac{1}{3}x+4$ **0939** $y=3x-4$
0940 $y=-5x-9$ **0941** $a=\frac{1}{2}$, $b=2$

0941 일차함수 $y=\frac{1}{2}x+\frac{1}{2}$의 그래프를 y축의 방향으로 $\frac{3}{2}$만큼 평행이동하면 $y=\frac{1}{2}x+\frac{1}{2}+\frac{3}{2}=\frac{1}{2}x+2$이므로 $a=\frac{1}{2}$, $b=2$

08 두 점을 이용하여 일차함수의 그래프 그리기

본문 ◎ 157쪽

0942 -1, 3, 풀이 참조 **0943** 1, 4, 풀이 참조
0944 -1, 2, 풀이 참조 **0945** -3, -2, 풀이 참조

0942 $y=2x-3$에서
$x=1$일 때, $y=2\times1-3=-1$
$x=3$일 때, $y=2\times3-3=3$
따라서 두 점 $(1, -1)$, $(3, 3)$을 지나므로 그래프는 오른쪽 그림과 같다.

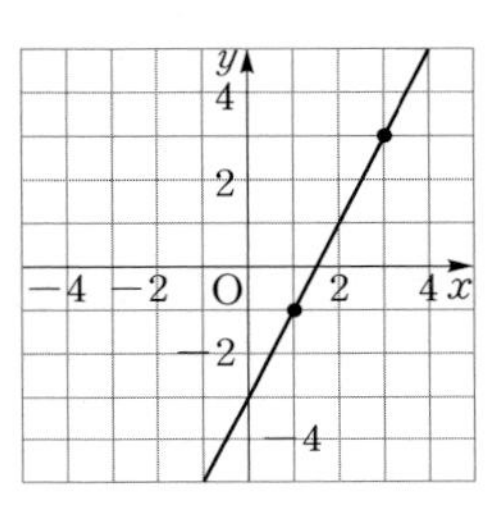

0943 $y=x+3$에서
$x=-2$일 때, $y=-2+3=1$
$x=1$일 때, $y=1+3=4$
따라서 두 점 $(-2, 1)$, $(1, 4)$를 지나므로 그래프는 오른쪽 그림과 같다.

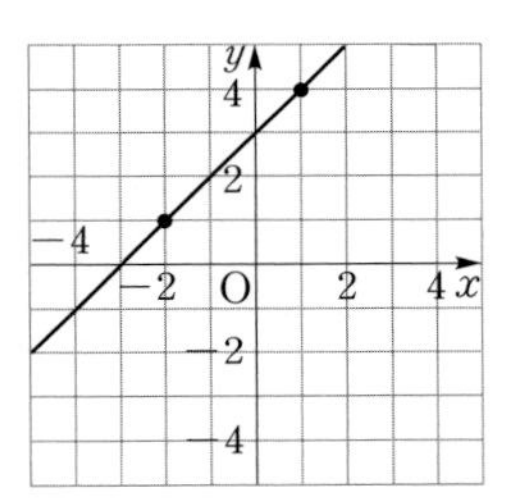

0944 $y=3x-4$에서
$x=1$일 때, $y=3\times1-4=-1$
$x=2$일 때, $y=3\times2-4=2$
따라서 두 점 $(1, -1)$, $(2, 2)$를 지나므로 그래프는 오른쪽 그림과 같다.

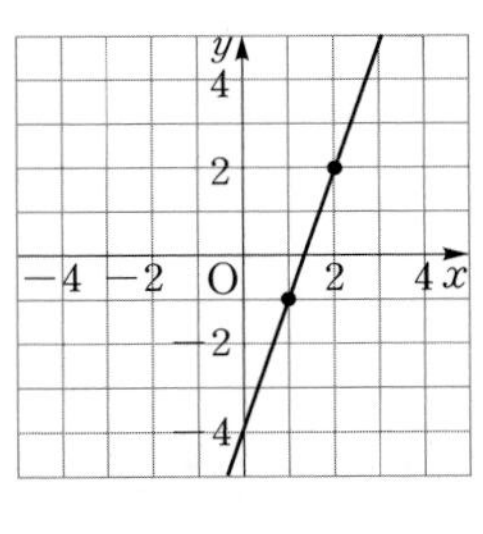

0945 $y=\frac{1}{2}x-3$에서
$x=0$일 때,
$y=\frac{1}{2}\times0-3=-3$
$x=2$일 때, $y=\frac{1}{2}\times2-3=-2$
따라서 두 점 $(0, -3)$, $(2, -2)$를 지나므로 그래프는 오른쪽 그림과 같다.

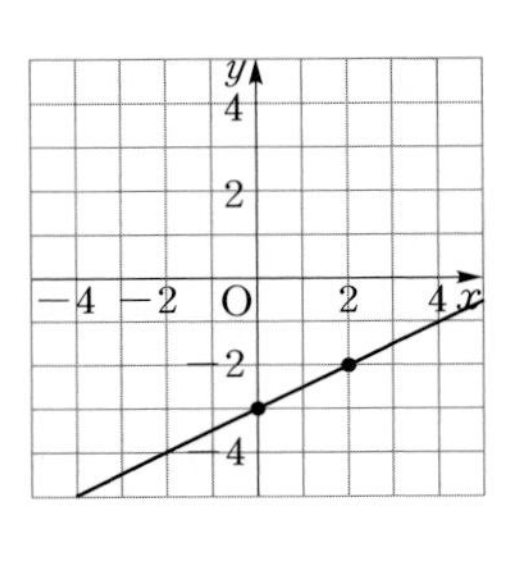

09 일차함수의 그래프 위의 점

본문 ◎ 158쪽

0946 × **0947** ○ **0948** × **0949** ○
0950 ○ **0951** 3 **0952** 4 **0953** 10
0954 2

0946 $y=-3x+2$에 $x=0$, $y=0$을 대입하면
$0\neq(-3)\times0+2$

0947 $y=-3x+2$에 $x=-1$, $y=5$를 대입하면
$5=(-3)\times(-1)+2$

0948 $y=-3x+2$에 $x=-2$, $y=4$를 대입하면
$4\neq(-3)\times(-2)+2$

0949 $y=-3x+2$에 $x=\frac{1}{3}$, $y=1$을 대입하면
$1=(-3)\times\frac{1}{3}+2$

0950 $y=-3x+2$에 $x=1$, $y=-1$을 대입하면
$-1=(-3)\times1+2$

0952 $y=-x+7$에 $x=a$, $y=3$을 대입하면
$3=-a+7$ $\quad\therefore a=4$

0953 $y=-4x+a$에 $x=3$, $y=-2$를 대입하면
$-2=-4\times3+a$, $-2=-12+a$ $\quad\therefore a=10$

0954 $y=ax+3$에 $x=1$, $y=4$를 대입하면
$4=a+3$ $\quad\therefore a=1$
즉, $y=x+3$에 $x=-2$, $y=b$를 대입하면
$b=-2+3=1$
$\therefore a+b=1+1=2$

10 평행이동한 그래프 위의 점

본문 ◎ 159쪽

0955 3, 3, 5 **0956** 0 **0957** -2 **0958** -1
0959 -4 **0960** -4 **0961** -1 **0962** ㄱ, ㄷ

0956 $y=x+4$의 그래프를 y축의 방향으로 -2만큼 평행이동한 그래프의 식은 $y=x+4-2$ $\quad\therefore y=x+2$
즉, $y=x+2$에 $x=-2$, $y=a$를 대입하면
$a=-2+2=0$

0957 $y=-2x-3$의 그래프를 y축의 방향으로 4만큼 평행이동한 그래프의 식은 $y=-2x-3+4$ $\quad \therefore y=-2x+1$
즉, $y=-2x+1$에 $x=a+1$, $y=3$을 대입하면
$3=-2(a+1)+1$, $3=-2a-2+1$
$2a=-4$ $\quad \therefore a=-2$

0958 $y=-4x-5$의 그래프를 y축의 방향으로 -2만큼 평행이동한 그래프의 식은 $y=-4x-5-2$ $\quad \therefore y=-4x-7$
즉, $y=-4x-7$에 $x=a$, $y=3a$를 대입하면
$3a=-4a-7$, $7a=-7$ $\quad \therefore a=-1$

0960 $y=-6x+a$의 그래프를 y축의 방향으로 -4만큼 평행이동한 그래프의 식은 $y=-6x+a-4$
이 식에 $x=-2$, $y=4$를 대입하면
$4=-6\times(-2)+a-4$ $\quad \therefore a=-4$

0961 $y=ax-1$의 그래프를 y축의 방향으로 2만큼 평행이동한 그래프의 식은 $y=ax-1+2$
즉, $y=ax+1$에 $x=-4$, $y=5$를 대입하면
$5=-4a+1$, $4a=-4$ $\quad \therefore a=-1$

0962 $y=-\frac{3}{2}x$의 그래프를 y축의 방향으로 2만큼 평행이동한 그래프의 식은
$y=-\frac{3}{2}x+2$ $\quad \cdots\cdots$ ㉠
ㄱ. ㉠에 $x=-4$, $y=8$을 대입하면
$8=-\frac{3}{2}\times(-4)+2$
ㄴ. ㉠에 $x=0$, $y=-3$을 대입하면
$-3\neq-\frac{3}{2}\times 0+2$
ㄷ. ㉠에 $x=2$, $y=-1$을 대입하면
$-1=-\frac{3}{2}\times 2+2$
따라서 평행이동한 그래프 위의 점은 ㄱ, ㄷ이다.

핵심 06~10 Mini Review Test 본문 ◎ 160쪽

0963 ①	**0964** ③, ④	**0965** -5	**0966** 8
0967 ③	**0968** 4	**0969** 10	

0963 $y=ax$의 그래프를 y축의 방향으로 b만큼 평행이동한 그래프의 식은 $y=ax+b$
이 식이 $y=-\frac{1}{2}x+4$와 같으므로 $a=-\frac{1}{2}$, $b=4$
$\therefore ab=\left(-\frac{1}{2}\right)\times 4=-2$

0964 ① $y=-3x+1$의 그래프는 $y=-3x$의 그래프를 y축의 방향으로 1만큼 평행이동한 직선이다.
② $y=5-3x$의 그래프는 $y=-3x$의 그래프를 y축의 방향으로 5만큼 평행이동한 직선이다.
⑤ $y=-3(x-2)$, 즉 $y=-3x+6$의 그래프는 $y=-3x$의 그래프를 y축의 방향으로 6만큼 평행이동한 직선이다.
따라서 $y=-3x$의 그래프를 평행이동하여 겹쳐질 수 없는 것은 ③, ④이다.

0965 $y=2x+2$의 그래프를 y축의 방향으로 p만큼 평행이동했다고 하면 $y=2x+2+p$
이 식이 $y=2x-3$과 같으므로
$2+p=-3$ $\quad \therefore p=-5$
따라서 y축의 방향으로 -5만큼 평행이동한 것이다.

0966 $y=ax+1$의 그래프를 y축의 방향으로 4만큼 평행이동한 그래프의 식은 $y=ax+1+4$ $\quad \therefore y=ax+5$
이 식이 $y=3x+b$와 같으므로 $a=3$, $b=5$
$\therefore a+b=3+5=8$

0967 ③ $\frac{1}{3}\times 1+2\neq\frac{2}{3}$

0968 $y=\frac{1}{2}x+k$에 $x=-2$, $y=3$을 대입하면
$3=-1+k$ $\quad \therefore k=4$
따라서 $y=\frac{1}{2}x+4$에 $x=a$, $y=6$을 대입하면
$6=\frac{1}{2}a+4$, $\frac{1}{2}a=2$ $\quad \therefore a=4$

0969 $y=-2x+a$의 그래프를 y축의 방향으로 -2만큼 평행이동한 그래프의 식은 $y=-2x+a-2$
이 식에 $x=5$, $y=-2$를 대입하면
$-2=-10+a-2$ $\quad \therefore a=10$

11 일차함수의 그래프의 x절편과 y절편 (1)

본문 ◎ 161쪽

0970 -2, 4	**0971** 3, -3	**0972** -2, 1	**0973** 2, 2
0974 -1, 3	**0975** -3, -2		

0971 x축과 만나는 점의 좌표가 $(3, 0)$이므로 x절편은 3이고, y축과 만나는 점의 좌표가 $(0, -3)$이므로 y절편은 -3이다.

0972 x축과 만나는 점의 좌표가 $(-2, 0)$이므로 x절편은 -2이고, y축과 만나는 점의 좌표가 $(0, 1)$이므로 y절편은 1이다.

0973 x축과 만나는 점의 좌표가 $(2, 0)$이므로 x절편은 2이고, y축과 만나는 점의 좌표가 $(0, 2)$이므로 y절편은 2이다.

0974 x축과 만나는 점의 좌표가 $(-1, 0)$이므로 x절편은 -1이고, y축과 만나는 점의 좌표가 $(0, 3)$이므로 y절편은 3이다.

0975 x축과 만나는 점의 좌표가 $(-3, 0)$이므로 x절편은 -3이고, y축과 만나는 점의 좌표가 $(0, -2)$이므로 y절편은 -2이다.

12 일차함수의 그래프의 x절편과 y절편 (2)

본문 ◎ 162쪽

0976 -2, 2 **0977** 5, 5
0978 4, -8 **0979** $-\frac{3}{2}$, -6
0980 $\frac{1}{3}$, 1 **0981** $\frac{4}{3}$, -1
0982 -6, -2 **0983** $a=-6$, $b=10$

0976 $y=x+2$에
$y=0$을 대입하면 $0=x+2$ $\therefore x=-2$
$x=0$을 대입하면 $y=2$
따라서 x절편은 -2, y절편은 2이다.

0977 $y=-x+5$에
$y=0$을 대입하면 $0=-x+5$ $\therefore x=5$
$x=0$을 대입하면 $y=5$
따라서 x절편은 5, y절편은 5이다.

0978 $y=2x-8$에
$y=0$을 대입하면 $0=2x-8$, $2x=8$ $\therefore x=4$
$x=0$을 대입하면 $y=-8$
따라서 x절편은 4, y절편은 -8이다.

0979 $y=-4x-6$에
$y=0$을 대입하면 $0=-4x-6$, $4x=-6$ $\therefore x=-\frac{3}{2}$
$x=0$을 대입하면 $y=-6$
따라서 x절편은 $-\frac{3}{2}$, y절편은 -6이다.

0980 $y=-3x+1$에
$y=0$을 대입하면 $0=-3x+1$, $3x=1$ $\therefore x=\frac{1}{3}$
$x=0$을 대입하면 $y=1$
따라서 x절편은 $\frac{1}{3}$, y절편은 1이다.

0981 $y=\frac{3}{4}x-1$에
$y=0$을 대입하면 $0=\frac{3}{4}x-1$, $\frac{3}{4}x=1$ $\therefore x=\frac{4}{3}$
$x=0$을 대입하면 $y=-1$
따라서 x절편은 $\frac{4}{3}$, y절편은 -1이다.

0982 $y=-\frac{1}{3}x-2$에
$y=0$을 대입하면 $0=-\frac{1}{3}x-2$, $\frac{1}{3}x=-2$ $\therefore x=-6$
$x=0$을 대입하면 $y=-2$
따라서 x절편은 -6, y절편은 -2이다.

0983 $y=\frac{5}{3}x+10$에
$y=0$을 대입하면 $0=\frac{5}{3}x+10$, $\frac{5}{3}x=-10$ $\therefore x=-6$
$x=0$을 대입하면 $y=10$
따라서 x절편은 -6, y절편은 10이므로
$a=-6$, $b=10$

13 x절편, y절편을 이용하여 일차함수의 그래프 그리기 (1)

본문 ◎ 163쪽

0984~0989 풀이 참조

0984

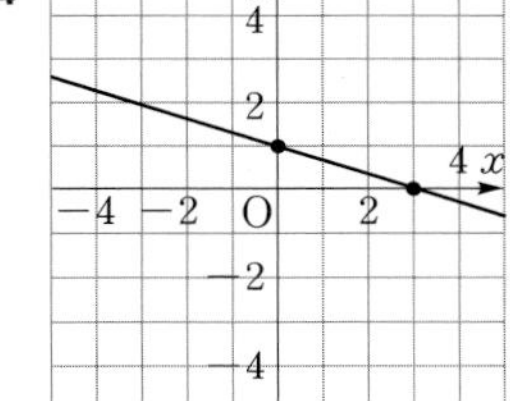

0985

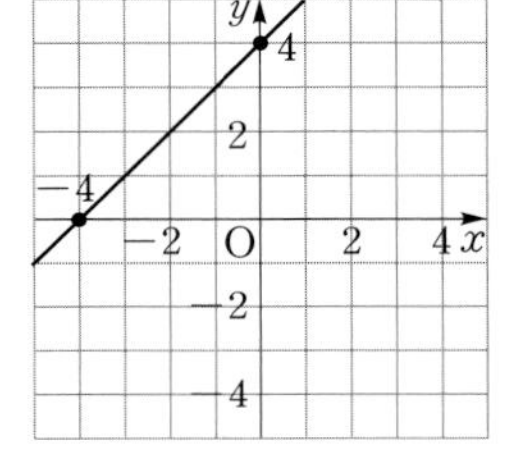

0986

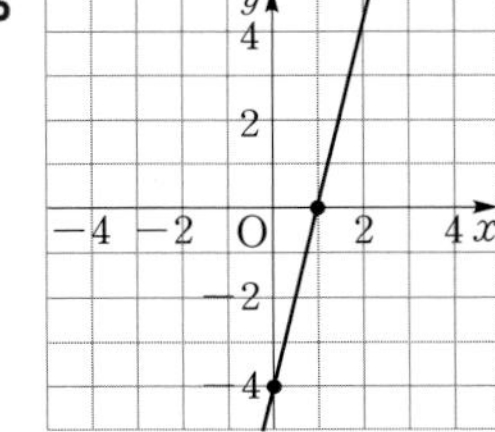

0987

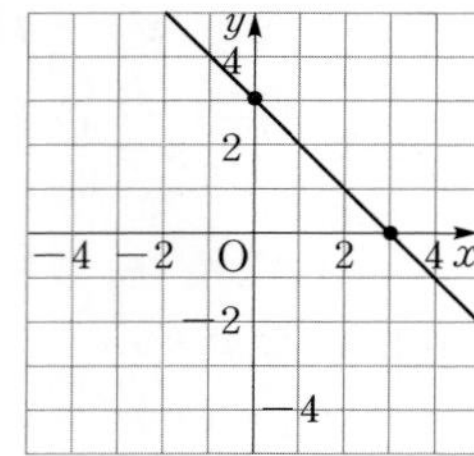

0988

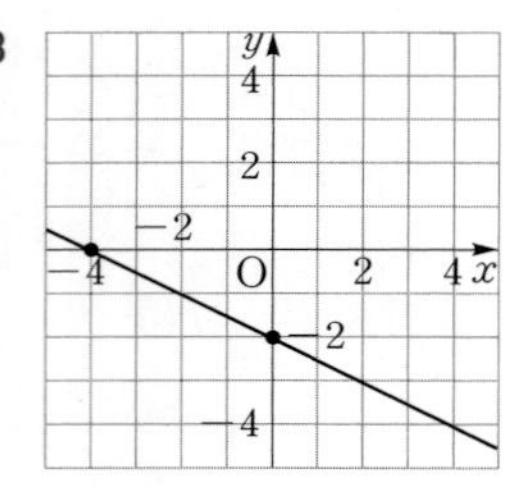

0989

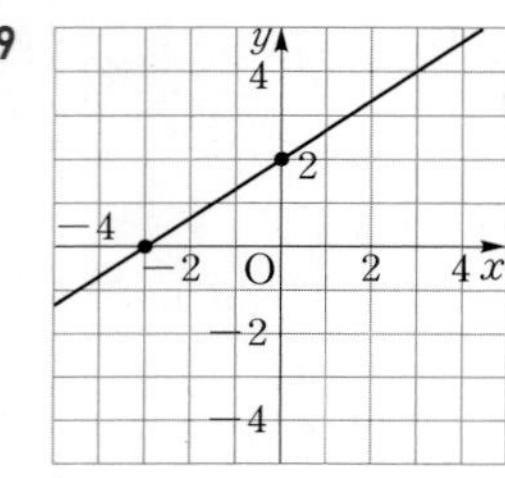

14 x절편, y절편을 이용하여 일차함수의 그래프 그리기(2)

본문 ◎ 164쪽

0990 -3, 3, 풀이 참조 **0991** 1, 4, 풀이 참조
0992 -1, 3, 풀이 참조 **0993** -2, -4, 풀이 참조
0994 3, -2, 풀이 참조 **0995** -4, -3, 풀이 참조

0990 $y=x+3$에서
$y=0$일 때, $0=x+3$
$\therefore x=-3$
$x=0$일 때, $y=3$
즉, x절편은 -3, y절편은 3이므로 그래프는 오른쪽 그림과 같다.

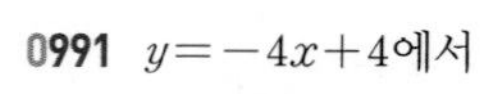

0991 $y=-4x+4$에서
$y=0$일 때, $0=-4x+4$
$\therefore x=1$
$x=0$일 때, $y=4$
즉, x절편은 1, y절편은 4이므로 그래프는 오른쪽 그림과 같다.

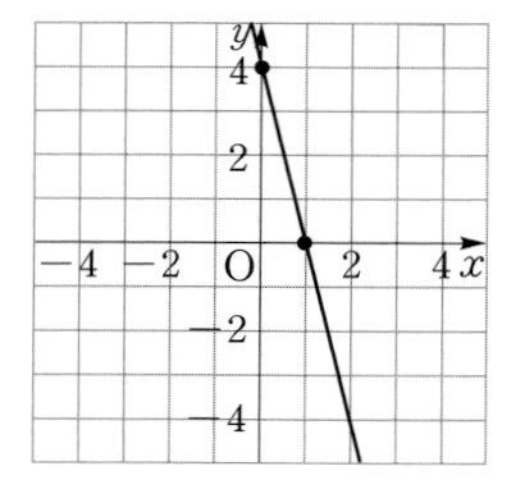

0992 $y=3x+3$에서
$y=0$일 때, $0=3x+3$
$\therefore x=-1$
$x=0$일 때, $y=3$
즉, x절편은 -1, y절편은 3이므로 그래프는 오른쪽 그림과 같다.

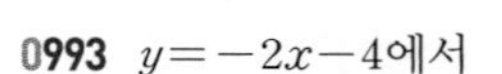

0993 $y=-2x-4$에서
$y=0$일 때, $0=-2x-4$
$\therefore x=-2$
$x=0$일 때, $y=-4$
즉, x절편은 -2, y절편은 -4이므로 그래프는 오른쪽 그림과 같다.

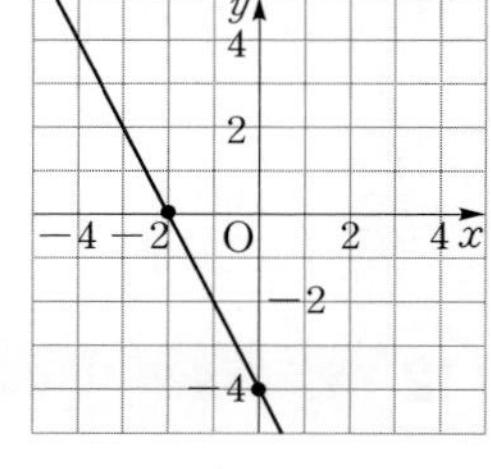

0994 $y=\frac{2}{3}x-2$에서
$y=0$일 때, $0=\frac{2}{3}x-2$
$\therefore x=3$
$x=0$일 때, $y=-2$
즉, x절편은 3, y절편은 -2이므로 그래프는 오른쪽 그림과 같다.

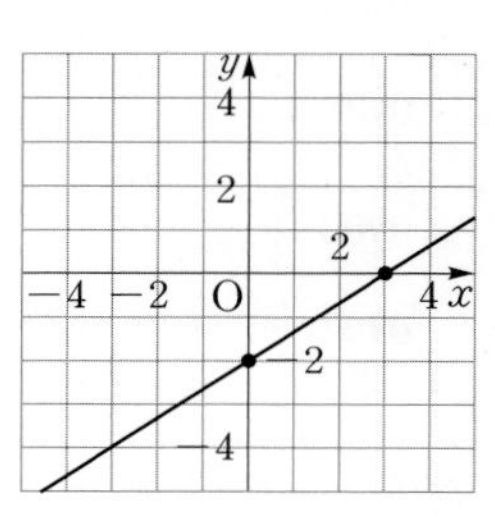

0995 $y=-\frac{3}{4}x-3$에서
$y=0$일 때, $0=-\frac{3}{4}x-3$
$\therefore x=-4$
$x=0$일 때, $y=-3$
즉, x절편은 -4, y절편은 -3이므로 그래프는 오른쪽 그림과 같다.

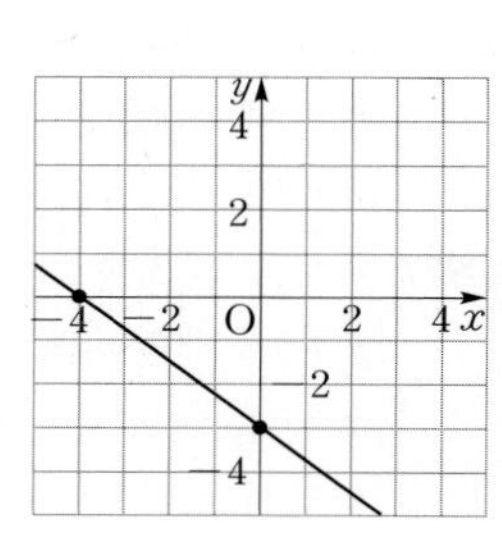

15 일차함수의 그래프의 기울기

본문 ◎ 165쪽

0996 3, 3, 3
0997 풀이 참조, -2, -2, -1
0998 풀이 참조, 3, 3, 1 **0999** 풀이 참조, 4
1000 풀이 참조, $\frac{1}{5}$ **1001** 풀이 참조, $-\frac{3}{2}$

0997

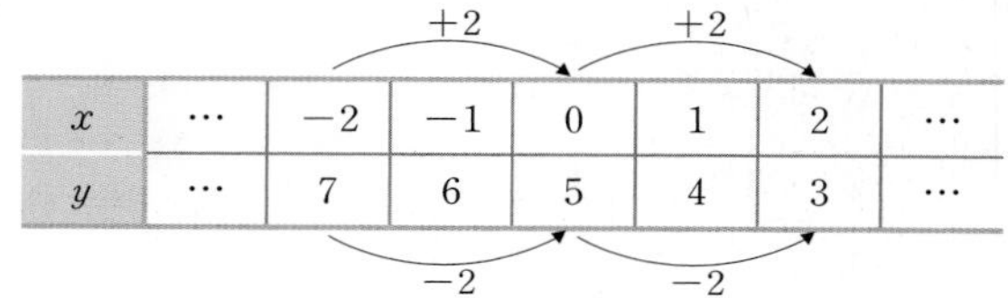

x	⋯	-2	-1	0	1	2	⋯
y	⋯	7	6	5	4	3	⋯

0998

x	$\cdots$	-2	-1	0	1	2	$\cdots$
y	$\cdots$	-9	-8	-7	-6	-5	$\cdots$

(+3, +3)

0999

x	$\cdots$	-2	-1	0	1	2	$\cdots$
y	$\cdots$	-11	-7	-3	1	5	$\cdots$

(+1, +4)

x의 값이 1만큼 증가할 때, y의 값은 4만큼 증가하므로

(기울기)$=\frac{4}{1}=4$

1000

x	$\cdots$	-10	-5	0	5	10	$\cdots$
y	$\cdots$	$-\frac{3}{2}$	$-\frac{1}{2}$	$\frac{1}{2}$	$\frac{3}{2}$	$\frac{5}{2}$	$\cdots$

(+5, +1)

x의 값이 5만큼 증가할 때, y의 값은 1만큼 증가하므로

(기울기)$=\frac{1}{5}$

1001

x	$\cdots$	-4	-2	0	2	4	$\cdots$
y	$\cdots$	9	6	3	0	-3	$\cdots$

(+2, −3)

x의 값이 2만큼 증가할 때, y의 값은 -3만큼 증가하므로

(기울기)$=\frac{-3}{2}=-\frac{3}{2}$

16 그래프를 보고 기울기 구하기

본문 ○ 166쪽

1002 $+6$, 1 **1003** $+2$, 2
1004 $+3$, $\frac{3}{5}$ **1005** $+3$, $-\frac{1}{3}$
1006 -4, -4 **1007** -3, $-\frac{3}{2}$

17 기울기와 증가량

본문 ○ 167쪽

1008 5, 5, ㅂ **1009** ㄷ **1010** ㅁ **1011** ㄱ
1012 3 **1013** -8 **1014** -2 **1015** 15

1009 (기울기)$=\frac{-9}{3}=-3$

즉, 기울기가 -3인 일차함수는 ㄷ이다.

1010 (기울기)$=\frac{2}{1}=2$

즉, 기울기가 2인 일차함수는 ㅁ이다.

1011 (기울기)$=\frac{-4}{4}=-1$

즉, 기울기가 -1인 일차함수는 ㄱ이다.

1013 $y=-2x-3$의 그래프의 기울기가 -2이므로

$\frac{(y\text{의 값의 증가량})}{4}=-2$

$\therefore$ (y의 값의 증가량)$=-8$

1015 $y=\frac{2}{5}x+3$의 기울기가 $\frac{2}{5}$이므로

$\frac{5-(-1)}{(x\text{의 값의 증가량})}=\frac{2}{5}$

$\therefore$ (x의 값의 증가량)$=15$

18 두 점을 이용하여 기울기 구하기

본문 ○ 168쪽

1016 -1 **1017** 2 **1018** 2 **1019** 1
1020 -1 **1021** $-\frac{6}{7}$ **1022** 4 **1023** -1
1024 $\frac{1}{8}$ **1025** 4

1017 $\frac{11-(-1)}{9-3}=\frac{12}{6}=2$

1018 $\frac{-2-8}{0-5}=\frac{-10}{-5}=2$

1019 $\frac{9-1}{1-(-7)}=\frac{8}{8}=1$

1020 $\frac{-2-5}{2-(-5)}=\frac{-7}{7}=-1$

1021 $\frac{1-7}{9-2}=\frac{-6}{7}=-\frac{6}{7}$

1022 $\frac{8-12}{3-4}=\frac{-4}{-1}=4$

1023 $\frac{0-(-5)}{1-6}=\frac{5}{-5}=-1$

1024 $\dfrac{6-8}{-7-9}=\dfrac{-2}{-16}=\dfrac{1}{8}$

1025 $\dfrac{1-k}{-3-(-12)}=-\dfrac{1}{3}$이므로 $k=4$

19 기울기와 y절편을 이용하여 일차함수의 그래프 그리기 (1)

본문 ◎ 169쪽

1026 -3, -3, 1, -1, -3, 1, -1; 풀이 참조

1027 1, 1, 4, 풀이 참조 **1028** 3, 1, 2, 풀이 참조

1029 -2, 2, -1, 풀이 참조 **1030** 4, 3, 2, 풀이 참조

1026

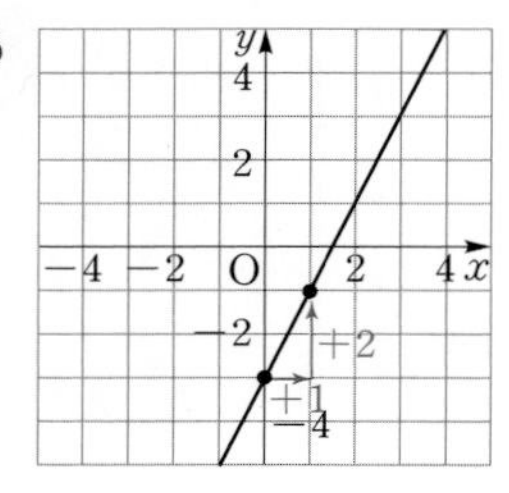

1027 구하는 그래프는 두 점 $(0, 1)$, $(1, 4)$를 지나므로 오른쪽 그림과 같다.

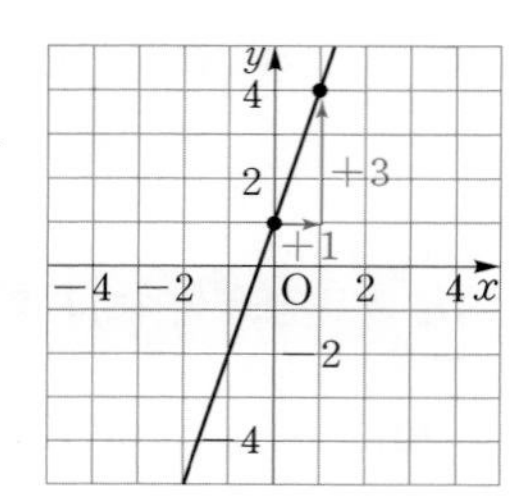

1028 구하는 그래프는 두 점 $(0, 3)$, $(1, 2)$를 지나므로 오른쪽 그림과 같다.

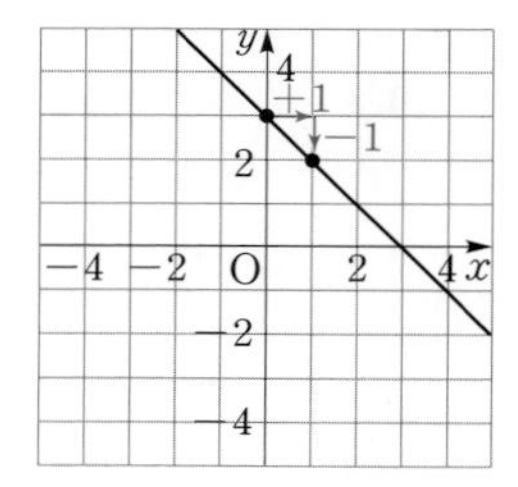

1029 구하는 그래프는 두 점 $(0, -2)$, $(2, -1)$을 지나므로 오른쪽 그림과 같다.

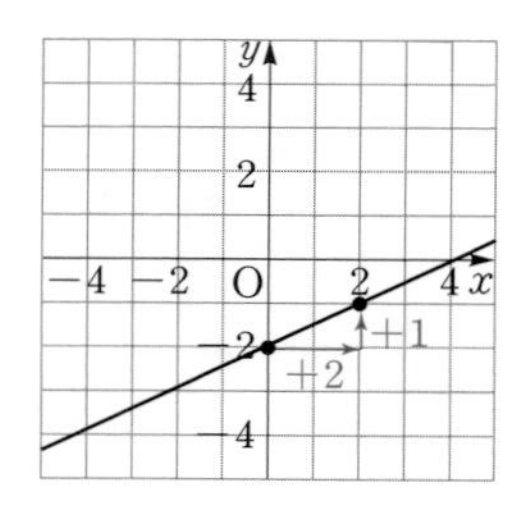

1030 구하는 그래프는 두 점 $(0, 4)$, $(3, 2)$를 지나므로 오른쪽 그림과 같다.

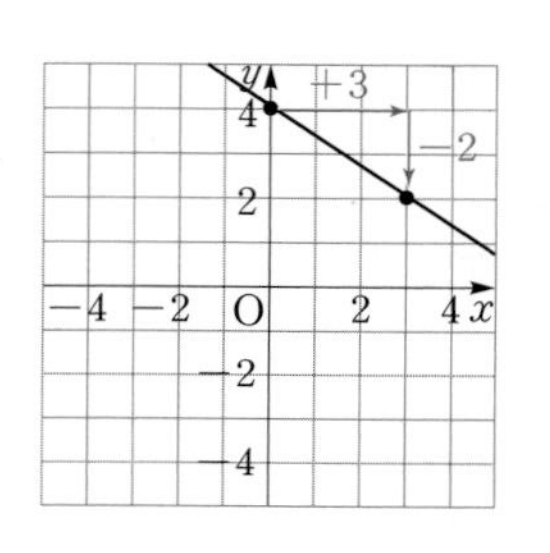

20 기울기와 y절편을 이용하여 일차함수의 그래프 그리기 (2)

본문 ◎ 170쪽

1031 1, 3, 풀이 참조 **1032** 2, -4, 풀이 참조

1033 -2, -1, 풀이 참조 **1034** $\dfrac{3}{4}$, 1, 풀이 참조

1035 $\dfrac{5}{2}$, -2, 풀이 참조 **1036** $-\dfrac{2}{3}$, 2, 풀이 참조

1031 y절편이 3이므로 점 $(0, 3)$을 지난다.
기울기가 1이므로 점 $(0, 3)$에서 x축의 방향으로 1만큼 증가할 때, y축의 방향으로 1만큼 증가하므로 점 $(1, 4)$를 지난다.
따라서 구하는 그래프는 두 점 $(0, 3)$, $(1, 4)$를 지나므로 오른쪽 그림과 같다.

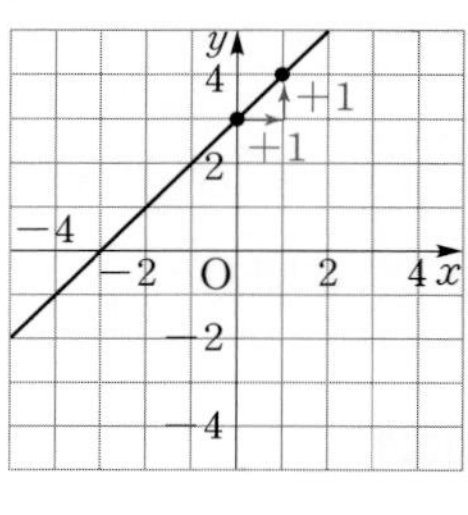

1032 y절편이 -4이므로 점 $(0, -4)$를 지난다.
기울기가 2이므로 점 $(0, -4)$에서 x축의 방향으로 1만큼 증가할 때, y축의 방향으로 2만큼 증가하므로 점 $(1, -2)$를 지난다.
따라서 구하는 그래프는 두 점 $(0, -4)$, $(1, -2)$를 지나므로 오른쪽 그림과 같다.

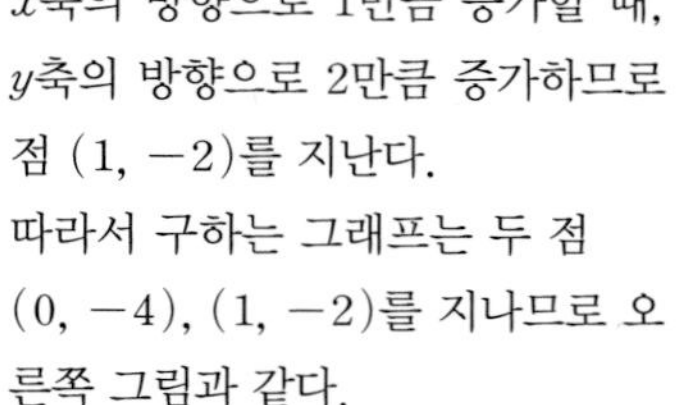

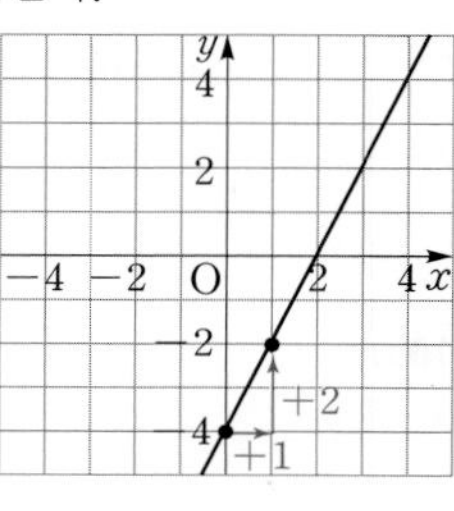

1033 y절편이 -1이므로 점 $(0, -1)$을 지난다.
기울기가 -2이므로 점 $(0, -1)$에서 x축의 방향으로 1만큼 증가할 때, y축의 방향으로 -2만큼 증가하므로 점 $(1, -3)$을 지난다.
따라서 구하는 그래프는 두 점 $(0, -1)$, $(1, -3)$을 지나므로 오른쪽 그림과 같다.

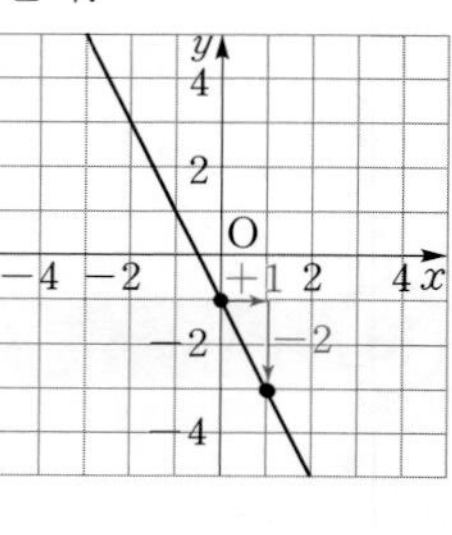

1034 y절편이 1이므로 점 $(0, 1)$을 지난다.
기울기가 $\dfrac{3}{4}$이므로 점 $(0, 1)$에서 x축의 방향으로 4만큼 증가할 때, y축의 방향으로 3만큼 증가하므로 점 $(4, 4)$를 지난다.
따라서 구하는 그래프는 두 점 $(0, 1)$, $(4, 4)$를 지나므로 오른쪽 그림과 같다.

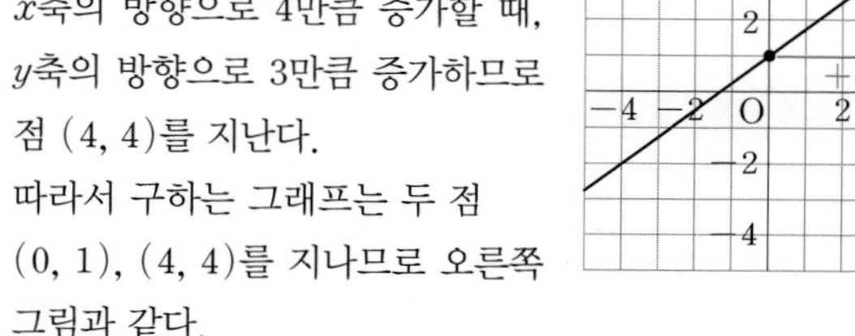

1035 y절편이 -2이므로 점 $(0,\ -2)$를 지난다.

기울기가 $\frac{5}{2}$이므로 점 $(0,\ -2)$에서 x축의 방향으로 2만큼 증가할 때, y축의 방향으로 5만큼 증가하므로 점 $(2,\ 3)$을 지난다.
따라서 구하는 그래프는 두 점 $(0,\ -2)$, $(2,\ 3)$을 지나므로 오른쪽 그림과 같다.

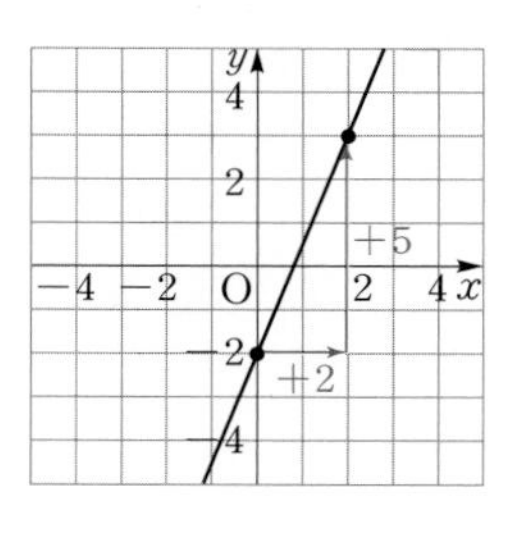

1036 y절편이 2이므로 점 $(0,\ 2)$를 지난다.

기울기가 $-\frac{2}{3}$이므로 점 $(0,\ 2)$에서 x축의 방향으로 3만큼 증가할 때, y축의 방향으로 -2만큼 증가하므로 점 $(3,\ 0)$을 지난다.
따라서 구하는 그래프는 두 점 $(0,\ 2)$, $(3,\ 0)$을 지나므로 오른쪽 그림과 같다.

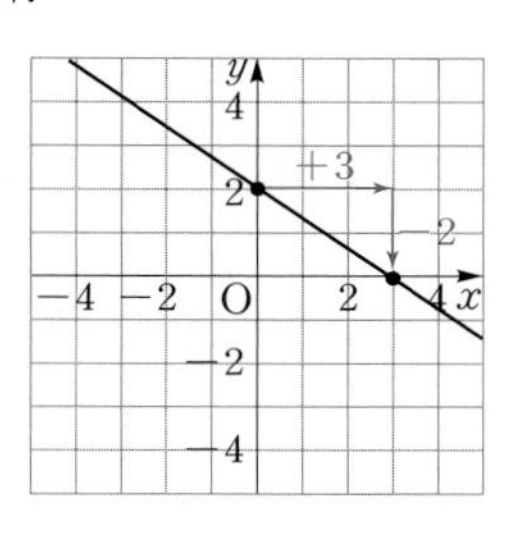

핵심 11~20 **Mini Review Test** 본문 ◎ 171쪽

1037 1	**1038** 12	**1039** ②	**1040** -2
1041 3	**1042** -4	**1043** -1	

1037 일차함수 $y=\frac{2}{3}x-2$의 그래프에

$y=0$을 대입하면 $0=\frac{2}{3}x-2$ $\quad\therefore x=3 \quad \therefore m=3$

$x=0$을 대입하면 $y=-2 \quad \therefore n=-2$

$\therefore m+n=3+(-2)=1$

1038 x절편이 3이므로 주어진 그래프가 점 $(3,\ 0)$을 지난다. …… ❶

$y=-4x+a$에 $x=3$, $y=0$을 대입하면

$0=-4\times3+a \quad \therefore a=12$ …… ❷

따라서 $y=-4x+12$에 $x=0$을 대입하면 $y=12$이므로 y절편은 12이다. …… ❸

채점 기준	배점
❶ 그래프가 지나는 점의 좌표 구하기	30 %
❷ a의 값 구하기	30 %
❸ y절편 구하기	40 %

1039 $y=0$일 때, $0=\frac{5}{2}x+5$, $\frac{5}{2}x=-5 \quad \therefore x=-2$

$x=0$일 때, $y=5$

따라서 $y=\frac{5}{2}x+5$의 그래프의 x절편은 -2, y절편은 5이므로 그래프는 ②이다.

1040 주어진 일차함수의 그래프의 기울기는 -2이므로

$\frac{3-(-11)}{k-5}=\frac{14}{k-5}=-2$에서

$-2(k-5)=14$, $-2k+10=14$

$-2k=4 \quad \therefore k=-2$

1041 주어진 그래프가 두 점 $(-2,\ -5)$, $(3,\ 10)$을 지나므로

$(\text{기울기})=\frac{10-(-5)}{3-(-2)}=\frac{15}{5}=3$

1042 이 일차함수의 그래프는 x절편이 -4, y절편이 k이므로 두 점$(-4,\ 0)$, $(0,\ k)$를 지난다.
이때 기울기가 -1이므로

$(\text{기울기})=\frac{k-0}{0-(-4)}=-1 \quad \therefore k=-4$

1043 $y=3x-6$의 그래프의 기울기는 3, y절편은 -6이므로

$a=3$, $c=-6$

$y=3x-6$에 $y=0$을 대입하면

$0=3x-6 \quad \therefore x=2 \quad \therefore b=2$

$\therefore a+b+c=3+2+(-6)=-1$

9. 일차함수의 그래프의 성질과 식

01 일차함수의 그래프의 성질

본문 ◎ 175쪽

1044 ㄱ, ㄴ, ㅂ		**1045** ㄷ, ㄹ, ㅁ
1046 ㄴ, ㅁ, ㅂ		**1047** ㄱ, ㄷ, ㄹ
1048 $\frac{1}{5}$	**1049** 1	**1050** -5
1051 아래	**1052** 감소	**1053** 3

1044 기울기가 양수인 것을 고르면 ㄱ, ㄴ, ㅂ이다.

1045 기울기가 음수인 것을 고르면 ㄷ, ㄹ, ㅁ이다.

1046 y절편이 양수인 것을 고르면 ㄴ, ㅁ, ㅂ이다.

1047 y절편이 음수인 것을 고르면 ㄱ, ㄷ, ㄹ이다.

1048 $y=0$일 때, $0=-5x+1$, $5x=1$ $\quad\therefore x=\frac{1}{5}$

따라서 x절편은 $\frac{1}{5}$이다.

1053 일차함수 $y=-5x+1$의 그래프는 오른쪽 그림과 같으므로 제3사분면을 지나지 않는다.

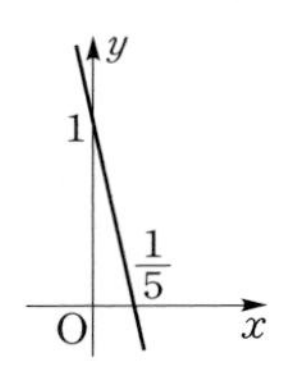

02 일차함수의 그래프와 계수의 부호 (1)

본문 ◎ 176쪽

1054 $<$, $>$ **1055** $<$, $<$ **1056** $>$, $>$ **1057** $>$, $<$
1058 $>$, $<$ **1059** $>$, $>$ **1060** $<$, $<$ **1061** $<$, $>$

1059 (기울기)$=-a<0$, (y절편)$=-b<0$
$\therefore a>0,\ b>0$

1060 (기울기)$=-a>0$, (y절편)$=-b>0$
$\therefore a<0,\ b<0$

1061 (기울기)$=-a>0$, (y절편)$=-b<0$
$\therefore a<0,\ b>0$

03 일차함수의 그래프와 계수의 부호 (2)

본문 ◎ 177쪽

1062 풀이 참조, 제 1, 3, 4사분면
1063 풀이 참조, 제 1, 2, 4사분면
1064 풀이 참조, 제 1, 2, 3사분면
1065 풀이 참조, 제 2, 3, 4사분면
1066 풀이 참조, 1, 2, 4
1067 풀이 참조, 제 2, 3, 4사분면
1068 풀이 참조, 제 1, 3, 4사분면
1069 풀이 참조, 제 1, 2, 3사분면

1062

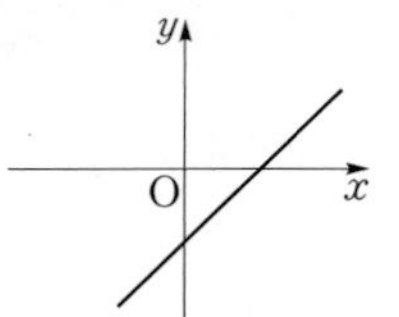

1063

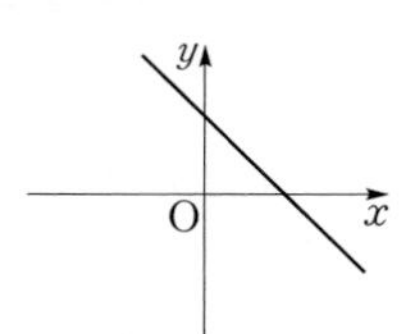

1064

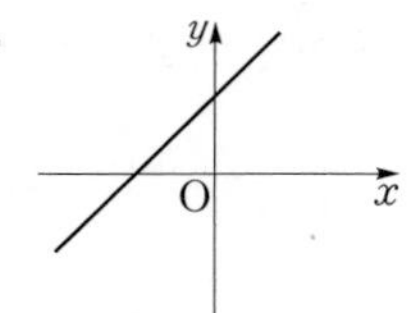

1065

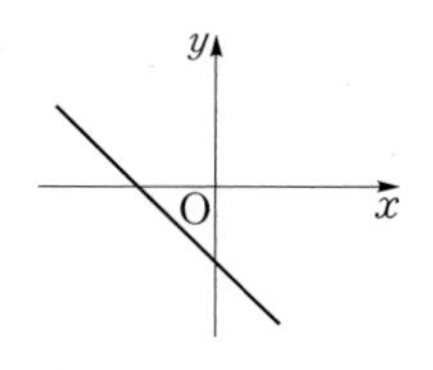

1066

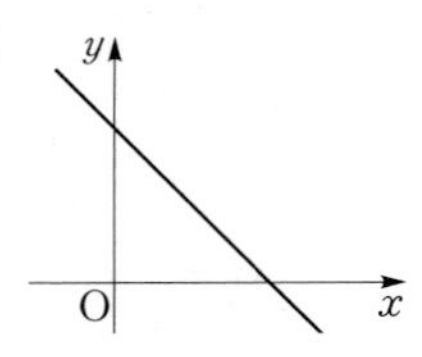

1067 (기울기)$=a<0$, (y절편)$=-b<0$
따라서 그래프는 오른쪽 그림과 같으므로 제 2, 3, 4사분면을 지난다.

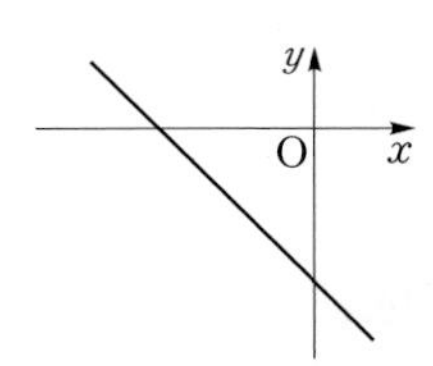

1068 (기울기)$=b>0$, (y절편)$=a<0$
따라서 그래프는 오른쪽 그림과 같으므로 제 1, 3, 4사분면을 지난다.

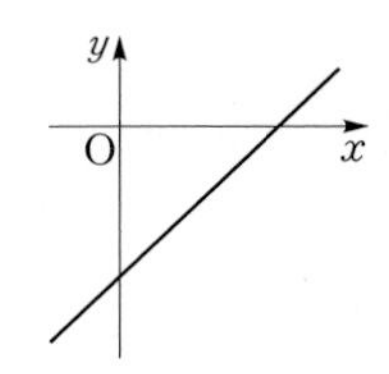

1069 주어진 함수의 그래프에서
(기울기)$=a<0$, (y절편)$=b>0$
즉, 일차함수 $y=bx-a$의 그래프는
(기울기)$=b>0$, (y절편)$=-a>0$
따라서 그래프가 오른쪽 그림과 같으므로 제 1, 2, 3사분면을 지난다.

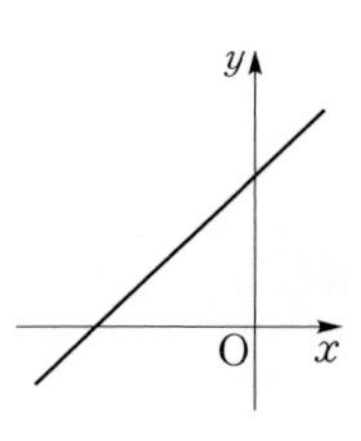

04 일차함수의 그래프의 평행, 일치 (1)

본문 ◎ 178쪽

1070 평행 **1071** 평행 **1072** 일치 **1073** 일치
1074 평행 **1075** ㄴ과 ㅂ, ㄷ과 ㄹ **1076** ㄱ과 ㅁ
1077 ㄴ

1073 $y=\frac{2}{3}\left(x+\frac{3}{2}\right)=\frac{2}{3}x+1$
따라서 기울기가 같고 y절편도 같으므로 두 일차함수의 그래프는 일치한다.

1074 $y=\frac{1}{2}(6+x)=\frac{1}{2}x+3$
따라서 기울기가 같고, y절편이 다르므로 두 일차함수의 그래프는 평행하다.

1075 기울기가 같고 y절편이 다른 두 그래프는 평행하다.
➡ ㄴ과 ㅂ, ㄷ과 ㄹ

1076 기울기와 y절편이 모두 같은 두 그래프는 일치한다.
➡ ㄱ과 ㅁ

1077 주어진 그래프는 두 점 $(-3, 0)$, $(0, 1)$을 지나므로 기울기는 $\frac{1-0}{0-(-3)}=\frac{1}{3}$이고, y절편이 1이다. 즉, 기울기가 $\frac{1}{3}$이고 y절편이 1이 아닌 그래프는 ㄴ이다.

05 일차함수의 그래프의 평행, 일치 (2)

본문 ◎ 179쪽

1078 -1 **1079** -5 **1080** $\frac{4}{3}$ **1081** $-\frac{6}{5}$
1082 3 **1083** 2, -3 **1084** $a=-5$, $b=3$
1085 $a=\frac{3}{2}$, $b=-\frac{1}{2}$ **1086** $a=-8$, $b=-2$
1087 $a=6$, $b=2$

1082 $2a=6$이므로 $a=3$

1087 $\frac{a}{2}=3$, $1=\frac{b}{2}$이므로
$a=6$, $b=2$

핵심 01~05 Mini Review Test

본문 ◎ 180쪽

1088 ④, ⑤ **1089** ② **1090** 제3사분면 **1091** ③
1092 2 **1093** 3 **1094** -16

1088 ① $y=0$을 $y=\frac{1}{2}x-3$에 대입하면 $0=\frac{1}{2}x-3$ $\therefore x=6$
②, ③ (기울기)$=\frac{1}{2}>0$이므로 오른쪽 위로 향하는 직선이다.

1089 $y=-ax+b$에서 $-a>0$, $b>0$이므로
(기울기)>0, (y절편)>0이다.
따라서 일차함수 $y=-ax+b$의 그래프의 개형은 ②와 같다.

1090 (기울기)$=-a<0$, (y절편)$=-b>0$이므로 일차함수 $y=-ax-b$의 그래프의 개형은 오른쪽 그림과 같다.
따라서 $y=-ax-b$의 그래프가 지나지 않는 사분면은 제3사분면이다.

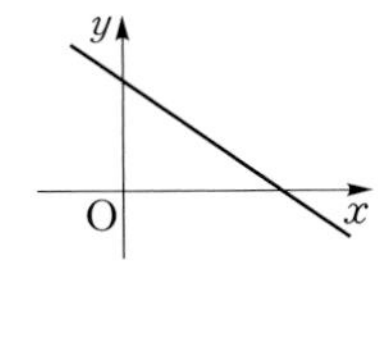

1091 그래프의 기울기가 $-\frac{3}{4}$인 일차함수는 ③ $y=-\frac{3}{4}x-1$이다.

1092 두 일차함수 $y=ax+2$, $y=\frac{1}{2}x-1$의 그래프가 평행하면 기울기가 같으므로 $a=\frac{1}{2}$ ······ ❶
따라서 $y=\frac{1}{2}x+2$에 $x=4$, $y=b$를 대입하면
$b=\frac{1}{2}\times 4+2=4$ ······ ❷
$\therefore ab=\frac{1}{2}\times 4=2$ ······ ❸

채점 기준	배점
❶ a의 값 구하기	40 %
❷ b의 값 구하기	40 %
❸ ab의 값 구하기	20 %

1093 기울기가 같으므로
$2a-5=4-a$, $3a=9$ $\therefore a=3$

1094 $\frac{a}{3}=-2$, $-\frac{5}{2}=\frac{b}{4}$이므로 $a=-6$, $b=-10$
$\therefore a+b=-6+(-10)=-16$

06 기울기와 y절편이 주어질 때, 일차함수의 식 구하기 (1)

본문 ◎ 181쪽

1095 $y=3x+8$ **1096** $y=6x-1$
1097 $y=x-2$ **1098** $y=-x+\frac{3}{2}$
1099 $y=\frac{3}{5}x-\frac{2}{5}$ **1100** $y=6x-2$
1101 $y=-x+9$ **1102** $y=\frac{7}{3}x+1$
1103 $y=-\frac{1}{5}x-5$ **1104** $y=-6x+\frac{1}{6}$

07 기울기와 y절편이 주어질 때, 일차함수의 식 구하기 (2)

본문 ◎ 182쪽

1105 2, $2x-1$ **1106** $y=\frac{5}{2}x+4$
1107 $y=-2x+1$ **1108** $y=\frac{1}{2}x+\frac{3}{2}$
1109 $y=-\frac{1}{4}x-\frac{1}{6}$ **1110** $y=-\frac{5}{6}x+8$
1111 5, $5x-2$ **1112** $y=-3x+3$
1113 $y=\frac{2}{5}x+1$ **1114** $y=-\frac{3}{2}x-5$
1115 $y=\frac{4}{5}x-1$

1106 기울기가 $\frac{5}{2}$이므로 구하는 일차함수의 식은 $y=\frac{5}{2}x+4$

1107 기울기가 $\frac{-10}{5}=-2$이므로 구하는 일차함수의 식은 $y=-2x+1$

1108 기울기가 $\frac{2}{4}=\frac{1}{2}$이므로 구하는 일차함수의 식은 $y=\frac{1}{2}x+\frac{3}{2}$

1109 기울기가 $\frac{-2}{8}=-\frac{1}{4}$이므로 구하는 일차함수의 식은 $y=-\frac{1}{4}x-\frac{1}{6}$

1110 기울기가 $\frac{-10}{12}=-\frac{5}{6}$이므로 구하는 일차함수의 식은 $y=-\frac{5}{6}x+8$

1112 기울기가 -3이고 y절편이 3인 직선을 그래프로 하는 일차함수의 식은 $y=-3x+3$

1113 기울기가 $\frac{2}{5}$이고 y절편이 1인 직선을 그래프로 하는 일차함수의 식은 $y=\frac{2}{5}x+1$

1114 기울기가 $-\frac{3}{2}$이고 y절편이 -5인 직선을 그래프로 하는 일차함수의 식은 $y=-\frac{3}{2}x-5$

1115 주어진 직선의 기울기는 $\frac{6-(-2)}{3-(-7)}=\frac{8}{10}=\frac{4}{5}$
따라서 기울기가 $\frac{4}{5}$이고 y절편이 -1인 직선을 그래프로 하는 일차함수의 식은 $y=\frac{4}{5}x-1$

08 기울기와 한 점이 주어질 때, 일차함수의 식 구하기 (1)

본문 ◎ 183쪽

1116 2, $4x+2$ **1117** $y=2x-3$
1118 $y=-3x+5$ **1119** $y=-\frac{5}{2}x+1$
1120 $y=\frac{4}{3}x+8$ **1121** 1, $3x+1$
1122 $y=\frac{4}{3}x+4$ **1123** $y=-5x+2$
1124 $y=-\frac{3}{2}x+\frac{2}{3}$

1117 $y=2x+b$로 놓고 $x=4$, $y=5$를 대입하면
$5=2\times4+b$ $\quad\therefore b=-3$
따라서 구하는 일차함수의 식은 $y=2x-3$

1118 $y=-3x+b$로 놓고 $x=2$, $y=-1$을 대입하면
$-1=-3\times2+b$ $\quad\therefore b=5$
따라서 구하는 일차함수의 식은 $y=-3x+5$

1119 $y=-\frac{5}{2}x+b$로 놓고 $x=\frac{4}{5}$, $y=-1$을 대입하면
$-1=-\frac{5}{2}\times\frac{4}{5}+b$ $\quad\therefore b=1$
따라서 구하는 일차함수의 식은 $y=-\frac{5}{2}x+1$

1120 $y=\frac{4}{3}x+b$로 놓고 $x=-6$, $y=0$을 대입하면
$0=\frac{4}{3}\times(-6)+b$ $\quad\therefore b=8$
따라서 구하는 일차함수의 식은 $y=\frac{4}{3}x+8$

1122 기울기가 $\frac{8}{6}=\frac{4}{3}$이므로 $y=\frac{4}{3}x+b$로 놓고
$x=-3$, $y=0$을 대입하면
$0=\frac{4}{3}\times(-3)+b$ $\quad\therefore b=4$
따라서 구하는 일차함수의 식은 $y=\frac{4}{3}x+4$

1123 기울기가 $\frac{-15}{3}=-5$이므로 $y=-5x+b$로 놓고
$x=-2$, $y=12$를 대입하면
$12=-5\times(-2)+b$ $\quad\therefore b=2$
따라서 구하는 일차함수의 식은 $y=-5x+2$

1124 기울기가 $\frac{-12}{8}=-\frac{3}{2}$이므로 $y=-\frac{3}{2}x+b$로 놓고
$x=\frac{4}{3}$, $y=-\frac{4}{3}$를 대입하면
$-\frac{4}{3}=-\frac{3}{2}\times\frac{4}{3}+b$ $\quad\therefore b=\frac{2}{3}$
따라서 구하는 일차함수의 식은 $y=-\frac{3}{2}x+\frac{2}{3}$

09 기울기와 한 점이 주어질 때, 일차함수의 식 구하기 (2) 본문 ◎ 184쪽

1125 4, $-3x+4$

1126 $y=2x+4$

1127 $y=-4x+2$

1128 $y=-\frac{1}{5}x-1$

1129 $y=\frac{4}{3}x+8$

1130 -1, 5, $-x+5$

1131 $y=-2x+6$

1132 $y=-\frac{1}{2}x-2$

1133 $y=\frac{3}{4}x+5$

1126 기울기가 2이므로 $y=2x+b$로 놓고 $x=2$, $y=8$을 대입하면

$8=2\times2+b \quad \therefore b=4$

따라서 구하는 일차함수의 식은 $y=2x+4$

1127 기울기가 -4이므로 $y=-4x+b$로 놓고 $x=-1$, $y=6$을 대입하면

$6=-4\times(-1)+b \quad \therefore b=2$

따라서 구하는 일차함수의 식은 $y=-4x+2$

1128 기울기가 $-\frac{1}{5}$이므로 $y=-\frac{1}{5}x+b$로 놓고 $x=10$, $y=-3$을 대입하면

$-3=-\frac{1}{5}\times10+b \quad \therefore b=-1$

따라서 구하는 일차함수의 식은 $y=-\frac{1}{5}x-1$

1129 기울기가 $\frac{4}{3}$이므로 $y=\frac{4}{3}x+b$로 놓고

$x=-6$, $y=0$을 대입하면

$0=\frac{4}{3}\times(-6)+b \quad \therefore b=8$

따라서 구하는 일차함수의 식은 $y=\frac{4}{3}x+8$

1131 기울기는 $\frac{1-5}{3-1}=\frac{-4}{2}=-2$이므로 $y=-2x+b$로 놓고

$x=-1$, $y=8$을 대입하면

$8=-2\times(-1)+b \quad \therefore b=6$

따라서 구하는 일차함수의 식은 $y=-2x+6$

1132 기울기는 $\frac{-3-0}{2-(-4)}=\frac{-3}{6}=-\frac{1}{2}$이므로

$y=-\frac{1}{2}x+b$로 놓고 $x=\frac{2}{3}$, $y=-\frac{7}{3}$을 대입하면

$-\frac{7}{3}=-\frac{1}{2}\times\frac{2}{3}+b \quad \therefore b=-2$

따라서 구하는 일차함수의 식은 $y=-\frac{1}{2}x-2$

1133 기울기는 $\frac{-1-2}{-2-2}=\frac{-3}{-4}=\frac{3}{4}$이므로

$y=\frac{3}{4}x+b$로 놓고 $x=-4$, $y=2$를 대입하면

$2=\frac{3}{4}\times(-4)\times b \quad \therefore b=5$

따라서 구하는 일차함수의 식은 $y=\frac{3}{4}x+5$

10 서로 다른 두 점이 주어질 때, 일차함수의 식 구하기 (1) 본문 ◎ 185쪽

1134 4, -2, $4x-2$

1135 $\frac{1}{3}$, $y=\frac{1}{3}x+5$

1136 $\frac{7}{2}$, $y=\frac{7}{2}x-13$

1137 $\frac{5}{4}$, $y=\frac{5}{4}x-2$

1138 3, $y=3x-19$

1139 1, $y=x+3$

1135 (기울기)$=\frac{4-1}{-3-(-12)}=\frac{3}{9}=\frac{1}{3}$이므로

$y=\frac{1}{3}x+b$로 놓고 $x=-3$, $y=4$를 대입하면

$4=\frac{1}{3}\times(-3)+b \quad \therefore b=5$

따라서 구하는 일차함수의 식은 $y=\frac{1}{3}x+5$

1136 (기울기)$=\frac{8-1}{6-4}=\frac{7}{2}$이므로 $y=\frac{7}{2}x+b$로 놓고

$x=4$, $y=1$을 대입하면

$1=\frac{7}{2}\times4+b \quad \therefore b=-13$

따라서 구하는 일차함수의 식은 $y=\frac{7}{2}x-13$

1137 (기울기)$=\frac{-12-3}{-8-4}=\frac{-15}{-12}=\frac{5}{4}$이므로

$y=\frac{5}{4}x+b$로 놓고 $x=4$, $y=3$을 대입하면

$3=\frac{5}{4}\times4+b \quad \therefore b=-2$

따라서 구하는 일차함수의 식은 $y=\frac{5}{4}x-2$

1138 (기울기)$=\frac{-4-2}{5-7}=\frac{-6}{-2}=3$이므로

$y=3x+b$로 놓고 $x=7$, $y=2$를 대입하면

$2=3\times7+b \quad \therefore b=-19$

따라서 구하는 일차함수의 식은 $y=3x-19$

1139 (기울기)$=\frac{2-(-2)}{-1-(-5)}=\frac{4}{4}=1$이므로

$y=x+b$로 놓고 $x=-1$, $y=2$를 대입하면

$2=-1+b \quad \therefore b=3$

따라서 구하는 일차함수의 식은 $y=x+3$

11 서로 다른 두 점이 주어질 때, 일차함수의 식 구하기 (2)

본문 ◎ 186쪽

1140 -2, -6, $-2x-6$ **1141** 2, $y=2x+4$

1142 $\frac{1}{2}$, $y=\frac{1}{2}x+2$ **1143** $-\frac{3}{4}$, $y=-\frac{3}{4}x+\frac{7}{4}$

1144 $\frac{3}{2}$, $y=\frac{3}{2}x-\frac{3}{2}$ **1145** -1, $y=-x+2$

1146 $a=1$, $b=6$

1141 주어진 그래프가 두 점 $(-2, 0)$, $(3, 10)$을 지나므로

(기울기)$=\frac{10-0}{3-(-2)}=\frac{10}{5}=2$

$y=2x+b$로 놓고 $x=3$, $y=10$을 대입하면

$10=2\times3+b$ $\therefore b=4$

따라서 구하는 일차함수의 식은 $y=2x+4$

1142 주어진 그래프가 두 점 $(-6, -1)$, $(2, 3)$을 지나므로

(기울기)$=\frac{3-(-1)}{2-(-6)}=\frac{4}{8}=\frac{1}{2}$

$y=\frac{1}{2}x+b$로 놓고 $x=2$, $y=3$을 대입하면

$3=\frac{1}{2}\times2+b$ $\therefore b=2$

따라서 구하는 일차함수의 식은 $y=\frac{1}{2}x+2$

1143 주어진 그래프가 두 점 $(-3, 4)$, $(5, -2)$를 지나므로

(기울기)$=\frac{-2-4}{5-(-3)}=\frac{-6}{8}=-\frac{3}{4}$

$y=-\frac{3}{4}x+b$로 놓고 $x=5$, $y=-2$를 대입하면

$-2=-\frac{3}{4}\times5+b$ $\therefore b=\frac{7}{4}$

따라서 구하는 일차함수의 식은 $y=-\frac{3}{4}x+\frac{7}{4}$

1144 주어진 그래프가 두 점 $(-1, -3)$, $(3, 3)$을 지나므로

(기울기)$=\frac{3-(-3)}{3-(-1)}=\frac{6}{4}=\frac{3}{2}$

$y=\frac{3}{2}x+b$로 놓고 $x=-1$, $y=-3$을 대입하면

$-3=\frac{3}{2}\times(-1)+b$ $\therefore b=-\frac{3}{2}$

따라서 구하는 일차함수의 식은 $y=\frac{3}{2}x-\frac{3}{2}$

1145 주어진 그래프가 두 점 $(-1, 3)$, $(4, -2)$를 지나므로

(기울기)$=\frac{-2-3}{4-(-1)}=\frac{-5}{5}=-1$

$y=-x+b$로 놓고 $x=-1$, $y=3$을 대입하면

$3=-(-1)+b$ $\therefore b=2$

따라서 구하는 일차함수의 식은 $y=-x+2$

1146 $a=\frac{5-2}{-1-(-4)}=\frac{3}{3}=1$

$y=x+b$로 놓고 $x=-4$, $y=2$를 대입하면

$2=-4+b$ $\therefore b=6$

12 x절편, y절편이 주어질 때, 일차함수의 식 구하기

본문 ◎ 187쪽

1147 -3, $-3x+6$ **1148** $y=5x+5$

1149 $y=4x-4$ **1150** $y=\frac{1}{2}x+\frac{1}{3}$

1151 $y=-\frac{1}{8}x-\frac{3}{8}$ **1152** $\frac{3}{2}$, $\frac{3}{2}x-9$

1153 $y=-\frac{3}{5}x-6$ **1154** $y=\frac{1}{3}x+\frac{3}{2}$

1148 두 점 $(-1, 0)$, $(0, 5)$를 지나므로 그래프의 기울기는

$\frac{5-0}{0-(-1)}=5$

따라서 구하는 일차함수의 식은 $y=5x+5$

1149 두 점 $(1, 0)$, $(0, -4)$를 지나므로 그래프의 기울기는

$\frac{-4-0}{0-1}=4$

따라서 구하는 일차함수의 식은 $y=4x-4$

1150 두 점 $\left(-\frac{2}{3}, 0\right)$, $\left(0, \frac{1}{3}\right)$을 지나므로 그래프의 기울기는

$\frac{\frac{1}{3}-0}{0-\left(-\frac{2}{3}\right)}=\frac{1}{2}$

따라서 구하는 일차함수의 식은 $y=\frac{1}{2}x+\frac{1}{3}$

1151 두 점 $(-3, 0)$, $\left(0, -\frac{3}{8}\right)$을 지나므로 그래프의 기울기는

$\frac{-\frac{3}{8}-0}{0-(-3)}=-\frac{1}{8}$

따라서 구하는 일차함수의 식은 $y=-\frac{1}{8}x-\frac{3}{8}$

1153 두 점 $(-10, 0)$, $(0, -6)$을 지나므로 그래프의 기울기는

$\frac{-6-0}{0-(-10)}=-\frac{3}{5}$

따라서 구하는 일차함수의 식은 $y=-\frac{3}{5}x-6$

1154 두 점 $\left(-\frac{9}{2}, 0\right)$, $\left(0, \frac{3}{2}\right)$을 지나므로 그래프의 기울기는

$\frac{\frac{3}{2}-0}{0-\left(-\frac{9}{2}\right)}=\frac{1}{3}$

따라서 구하는 일차함수의 식은 $y=\frac{1}{3}x+\frac{3}{2}$

13 일차함수의 활용 (1)

본문 ○ 188쪽

1155 (1) $331+0.6x$ (2) 초속 343 m (3) 40 ℃
1156 (1) 4℃ (2) $y=15+4x$ (3) 95 ℃
1157 (1) $\frac{1}{4}$ cm (2) $y=25-\frac{1}{4}x$ (3) 23 cm (4) 60분
1158 (1) 41, 47, 53, 59, 65 (2) $y=35+3x$ (3) 71 cm

1155 (2) $y=331+0.6x$에 $x=20$을 대입하면
$y=331+0.6\times20=343$
따라서 소리의 속력은 초속 343 m이다.
(3) $y=331+0.6x$에 $y=355$를 대입하면
$355=331+0.6x$ $\quad\therefore x=40$
따라서 기온은 40 ℃이다.

1156 (1) 3분마다 물의 온도가 12 ℃씩 올라가므로 1분마다 물의 온도가 4 ℃씩 올라간다.
(3) $y=15+4x$에 $x=20$을 대입하면
$y=15+4\times20=95$
따라서 20분 후의 물의 온도는 95 ℃이다.

1157 (2) x분 동안 타는 양초의 길이는 $\frac{1}{4}x$ cm이므로 x와 y 사이의 관계식은 $y=25-\frac{1}{4}x$
(3) $y=25-\frac{1}{4}x$에 $x=8$을 대입하면
$y=25-\frac{1}{4}\times8=23$
따라서 양초의 길이는 23 cm이다.
(4) $y=25-\frac{1}{4}x$에 $y=10$을 대입하면
$10=25-\frac{1}{4}x$, $\frac{1}{4}x=15$ $\quad\therefore x=60$
따라서 걸리는 시간은 60분이다.

1158 (3) $y=35+3x$에 $x=12$를 대입하면
$y=35+3\times12=71$
따라서 용수철의 길이는 71 cm이다.

14 일차함수의 활용 (2)

본문 ○ 189쪽

1159 (1) 3 L (2) $y=300-3x$ (3) 255 L (4) 100분
1160 (1) $70x$ km (2) $y=320-70x$ (3) 180 km (4) 4시간
1161 (1) $\frac{1}{12}$ L (2) $y=80-\frac{1}{12}x$ (3) 75 L (4) 144 km
1162 (1) $y=3x$ (2) 15 cm^2 (3) 3 cm

1159 (2) x분 동안 흘러나가는 물의 양은 $3x$ L이므로 x와 y 사이의 관계식은 $y=300-3x$
(3) $y=300-3x$에 $x=15$를 대입하면
$y=300-3\times15=255$
따라서 남아 있는 물의 양은 255 L이다.
(4) $y=300-3x$에 $y=0$을 대입하면
$0=300-3x$, $3x=300$ $\quad\therefore x=100$
따라서 걸리는 시간은 100분이다.

1160 (3) $y=320-70x$에 $x=2$를 대입하면
$y=320-70\times2=180$
따라서 남은 거리는 180 km이다.
(4) $y=320-70x$에 $y=40$을 대입하면
$40=320-70x$, $70x=280$ $\quad\therefore x=4$
따라서 걸린 시간은 4시간이다.

1161 (3) $y=80-\frac{1}{12}x$에 $x=60$을 대입하면
$y=80-\frac{1}{12}\times60=75$
따라서 남아 있는 연료의 양은 75 L이다.
(4) $y=80-\frac{1}{12}x$에 $y=68$을 대입하면
$68=80-\frac{1}{12}x$ $\quad\therefore x=144$
따라서 달린 거리는 144 km이다.

1162 (1) $y=\frac{1}{2}\times x\times6=3x$
(2) $y=3x$에 $x=5$를 대입하면
$y=3\times5=15$
따라서 △ABP의 넓이는 15 cm^2이다.
(3) $y=3x$에 $y=9$를 대입하면
$9=3x$ $\quad\therefore x=3$
따라서 점 P가 움직인 거리는 3 cm이다.

핵심 06~14 Mini Review Test

본문 ○ 190쪽

1163 -2 **1164** $y=-\frac{3}{5}x-3$ **1165** 6
1166 ④ **1167** -3 **1168** ⑤ **1169** 32
1170 4 km

1163 기울기가 $\frac{1}{3}$이고 y절편이 -2인 직선을 그래프로 하는 일차함수의 식은 $y=\frac{1}{3}x-2$

$y=\frac{1}{3}x-2$에 $x=-3a$, $y=a+2$를 대입하면

$a+2=\frac{1}{3}\times(-3a)-2$, $a+2=-a-2$

$2a=-4$ $\therefore a=-2$

1164 기울기가 $\frac{-3}{5}=-\frac{3}{5}$이고 y절편이 -3인 직선을 그래프로 하는 일차함수의 식은 $y=-\frac{3}{5}x-3$

1165 $y=-3x+b$로 놓고 $x=4$, $y=-\frac{15}{2}$를 대입하면

$-\frac{15}{2}=-3\times4+b$ $\therefore b=\frac{9}{2}$

즉, 구하는 일차함수의 식은 $y=-3x+\frac{9}{2}$ ……❶

이 식에 $y=0$을 대입하면 $0=-3x+\frac{9}{2}$ $\therefore x=\frac{3}{2}$

$x=0$을 대입하면 $y=\frac{9}{2}$

따라서 x절편은 $\frac{3}{2}$, y절편은 $\frac{9}{2}$이므로 ……❷

x절편과 y절편의 합은 $\frac{3}{2}+\frac{9}{2}=6$ ……❸

채점 기준	배점
❶ 일차함수의 식 구하기	40 %
❷ x절편, y절편 각각 구하기	40 %
❸ x절편, y절편의 합 구하기	20 %

1166 $y=-5x+b$로 놓고 $x=2$, $y=-3$을 대입하면

$-3=-5\times2+b$ $\therefore b=7$

따라서 구하는 일차함수의 식은 $y=-5x+7$

1167 $a=\frac{-6-3}{2-(-1)}=\frac{-9}{3}=-3$

$y=-3x+b$로 놓고 $x=-1$, $y=3$을 대입하면

$3=-3\times(-1)+b$ $\therefore b=0$

$\therefore a+b=-3$

1168 (기울기)$=\frac{12-2}{2-(-3)}=\frac{10}{5}=2$

$y=2x+b$로 놓고 $x=2$, $y=12$를 대입하면

$12=2\times2+b$ $\therefore b=8$

즉, 구하는 일차함수의 식은 $y=2x+8$

⑤ x의 값이 1만큼 증가하면 y의 값은 2만큼 증가한다.

1169 두 점 $(-2, 0)$, $(0, 8)$을 지나므로 그래프의 기울기는

$\frac{8-0}{0-(-2)}=4$

따라서 구하는 일차함수의 식은 $y=4x+8$이므로

$a=4$, $b=8$ $\therefore ab=32$

1170 지면으로부터의 높이가 x km인 지점의 기온을 y ¾라고 하면

$y=22-6x$

$y=22-6x$에 $y=-2$를 대입하면

$-2=22-6x$, $6x=24$ $\therefore x=4$

따라서 기온이 -2 ℃인 지점의 지면으로부터의 높이는 4 km이다.

10. 일차함수와 일차방정식의 관계

01 일차함수와 일차방정식의 그래프 (1)

본문 ◎ 195쪽

1171 1, 2, 3, 4, 5 **1172** 풀이 참조

1173 풀이 참조 **1174** $\frac{1}{2}x+3$

1175 $\frac{1}{2}$, 3 **1176** 풀이 참조

1172, 1173

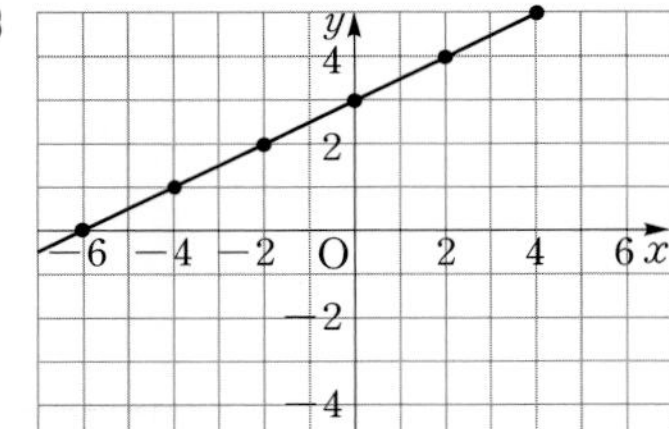

1176

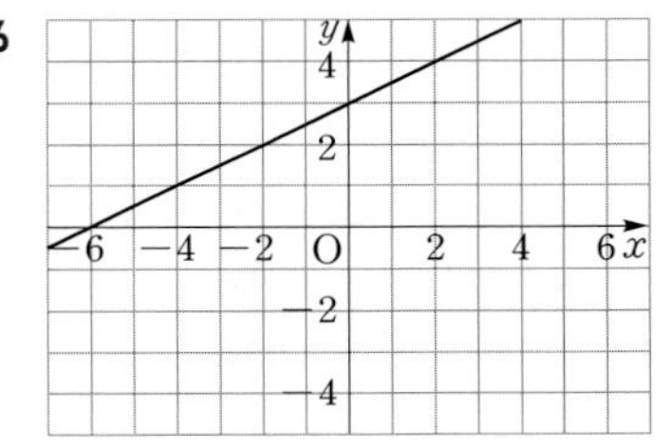

02 일차함수와 일차방정식의 그래프 (2)

본문 ◎ 196쪽

1177 $x+9$, 1, -9, 9 **1178** $\frac{1}{5}x-3$, $\frac{1}{5}$, 15, -3

1179 $-\frac{1}{2}x-\frac{1}{6}$, $-\frac{1}{2}$, $-\frac{1}{3}$, $-\frac{1}{6}$

1180 $4x+1$, 4, $-\frac{1}{4}$, 1 **1181** $x-2$, 풀이 참조

1182 $\frac{1}{3}x-4$, 풀이 참조 **1183** $\frac{2}{5}x-2$, 풀이 참조

1177 $x-y+9=0$에서 $-y=-x-9$ $\quad\therefore y=x+9$

$y=x+9$에 $y=0$을 대입하면

$0=x+9$ $\quad\therefore x=-9$

따라서 기울기는 1, x절편은 -9, y절편은 9이다.

1178 $x-5y-15=0$에서 $-5y=-x+15$

$\therefore y=\frac{1}{5}x-3$

$y=\frac{1}{5}x-3$에 $y=0$을 대입하면

$0=\frac{1}{5}x-3$, $\frac{1}{5}x=3$ $\quad\therefore x=15$

따라서 기울기는 $\frac{1}{5}$, x절편은 15, y절편은 -3이다.

1179 $3x+6y+1=0$에서 $6y=-3x-1$

$\therefore y=-\frac{1}{2}x-\frac{1}{6}$

$y=-\frac{1}{2}x-\frac{1}{6}$에 $y=0$을 대입하면

$0=-\frac{1}{2}x-\frac{1}{6}$, $\frac{1}{2}x=-\frac{1}{6}$ $\quad\therefore x=-\frac{1}{3}$

따라서 기울기는 $-\frac{1}{2}$, x절편은 $-\frac{1}{3}$, y절편은 $-\frac{1}{6}$이다.

1180 $4x-y+1=0$에서 $-y=-4x-1$

$\therefore y=4x+1$

$y=4x+1$에 $y=0$을 대입하면

$0=4x+1$, $4x=-1$ $\quad\therefore x=-\frac{1}{4}$

따라서 기울기는 4, x절편은 $-\frac{1}{4}$, y절편은 1이다.

1181 $x-y-2=0$에서 $-y=-x+2$

$\therefore y=x-2$

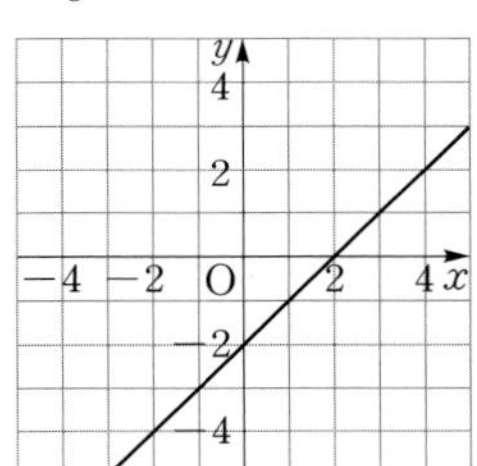

1182 $-x+3y+12=0$에서 $3y=x-12$

$\therefore y=\frac{1}{3}x-4$

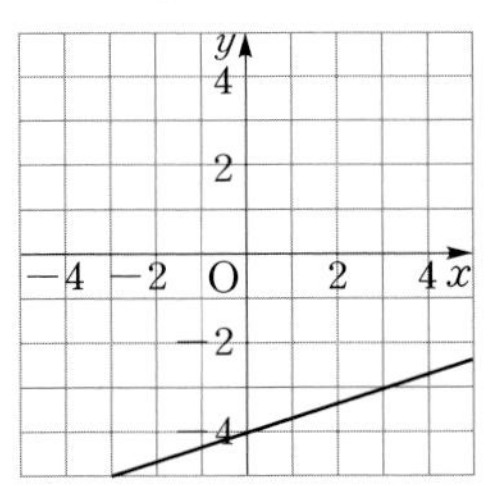

1183 $2x-5y-10=0$에서 $-5y=-2x+10$

$\therefore y=\frac{2}{5}x-2$

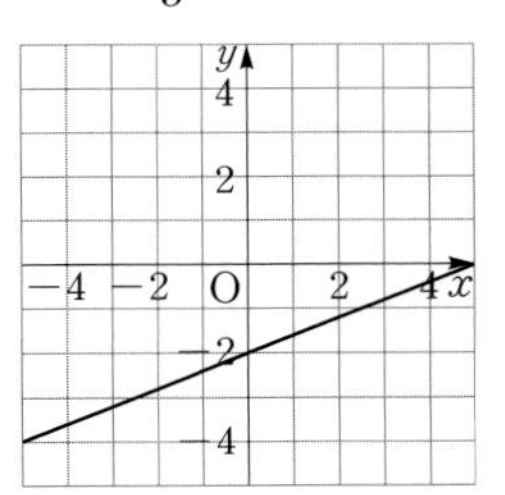

03 일차방정식의 그래프의 성질

본문 ◎ 197쪽

1184 ○ **1185** × **1186** ○ **1187** ○
1188 × **1189** ○ **1190** >, <, >, <
1191 <, > **1192** >, > **1193** >, <

1184 $-2x+4y+10=0$에 $y=0$을 대입하면
$-2x+10=0 \quad \therefore x=5$
따라서 x절편은 5이다.

1185 $-2x+4y+10=0$에 $x=0$을 대입하면
$4y+10=0 \quad \therefore y=-\frac{5}{2}$
따라서 y절편은 $-\frac{5}{2}$이다.

1186 $-2x+4y+10=0$에 $x=3$, $y=-1$을 대입하면
$-2\times3+4\times(-1)+10=0$
따라서 점 $(3, -1)$을 지난다.

1187 $-2x+4y+10=0$에서 $4y=2x-10$
$\therefore y=\frac{1}{2}x-\frac{5}{2}$
즉, 기울기가 $\frac{1}{2}$로 양수이므로 x의 값이 증가하면 y의 값도 증가한다.

1188 $-2x+4y+10=0$, 즉 $y=\frac{1}{2}x-\frac{5}{2}$의 그래프는 오른쪽 그림과 같으므로 제2사분면을 지나지 않는다.

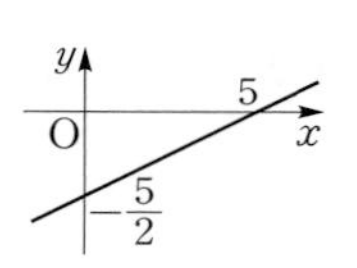

1189 $-2x+4y+10=0$, 즉 $y=\frac{1}{2}x-\frac{5}{2}$의 그래프의 기울기는 $\frac{1}{2}$이므로 $y=\frac{1}{2}x+1$의 그래프와 평행하다.

1191 일차함수 $y=-ax-b$의 그래프가 오른쪽 위로 향하므로
(기울기)>0, 즉 $-a>0 \quad \therefore a<0$
y축과 음의 부분에서 만나므로 (y절편)<0
$-b<0 \quad \therefore b>0$

1192 일차함수 $y=-ax-b$의 그래프가 오른쪽 아래로 향하므로
(기울기)<0, 즉 $-a<0 \quad \therefore a>0$
y축과 음의 부분에서 만나므로 (y절편)<0
$-b<0 \quad \therefore b>0$

1193 일차함수 $y=-ax-b$의 그래프가 오른쪽 아래로 향하므로
(기울기)<0, 즉 $-a<0 \quad \therefore a>0$
y축과 양의 부분에서 만나므로 (y절편)>0
$-b>0 \quad \therefore b<0$

04 좌표축에 평행한 직선의 방정식 (1)

본문 ◎ 198쪽

1194 3, y, 풀이 참조 **1195** 풀이 참조
1196 -4, x, 풀이 참조 **1197~1198** 풀이 참조
1199 $x=-1$ **1200** $x=4$ **1201** $y=1$ **1202** $y=-2$
1203 (1) ㄴ, ㄷ (2) ㄱ, ㄹ

1195 $3x+12=0$에서 $3x=-12$
$\therefore x=-4$

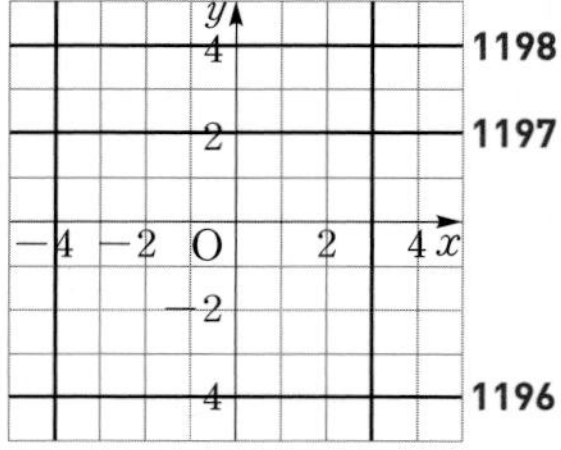

1197 $3y-6=0$에서 $3y=6$
$\therefore y=2$

1198 $2y=8$에서 $y=4$

1203 ㄴ. $4y=-12$에서 $y=-3$
ㄷ. $5y-3=7$에서 $5y=10 \quad \therefore y=2$
ㄹ. $2x+6=0$에서 $2x=-6 \quad \therefore x=-3$
(1) x축에 평행한 직선의 방정식은 $y=q$ 꼴이므로 ㄴ, ㄷ이다.
(2) y축에 평행한 직선의 방정식은 $x=p$ 꼴이므로 ㄱ, ㄹ이다.

05 좌표축에 평행한 직선의 방정식 (2)

본문 ◎ 199쪽

1204 $y=1$ **1205** $x=-4$
1206 $x=1$ **1207** $y=-6$
1208 $x=3$ **1209** $y=-5$
1210 -2 **1211** -6
1212 -1 **1213** 4

1204 x축에 평행한 직선이므로 $y=q$ 꼴이고 점 $(2, 1)$을 지나므로 구하는 직선의 방정식은 $y=1$

1205 y축에 평행한 직선이므로 $x=p$ 꼴이고 점 $(-4, 3)$을 지나므로 구하는 직선의 방정식은 $x=-4$

1206 x축에 수직인 직선은 y축에 평행한 직선이므로 $x=p$ 꼴이고 점 $(1, -1)$을 지나므로 구하는 직선의 방정식은 $x=1$

1207 y축에 수직인 직선은 x축에 평행한 직선이므로 $y=q$ 꼴이고 점 $(-2, -6)$을 지나므로 구하는 직선의 방정식은 $y=-6$

1211 $-2a=12 \qquad \therefore a=-6$

1212 $a+2=-a,\ 2a=-2 \qquad \therefore a=-1$

1213 $2a+3=3a-1,\ -a=-4 \qquad \therefore a=4$

06 연립방정식의 해와 그래프 (1)

본문 ◎ 200쪽

1214 $2x+2,\ -x+5$ **1215** 풀이 참조
1216 1, 4 **1217** 1, 4, 1, 4
1218 $x=-3,\ y=2$ **1219** $x=1,\ y=-4$
1220 $x=2,\ y=3$

1215 

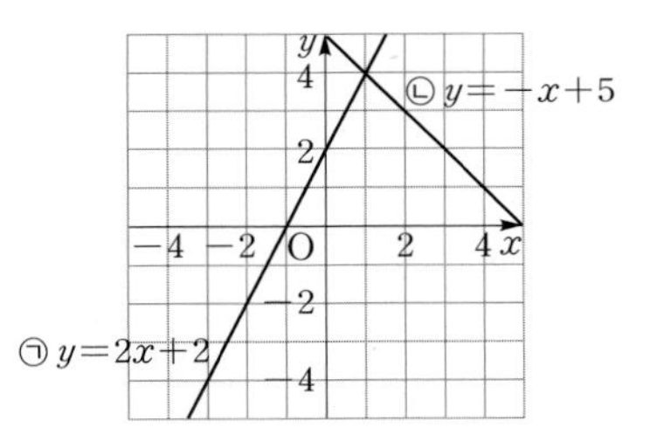

1218 두 일차방정식의 그래프의 교점의 좌표가 $(-3,\ 2)$이므로 연립방정식의 해는 $x=-3,\ y=2$

1219 두 일차방정식의 그래프의 교점의 좌표가 $(1,\ -4)$이므로 연립방정식의 해는 $x=1,\ y=-4$

1220 두 일차방정식의 그래프의 교점의 좌표가 $(2,\ 3)$이므로 연립방정식의 해는 $x=2,\ y=3$

07 연립방정식의 해와 그래프 (2)

본문 ◎ 201쪽

1221 풀이 참조, $x=3,\ y=-3$
1222 풀이 참조, $x=4,\ y=2$
1223 풀이 참조, $x=1,\ y=1$
1224 5, 1 **1225** $a=-6,\ b=-1$
1226 $a=7,\ b=3$ **1227** 2

1221 두 일차방정식의 그래프를 그리면 오른쪽 그림과 같고, 교점의 좌표가 $(3,\ -3)$이므로 주어진 연립방정식의 해는
$x=3,\ y=-3$

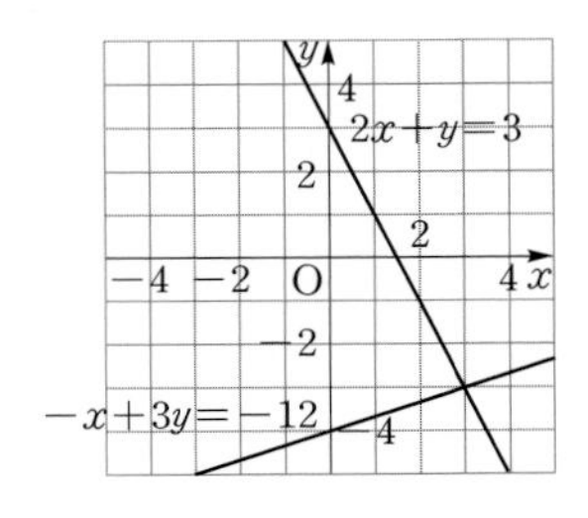

1222 두 일차방정식의 그래프를 그리면 오른쪽 그림과 같고, 교점의 좌표가 $(4,\ 2)$이므로 주어진 연립방정식의 해는
$x=4,\ y=2$

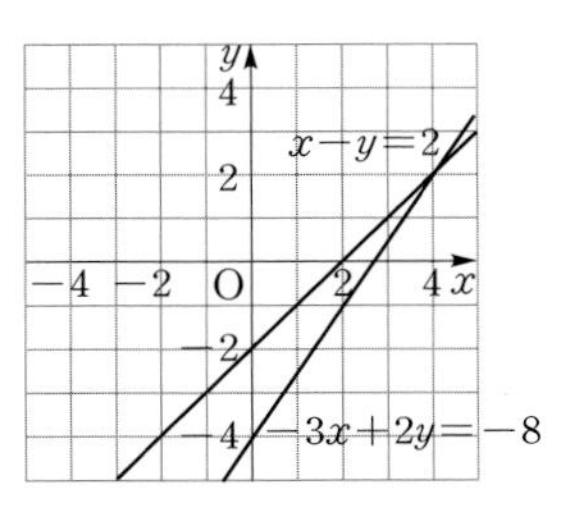

1223 두 일차방정식의 그래프를 그리면 오른쪽 그림과 같고, 교점의 좌표가 $(1,\ 1)$이므로 주어진 연립방정식의 해는
$x=1,\ y=1$

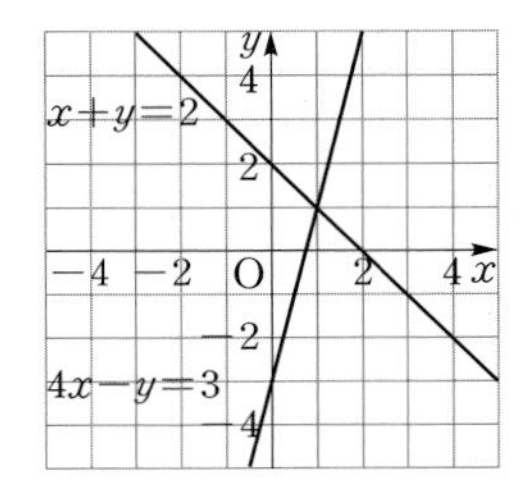

1225 두 일차방정식의 그래프의 교점의 좌표가 $(-1,\ -4)$이므로
$ax+y=2$에 $x=-1,\ y=-4$를 대입하면
$-a-4=2,\ -a=6 \qquad \therefore a=-6$
$2x+by=2$에 $x=-1,\ y=-4$를 대입하면
$2\times(-1)-4b=2,\ -4b=4 \qquad \therefore b=-1$

1226 두 일차방정식의 그래프의 교점의 좌표가 $(3,\ -2)$이므로
$x-2y=a$에 $x=3,\ y=-2$를 대입하면
$3-2\times(-2)=a \qquad \therefore a=7$
$x+by=-3$에 $x=3,\ y=-2$를 대입하면
$3-2b=-3,\ -2b=-6 \qquad \therefore b=3$

1227 두 일차방정식 $2x-y=4,\ 3x+4y=6$의 그래프의 교점의 좌표는 연립방정식 $\begin{cases} 2x-y=4 & \cdots\cdots ㉠ \\ 3x+4y=6 & \cdots\cdots ㉡ \end{cases}$의 해와 같다.
㉠$\times 4+$㉡을 하면 $11x=22 \qquad \therefore x=2$
$x=2$를 ㉠에 대입하면 $y=0$
즉, 두 그래프의 교점의 좌표는 $(2,\ 0)$이다.
따라서 $a=2,\ b=0$이므로 $a+b=2$

08 두 직선의 위치 관계와 연립방정식의 해의 개수 (1)

본문 ◎ 202쪽

1228 풀이 참조, 해가 무수히 많다.
1229 풀이 참조, 해가 없다.
1230 무수히 많다, 무수히 많다.
1231 한 개, 한 쌍
1232 없다, 없다.

1228 주어진 연립방정식에서

$\begin{cases} y=\frac{1}{3}x-1 \\ y=\frac{1}{3}x-1 \end{cases}$

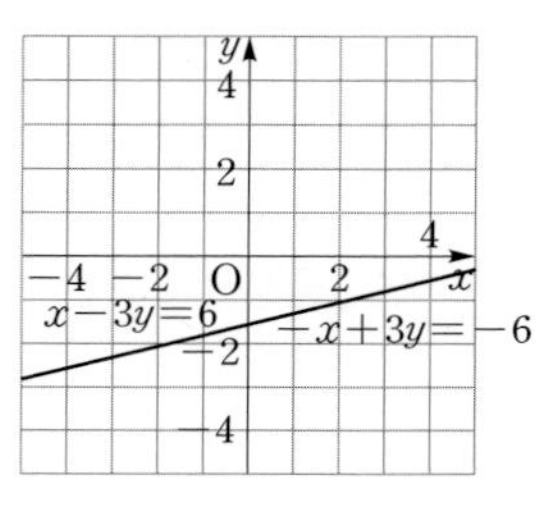

두 일차방정식의 그래프가 오른쪽 그림과 같이 일치하므로 주어진 연립방정식의 해는 무수히 많다.

1229 주어진 연립방정식에서

$\begin{cases} y=-\frac{1}{4}x-1 \\ y=-\frac{1}{4}x+1 \end{cases}$

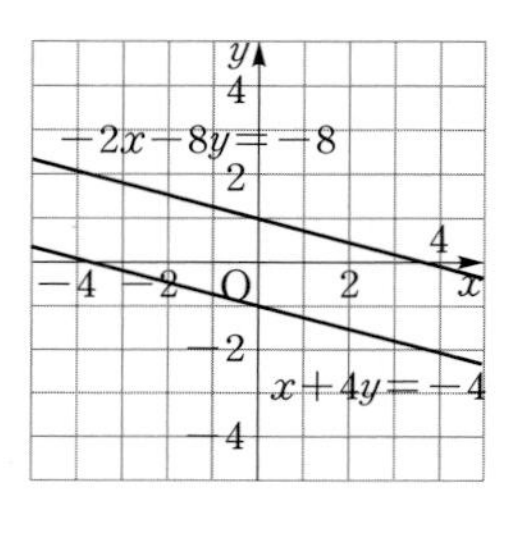

두 일차방정식의 그래프가 오른쪽 그림과 같이 평행하므로 주어진 연립방정식의 해가 없다.

1231 주어진 연립방정식에서 $\begin{cases} y=-\frac{1}{2}x-\frac{3}{2} \\ y=\frac{1}{2}x+\frac{3}{2} \end{cases}$

즉, 두 일차방정식의 그래프는 기울기가 다르므로 한 점에서 만난다.

따라서 연립방정식의 해의 개수는 한 쌍이다.

1232 주어진 연립방정식에서 $\begin{cases} y=\frac{1}{5}x-2 \\ y=\frac{1}{5}x-\frac{2}{3} \end{cases}$

즉, 두 일차방정식의 그래프는 기울기가 같고, y절편이 다르므로 평행하다.

따라서 교점의 개수가 없으므로 연립방정식의 해가 없다.

09 두 직선의 위치 관계와 연립방정식의 해의 개수 (2)

본문 ○ 203쪽

1233 ㄴ **1234** ㄷ **1235** ㄱ, ㄹ **1236** -3, -8
1237 $a=12$, $b\neq-4$ **1238** -6, 4
1239 $a=3$, $b=-8$ **1240** $a\neq4$
1241 $a=4$, $b=15$ **1242** $a=4$, $b\neq15$
1243 $a=6$, $b=-2$

1233 ㄴ. $\frac{4}{8}\neq\frac{-3}{6}$이므로 한 쌍의 해를 갖는다.

1234 ㄷ. $\frac{6}{9}=\frac{-4}{-6}=\frac{8}{12}$이므로 해가 무수히 많다.

1235 ㄱ. $\frac{1}{3}=\frac{-2}{-6}\neq\frac{3}{-9}$이므로 해가 없다.

ㄹ. $\frac{2}{2}=\frac{1}{1}\neq\frac{7}{-7}$이므로 해가 없다.

1237 $\frac{-3}{a}=\frac{1}{-4}\neq\frac{b}{16}$에서 $a=12$, $b\neq-4$

1239 $\frac{a}{-6}=\frac{-1}{2}=\frac{4}{b}$에서 $a=3$, $b=-8$

1240 $\frac{a}{12}\neq\frac{3}{9}$에서 $a\neq4$

1241 $\frac{a}{12}=\frac{3}{9}=\frac{5}{b}$에서 $a=4$, $b=15$

1242 $\frac{a}{12}=\frac{3}{9}\neq\frac{5}{b}$에서 $a=4$, $b\neq15$

1243 연립방정식 $\begin{cases} ax-2y=-4 \\ 3x-y=b \end{cases}$의 해가 무수히 많으므로

$\frac{a}{3}=\frac{-2}{-1}=\frac{-4}{b}$에서 $a=6$, $b=-2$

핵심 01~09 Mini Review Test

본문 ○ 204쪽

1244 -9 **1245** ④ **1246** ② **1247** 2
1248 -6 **1249** -1 **1250** ③

1244 $3x-2y+6=0$에서 $y=\frac{3}{2}x+3$

$y=\frac{3}{2}x+3$에 $y=0$을 대입하면

$0=\frac{3}{2}x+3$, $\frac{3}{2}x=-3$ $\quad\therefore x=-2$

따라서 기울기는 $\frac{3}{2}$, x절편은 -2, y절편은 3이므로

$a=\frac{3}{2}$, $b=-2$, $c=3$

$\therefore abc=\frac{3}{2}\times(-2)\times3=-9$

1245 $5x+2y-4=0$에서 $y=-\frac{5}{2}x+2$

① $y=-\frac{5}{2}x+2$에 $y=0$을 대입하면

$0=-\frac{5}{2}x+2$, $\frac{5}{2}x=2$ $\quad\therefore x=\frac{4}{5}$

따라서 x절편은 $\frac{4}{5}$이다.

③ $y=-\frac{5}{2}x$의 그래프는 주어진 일차방정식의 그래프와 기울기는 같고, y절편이 다르므로 평행하다.

④ 기울기가 음수이므로 오른쪽 아래로 향하는 직선이다.

⑤ $y=-\frac{5}{2}x+2$의 그래프를 그리면 오른쪽 그림과 같으므로 제3사분면을 지나지 않는다.

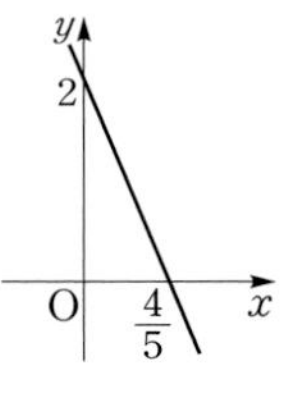

따라서 옳지 않은 것은 ④이다.

1246 $ax+by-3=0$에서 $y=-\frac{a}{b}x+\frac{3}{b}$

그래프가 오른쪽 위로 향하므로 $-\frac{a}{b}>0$에서 $\frac{a}{b}<0$

따라서 a, b는 서로 다른 부호이다.

y축과 음의 부분에서 만나므로 $\frac{3}{b}<0$ $\quad\therefore b<0$

이때 a, b는 서로 다른 부호이므로 $a>0$

1247 x축에 평행하므로 y의 좌표가 같다. 즉, $3-2a=2a-5$이므로

$-4a=-8$ $\quad\therefore a=2$

1248 두 일차방정식 $x-3y=-9$, $-2x+y=8$의 교점의 좌표는

연립방정식 $\begin{cases} x-3y=-9 & \cdots\cdots ㉠ \\ -2x+y=8 & \cdots\cdots ㉡ \end{cases}$에서 ㉠$\times 2+$㉡을 하면

$-5y=-10$ $\quad\therefore y=2$

$y=2$를 ㉠에 대입하면 $x-6=-9$ $\quad\therefore x=-3$

즉, 두 그래프의 교점의 좌표는 $(-3, 2)$이다.

따라서 $a=-3$, $b=2$이므로 $ab=-6$

1249 $6x+y-2=0$에 $x=-1$, $y=b$를 대입하면

$-6+b-2=0$ $\quad\therefore b=8$ ······ ❶

$ax-3y+15=0$에 $x=-1$, $y=8$을 대입하면

$-a-24+15=0$, $-a=9$ $\quad\therefore a=-9$ ······ ❷

$\therefore a+b=-9+8=-1$ ······ ❸

채점 기준	배점
❶ b의 값 구하기	40 %
❷ a의 값 구하기	40 %
❸ $a+b$의 값 구하기	20 %

1250 연립방정식 $\begin{cases} 3x-y=a \\ bx+y=4 \end{cases}$의 해가 없으므로

$\frac{3}{b}=\frac{-1}{1}\neq\frac{a}{4}$ $\quad\therefore a\neq-4$, $b=-3$

Memo

Memo

Memo

Memo

Memo